目　　　次

2

大臣・長官 （令和5年9月13日発足／令和6年7月5日現在）

法務大臣
小泉龍司

上川陽子

※1
鈴木俊一

厚生労働大臣
武見敬三

農林水産大臣
坂本哲志

経済産業大臣※2
齋藤　健

内閣官房長官※5
林　芳正

デジタル大臣※6
河野太郎

復興大臣※7
土屋品子

経済安全保障担当大臣※11
高市早苗

国際博覧会担当大臣※12
自見はなこ

※1～12の大臣の正式役職名はP4をご参照下さい。

国会の勢力分野

（令和6年6月24日現在）

（政 党 別）

（ ）内は女性議員で、内数です。

（衆議院）	政 党 名	（参議院）令元	令4	計
257 (22)	自 由 民 主 党	52(11)	63(13)	115(24)
97 (15)	立 憲 民 主 党	22(9)	15(7)	37(16)
41 (5)	日 本 維 新 の 会	8(1)	12(3)	20(4)
32 (4)	公 明 党	14(2)	13(2)	27(4)
10 (2)	日 本 共 産 党	7(3)	4(2)	11(5)
7 (1)	国 民 民 主 党	4(1)	5(2)	9(3)
4 (0)	教育無償化を実現する会	1(1)	0	1(1)
3 (2)	れ い わ 新 選 組	2(1)	3(0)	5(1)
1 (0)	社 会 民 主 党	1(1)	1(1)	2(2)
0	参 政 党	0	1(0)	1(0)
13 (0)	無所属（諸派を含む）	12(2)	6(3)	18(5)
0	欠 員	1	1	2
465 (51)	計	124(32)	124(33)	248(65)

※衆参の正副議長は無所属に含む

（会 派 別）

（衆議院）	会 派 名	（参議院）令元	令4	計
258 (22)	自 由 民 主 党	52(11)	63(13)	115(24)
99 (15)	立 憲 民 主 党	23(10)	17(9)	40(19)
45 (5)	日本維新の会・教育無償化を実現する会	9(2)	12(3)	21(5)
32 (4)	公 明 党	14(2)	13(2)	27(4)
10 (2)	日 本 共 産 党	7(3)	4(2)	11(5)
7 (1)	国 民 民 主 党	6(1)	5(2)	11(3)
4 (0)	有 志 の 会	—	—	—
3 (2)	れ い わ 新 選 組	2(1)	3(0)	5(1)
—	沖 縄 の 風	1(0)	1(0)	2(0)
—	NHKから国民を守る党	1(0)	1(0)	2(0)
7 (0)	無 所 属	8(2)	4(2)	12(4)
0	欠 員	1	1	2
465 (51)	計	124(32)	124(33)	248(65)

（注）自由民主党は衆院で「自由民主党・無所属の会」、参院で「自由民主党」。立憲民主党は衆院で「立憲民主党・無所属」、参院で「立憲民主・社民」。国民民主党は衆院で「国民民主党・無所属クラブ」、参院で「国民民主党・新緑風会」。

IDナンバー　B0608606769

HPアドレス▶ www.kokuseijoho.jp

※上記IDナンバーは一つの端末のみご利用になれます。

国会関係所在地電話番

■ 総理大臣官邸　〒100-0014　千, 永田町2-3-1　☎

■ 衆議院　〒100-8960　千, 永田町1-7-1　☎
議 長 公 邸　〒100-0014　千, 永田町2-18-1
副議長公邸　〒107-0052　港, 赤坂8-11-40
赤坂議員宿舎　〒107-0052　港, 赤坂2-17-10
青山議員宿舎　〒106-0032　港, 六本木7-1-3

■ 参議院　〒100-8961　千, 永田町1-7-1　☎35
議 長 公 邸　〒100-0014　千, 永田町2-18-2
副議長公邸　〒106-0043　港, 麻布永坂町25
麹町議員宿舎　〒102-0083　千, 麹町4-7
清水谷議員宿舎　〒102-0094　千, 紀尾井町1-15

■ 衆議院議員会館
第一議員会館　〒100-8981　千, 永田町2-2-1　☎358 / ☎358
第二議員会館　〒100-8982　千, 永田町2-1-2　☎3581 / ☎3581

■ 参議院議員会館
参議院議員会館　〒100-8962　千, 永田町2-1-1　☎3581- / ☎3581-

国立国会図書館　〒100-8924　千, 永田町1-10-1　☎358
憲政記念館　〒100-0014　千, 永田町1-1-1　☎358

要覧アプリ配信中！
左記IDにて登録

目　　次

第2次岸田第2次改造内閣・大臣・秘書官(令和5年9月13日発足)

	大　臣		秘書官	秘書官室
内閣総理大臣	岸　田　文　雄	衆(自)	嶋　田　　隆	3581-0101
総　務　大　臣	松　本　剛　明	衆(自)	中　村　達　矢	5253-5006
法　務　大　臣	小　泉　龍　司	衆(自)	原　田　祐一郎	3581-0530
外　務　大　臣	上　川　陽　子	衆(自)	西　谷　康　祐	3580-3311(代)
財　務　大　臣 内閣府特命担当大臣 （金融） デフレ脱却担当	鈴　木　俊　一	衆(自)	鈴　木　俊太郎	3581-0101 3581-2716
文部科学大臣	盛　山　正　仁	衆(自)	西　口　卓　司	5253-4111(代)
厚生労働大臣	武　見　敬　三	参(自)	田　中　真　一	3595-8226
農林水産大臣	坂　本　哲　志	衆(自)	山　室　　絢	3502-8111(代)
経済産業大臣 原子力損害賠償担当 ロシア経済分野協力担当 産業競争力担当 ロシア経済分野協力担当 内閣府特命担当大臣 （原子力損害賠償、 廃炉等支援機構）	齋　藤　　健	衆(自)	清　水　道　郎	3501- 1601 1602
国土交通大臣 水循環政策担当 国際園芸博覧会担当	斉　藤　鉄　夫	衆(公)	城　戸　一　興	5253-8019
環　境　大　臣 内閣府特命担当大臣 （原子力防災）	伊　藤　信太郎	衆(自)	熊　谷　守　広	3580-0241
防　衛　大　臣	木　原　　稔	衆(自)	篠　田　　了	5269-3240
内閣官房長官 沖縄基地負担軽減担当 拉致問題担当	林　　芳　正	衆(自)	宮　本　賢　一	3581-0101
デジタル大臣 デジタル行財政改革担当 デジタル田園都市国家構想担当 行政改革担当 国家公務員制度担当 内閣府特命担当大臣 （規制改革）	河　野　太　郎	衆(自)	盛　　純　二	4477-6775(代)
復　興　大　臣 福島原発事故再生総括担当	土　屋　品　子	衆(自)	佐々木　太郎	6328-1111(代)
国家公安委員会委員長 国土強靱化担当 領土問題担当 内閣府特命担当大臣 （防災、海洋政策）	松　村　祥　史	参(自)	下四日市　郁夫	3581-1739
内閣府特命担当大臣 （こども政策、少子化対策 若者活躍、男女共同参画 孤独・孤立対策 女性活躍担当 共生社会担当	加　藤　鮎　子	衆(自)	両　角　真之介	5253-2111(代)
経済再生担当 新しい資本主義担当 スタートアップ担当 感染症危機管理担当 全世代型社会保障改革担当 内閣府特命担当大臣 （経済財政政策）	新　藤　義　孝	衆(自)	小仁熊　　旬	5253-2111(代)
経済安全保障担当 内閣府特命担当大臣 （クールジャパン戦略、知的財産戦略、科 学技術政策、宇宙政策、経済安全保障）	高　市　早　苗	衆(自)	髙　市　知　嗣	5253-2111(代)
内閣府特命担当大臣 （沖縄及び北方対策、消費者及び 食品安全、地方創生、アイヌ施策） 国際博覧会担当	自　見　はなこ	参(自)	江　頭　清　輝	5253-2111(代)

(令和6年7月5日現在)

4

副大臣・大臣政務官・事務次官一覧

省庁	副大臣	副大臣室	大臣政務官	大臣政務官室	事務次官
デジタル庁	石川昭政 衆(自)	4477-6775	土田 慎 (自)	4477-6775	
復興庁	高木宏壽 衆(自) 平木大作 (公) 堂故 茂 (自)	6328-1111	平沼正二郎 衆(自) 本田顕子 参(自) 吉田宣弘 衆(公) 尾﨑正直 衆(自)	6328-1111	宇野善昌
内閣府	井林辰憲 衆(自) 工藤彰三 衆(自) 古賀 篤 衆(自) 石川昭政 衆(自) 岩田和親 衆(自) 上月良祐 参(自) 堂故 茂 参(自) 滝沢 求 参(自) 鬼木 誠 衆(自)	5253-2111	神田潤一 衆(自) 古賀友一郎 参(自) 平沼正二郎 衆(自) 土田 慎 (自) 石井 拓 衆(自) 吉田宣弘 衆(公) 尾﨑正直 衆(自) 国定勇人 衆(自) 三宅伸吾 参(自)	5253-2111	井上裕之
総務省	渡辺孝一 衆(自) 馬場成志 参(自)	5253-5111	西田昭二 衆(自) 長谷川淳二 衆(自) 船橋利実 参(自)	5253-5111	竹内芳明
法務省	門山宏哲 衆(自)	3581-1940	中野英幸 衆(自)	3592-7833	川原隆司
外務省	辻 清人 衆(自) 柘植芳文 参(自)	5501-8007 5501-8010	高村正大 衆(自) 深澤陽一 衆(自) 穂坂 泰 衆(自)	3580-3311(代)	岡野正敬
財務省	赤澤亮正 衆(自) 矢倉克夫 参(公)	3581-2714 3581-2713	瀬戸隆一 衆(自) 進藤金日子 参(自)	3581-7600 3581-7622	新川浩嗣
文部科学省	あべ俊子 衆(自) 今枝宗一郎 衆(自)	5253-4111	安江伸夫 参(公) 本田顕子 参(自)	5253-4111	藤原章夫
厚生労働省	濱地雅一 衆(公) 宮﨑政久 衆(自)	5253-1111	塩崎彰久 衆(自) 三浦 靖 参(自)	5253-1111	伊原和人
農林水産省	鈴木憲和 衆(自) 武村展英 衆(自)	3591-2722 3591-2051	高橋光男 参(公) 舞立昇治 参(自)	3591-5730 3591-5561	渡邊 毅
経済産業省	岩田和親 衆(自) 上月良祐 参(自)	3501-1603 3501-1604	石井 拓 衆(自) 吉田宣弘 衆(公)	3501-1222 3501-1221	飯田祐二
国土交通省	國場幸之助 衆(自) 堂故 茂 参(自)	5253-8020 5253-8021	石橋林太郎 衆(自) こやり隆史 参(自) 尾﨑正直 衆(自)	5253-8976 5253-8023 5253-8024	吉岡幹夫
環境省	八木哲也 衆(自) 滝沢 求 参(自)	3580-0247	朝日健太郎 参(自) 国定勇人 衆(自)	3581-4912 3581-3362	鑓水 洋
防衛省	鬼木 誠 衆(自)	5229-2121	松本 尚 衆(自) 三宅伸吾 参(自)	5229-2122 3267-0336	増田和夫
内閣官房副長官	村井英樹 衆(自) 森屋 宏 参(自) 栗生俊一	3581-0101 5532-8615 3581-1061			

5

衆・参各議院役員等一覧

第213回国会（令和6年1月26日〜6月23日）（6月24日現在）

委員長一覧

【衆 議 院】

議　　長	額賀福志郎	(無)
副 議 長	海江田万里	(無)

常任委員長

内　　閣	星野剛士	(自)
総　　務	古屋範子	(公)
法　　務	武部　新	(自)
外　　務	勝俣孝明	(自)
財務金融	津島　淳	(自)
文部科学	田野瀬太道	(自)
厚生労働	新谷正義	(自)
農林水産	野中　厚	(自)
経済産業	岡本三成	(公)
国土交通	長坂康正	(自)
環　　境	務台俊介	(自)
安全保障	小泉進次郎	(自)
国家基本政策	根本　匠	(自)
予　　算	小野寺五典	(自)
決算行政監視	小川淳也	(立)
議院運営	山口俊一	(自)
懲　　罰	中川正春	(立)

特別委員長

災害対策	後藤茂之	(自)
政治改革	石田真敏	(自)
沖縄北方	佐藤公治	(立)
拉致問題	小熊慎司	(立)
消費者問題	秋葉賢也	(自)
東日本大震災復興	髙階恵美子	(自)
原子力問題調査	平　将明	(自)
地域活性化・こども政策・デジタル社会形成	谷　公一	(自)

憲法審査会会長	森　英介	(自)
情報監視審査会会長	岩屋　毅	(自)
政治倫理審査会長	田中和德	(自)
事務総長	築山信彦	

【参 議 院】

議　　長	尾辻秀久	(無)
副 議 長	長浜博行	(無)

常任委員長

内　　閣	阿達雅志	(自)
総　　務	新妻秀規	(公)
法　　務	佐々木さやか	(公)
外交防衛	小野田紀美	(自)
財政金融	足立敏之	(自)
文教科学	高橋克法	(自)
厚生労働	比嘉奈津美	(自)
農林水産	滝波宏文	(自)
経済産業	森本真治	(立)
国土交通	青木　愛	(立)
環　　境	三原じゅん子	(自)
国家基本政策	浅田　均	(維教)
予　　算	櫻井　充	(自)
決　　算	佐藤信秋	(自)
行政監視	川田龍平	(立)
議院運営	浅尾慶一郎	(自)
懲　　罰	松沢成文	(維教)

特別委員長

災害対策	竹内真二	(公)
ODA・沖縄北方	藤川政人	(自)
政治改革	豊田俊郎	(自)
拉致問題	松下新平	(自)
地方創生・デジタル社会	古川俊治	(自)
消費者問題	石井　章	(維教)
東日本大震災復興	野田国義	(立)

調査会長

外交・安全保障	猪口邦子	(自)
国民生活・経済及び地方	福山哲郎	(立)
資源エネルギー・持続可能社会	宮沢洋一	(自)
憲法審査会会長	中曽根弘文	(自)
情報監視審査会会長	有村治子	(自)
政治倫理審査会長	野村哲郎	(自)
事務総長	小林史武	

（カッコ内は会派名。自＝自由民主党・無所属の会（衆院）、自由民主党（参院）、立＝立憲民主党・無所属（衆院）、立憲民主・社民（参院）、維教＝日本維新の会・教育無償化を実現する会、公＝公明党、無＝無所属）

衆 議 院

●凡例　記載内容は原則として令和6年7月1日現在。

選挙区	選挙当日有権者数 投票率	選挙得票数・得票率 (比は比例代表との重複立候補者、比当は比例代表での当選者)

選挙区割

	党派*（会派）	当選回数
ふり 氏 名 がな	出身地	生年月日
	勤続年数(うち●年数)	(初当選年)

略　　歴 ｛現職はゴシック。但し大臣・副大臣・政務官、委員会及び党役職のみ。｝

〒　地元 住所　　☎
〒　東京 住所　　☎

●編集要領
○住所に宿舎とあるのは議員宿舎、会館とあるのは議員会館。
○党派名、自民党党派閣名（[　]で表示）を略称で表記した。

自 …自由民主党	**教** …教育無償化を実現する会		[麻] …麻生派
立 …立憲民主党			[無] …無派閥
維 …日本維新の会	**れ** …れいわ新選組		（　）内は会派名
公 …公明党	**社** …社会民主党		●自民…自由民主党・無所属の会
共 …日本共産党	**無** …無所属		●立憲…立憲民主党・無所属
国 …国民民主党			●有志…有志の会

○ 常任委員会

内閣委員会	…………………**内閣委**	国土交通委員会	…………………**国交委**
総務委員会	…………………**総務委**	環境委員会	…………………**環境委**
法務委員会	…………………**法務委**	安全保障委員会	…………………**安保委**
外務委員会	…………………**外務委**	国家基本政策委員会	……**国家基本委**
財務金融委員会	………………**財金委**	予算委員会	…………………**予算委**
文部科学委員会	………………**文科委**	決算行政監視委員会	……**決算行監**
厚生労働委員会	………………**厚労委**	議院運営委員会	…………………**議運委**
農林水産委員会	………………**農水委**	懲罰委員会	…………………**懲罰委**
経済産業委員会	………………**経産委**		

○ 特別委員会

災害対策特別委員会	…………………………………………**災害特委**
政治改革に関する特別委員会	……………………………**政治改革特委**
沖縄及び北方問題に関する特別委員会	…………………**沖北特委**
北朝鮮による拉致問題等に関する特別委員会	……………**拉致特委**
消費者問題に関する特別委員会	………………………………**消費者特委**
東日本大震災復興特別委員会	…………………………………**復興特委**
原子力問題調査特別委員会	……………………………………**原子力特委**
地域活性化・こども政策・デジタル社会形成に関する特別委員会 …**地・こ・デジ特委**

○ 審査会

憲法審査会	…………………………………………………**憲法審委**
情報監視審査会	……………………………………………**情報監視審委**
政治倫理審査会	……………………………………………**政倫審委**

※所属の委員会名は、6月24日現在の委員部資料及び議員への取材に基づいて掲載しています。
※勤続年数・年齢は令和6年8月末現在
＊新…当選1回の議員、前…直近の衆議院解散により衆議院議員を失職した人、元…衆議院議員の経験があり、直近の衆議院議員総選挙に落選した人、あるいは、出馬しなかった人
(注)比例代表で復活当選した議員の小選挙区名を〈　〉内に示した。

衆議院議員・秘書名一覧

	議 員 名	党派(会派)	選挙区	政策秘書名 第1秘書名 第2秘書名	館別 号室	直通 FAX	略歴頁
あ	あかま二郎 <small>じろう</small>	自 [麻]	神奈川14	鈴木 久恵 木田 恭子 神﨑 則慶	1 421	3508-7317 3508-3317	86
	あべ 俊子 <small>としこ</small>	自 [無]	比例 中国	野瀬 健悟 小賀 智子	1 514	3508-7136 3508-3436	148
	安住 淳 <small>あずみ じゅん</small>	立	宮城5	泉 貴仁 遠藤 裕美子 髙木万莉子	1 1003	3508-7293 3508-3503	61
	足立康史 <small>あだち やすし</small>	維	大阪9	斉藤 巧 櫻井 太朗 植田まゆみ	1 1016	3508-7100 3508-6410	129
	阿部 司 <small>あべ つかさ</small>	維	比例 東京	前川 敏子 木高 直樹斗 高澤 直海	2 321	3508-7504 3508-3934	101
あ	阿部知子 <small>あべ ともこ</small>	立	神奈川12	横山 弓彦 山川 麻美一 石村 秀	1 424	3508-7303 3508-3303	86
	阿部弘樹 <small>あべ ひろき</small>	維	比例 九州	——	2 1102	3508-7480 3508-3360	166
	逢沢一郎 <small>あいさわ いちろう</small>	自 [無]	岡山1	藤井 章文 足立 立輝	1 505	3508-7105 3508-0319	143
	青柳仁士 <small>あおやぎ ひとし</small>	維	大阪14	小島 英治 綾田 剛樹 田邉慶一郎	1 723	3508-7609 3508-3989	130
	青柳陽一郎 <small>あおやぎよういちろう</small>	立	比例 南関東	仲長 武男 高久 正信織 宮下 佳	2 1013	3508-7245 3508-3515	90
	青山周平 <small>あおやましゅうへい</small>	自 [無]	比例 東海	佐藤 彰 中田 大亮 大須賀竜也	2 616	3508-7083 3508-3089	119
	青山大人 <small>あおやま やまと</small>	立	比例 北関東	竹神 裕輔	2 201	3508-7039 3508-3839	77
	赤木正幸 <small>あかぎ まさゆき</small>	維	比例 近畿	佐藤 秋則 戸谷 太郎	2 506	3508-7505 3508-3935	137
	赤澤亮正 <small>あかざわりょうせい</small>	自 [無]	鳥取2	来間 誠司 石丸 徳幸 宮 宗彦	2 1022	3508-7490 3508-3370	142
	赤羽一嘉 <small>あかば かずよし</small>	公	兵庫2	治川 邦弘 川元揚二郎 御影まき	2 414	3508-7079 3508-3769	132
	赤嶺政賢 <small>あかみね せいけん</small>	共	沖縄1	竹内 真 佐々木森夢 新庄沙步	1 1107	3508-7196 3508-3626	162
	秋葉賢也 <small>あきば けんや</small>	自 [無]	比例 東北	高嶋佳恵 西 憲太郎 五十嵐 隆	1 823	3508-7392 3508-3632	64
	秋本真利 <small>あきもと まさとし</small>	無	比例 南関東	——	1 1209	3508-7611 3508-3991	88
	浅川義治 <small>あさかわ よしはる</small>	維	比例 南関東	持丸 優 碓森 慎一 幸恵	2 803	3508-7197 3508-3627	91

※内線電話番号は、第1議員会館は5＋室番号、6＋室番号（3〜9階は5、6のあとに0を入れる）、
第2議員会館は7＋室番号、8＋室番号（2〜9階は7、8のあとに0を入れる）

議員名	党派(会派)	選挙区	政策秘書名 第1秘書名 第2秘書名	館別号室	直通 FAX	略歴頁
浅野哲 （あさの さとし）	国	茨城5	森田亜希人 / 大川一弘 / 志村喜一郎	1 406	3508-7231 3508-3231	68
東国幹 （あずま くによし）	自[無]	北海道6	武末和仁 / 川沙正織 / 森吉原浩	2 1020	3508-7634 3508-3264	54
畦元将吾 （あぜ もとしょうご）	自[無]	比例 中国	若林仁美 / 若林俊輔	1 501	3508-7710 3508-3343	148
麻生太郎 （あそう たろう）	自[麻]	福岡8	佐々木隆治 / 藤原島誠勇 / 比上人	1 301	3508-7703 3501-7528	156
甘利明 （あまり あきら）	自[麻]	比例 南関東	河野一郎 / 伊野雅彦	2 514	3508-7528 3502-5087	88
荒井優 （あらい ゆたか）	立	比例 北海道	秋元恭 / 運上兵一	6 602	3508-7602 3508-3982	57
新垣邦男 （あらかき くにお）	社	沖縄2	塚田大海志 / 久保睦美子 / 比嘉礼	2 711	3508-7157 3508-3707	163
五十嵐清 （いがらし きよし）〔い〕	自[無]	比例 北関東	上野忠彦 / 田子貴章 / 濱﨑絵美子	2 915	3508-7085 3508-3865	76
井坂信彦 （いさか のぶひこ）	立	兵庫1	佐藤利信昭 / 万谷智晃 / 高比	2 1216	3508-7082 3508-3862	131
井出庸生 （いで ようせい）	自[麻]	長野3	高井美 / 橋出泰充 / 竹内江生	2 721	3508-7469 3508-3299	107
井野俊郎 （いの としろう）	自[無]	群馬2	川城陽子 / 崎下正樹 / 齊直	2 921	3508-7219 3508-3219	70
井上信治 （いのうえ しんじ）	自[麻]	東京25	臼井悠人 / 岩崎百合子 / 竹本美紀	1 317	3508-7328 3508-3328	99
井上貴博 （いのうえ たかひろ）	自[麻]	福岡1	伊藤茂雄 / 大谷明治 / 野口賢三	1 323	3508-7239 3508-3239	155
井上英孝 （いのうえ ひでたか）	維	大阪1	石広映子 / 橋瀬能久子 / 小優	1 404	3508-7333 3508-3333	127
井林辰憲 （いばやし たつのり）	自[麻]	静岡2	福島井正 / 前島克 / 直之密	1 919	3508-7127 3508-3427	113
井原巧 （いはら たくみ）	自[無]	愛媛3	松田貢典 / 藤岡尊一 / 相原典久	2 207	3508-7201 3508-3201	152
伊佐進一 （いさ しんいち）	公	大阪6	湯浅憲一 / 小西泰夫 / 菅瑞人	1 1004	3508-7391 3508-3631	128
伊東信久 （いとう のぶひさ）	維	大阪19	永田寿也 / 武田千里 / 舩冨則夫	1 916	3508-7243 3508-3513	131
伊東良孝 （いとう よしたか）	自[無]	北海道7	魚住純也 / 児玉雅裕 / 大志保矢里奈	1 623	3508-7170 3508-7177	54
伊藤俊輔 （いとう しゅんすけ）	立	比例 東京	東恭弘 / 月原大輔	2 1122	3508-7150 3508-3640	100

衆議員・秘書　あ・い

議 員 名	党派 (会派)	選挙区	政策秘書名 第1秘書名 第2秘書名	館別 号室	直通 FAX	略歴頁
いとうしんたろう 伊藤信太郎	自 [麻]	宮城4	大谷津 篤 永 沼 隼 田中貴美子	2 205	3508-7091 3508-3871	60
いとうただひこ 伊藤忠彦	自 [無]	愛知8	上 田 恵利 宮 島 隆志 渡 部 祐太	2 222	3508-7003 3508-3803	116
いとうたつや 伊藤達也	自 [無]	東京22	山中真喜子 内 川 直樹 福 井 裕康	2 524	3508-7623 3508-3253	98
いとうわたる 伊藤 渉	公	比例 東海	中 島 勉 本 本 貴 北 澤 匡	1 921	3508-7187 3508-3617	122
いけしたたく 池下 卓	維	大阪10	上 野 寿朗 野 弘 之弘 森 栄 孝	1 907	3508-7454 3508-3284	129
いけだよしたか 池田佳隆	無	比例 東海	柿 沼 和宏 中 村 美千代	2 511	3508-7616 3508-3996	120
いけはたこうたろう 池畑浩太朗	維	比例 近畿	野﨑 敏雄義 及 川 智	2 509	3508-7520 3508-3950	137
いしいけいいち 石井啓一	公	比例 北関東	杉 戸 研介 藤 橋 勝典 高 橋 成	1 411	3508-7110 3508-3229	77
いしいたく 石井 拓	自 [無]	比例 東海	藤 原 陽子 小 林 哲三 嶋 光 紗	2 209	3508-7031 3508-3813	119
いしかわあきまさ 石川昭政	自 [無]	比例 北関東	大 塚 敬史 川 子 浩久也 益 侑	2 1014	3508-7159 3508-3709	76
いしかわかおり 石川香織	立	北海道11	亀 井 政 高 桑 貴 岡 鎌	2 512	3508-7512 3508-3942	55
いしだまさとし 石田真敏	自 [無]	和歌山2	山 崎 紀仁 上 西 康治 泰	2 313	3508-7072 3581-6992	135
いしばしげる 石破 茂	自 [無]	鳥取1	吉 村 央 瀬 淵 資水彦 谷 長 正	2 515	3508-7525 3502-5174	142
いしばしりんたろう 石橋林太郎	自 [無]	比例 中国	田 丸 志野 植 村 恭明 吉 岡 広小路	1 1221	3508-7901 3508-3409	147
いしはらひろたか 石原宏高	自 [無]	比例 東京	佐 藤 人 夏 目 嗣仁 星 野 勧顕	1 813	3508-7319 3508-3319	100
いしはらまさたか 石原正敬	自 [無]	比例 東海	市 川 幸史 高 島 内駿 加 藤 淀	1 910	3508-7706 3508-3321	120
いずみけんた 泉 健太	立	京都3	田 中 栄一生 野 村 菜希 西 文	1 817	3508-7005 3508-3805	126
いずみだひろひこ 泉田裕彦	自 [無]	比例 北陸信越	横 山 理 松 本 行孝 高 坂 政明	2 914	3508-7640 3508-3270	109
いちたにゆういちろう 一谷勇一郎	維	比例 近畿	甲 斐 志梨 黒 島 隆友	2 507	3508-7300 3508-3373	137
いちむらこういちろう 市村浩一郎	維	兵庫6	康 本 昭赫 渡 智恵子	1 1203	3508-7165 3508-3715	133

※内線電話番号は、第1議員会館は5＋室番号、6＋室番号（3～9階は5、6のあとに0を入れる）、
第2議員会館は7＋室番号、8＋室番号（2～9階は7、8のあとに0を入れる）

10

議員名	党派(会派)	選挙区	政策秘書名 第1秘書名 第2秘書名	館別号室	直通 FAX	略歴頁
いな だ とも み **稲田朋美**	自 [無]	福井1	小坪 野端 隼人 池田 三美 和紗	2 1115	3508-7035 3508-3835	106
いな つ ひさし **稲津 久**	公	北海道10	布一 川戸 和義 康男	2 413	3508-7089 3508-3869	55
いな とみしゅうじ **稲富修二**	立	比例 九州	神古 山屋 洋介 伴朗	2 1004	3508-7515 3508-3945	165
いまえだそういちろう **今枝宗一郎**	自 [麻]	愛知14	田金 淵井 雄三 敦司	1 422	3508-7080 3508-3860	118
いま むら まさ ひろ **今村雅弘**	自 [無]	比例 九州	無津呂智臣 木下 明仁	2 1210	3508-7610 3597-2723	163
いわ た かず ちか **岩田和親**	自 [無]	比例 九州	峯崎 恭輔 吉泉 寛	2 206	3508-7707 3508-3203	164
いわ たにりょうへい **岩谷良平**	維	大阪13	三森 好本 治 森田一 愛也	1 906	3508-7314 3508-3314	130
いわ や たけし **岩屋 毅**	自 [無]	大分3	山岩 口屋 明浩 恒久幸 青	2 1209	3508-7510 3509-7610	160
うえすぎけんた ろう **上杉謙太郎**	自 [無]	比例 東北	高大 橋見 洋樹 祐子	2 1111	3508-7074 3508-3764	65
うえ だ えいしゅん **上田英俊**	自 [無]	富山2	大濱 瀧瀬 幸雄 藤井 浩晃開	2 811	3508-7061 3508-3381	105
うえ の けんいちろう **上野賢一郎**	自 [無]	滋賀2	原浅 島山 潤信 野中みゆき	1 621	3508-7004 3508-3804	124
うきしまともこ **浮島智子**	公	比例 近畿	柏竹 木本 淳恵 佳	2 820	3508-7290 3508-3740	139
うめ たに まもる **梅谷 守**	立	新潟6	瀧岡 澤村 直樹 杉山 祐直 子人	2 403	3508-7403 3508-3883	105
うら の やす と **浦野靖人**	維	大阪15	藤鷹 英雄 大河内国光 池 側純明	1 405	3508-7641 3508-3271	130
うる まじょうじ **漆間譲司**	維	大阪8	長嶋 雅代 川面 篤志也 高 田祐	1 912	3508-7298 3508-3508	128
え さきてつ ま **江﨑鐵磨**	自 [無]	愛知10	若山 慎司 本実樹男 江 﨑琢磨	2 1002	3508-7418 3508-3898	117
えだ けん じ **江田憲司**	立	神奈川8	大塚亜紀子 町田 融哉 望 月月 徳徳	2 610	3508-7462 3508-3292	85
え と あき のり **江渡聡徳**	自 [麻]	青森1	鈴木 貴博 高渕 正司賢一 齊藤 晃	2 1021	3508-7096 3508-3961	58
え とう たく **江藤 拓**	自 [無]	宮崎2	三川 晃一 山合 賢二 地 将生	2 1207	3508-7468 3591-3063	161
えり **英利アルフィヤ**	自 [麻]	千葉5 補		1 1122	3508-7436 3508-3916	81

議 員 名	党派(会派)	選挙区	政策秘書名 第1秘書名 第2秘書名	館別号室	直通 FAX	略歴頁
えとうせいしろう **衛藤征士郎**	自 (無)	大分2	衛 藤 孝成子 増村 幸司 金高 桃	1 1101	3508-7618 3595-0003	160
えだのゆきお **枝野幸男**	立	埼玉5	枝野 智子 三沼 弘陽 三田 田	1 804	3508-7448 3591-2249	72
えんどうたかし **遠藤 敬**	維	大阪18	山中 栄一 下条 潤彌 淵上 翔香	1 415	3508-7325 3508-3325	131
えんどうとしあき **遠藤利明**	自 (無)	山形1	須藤 治亮一 帯刀 孝圭 矢野 圭	1 703	3508-7158 3592-7660	62
えんどうりょうた **遠藤良太**	維	比例 近畿	松尾 弥夏範 橋高 彩明	1 516	3508-7114 3508-3225	137
おおつき紅葉	立	比例 北海道	竹岡 正博輔 下山 大太郎 瀬尾 幸	1 820	3508-7493 3508-3320	57
おがわじゅんや **小川淳也**	立	香川1	坂本 広明史 青木 武枝 原田 佳	2 1005	3508-7621 3508-3251	151
おぐましんじ **小熊慎司**	立	福島4	荻野 妙子 廣岡 久一 代田 秀	1 808	3508-7138 3508-3438	63
おぐらまさのぶ **小倉將信**	自 (無)	東京23	齋藤 伸弥人 横遠 哲史 田藤 敦	1 814	3508-7140 3508-3440	98
おざとやすひろ **小里泰弘**	自 (無)	比例 九州	金子 達也 合上 文道 春赤 修	1 811	3508-7247 3502-5017	165
おざわいちろう **小沢一郎**	立	比例 東北	宇田川 勲治 川邊 嗣治 小湊 敬太	1 605	3508-7175	65
おだわらきよし **小田原 潔**	自 (無)	東京21	潮 麻衣子 吉田 直聡 伊集院	2 1007	3508-7909 3508-3273	98
おのたいすけ **小野泰輔**	維	比例 東京	岩本 優美子 大竹 等樹 門馬 一	1 513	3508-7340 3508-3340	101
おのでらいつのり **小野寺五典**	自 (無)	宮城6	鈴木 敦 加美山 不可史 佐藤 丈寛	2 715	3508-7432 3508-3912	61
おぶちゆうこ **小渕優子**	自 (無)	群馬5	石川 幸子 輕部 順也 渡部 慎	2 823	3508-7424 3592-1754	71
おざきまさなお **尾﨑正直**	自 (無)	高知2	栗原 雄一郎 北村 強二 池田 誠一	2 901	3508-7619 3508-3999	153
おみあさこ **尾身朝子**	自 (無)	比例 北関東	滝 誠一郎 塩澤 正男	2 1201	3508-7484 3508-3364	75
おちたかお **越智隆雄**	自 (無)	比例 東京	渡辺 晴彦子 米山 淳主 森 介	1 1105	3508-7479 3508-3359	100
おがたりんたろう **緒方林太郎**	無 (有志)	福岡9	大歳 はるか 髙橋 伊織 森 晶俊	2 617	3508-7119 3508-3426	157
おおいしあきこ **大石あきこ**	れ	比例 近畿		2 417	3508-7404 3508-3884	140

※内線電話番号は、第1議員会館は5＋室番号、6＋室番号（3〜9階は5、6のあとに0を入れる）、
　　　　　　　　第2議員会館は7＋室番号、8＋室番号（2〜9階は7、8のあとに0を入れる）

議　員　名	党派 (会派)	選挙区	政策秘書名 第1秘書名 第2秘書名	館別 号室	直通 FAX	略歴頁
おお おか とし たか 大岡 敏孝	自 [無]	滋賀1	岸田 郁子 石橋 広佳 冨迫 行代	1 619	3508-7208 3508-3208	124
おおかわら 大河原まさこ	立	比例 東京	鈴木 智嗣 権藤 良 久野 茂	1 517	3508-7261 3508-3531	101
おお ぐし ひろ し 大串 博志	立	佐賀2	及川 広夫 北島 昭一 北島 智孝	1 308	3508-7335 3508-3335	158
おお ぐし まさ き 大串 正樹	自 [無]	比例 近畿	森本 猛史 大澤 一功	1 616	3508-7191 3508-3621	138
おお ぐち よし のり 大口 善德	公	比例 東海	山中 基司 中克 則美 久保田 由	2 308	3508-7017 3508-8552	122
おお しま あつし 大島 敦	立	埼玉6	稲垣 雅由 永井 紀一 加藤 幸	1 420	3508-7093 3508-3380	73
おお つか たく 大塚 拓	自 [無]	埼玉9	松井 晴子 井佐 美三 大場隆一郎	1 710	3508-7608 3508-3988	73
おお にし けん すけ 大西 健介	立	愛知13	乾 ひとみ 倉内 夫元 伊関 弘延	1 923	3508-7108 3508-3408	117
おお にし ひで お 大西 英男	自 [無]	東京16	亀山 城治 本下正誠晃 吉田 樹	2 510	3508-7033 3508-3833	97
おお の けい たろう 大野 敬太郎	自 [無]	香川3	奴賀 行真 横嶋 裕人 大谷まゆみ	1 1211	3508-7132 3502-5870	151
おお さか せい じ 逢坂 誠二	立	北海道8	谷口 弓平 村谷 宗香 野浜 優	2 517	3508-7517 3508-3947	55
おか だ かつ や 岡田 克也	立	三重3	金指 樹子 安野 良司 村上 啓幸	1 506	3508-7109 3502-5047	119
おかもと こ 岡本あき子	立	比例 東北	村田 実人 家藤 義美 鈴木 清美	1 711	3508-7064 3508-3844	65
おか もと みつ なり 岡本 三成	公	東京12	中山 政弘 佐藤希美子 宮木 正雄	1 1005	3508-7147 3508-3637	96
おく した たけ みつ 奥下 剛光	維	大阪7	平松 大輔 馬場慶次郎 池内 沙湖	1 721	3508-7225 3508-3414	128
おく の しん すけ 奥野 信亮	自 [無]	比例 近畿	水野 元晴行 木口 善史 平 行	2 1001	3508-7421 3508-3901	138
おく の そういちろう 奥野 総一郎	立	千葉9	小野 隆朗 中野 あかね人 泉 武	1 1119	3508-7256 3508-3526	82
おち あい たか ゆき 落合 貴之	立	東京6	星野菜穂子 加藤 功一 下 野 治	2 606	3508-7134 3508-3434	94
おに き まこと 鬼木 誠	自 [無]	福岡2	大森 一毅 平山 康樹 濵崎耕太郎	1 715	3508-7182 3508-3612	155
か とう あゆ こ 加藤 鮎子	自 [無]	山形3	宮川 岳	1 705	3508-7216 3508-3216	62

㊗議員・秘書

お・か

か

13

議　員　名	党派 (会派)	選挙区	政策秘書名 第1秘書名 第2秘書名	館別 号室	直通 FAX	略歴 頁
か とう かつ のぶ **加 藤 勝 信**	自 [無]	岡山5	杉 原 洋 平 加 藤 則 和 桑 原 雄 尚	2 1104	3508-7459 3508-3289	144
か とう りゅうしょう **加 藤 竜 祥**	自 [無]	長崎2	山 岸 直 嗣 敷 島 三四子 羽 根 里 奈	2 1106	3508-7230 3508-3230	158
か さい こういち **河 西 宏 一**	公	比例 東京	田 邊 清 二 石 井 敏 之 海 野 奈保子	2 503	3508-7630 3508-3260	101
かい え だ ばんり **海江田万里**	無	比例 東京	落 合 友 子 三 雲 崇 正 上 村 大	1 609	3508-7316 3508-3316	101
かさ い あきら **笠 井 亮**	共	比例 東京	向 平 直 也 中 河 田 洋 之	2 621	3508-7439 3508-3919	102
かじ やま ひろ し **梶 山 弘 志**	自 [無]	茨城4	木 村 義 人 宇留野洋治 石 黒 理恵子	2 903	3508-7529 3508-7714	68
かつ また たか あき **勝 俣 孝 明**	自 [無]	静岡6	新 井 裕 志 土 倉 隆 康 栗 林 太 彦	1 920	3508-7202 3508-3202	114
かつ め やすし **勝 目 康**	自 [無]	京都1	柴 田 真 次 柳 幸 史 繁 綾 部 部	2 615	3508-7615 3508-3995	125
かど やま ひろ あき **門 山 宏 哲**	自 [無]	比例 南関東	中 村 寿 城 原 脇 裕 久 石 竹 亮 太	2 1121	3508-7382 3508-3512	89
かね こ え み **金 子 恵 美**	立	福島1	中川誠一郎 来 山 佳 子	2 710	3508-7476 3508-3356	63
かね こ しゅんぺい **金 子 俊 平**	自 [無]	岐阜4	塚 本 信 二 藤 掛 友 裕 滝 村 尚 人	2 913	3508-7060 3502-5853	112
かね こ やす し **金 子 恭 之**	自 [無]	熊本4	白 石 剛 嗣 村 上 浩 実 中 大 與 堯	2 410	3508-7410 3504-8776	160
かね こ ようぞう **金 子 容 三**	自 [無]	長崎4 補	井 上 貴 義 小 寺 紀 彰	2 714	3508-7627 3508-3257	159
かね だ かつ とし **金 田 勝 年**	自 [無]	比例 東北	工 藤 衛 小田嶋希実志 大 高 洋 志	2 1009	3508-7053 3508-8815	65
かね むらりゅう な **金 村 龍 那**	維	比例 南関東	岩 松 健 祐 垣 畑 敬 昌 上 廣 常 邦	2 421	3508-7411 3508-3891	90
かまた **鎌 田 さゆり**	立	宮城2	横 田 ひろ 子 渡 邊 常 信り 友 常 文	1 313	3508-7204 3508-3204	60
かみ かわ ようこ **上 川 陽 子**	自 [無]	静岡1	西 村 谷 康 祐 松 田 潮 見 藤 田 知 士	2 305	3508-7460 3508-3290	112
かみ や ひろし **神 谷 裕**	立	比例 北海道	長 内 勇 み 宮本さやか 松 家 哲 宏	2 801	3508-7050 3508-3960	57
かめ い あき こ **亀井亜紀子**	立	島根1 補	田 畑 静 吾 桑 本 耕 平	2 911	3508-7701 3508-3451	143
かめ おか よし たみ **亀 岡 偉 民**	自 [無]	比例 東北	亀 岡 まなみ 岡 崎 雄 旭	1 1006	3508-7148 3508-3638	64

※内線電話番号は、第1議員会館は5＋室番号、6＋室番号（3～9階は5、6のあとに0を入れる）、
　第2議員会館は7＋室番号、8＋室番号（2～9階は7、8のあとに0を入れる）

⑫議員・秘書

か

議員名	党派(会派)	選挙区	政策秘書名 第1秘書名 第2秘書名	館別号室	直通 FAX	略歴頁
かわうちひろし 川内博史	立	比例 九州繰	小森芳郎 永井丈子	1 606	3508-7176 3508-3606	165
かわさき 川崎ひでと	自[無]	三重2	長嶺友之 笹井貴与彦 永田真巳	1 702	3508-7152 3502-5173	118
かんだけんじ 神田憲次	自[無]	愛知5	菅野照友旭	1 1124	3508-7253 3508-3523	115
かんだじゅんいち 神田潤一	自[無]	青森2	黒保浩介 貝吹敦志 藍澤奈緒子	2 812	3508-7502 3508-3932	58
かんなおと 菅 直人	立	東京18	岡戸正典 金子裕弥	1 512	3508-7323 3595-0090	97
かんけいちろう 菅家一郎	自[無]	比例 東北	佐原正純 大西孝勇 大髙西一太	1 503	3508-7107 3508-3407	64
きはらせいじ 木原誠二	自[無]	東京20	川上昌賢 西島崎正 克二也	1 915	3508-7169 3508-3719	98
きはらみのる 木原 稔	自[無]	熊本1	北岡浩二之 佐藤尚卓治 勝久	2 1116	3508-7450 3508-3970	159
きむらじろう 木村次郎	自[無]	青森3	村田尚也 山本幸之助 今岡陽子	2 809	3508-7407 3508-3887	59
きらしゅうじ 吉良州司	無[有志]	大分1	尾崎美加 ——	2 707	3508-7412 3508-3892	160
きいたかし 城井 崇	立	福岡10	襲田憲右 早見みな則 緒方文	1 807	3508-7389 3508-3509	157
きうちみのる 城内 実	自[無]	静岡7	安田年一潤 古鈴木翔士	2 623	3508-7441 3508-3921	114
きかわだひとし 黄川田仁志	自[無]	埼玉3	石井あゆ子 川内哉徳 久永智	1 816	3508-7123 3508-3423	72
きくたまきこ 菊田真紀子	立	新潟4	鈴木明久之起 中金子紀直	2 802	3508-7524 3508-3954	104
きしのぶちよ 岸 信千世	自[無]	山口2 補	小林憲史 吉隆史彦 永村友	1 1203	3508-1203 3508-3237	146
きしだふみお 岸田文雄	自[無]	広島1	浮田義征 下岸晴史 杉浦	1 1222	3508-7279 3591-3118	144
きたがみけいろう 北神圭朗	無[有志]	京都4	三ツ谷菜採真 千葉一	2 519	3508-7069 3508-3849	126
きたがわかずお 北側一雄	公	大阪16	橋本勝之章 岡矢本野博	1 508	3508-7263 3508-3533	130
きんじょうやすくに 金城泰邦	公	比例 九州	大西章英武 上平之 饒城名広	1 801	3508-7153 3508-3703	166
くどうしょうぞう 工藤彰三	自[麻]	愛知4	原澤直樹司 酒井雄樹 後藤英	2 218	3508-7018 3508-3818	115

議員名	党派(会派)	選挙区	政策秘書名 第1秘書名 第2秘書名	館別号室	直通 FAX	略歴頁
日下正喜 (くさか まさき)	公	比例中国	山田 一成／木 勇二／濱岡 貴史	2 920	3508-7021 3508-3821	149
櫛渕万里 (くしぶち まり)	れ	比例東京線	森島 浩／赤木 善二／林 一鵬	2 416	3508-7063 3508-3383	102
国定勇人 (くに さだ いさと)	自[無]	比例北陸信越	久国 ちぐさ／赤堀川 大也／松川 徹	1 1220	3508-7131 3508-3431	109
國重徹 (くに しげ とおる)	公	大阪5	山西 博之／松本 晋爾／福本 彰律	2 716	3508-7405 3508-3885	128
国光あやの (くにみつ)	自[無]	茨城6	越智 章平／川又 智周／森 周	2 304	3508-7036 3508-3836	68
熊田裕通 (くまだ ひろみち)	自[無]	愛知1	山口 伸夫歩／口藤 理絵／伊辺	2 508	3508-7513	114
け 玄葉光一郎 (げんば こういちろう)	立	福島3	浜佐藤 秀幸夫／佐藤 彰洋	1 819	3508-7252 3591-2635	63
源馬謙太郎 (げんま けんたろう)	立	静岡8	福田 玄／森田 俊尚／高田 容子	1 624	3508-7160 3508-3710	114
こ 小泉進次郎 (こいずみ しんじろう)	自[無]	神奈川11	干場 香名女／沼口 祐季／渡邊 周平	1 314	3508-7327	85
小泉龍司 (こ いずみ りゅうじ)	自[無]	埼玉11	原田 祐一郎／松村 重綾／菊地 章子	2 1107	3508-7121 3508-3351	74
小島敏文 (こじま としふみ)	自[無]	比例中国	山本 秀一／鎌倉 正一／久松 樹枝	1 1206	3508-7192 3508-3622	147
小寺裕雄 (こてら ひろお)	自[無]	滋賀4	新井 勝美／吉田 幸也／望月 隼	1 601	3508-7126 3508-3419	125
小林茂樹 (こばやし しげき)	自[無]	比例近畿	吉川 英／大川 里誠／堀川 力	2 501	3508-7090 3508-3870	138
小林鷹之 (こばやし たかゆき)	自[無]	千葉2	竹内 仁美／藤田 正太／田中 憲	1 417	3508-7617 3508-3997	80
小林史明 (こばやし ふみあき)	自[無]	広島7	小川 麻理亜／平 盛豊帆／宮越 真	1 1205	3508-7455 3508-3630	146
小宮山泰子 (こみやま やすこ)	立	比例北関東	有本 和雄／八 昭次／川上 策	1 607	3508-7184 3508-3614	77
小森卓郎 (こもり たくお)	自[無]	石川1	高谷 均／寺西 秀樹	1 812	3508-7179 3508-3609	106
小山展弘 (こやま のぶひろ)	立	静岡3	安田 幸祐／伊藤 健／羽 え	1 1113	3508-7270 3508-3540	113
古賀篤 (こが あつし)	自[無]	福岡3	井上 貴文／宮崎 勇士／村井 子	2 216	3508-7081 3508-3861	155
後藤茂之 (ごとう しげゆき)	自[無]	長野4	小林 勇郎／波多野 泰史／沢沢 敏	1 704	3508-7702 3508-3452	108

※内線電話番号は、第1議員会館は5＋室番号、6＋室番号（3〜9階は5、6のあとに0を入れる）、
　第2議員会館は7＋室番号、8＋室番号（2〜9階は7、8のあとに0を入れる）

議員名	党派(会派)	選挙区	政策第1第2秘書	秘書名秘書名	館別号室	直通FAX	略歴頁
ご とう ゆう いち 後藤祐一	立	神奈川16	藤 巻 浩 細 野 康輔 日 沼 勇		2 814	3508-7092 3508-3962	87
こう の た ろう 河野太郎	自(麻)	神奈川15	矢嶋 裕一 野津 眞悟 加藤 睦美		2 1103	3508-7006 3500-5360	86
こうづ 神津たけし	立	比例 北陸信越	堀上 理大 内條 研泳 海 新		2 204	3508-7015 3508-3815	110
こう むら まさ ひろ 高村正大	自(麻)	山口1	上田 祐尊 江荒 剛亨 木 村		1 701	3508-7113 3502-5044	146
こくば こう の すけ 國場幸之助	自(無)	比例 九州	渡 邊 一明 市川 純宏 篠宮 智明		2 1016	3508-7741 3508-3061	164
こく た けい じ 穀田恵二	共	比例 近畿	山内 聡合 窪田 則子 元山小百		2 620	3508-7438 3508-3918	140
こし みず けい いち 興水恵一	公	比例 北関東	藤 村 達彦 葛 西 正矩		2 307	3508-7076 3508-3766	77
こん どう かず や 近藤和也	立	比例 北陸信越	宮崎 広希 川辻 直純 森 敏		2 819	3508-7605 3508-3985	109
こん どうしょういち 近藤昭一	立	愛知3	笘米 理之也 成坂 真達 川 野		2 402	3508-7402 3508-3882	115
さ さ き はじめ 佐々木 紀	自(無)	石川2	田辺 暢助 道券 正大 横山 山		2 301	3508-7059 6273-3012	106
さ とう こう じ 佐藤公治	立	広島6	神門 淳司 松永 良次 戸前 健		1 1022	3508-7145 3508-3635	146
さ とう しげ き 佐藤茂樹	公	大阪3	浮田 宣良 清水 広憲 斎藤 良		1 908	3508-7200 3508-3510	127
さ とう つとむ 佐藤 勉	自(無)	栃木4	佐 藤 圭司 武 正 須 崎		2 902	3508-7408 3597-2740	70
さ とう ひで みち 佐藤英道	公	比例 北海道	服 部 利謙 島田 公貴 川向 田		2 717	3508-7457 3508-3287	57
さい とう てつ お 斉藤鉄夫	公	広島3	稲 田 則博 小堀 隆信 片 小 明		1 412	3508-7308 3501-5524	145
さいとう 斎藤アレックス	教	比例 近畿	伊藤 直子 安持英太郎 大﨑 俊美		2 405	3508-7637 3508-3267	140
さい とう けん 齋藤 健	自(無)	千葉7	安 藤 辰生 安 藤 晴彦 藤		1 822	3508-7221 3508-3221	81
さい とう ひろ あき 斎藤洋明	自(麻)	新潟3	田 中 悟希 長谷川智太 若 狭		1 407	3508-7155 3508-3705	104
さか い まなぶ 坂井 学	自(無)	神奈川5	李 燁明 勝間田 将人 山 藤 卓		2 1119	3508-7489 3508-3369	84
さか もと てつ し 坂本哲志	自(無)	熊本3	山 本 心太 北 里 久則 久		2 702	3508-7034 3508-3834	159

さ

議員名	党派(会派)	選挙区	政策秘書名	第1秘書名	第2秘書名	館別号室	直通 FAX	略歴頁
さかもとゆうのすけ 坂本祐之輔	立	比例北関東	今井省吾	黒澤拓	長野司馬	2 1221	3508-7449 3508-3969	77
さかい 酒井なつみ	立	東京15補	──	──	──	1 1121	3508-7066 3508-3846	96
さくらいしゅう 櫻井周	立	比例近畿	藤井千幸	桐山直也	齋藤尚光	2 409	3508-7465 3508-3295	139
さくらだよしたか 櫻田義孝	自[無]	比例南関東	上野剛	小田原暁史	松井翔	2 1117	3508-7381 3508-3501	89
ささがわひろよし 笹川博義	自[無]	群馬3	茂木和幸	小磯守正	二宮正導	2 316	3508-7338 3508-3338	71
さわだりょう 沢田良	維	比例北関東	宮川文吾	千葉理恵子		2 323	3508-7526 3508-3956	78
しいかずお 志位和夫	共	比例南関東	浜田文子	松井朋弘	岡	1 1017	3508-7285 3508-3735	91
しおかわてつや 塩川鉄也	共	比例北関東	山本陽子	岡田里志	吉井穂高	2 905	3508-7507 3508-3937	78
しおざきあきひさ 塩崎彰久	自[無]	愛媛1	清水洋之	川崎晶子	溝江義一	1 1102	3508-7189 3508-3619	151
しおのやりゅう 塩谷立	無	比例東海	渡辺桃子	山田泰志	岡本直哉	2 1211	3508-7632 3508-3262	120
しげとくかずひこ 重徳和彦	立	愛知12	畔柳智章	柴磯裕太	谷陽子	2 909	3508-7910 3508-3285	117
しなたけし 階猛	立	岩手1	河村匡庸	前平哲朗	圭	2 203	3508-7024 3508-3824	59
しのはらごう 篠原豪	立	神奈川1	中山真吾	毛呂氏史	大武知恵	2 608	3508-7130 3508-3430	83
しのはらたかし 篠原孝	立	比例北陸信越	岡本匡広	原田峻佑	査掛洋介	1 719	3508-7268 3508-3538	109
しばやままさひこ 柴山昌彦	自[無]	埼玉8	増井一朗	大塚隆浩	渡邊洋平	2 822	3508-7624 3508-7715	73
しまじりあいこ 島尻安伊子	自[無]	沖縄3	宮城一郎	下地太一	伊波広貴	1 1111	3508-7265 3508-3535	163
しもじょう 下条みつ	立	長野2	小川昌昭	百瀬孝則	川白之	1 806	3508-7271 3508-3541	107
しもむらはくぶん 下村博文	自[無]	東京11	榮友里子	中村恭平	大村秀	2 622	3508-7084 3597-2772	95
しょうじけんいち 庄子賢一	公	比例東北	早坂光志	松野博俊	九丸	2 1224	3508-7474 3508-3354	66
しらいしよういち 白石洋一	立	比例四国	沼田忠典			2 720	3508-7244 3508-3514	153

※内線電話番号は、第1議員会館は5＋室番号、6＋室番号（3～9階は5、6のあとに0を入れる）
　第2議員会館は7＋室番号、8＋室番号（2～9階は7、8のあとに0を入れる）

議 員 名	党派(会派)	選挙区	政策秘書名第1秘書名第2秘書名	館別号室	直通FAX	略歴頁
しん たに まさ よし 新谷正義	自[無]	広島4	麻生満理子 香川　淳	2 805	3508-7604 3508-3984	145
しん どう よし たか 新藤義孝	自[無]	埼玉2		1 810	3508-7313 3508-3313	72
すえ まつ よし のり 末松義規	立	東京19	奥村真弓 小西美海	2 1008	3508-7488 3508-3368	97
すが よし ひで 菅義偉	自[無]	神奈川2	黄瀬周作 新長章拓	2 1113	3508-7446 3597-2707	83
すぎ た み お 杉田水脈	自[無]	比例中国	松本博明 長本好政	2 907	3508-7029 3508-3829	148
すぎ もと かず み 杉本和巳	維	比例東海	杉田亜貴子 早津下鉄平	1 414	3508-7266 3508-3536	122
すず き あつし 鈴木敦	教	比例南関東	──────	2 1123	3508-7286 3508-3736	91
すず き えい けい 鈴木英敬	自[無]	三重4	寺西弘行 岡中充晴 山尚昭	1 614	3508-7269 3508-3539	119
すず き けい すけ 鈴木馨祐	自[麻]	神奈川7	黒藤幸輝 芳紀	1 423	3508-7304 3508-3304	84
すず き しゅんいち 鈴木俊一	自[麻]	岩手2	清島川健二治 堀田間秀悟	1 1001	3508-7267 3508-3543	59
すず き じゅん じ 鈴木淳司	自[無]	愛知7	安芸仁司 三治敦美 神崎里	1 1110	3508-7264 3508-3534	116
すず き たか こ 鈴木貴子	自[無]	比例北海道	──────	1 1202	3508-7233 3508-3233	56
すず き のり かず 鈴木憲和	自[無]	山形2	田中辰明 佐藤愛美 後理徳	1 416	3508-7318 3508-3318	62
すず き はや と 鈴木隼人	自[無]	東京10	丸山響哉 唐橋池新明 菊秀	2 1215	3508-7463 3508-3293	95
すず き よう すけ 鈴木庸介	立	比例東京	加藤義直 岡崎田央法	1 1216	3508-7028 3508-3828	100
すず き よし ひろ 鈴木義弘	国	比例北関東	山川英郎一 木内慎子 野洋	1 713	3508-7282 3508-3732	78
すみ よし ひろ き 住吉寛紀	維	比例近畿	岡田誠淳 橋本久 龕井佳	2 303	3508-7415 3508-3895	136
せ と たか かず 瀬戸隆一	自[麻]	比例四国繰	中村みゆき 米山昭弘 秋久輝	1 1112	3508-7712 3508-3241	153
せき よし ひろ 関芳弘	自[無]	兵庫3	髙谷理恵 守内一誠 山形浩昭	1 603	3508-7173 3508-3603	132
そら もと せい き 空本誠喜	維	比例中国	髙山智秀 伊藤真二	2 1202	3508-7451 3508-3281	149

㊙議員秘書

し・す・せ・そ

議員名	党派(会派)	選挙区	政策秘書名／第1秘書名／第2秘書名	館別号室	直通／FAX	略歴頁
た **たがや 亮**（りょう）	れ	比例南関東	前田正志／後藤田輝／藤統一	2／415	3508-7008／3508-3808	91
田嶋 要（たじま かなめ）	立	千葉1	田中伸亮／宮崎活一／菊池二孔	1／1215	3508-7229／3508-3411	80
田所嘉徳（たどころ よしのり）	自[無]	比例北関東	中山嘉隆／永井昌儀／川川太一	1／716	3508-7068／3508-3848	76
田中和徳（たなか かずのり）	自[麻]	神奈川10	細田将史／矢作真樹子／菅谷英彦	1／1010	3508-7294／3508-3504	85
田中 健（たなか けん）	国	比例東海	矢島光弘／小原輝明／鈴木	1／712	3508-7190／3508-3620	123
田中英之（たなか ひでゆき）	自[無]	比例近畿	葛城直樹／湯浅剛法／秋本貴	2／604	3508-7007／3508-3807	138
た **田中良生**（たなか りょうせい）	自[無]	埼玉15	森幹郎／福島真樹吉／森山本一	2／521	3508-7058／3508-3858	75
田野瀬太道（たのせ たいどう）	自[無]	奈良3	沖浦功一／杉岡基孝／小畑善	2／314	3508-7071／3591-6569	135
田畑裕明（たばた ひろあき）	自[無]	富山1	西村寛一郎／高原理典／岩佐秀	2／214	3508-7704／3508-3454	105
田村貴昭（たむら たかあき）	共	比例九州	村山高樹／口川佳織史／川遷隆	2／712	3508-7475／3508-3355	166
田村憲久（たむら のりひさ）	自[無]	三重1	中村敏幸／世古丈人	1／902	3508-7163／3502-5066	118
平 将明（たいら まさあき）	自[無]	東京4	若林継啓／山森寛之美／津賀仁	1／914	3508-7297／3508-3507	94
高市早苗（たかいち さなえ）	自[無]	奈良2	蓮実守志／木下剛守／下	1／903	3508-7198／3508-7199	135
髙階恵美子（たかがい えみこ）	自[無]	比例中国	佐々木由美／池田和正	2／1208	3508-7518／3508-3948	148
髙木 啓（たかぎ けい）	自[無]	比例東京	杉浦貴和子／石渡勇吾	2／310	3508-7601／3508-3981	99
髙木 毅（たかぎ つよし）	自[無]	福井2	小泉あずさ／望月ますみ	1／1008	3508-7296／3508-3506	107
髙木宏壽（たかぎ ひろひさ）	自[無]	北海道3	川村康博／近藤千晴也／田井中知	2／217	3508-7636／3508-3024	53
髙木陽介（たかぎ ようすけ）	公	比例東京	亀岡茂一／高野野正史／丸山明美	2／1023	3508-7481／5251-3685	101
髙鳥修一（たか とり しゅういち）	自[無]	比例北陸信越	勝野淳志／丸山秀一／小谷明	1／1214	3508-7607／3508-3987	108
髙橋千鶴子（たかはし ち づ こ）	共	比例東北	梓浩一／水野希美子／小谷信越	2／904	3508-7506／3508-3936	66

※内線電話番号は、第1議員会館は5＋室番号、6＋室番号（3〜9階は5、6のあとに0を入れる）
　　　　　　　　第2議員会館は7＋室番号、8＋室番号（2〜9階は7、8のあとに0を入れる）

議員名	党派(会派)	選挙区	政策第2秘書 政策第1秘書 秘書名	秘書名	館別号室	直通 FAX	略歴頁
たかはし ひであき **高橋英明**	維	比例北関東	安達 正悟 板倉 賢教 津田 伯		2 808	3508-7260 3508-3530	78
たかみ やすひろ **高見康裕**	自[無]	島根2	小曽 牧田 雅一 吉本 賢 一郎		2 520	3508-7166 3508-3716	143
たけうち ゆずる **竹内 譲**	公	比例近畿	包山 國本 嘉大功 山田 原 介樹一		2 1223	3508-7473 3508-3353	139
たけい しゅんすけ **武井俊輔**	自[無]	比例九州	小 松浦 隆仁 小清水 拓也幸 寛		2 1017	3508-7388 3508-3718	164
たけだ りょうた **武田良太**	自[無]	福岡11	平矢 嶺野 孔貴 天 野 統崇 郎		1 610	3508-7180 3508-3610	157
たけべ あらた **武部 新**	自[無]	北海道12	後小 藤澤 秀一陽平 寒澤 晶		2 1010	3508-7425 3502-5190	56
たけむら のぶひで **武村展英**	自[無]	滋賀3	留 川場 浩一 饗 場 貴子		1 602	3508-7118 3508-3418	125
たちばなけいいちろう **橘 慶一郎**	自[無]	富山3	吉 田 貢 檜物 豊成 中 里枝		1 622	3508-7227 3508-3227	105
たなはし やすふみ **棚橋泰文**	自[麻]	岐阜2	古 田 恭弘 和波佐 卓己 長 島		2 713	3508-7429 3508-3909	111
たに こういち **谷 公一**	自[無]	兵庫5	磯 篤志 津野田 雄司 渡 辺 浩		2 810	3508-7010 3502-5048	132
たにがわ **谷川とむ**	自[無]	比例近畿	早川加 裕保 家門元 貴治		1 1104	3508-7514 3508-3944	139
たまきゆういちろう **玉木雄一郎**	国	香川2	井山 哲子 門脇瀬 永雅洋		1 706	3508-7213 3508-3213	151
津島 淳	自[無]	比例東北	浅田 裕 清水 眞純 清 純		2 1204	3508-7073 3508-3033	64
つかだ いちろう **塚田一郎**	自[麻]	比例北陸信越	石 山川 肇 石斉 藤 恭也子		1 302	3508-7705 3508-3455	109
つじ きよと **辻 清人**	自[無]	東京2			1 522	3508-7288 3508-3738	93
つちだ しん **土田 慎**	自[麻]	東京13	平野 友紀子 島村 純		1 1020	3508-7341 3508-3341	96
つちや しなこ **土屋品子**	自[無]	埼玉13	豊 典昌志 高橋 子		1 402	3508-7188 3508-3618	74
つつみ **堤 かなめ**	立	福岡5	黛 典美 石 田 泰晴子 宮 原 美		2 312	3508-7062 3508-3039	156
つのだ ひでお **角田秀穂**	公	比例南関東	江 端 功一 鈴木倉 隆織 大 沙		2 309	3508-7052 3508-3852	91
てづかよしお **手塚仁雄**	立	東京5	土橋 雄宇太 柿澤田 雄麿 上 秀		1 802	3508-7234 3508-3234	94

議員名	党派(会派)	選挙区	政策秘書名 第1秘書名 第2秘書名	館別室号	直通 FAX	略歴頁
てら た まなぶ 寺田 学	立	比例 東北	井川 知雄 島田 真淳 堀江	1 1014	3508-7464 3508-3294	65
てら だ みのる 寺田 稔	自 [無]	広島5	迫田 誠護 田坂 智調 中山 智	1 1213	3508-7606 3508-3986	145
ど い とおる 土井 亨	自 [無]	宮城1	山田 朋広 佐藤 友香 佐藤	1 1120	3508-7470 3508-3350	60
と がし ひろ ゆき 冨樫博之	自 [無]	秋田1	山田 修樹 田中 基薫 大澤	2 1019	3508-7275 3508-3725	61
と かい き さぶろう 渡海紀三朗	自 [無]	兵庫10	中嶋 規人 加茂 朋章 石橋 友	1 1109	3508-7643 3508-3613	134
とく なが ひさ し 徳永久志	教	比例 近畿	中原 靖子 塚本 茂樹 屋岡 京佑	2 609	3508-7250 3508-3520	140
なか がわ たか もと 中川貴元	自 [麻]	比例 東海	四反田淳子 川内 穂現 真置 林	2 701	3508-7461 3508-3291	120
なか がわ ひろ まさ 中川宏昌	公	比例 北陸信越	大久保智広 藤田 正純 増田 美香	1 922	3508-3639 3508-7149	110
なか がわ まさ はる 中川正春	立	比例 東海	———— 福原 勝	1 519	3508-7128 3508-3428	121
なか がわ やす ひろ 中川康洋	公	比例 東海	加賀友 啓隆 石井 和憲 畑	2 919	3508-7038 3508-3838	122
なか がわ ゆう こ 中川郁子	自 [麻]	比例 北海道	宮永 龍典 岩 尚久	1 309	3508-7103 3508-3403	56
なか じま かつ ひと 中島克仁	立	比例 南関東	山本 健 依田 卓也	2 723	3508-7423 3508-3903	90
なか じま ひで き 中嶋秀樹	維	比例 近畿繰	内﨑雅俊行 竹内 絵俊 福永 介	1 321	3508-7305 3508-3305	137
なか そ ね やすたか 中曽根康隆	自 [無]	群馬1	加藤 佑介 大山上充 井 里穂	2 923	3508-7272 3508-3722	70
なか たに かず ま 中谷一馬	立	比例 南関東	風間 良明 藤居 芳明 梶尾	1 509	3508-7310 3508-3310	89
なか たに げん 中谷 元	自 [無]	高知1	豊田 圭三 北原 仁亮 山	2 1222	3508-7486 3592-9032	152
なか たに しん いち 中谷真一	自 [無]	山梨1	神園 健也 古志 拓也妃 矢島 優	2 215	3508-7336 3508-3336	87
なか つか ひろし 中司 宏	維	大阪11	鈴木 裕子 守田 順一郎 木本二	1 905	3508-7146 3508-3636	129
なか にし けん じ 中西健治	自 [麻]	神奈川3	平林 悟 阿部 裕子 矢口真希子	1 303	3508-7311 3508-3377	83
なか ね かず ゆき 中根一幸	自 [無]	比例 北関東	勝沼 幸 井上 春菜	2 1206	3508-7458 3508-3288	76

※内線電話番号は、第1議員会館は5＋室番号、6＋室番号（3〜9階は5、6のあとに0を入れる）、
　第2議員会館は7＋室番号、8＋室番号（2〜9階は7、8のあとに0を入れる）

22

議員名	党派(会派)	選挙区	政策秘書名 第1秘書名 第2秘書名			館別号室	直通FAX	略歴頁
なか の ひでゆき 中野英幸	自[無]	埼玉7	菅菊	野池	文盛豪	2 220	3508-7220 3508-3220	73
なか の ひろまさ 中野洋昌	公	兵庫8	小能山	谷村田	伸清友 彦人崇	1 722	3508-7224 3508-3415	133
なかむら き しろう 中村喜四郎	立	比例北関東	谷岡神	中野谷	勝一功良輝	2 411	3508-7501 3508-3931	77
なか むら ひろ ゆき 中村裕之	自[麻]	北海道4	髙栗川	橋原仁	知久巧伸一	2 406	3508-7406 3508-3886	54
なか やま のり ひろ 中山展宏	自[麻]	比例南関東	松白上	本谷田	達武千也鶴	2 311	3508-7435 3508-3915	89
なが おか けい こ 永岡桂子	自[麻]	茨城7	大矢小池	越壽部	貴陽伴太郎	1 714	3508-7274 3508-3724	69
なが さか やす まさ 長坂康正	自[麻]	愛知9	茶坂今	谷川	滋隆廣治徳	1 1007	3508-7043 3508-3863	116
なが しま あき ひさ 長島昭久	自[無]	比例東京	及花野	川咲木	央哲基史宏	1 510	3508-7309 3508-3309	100
なが つま あきら 長妻 昭	立	東京7	梶花中	見原	護和翔美太	2 706	3508-7456 3508-3286	94
なが とも しん じ 長友慎治	国	比例九州	川渕	添上部	由香子将俊仁	2 912	3508-7212 3508-3212	167
に かい とし ひろ 二階俊博	自[無]	和歌山3	二矢小	階本川	俊和珠樹久美	2 223	3508-7023 3502-5037	136
に き ひろ ぶみ 仁木博文	自[麻]	徳島1	小笠原岩川	博田千	信元恵宏宏	2 213	3508-7011 3508-3811	150
に わ ひで き 丹羽秀樹	自[無]	愛知6	杉山池舟	健太橋	郎真千一尋	2 916	3508-7025 3508-3825	116
にし おか ひで こ 西岡秀子	国	長崎1	髙瀬	千	義	2 1124	3508-7343 3508-3733	158
にし だ しょう じ 西田昭二	自[無]	石川3	奥竹土	村重倉	淳晃豊吉	1 523	3508-7139 3508-3439	106
にし の だい すけ 西野太亮	自[無]	熊本2	鹿中生	島村山	子圭哉之直	1 913	3508-7144 3508-3634	159
にし むら あき ひろ 西村明宏	自[無]	宮城3	谷髙小平	木哲美実	弘三哉衣宏	2 324	3508-7906 3508-3873	60
にしむら ち な み 西村智奈美	立	新潟1	髙佐山	田藤田	一真喜朋一洋	2 404	3508-7614 3508-3994	103
にし むら やす とし 西村康稔	自[無]	兵庫9	佐田橋	藤中山	汀実慎太	1 611	3508-7101 3508-3401	133
にし めこうさぶろう 西銘恒三郎	自[無]	沖縄4	大西末	城銘吉	和浩達人平俊	2 317	3508-7218 3508-3218	163

議員名	党派(会派)	選挙区	政策秘書名 第1秘書名 第2秘書名	館別号室	直通 FAX	略歴頁
ぬ 額賀福志郎 ぬかがふくしろう	無	茨城2	藤井　剛 秋山太三	2 824	3508-7447 3592-0468	67
ね 根本匠 ねもとたくみ	自[無]	福島2	六角陽佳 小林美奈子 小松慎太郎	2 1213	3508-7312 3508-3312	63
根本幸典 ねもとゆきのり	自[無]	愛知15	若林由利 川越憂貴彦 近藤淳彦	2 906	3508-7711 3508-3300	118
の 野田聖子 のだせいこ	自[無]	岐阜1	半田　亘 東海林和子 中森美恵子	1 504	3508-7161 3591-2143	111
野田佳彦 のだよしひこ	立	千葉4	河井淳一 窪田美介 山口照美	2 821	3508-7141 3508-3441	80
野中厚 のなかあつし	自[無]	比例 北関東	柴田昭彦 崎山洋平 中林真里	1 419	3508-7041 3508-3841	75
野間健 のまたけし	立	鹿児島3	久本芳孝 潟野修一 上薗雅登	2 601	3508-7027 3508-3827	162
は 長谷川淳二 はせがわじゅんじ	自[無]	愛媛4	安藤　明 下方公弘 松岡隆太朗	2 703	3508-7453 3508-3283	152
葉梨康弘 はなしやすひろ	自[無]	茨城3	池田芳宏 鎌田総太郎 葉梨徹	1 1117	3508-7248 3508-3518	68
馬場伸幸 ばばのぶゆき	維	大阪17	小寺一輝 山口剛士	1 511	3508-7322 3508-3322	131
馬場雄基 ばばゆうき	立	比例 東北	髙井章博 成田寅記	2 821	3508-7631 3508-3261	65
萩生田光一 はぎうだこういち	自[無]	東京24	牛久保敏文 秋山里佳介 鈴木脩	2 1205	3508-7154 3508-3704	99
橋本岳 はしもとがく	自[無]	岡山4	矢吹彰康 藤村健 高坂隆行	2 306	3508-7016 3508-3816	144
鳩山二郎 はとやまじろう	自[無]	福岡6	立井尚友 江刺家孝臣 上田峻也	2 221	3508-7905 3580-8001	156
浜田靖一 はまだやすかず	自[無]	千葉12	大堀将和 小暮眞也 永田実和子	2 315	3508-7020 3508-7644	82
濱地雅一 はまちまさかず	公	比例 九州	吉田直樹 水濱博光幸	1 803	3508-7235 3508-3235	165
早坂敦 はやさかあつし	維	比例 東北	橋本浩二 沼沢義重郎 石井隆太郎	2 704	3508-7414 3508-3894	66
林幹雄 はやしもとお	自[無]	千葉10	渡辺淳一 津田康平 山田巧磨	1 612	3508-7151 3502-5016	82
林佑美 はやしゆみ	維	和歌山1 補	鍵山仁 柳本裕昭 豊豊英巧	1 315	3508-7315 3508-3315	135
林芳正 はやしよしまさ	自[無]	山口3	河野恭子 小田平均 山本憲憲	1 1201	3508-7115 3508-3050	147

※内線電話番号は、第1議員会館は5＋室番号、6＋室番号（3～9階は5、6のあとに0を入れる）、
　第2議員会館は7＋室番号、8＋室番号（2～9階は7、8のあとに0を入れる）

議員名	党派(会派)	選挙区	政策秘書 第1秘書名 第2秘書名	館別号室	直通 FAX	略歴頁
はら ぐち かず ひろ **原口一博**	立	佐賀1	池田 勝朗 坂本 裕二弘 山﨑 康	1 307	3508-7238 3508-3238	157
ばん の ゆたか **伴野豊**	立	比例 東海	大坪 俊一成 三島 浩 古俣 泰	2 910	3508-7019 3508-3819	121
ひら い たく や **平井卓也**	自 [無]	比例 四国	寺井 慶 荒 淳子 須永映 里子	1 1024	3508-7307 3508-3307	153
ひら ぐち ひろし **平口洋**	自 [無]	広島2	庄司 輝光子 湯浅 路典 廣瀬	2 804	3508-7622 3508-3252	145
ひら さわ かつ えい **平沢勝栄**	自 [無]	東京17	植原 和紀薫 釜台 一 藤澤 翔	1 1115	3508-7257 3508-3527	97
ひらぬましょうじろう **平沼正二郎**	自 [無]	岡山3	福井 慎二子 高平 秀広 沼	2 614	3508-7251 3508-3521	144
ひらばやし あきら **平林晃**	公	比例 中国	西堀 稔己幸 岡池 克秀 児玉	1 507	3508-7339 3508-3339	149
ふか ざわ よういち **深澤陽一**	自 [無]	静岡4	村上 史郎之 遠坂 泰雅 遠重 敏	1 1223	3508-7709 3508-3243	113
ふく しげ たか ひろ **福重隆浩**	公	比例 北関東	掛川 信香 上西 政一 原口	1 909	3508-7249 3508-3519	78
ふくしまのぶゆき **福島伸享**	無 (有志)	茨城1	山田 克誠二 沼田 勇 稲葉	2 419	3508-7262 3508-3532	67
ふく だ あき お **福田昭夫**	立	栃木2	齋藤 明夢 羽瀬 孝広 橋高 歩	1 708	3508-7289 3508-3739	69
ふく だ たつ お **福田達夫**	自 [無]	群馬4	堤 志郎 石 岳琢 井	1 1103	3508-7181 3508-3611	71
ふじ い ひさゆき **藤井比早之**	自 [無]	兵庫4	堀 支津子 原田 祐成 田	1 615	3508-7185 3508-3615	132
ふじ おか たか お **藤岡隆雄**	立	比例 北関東	財満 慎太郎 土澤 康敏 浅津 史	1 608	3508-7178 3508-3608	76
ふじ た ふみ たけ **藤田文武**	維	大阪12	吉田 樹也 中川 慎志 松 泰	1 312	3508-7040 3508-3840	129
ふじ まき けん た **藤巻健太**	維	比例 南関東	吉岡 新也 田根 卓織 鳰 香	2 320	3508-7503 3508-3933	90
ふじ まる さとし **藤丸敏**	自 [無]	福岡7	原 博宏 野尾 昭悟 松廣 金	2 211	3508-7431 3597-0483	156
ふじ わら たかし **藤原崇**	自 [無]	岩手3		2 1015	3508-7207 3508-3721	59
ふとり ひで し **太栄志**	立	神奈川13	梶原 博之 末吉 弘孝 伊藤 磨	1 409	3508-7330 3508-3330	86
ふな だ はじめ **船田元**	自 [無]	栃木1	盛 未来 山本 雄高 露木 正	2 605	3508-7156 3508-3706	69

議員名	党派(会派)	選挙区	政策秘書名第1秘書名第2秘書名	館別号室	直通FAX	略歴頁
ふる かわ なお き **古川直季**	自[無]	神奈川6	荒井大樹小林大蔵	2 1114	3508-7523 3508-3953	84
ふる かわ もと ひさ **古川元久**	国	愛知2	阪口祥代加藤麻紀子横田大	2 1006	3508-7078 3597-2758	115
ふる かわ やすし **古川康**	自[無]	比例九州	澁田聡士小松康雄岩本英雄	2 813	6205-7711 3508-3897	164
ふる かわ よし ひさ **古川禎久**	自[無]	宮崎3	西田育生中千代杉尾亮太郎	2 612	3508-7612 3506-2503	161
ふる や けい じ **古屋圭司**	自[無]	岐阜5	渡辺一博友江惇梶山誉穢	2 423	3508-7440 3592-9040	112
ふる や のり こ **古屋範子**	公	比例南関東	深澤貴美子中島順子高野清一志	2 502	3508-7629 3508-3259	91
ほ さか やすし **穂坂泰**	自[無]	埼玉4	酒井慶太小池夕妃小神谷健太	2 908	3508-7030 3508-3830	72
ほし の つよ し **星野剛士**	自[無]	比例南関東	宇野沢典子齋藤猛昭佐藤輝一	2 708	3508-7413 3508-3893	88
ほそ だ けん いち **細田健一**	自[無]	新潟2	楠原浩祐山田孝枝和田慎太郎	2 1220	3508-7278 3508-3728	104
ほそ の ごう し **細野豪志**	自[無]	静岡2	佐藤公彦髙木いづみ眞野卓	1 620	3508-7116 3508-3416	113
ほり い まなぶ **堀井学**	自[無]	比例北海道	岩坂香丈石川裕丈堀井彩那	2 408	3508-7125 3508-3425	56
ほり うち のり こ **堀内詔子**	自[無]	山梨2	渡辺明秀子鈴木紀子志村さおり	2 407	3508-7487 3508-3367	88
ほり ば さち こ **堀場幸子**	維	比例近畿	師岡孝明野田静香	2 422	3508-7422 3508-3902	137
ほり い けん じ **掘井健智**	維	比例近畿	三品耕作原沙矢香笹本航史	2 806	3508-7088 3508-3868	136
ほんじょうさと し **本庄知史**	立	千葉8	細見一雄芳野泰崇矢口すみれ	2 1219	3508-7519 3508-3949	81
ほん だ た ろう **本田太郎**	自[無]	京都5	髙森眞由美小谷典康西地康宏	2 210	3508-7012 3508-3812	126
ま ぶち すみ お **馬淵澄夫**	立	奈良1	片岡新馬淵錦之介岩井	1 1217	3508-7122 3508-3051	134
まえ はら せい じ **前原誠司**	教	京都2	村田昭一郎木元俊博大史齋藤大史	1 809	3508-7171 3592-6696	125
まき よし お **牧義夫**	立	比例東海	北村礼俊文子成瀬宮本正隆	1 305	3508-7628 3508-3258	121
まきしまかれん **牧島かれん**	自[麻]	神奈川17	———	1 322	3508-7026 3508-3826	87

※内線電話番号は、第1議員会館は5＋室番号、6＋室番号（3〜9階は5、6のあとに0を入れる）、第2議員会館は7＋室番号、8＋室番号（2〜9階は7、8のあとに0を入れる）

26

議員名	党派(会派)	選挙区	政策第1第2秘書名	秘書名秘書名	館別号室	直通FAX	略歴頁
まきはらひでき **牧原秀樹**	自 [無]	比例 北関東	末細 廣田	慎孝 二子	1 1116	3508-7254 3508-3524	76
まつき **松木けんこう**	立	北海道2	岡浦 本浦櫻井	征宜知 弘明英	1 324	3508-7324 3508-3324	53
まつしま **松島みどり**	自 [無]	東京14	福高 田山染 谷	就優佳 健造佳	1 709	3508-7065 3508-3845	96
まつのひろかず **松野博一**	自 [無]	千葉3	山崎 小伊澤藤	岳貴孝 久仁行	1 502	3508-7329 3508-3329	80
まつばらじん **松原　仁**	無 (立憲)	東京3	関根 高伊藤	慶勉 太賢	2 709	3508-7452 3580-7336	93
まつもとたけあき **松本剛明**	自 [麻]	兵庫11	梅津 清瀬路 大	徳博 之渡 路	1 707	3508-7214 3508-3214	134
まつもとひさし **松本　尚**	自 [無]	千葉13	高椎名 廣田	雅美 樹代	1 1009	3508-7295 3508-3505	83
まつもとようへい **松本洋平**	自 [無]	比例 東京	柏小 林田 太	原利晃 宏慎 樹	1 1011	3508-7133 3508-3433	99
みきけえ **三木圭恵**	維	比例 近畿	森渡	山壁 秀勇 樹	2 1105	3508-7638 3508-3268	136
みたぞのさとし **三反園　訓**	無 (自民)	鹿児島2	松杉 本田	克伸 彦治	2 924	3508-7511 3508-3941	162
みたにひでひろ **三谷英弘**	自 [無]	比例 南関東	伊楠 地本知藤	理喜敦 美満	2 1120	3508-7522 3508-3952	88
みつばやしひろみ **三ツ林裕巳**	自 [無]	埼玉14	志清水佐	賢貴亮	2 522	3508-7416 3508-3896	75
みのべてるお **美延映夫**	維	大阪4			1 1019	3508-7194 3508-3624	127
みのりかわのぶひで **御法川信英**	自 [無]	秋田3	石佐藤鈴 木	真理子 春由希	1 901	3508-7167 3508-3717	62
みさきまき **岬　麻紀**	維	比例 東海	菅飯 塚宇佐	野浩 将考史子 見紀	2 705	3508-7409 3508-3889	122
みちしただいき **道下大樹**	立	北海道1	佐市村 橋上	陽太星 修大	2 516	3508-7516 3508-3946	53
みどりかわたかし **緑川貴士**	立	秋田2	小池 長崎阿	恵里子 朋典人 美	2 202	3508-7002 3508-3802	61
みやうちひでき **宮内秀樹**	自 [無]	福岡4	上原 赤櫻	雅圭晴 人介	1 604	3508-7174 3508-3604	155
みやざきまさひさ **宮﨑政久**	自 [無]	比例 九州	今井時右衛門 大澤真号	右衛門	2 722	3508-7360 3508-3071	164
みやじたくま **宮路拓馬**	自 [無]	鹿児島1	田木 中村粕谷訓	彰吾颯史	1 311	3508-7206 3508-3206	161

ま・み

み

議員名	党派(会派)	選挙区	政策秘書名 第1秘書名 第2秘書名	館別号室	直通 FAX	略歴頁
宮下一郎 (みやした いちろう)	自[無]	長野5	天野健太郎 髙橋達之 尾関国行	1 1207	3508-7903 3508-3643	108
宮本岳志 (みやもと たけし)	共	比例 近畿	田村幸清 隅山恵美 古山潔	1 1108	3508-7255 3508-3525	140
宮本徹 (みやもと とおる)	共	比例 東京	坂間和史 松尾勝哉 川野純平	1 1219	3508-7508 3508-3938	102
武藤容治 (むとう ようじ)	自[麻]	岐阜3	野村真一 小檜山千代久 伊藤康男	2 1212	3508-7482 3508-3362	112
務台俊介 (むたい しゅんすけ)	自[麻]	比例 北陸信越	赤羽俊太郎 村瀬元良 五十嵐佐江子	1 403	3508-7334 3508-3334	107
宗清皇一 (むねきよ こういち)	自[無]	比例 近畿	佐藤博之 川中健司 蓮中岡牧生	1 310	3508-7205 3508-3205	138
村井英樹 (むらい ひでき)	自[無]	埼玉1	二宮尚徳 尾崎裕太 相馬大作	1 911	3508-7467 3508-3297	71
村上誠一郎 (むらかみ せいいちろう)	自[無]	愛媛2	佐藤洋一 田丸勇野人 小野和二	1 1224	3508-7291 3502-5172	152
茂木敏充 (もてぎ としみつ)	自[無]	栃木5	駒林裕康 近藤幸和 田藤美代和	2 1011	3508-1011 3508-3269	70
本村伸子 (もとむら のぶこ)	共	比例 東海	綿貫隆尋 奥村千畑 田村畑代	1 1106	3508-7280 3508-3730	122
守島正 (もりしま ただし)	維	大阪2	小林倫明 安本五郎 奥田豊一	1 720	3508-7112 3508-3412	127
盛山正仁 (もりやま まさひと)	自[無]	比例 近畿	伊藤雅子 中谷昌子 戸井田真太郎	1 904	3581-5111 3508-3629	139
森英介 (もり えいすけ)	自[麻]	千葉11	坂本克実 西谷郁彦 伊橋裕樹	1 1210	3508-7162 3592-9036	82
森由起子 (もり ゆきこ)	自	比例 東海繰	中溝篤司 文仁志	2 513	3508-7443 3508-3963	121
森田俊和 (もりた としかず)	立	埼玉12	木沢良一 渡辺裕樹 橋本光弘	2 1003	3508-7419 3508-3899	74
森山浩行 (もりやま ひろゆき)	立	比例 近畿	牧井有子 頼石崎起枝	2 613	3508-7426 3508-3906	140
森山裕 (もりやま ひろし)	自[無]	鹿児島5	森山友久美 池田道弘 船迫作美	1 515	3508-7164 3508-3714	162
八木哲也 (やぎ てつや)	自[無]	愛知11	蜷川徹 大﨑さき子 伊藤由紀	2 319	3508-7236 3508-3236	117
谷田川元 (やたがわ はじめ)	立	比例 南関東	濱松真 上垣亜希美 髙栖久美	1 1208	3508-7292 3508-3502	90
屋良朝博 (やら ともひろ)	立	比例 九州	増田仁 山内信之助 屋嘉比真希美	1 824	3508-7904 3508-3743	165

※内線電話番号は、第1議員会館は5＋室番号、6＋室番号（3～9階は5、6のあとに0を入れる）、第2議員会館は7＋室番号、8＋室番号（2～9階は7、8のあとに0を入れる）

【國會議員要覧令和 6 年 8 月版】

【國會要覧第 78 版】

自由民主党内出身派閥一覧

- 令和6年7月31日現在の自由民主党所属の衆参議員の令和5年10月26日時点の所属派閥別議員名を一覧にした。
- 令和5年10月26日以降に死去、議員辞職、離党した議員は除いた。
- 掲載順は所属議員の多い派閥順とした。派閥内の記載は議員の当選回数順、議員名の50音順とした。
- 各派閥の正式名称は下記のとおり。

  安倍派…清和政策研究会
  麻生派…志公会
  茂木派…平成研究会
  岸田派…宏池会
  二階派…志帥会
  森山派…近未来政治研究会

自由民主党内出身派閥一覧

○内は当選回数・他派との重複及び自民党系議員を含む。衆議院議員の（）内は参議院の当選回数。参議院議員の（）内は衆議院の当選回数。

安倍派　92人

（衆議院54人）

衛藤征士郎 ⑬(1)
下村博文 ⑨
高木毅 ⑨
松野博一 ⑧
吉野正芳 ⑦
柴山昌彦 ⑦
西村康稔 ⑦
松島みどり ⑦
稲田朋美 ⑥
奥野信亮 ⑥
鈴木淳司 ⑥
西村明宏 ⑥
萩生田光一 ⑥
宮下一郎 ⑥
越智隆雄 ⑤
大塚拓 ⑤
亀岡偉民 ⑤
関芳弘 ⑤
高鳥修一 ⑤
中根一幸 ⑤
青山周平 ④
小田原潔 ④
大西英男 ④
神田憲次 ④
菅家一郎 ④
佐々木紀 ④
田畑裕明 ④
根本幸典 ④
福田達夫 ④
藤原崇 ④
細田健一 ④
三ッ林裕巳 ④
簗和生 ④
山田美樹 ④
義家弘介 ④(1)
尾身朝子 ③
杉田水脈 ③
谷川とむ ③
宗清皇一 ③
和田義明 ③
上杉謙太郎 ②
木村次郎 ②
高木啓 ②
井原巧 ①(1)
石井拓 ①
加藤竜祥 ①
岸信千世 ①
小森卓郎 ①
塩崎彰久 ①
鈴木英敬 ①
高階恵美子 ①(2)
松本尚 ①
吉田真次 ①
若林健太 ①(1)

（参議院38人）

（任期R7.7.28　21人）

橋本聖子 ⑤
衛藤晟一 ③(4)
北村経夫 ③
西田昌司 ③
古川俊治 ③
丸川珠代 ③
宮本周司 ③
森まさこ ③
赤池誠章 ②(1)
石井正弘 ②
石田昌宏 ②
太田房江 ②
酒井庸行 ②
滝波宏文 ②
長峯誠 ②
羽生田俊 ②
堀井巌 ②
吉川ゆうみ ②
加田裕之 ①
白坂亜紀 ①
高橋はるみ ①

（任期R10.7.25　17人）

山崎正昭 ⑥
岡田直樹 ④
末松信介 ④
野上浩太郎 ④
山田宏 ③
山本順三 ③
上野通子 ③
江島潔 ③
片山さつき ③(1)
長谷川岳 ②
井上義行 ②
佐藤啓 ①
山田宏 ②(2)

麻生派　55人

（衆議院41人）

麻生太郎 ⑭
甘利明 ⑬
森英介 ⑪
山口俊一 ⑪
鈴木俊一 ⑩
岩屋毅 ⑨
河野太郎 ⑨
田中和德 ⑨
棚橋泰文 ⑨
江渡聡徳 ⑧
松本剛明 ⑧
井上信治 ⑦
伊藤信太郎 ⑦
永岡桂子 ⑦
山際大志郎 ⑥
あかま二郎 ⑤
鈴木馨祐 ⑤
武藤容治 ⑤
井上貴博 ④
井林辰憲 ④
今枝宗一郎 ④
工藤彰三 ④
斎藤洋明 ④
中村裕之 ④
中山展宏 ④
長坂康正 ④
牧島かれん ④
務台俊介 ④
山田賢司 ④
瀬戸隆一 ④
中川郁子 ④
高村正大 ③
仁木博文 ③
英利アルフィヤ ①
塚田一郎 ①(2)
土田慎 ①
中西健治 ①(2)
柳本顕 ①
山本左近 ①

（参議院14人）
（任期R7.7.28　6人）
山東昭子⑧
武見敬三⑤
有村治子④
高橋克法②
滝沢求②
豊田俊郎②
（任期R10.7.25　8人）
浅尾慶一郎③(3)
猪口邦子①(1)
大家敏志③
中西祐介③
藤川政人③
今井絵理子②
神谷政幸①
船橋利実①(2)

茂木派　53人
（衆議院32人）
船田元⑬
茂木敏充⑩
伊藤達也⑩
小渕優子⑧
新藤義孝⑧
渡辺博道⑧
秋葉賢也⑦
加藤勝信⑦
古川禎久⑤
西銘恒三郎⑤
木原稔⑤
橋本岳⑤
平口洋④
若宮健嗣④
井野俊郎④
笹川博義④
新谷正義④
鈴木貴子④
鈴木憲和④
津島淳④
中谷真一④
中野英幸①
宮下一郎⑥
山下貴司④
鈴木隼人③
古川康③
東国幹①
五十嵐清①
上田英俊①
島尻安伊子①(2)
高見康裕①
山口晋①

（参議院21人）
（任期R7.7.28　9人）
石井準一③
佐藤信秋③
佐藤正久③
牧野たかお③
上月良祐②
堂故茂②
山下雄平②
比嘉奈津美①(2)
三浦靖①(1)
（任期R10.7.25　12人）
関口昌一⑤
野村哲郎④
松村祥史④
青木一彦③
石井浩郎②
福岡資麿③(1)
渡辺猛之②
小野田紀美②
臼井正一①
加藤明良①
永井学①
山本佐知子①

岸田派　47人
（衆議院34人）
岸田文雄⑩
林芳正①(5)
根本匠⑨
田村憲久⑨
小野寺五典⑧
金子恭之⑧
平井卓也⑦
石田真敏⑦
上川陽子⑦
葉梨康弘⑥
寺田稔⑥
木原誠二⑤
盛山正仁⑤
石原宏高⑤
岩田和親④
古賀篤④
國場幸之助④
小林史明④
武井俊輔④
辻清人④
藤丸敏④
堀内詔子④
村井英樹④
渡辺孝一④

金子俊平②
国光あやの②
西田昭二②
深澤陽一②
畦元将吾②
石橋林太郎①
神田潤一①
石原正敬①
金子容三①

（参議院13人）
（任期R7.7.28　4人）
松山政司④
古賀友一郎②
馬場成志②
森屋宏②
（任期R10.7.25　9人）
宮沢洋一③(3)
磯崎仁彦②
足立敏之②
こやり隆史②
藤木眞也②
山本啓介①
吉井章①
小林一大①
越智俊之①

二階派　41人
（衆議院32人）
二階俊博⑬
林幹雄⑩
今村雅弘⑨
平沢勝栄⑨
江崎鐵磨⑧
櫻田義孝⑧
細野豪志⑧
小泉龍司⑦
武田良太⑦
谷公一⑦
長島昭久⑦
山口壮⑦
鷲尾英一郎⑤
伊東良孝⑤
伊藤忠彦⑤
金田勝年①(5)
松本洋平⑤
小倉將信④
大岡敏孝④
小林鷹之④
武部新④
宮内秀樹④
小林茂樹③

議員名	党派(会派)	選挙区	政策第2秘書・第1秘書・秘書名	館別号室	直通／FAX	略歴頁
保岡宏武 やすおかひろたけ	自[無]	比例九州	水篠齋／村原藤／元昌／彦幸顕	1 815	3508-7633 3508-3263	164
簗和生 やなかずお	自[無]	栃木3	根矢／本作／陽裕／子美	1 717	3508-7186 3508-3616	69
柳本顕 やなぎもとあきら	自[麻]	比例近畿	熊阪細／谷本川／志聖佑／保二紀	1 320	3508-7902 3508-3537	138
山岡達丸 やまおかたつまる	立	北海道9	根森菊／岸本地／庸秀／夫規悟	1 306	3508-7306 3508-3306	55
山岸一生 やまぎしいっせい	立	東京9	平土草／野深比／隆奈呂／志々至	1 1013	3508-7124 3508-3424	95
山際大志郎 やまぎわだいしろう	自[麻]	神奈川18	倉吉小／持野原／佳哲孝／代平行	1 613	3508-7477 3508-3357	87
山口俊一 やまぐちしゅんいち	自[麻]	徳島2	横小塩／田杉田／泰保／隆誠正	2 412	3508-7054 3503-2138	150
山口晋 やまぐちすすむ	自[無]	埼玉10	鈴鈴山／木木口／邦弘／彦男三	2 1108	3508-7430 3508-3910	74
山口壯 やまぐちつよし	自[無]	兵庫12	山三杉／口木山／文祥輝／生平美二	1 603	3508-7521 3508-3951	134
山崎誠 やまざきまこと	立	比例南関東	黒松島／須屋木／裕尚友／章彦美	1 401	3508-7137 3508-3437	90
山崎正恭 やまさきまさやす	公	比例四国	室山吉／岡内良／利大修／雄志一	2 1024	3508-7472 3508-3352	154
山下貴司 やましたたかし	自[無]	岡山2	福荻横／島野山／大野／拓介和	2 719	3508-7057 3508-3857	143
山田勝彦 やまだかつひこ	立	長崎3補	高大／柳窪／政浩／也章	2 401	3508-7420 3508-3550	165
山田賢司 やまだけんじ	自[麻]	兵庫7	荻野佐々木／野川達二／浩次郎	1 617	3508-7908 3508-3957	133
山田美樹 やまだみき	自[無]	東京1	中島貴彦／鈴木あきらC／野川達弥	2 917	3508-7037 3508-3837	93
山井和則 やまのいかずのり	立	京都6	吉宮山／澤地下／直俊恵／樹之理	1 805	3508-7240 3508-8882	126
山本剛正 やまもとごうせい	維	比例九州	大塚／尊田上／三／伸京康／一子太	2 302	3508-7009 3508-3809	166
山本左近 やまもとさこん	自[麻]	比例東海		1 304	3508-7302 3508-3302	120
山本ともひろ やまもと	自[無]	比例南関東	瀬本／戸間／芳義／明一	2 1110	3508-7193 3508-3623	89
山本有二 やまもとゆうじ	自[無]	比例四国	前松石／田村本／真雄和／二郎太憲	1 316	3508-7232 3592-9069	153

	議　員　名	党派(会派)	選挙区	政策秘書名／第1秘書名／第2秘書名	館別号室	直通／FAX	略歴頁
ゆ	湯原俊二（ゆはらしゅんじ）	立	比例中国	———	1 1023	3508-7129 3508-3429	148
	柚木道義（ゆのきみちよし）	立	比例中国	———	2 1217	3508-7301 3508-3301	148
よ	吉川赳（よしかわたける）	無	比例東海	古大木　賀塚下　真謙　理一航	2 816	3508-7228 3508-3551	120
	吉川元（よしかわはじめ）	立	比例九州	伊高市　藤丸　剛也子　眞敬	2 505	3508-7056 3508-3856	165
	吉田久美子（よしだくみこ）	公	比例九州	岩澤立　野津伸　武彦ル城　ミチ	2 504	3508-7055 3508-3855	166
	吉田真次（よしだしんじ）	自[無]	山口4補	中徳島　平本村　大美明　開佐子	1 1212	3508-7172 3508-3602	147
	吉田統彦（よしだつねひこ）	立	比例東海	兒玉井　深村中　篤稔隆　志公之	2 322	3508-7104 3508-3404	121
	吉田とも代（よしだともよ）	維	比例四国	森本　博通	2 424	3508-7001 3508-3801	154
	吉田豊史（よしだとよふみ）	無	比例北陸信越	木村田　隆幹　志広	2 1112	3508-7434 3508-3914	110
	吉田宣弘（よしだのぶひろ）	公	比例九州	新柴森　沼田康正　裕司一雄	1 1114	3508-7276 3508-3726	166
	吉田はるみ（よしだ）	立	東京8	———	2 607	3508-7620 3508-3250	95
	吉野正芳（よしのまさよし）	自[無]	福島5	野地川熊　川井田利　誠貴文江　武	2 624	3508-7143 3595-4546	64
	義家弘介（よしいえひろゆき）	自[無]	比例南関東	佐々木　高田中　由一翔	1 1204	3508-7241 3508-3511	89
	米山隆一（よねやまりゅういち）	立	新潟5	川山西崎小　宏悦浦友　知朗資	2 724	3508-7485 3508-3365	104
り	笠浩史（りゅうひろふみ）	立	神奈川9	今花津　林輪田　正史彦　智武	1 408	3508-3420 3508-7120	85
わ	早稲田ゆき（わせだゆき）	立	神奈川9	稲永江川　見瀬晋　圭俊一郎	2 1012	3508-7106 3508-3406	84
	和田有一朗（わだゆういちろう）	維	比例近畿	藤島　雄平	2 807	3508-7527 3508-3973	136
	和田義明（わだよしあき）	自[無]	北海道5	菅西田　谷嶋口　康哲也　子也佳	1 410	3508-7117 3508-3417	54
	若林健太（わかばやしけんた）	自[無]	長野1	浜渡齊　邉邉　謙一拓　聖磨	1 1002	3508-7277 3508-3727	107
	若宮健嗣（わかみやけんじ）	自[無]	比例東京	荒山木田　田口崎　聡拓介　也	2 523	3508-7509 3508-3939	100

※内線電話番号は、第1議員会館は5＋室番号、6＋室番号（3～9階は5、6のあとに0を入れる）、第2議員会館は7＋室番号、8＋室番号（2～9階は7、8のあとに0を入れる）

議員名	党派(会派)	選挙区	政策秘書名 第1秘書名 第2秘書名	館別号室	直通 FAX	略歴頁
わし お えいいちろう 鷲尾英一郎	自 [無]	比例 北陸信越	横山 卓司 竹内 和美 植木 毅	2 208	3508-7650 3508-3062	108
わた なべ こう いち 渡辺孝一	自 [無]	比例 北海道	朝原 比奈 正倫 田谷 竜皇 澁 将爾	1 520	3508-7401 3508-3881	56
わた なべ しゅう 渡辺 周	立	比例 東海	大山 塚田 敏幸 弘宣 増山 敬一	2 1109	3508-7077 3508-3767	121
わた なべ そう 渡辺 創	立	宮崎1	荻谷 山口 明浩 美郎 竹内 太絢	1 1015	3508-7086 3508-3866	161
わた なべ ひろ みち 渡辺博道	自 [無]	千葉6	井上 本森 昇希 大 亜	1 1012	3508-7387 3508-3701	81
わに ぶち よう こ 鰐淵洋子	公	比例 近畿	髙坂 友和 上松 満義 中村久美子	1 924	3508-7070 3508-3850	139

衆議院議員会館案内図

衆議院第1議員会館3階

藤田文武 維 大阪12区 3508-7040 当2	312			313	鎌田さゆり 立 宮城2区 3508-7204 当3
宮路拓馬 自[無] 鹿児島1区 3508-7206 当3	311	喫煙室		314	小泉進次郎 自[無] 神奈川11区 3508-7327 当5
宗清皇一 自[無] 比 近畿 3508-7205 当3	310	WC(男) WC(女)		315	林 佑美 維 和歌山1区 3508-7315 補当1
中川郁子 自[麻] 比 北海道 3508-7103 当3	309			316	山本有二 自[無] 比 四国 3508-7232 当11
大串博志 立 佐賀2区 3508-7335 当6	308	EVホール		317	井上信治 自[麻] 東京25区 3508-7328 当7
原口一博 立 佐賀1区 3508-7238 当9	307			318	議員会議室 (国民)
山岡達丸 立 北海道9区 3508-7306 当3	306			319	防災備蓄室
牧 義夫 立 比 東海 3508-7628 当7	305	EVホール		320	柳本 顕 自[麻] 比 近畿 3508-7902 当1
山本左近 自[麻] 比 東海 3508-7302 当1	304			321	中嶋秀樹 維 比 近畿 3508-7305 繰当1
中西健治 自[麻] 神奈川3区 3508-7311 当1	303	EV		322	牧島かれん 自[麻] 神奈川17区 3508-7026 当4
塚田一郎 自[麻] 比 北陸信越 3508-7705 当1	302			323	井上貴博 自[麻] 福岡1区 3508-7239 当4
麻生太郎 自[麻] 福岡8区 3508-7703 当14	301	WC(男) WC(女)		324	松木けんこう 立 北海道2区 3508-7324 当6

㊟
会
館

国会議事堂側

衆議院第1議員会館4階

斉藤鉄夫 公　広島3区 3508-7308　当10	412	階段	413	**防災備蓄室**	
石井啓一 公　比 北関東 3508-7110　当10	411	喫煙室	414	**杉本和巳** 維　比 東海 3508-7266　当4	
和田義明 自[無] 北海道5区 3508-7117　当3	410	WC(男) WC(女)	415	**遠藤　敬** 維　大阪18区 3508-7325　当4	
太　栄志 立　神奈川13区 3508-7330　当1	409	階段	416	**鈴木憲和** 自[無] 山形2区 3508-7318　当4	
笠　浩史 立　神奈川9区 3508-3420　当7	408	EVホール	417	**小林鷹之** 自[無] 千葉2区 3508-7617　当4	
斎藤洋明 自[麻] 新潟3区 3508-7155　当4	407		418	**議員会議室** （自民）	
浅野　哲 国　茨城5区 3508-7231　当2	406		419	**野中　厚** 自[無] 比 北関東 3508-7041　当4	
浦野靖人 維　大阪15区 3508-7641　当4	405	EVホール	420	**大島　敦** 立　埼玉6区 3508-7093　当8	
井上英孝 維　大阪1区 3508-7333　当3	404	階段	421	**あかま二郎** 自[麻] 神奈川14区 3508-7317　当5	
務台俊介 自[麻] 比 北陸信越 3508-7334　当4	403	EV	422	**今枝宗一郎** 自[麻] 愛知14区 3508-7080　当4	
土屋品子 自[無] 埼玉13区 3508-7188　当8	402	WC(男) WC(女)	423	**鈴木馨祐** 自[麻] 神奈川7区 3508-7304　当5	
山崎　誠 立　比 南関東 3508-7137　当3	401		424	**阿部知子** 立　神奈川12区 3508-7303　当8	

衆 会館

国会議事堂側

33

衆議院第1議員会館5階

菅　直人 立　東京18区 3508-7323 当14	512	喫煙室	513	小野泰輔 維　比 東京 3508-7340 当1
馬場伸幸 維　大阪17区 3508-7322 当4	511	喫煙室	514	あべ俊子 自[無] 比 中国 3508-7136 当6
長島昭久 自[無] 比 東京 3508-7309 当7	510	WC(男) WC(女)	515	森山　裕 自[無] 鹿児島4区 3508-7164 当7
中谷一馬 立　比 南関東 3508-7310 当2	509		516	遠藤良太 維　比 近畿 3508-7114 当1
北側一雄 公　大阪16区 3508-7263 当10	508	EV (ホール)	517	大河原まさこ 立　比 東京 3508-7261 当2
平林　晃 公　比 中国 3508-7339 当1	507		518	議員会議室 (維新)
岡田克也 立　三重3区 3508-7109 当11	506		519	中川正春 立　比 東海 3508-7128 当9
逢沢一郎 自[無] 岡山1区 3508-7105 当12	505	EV (ホール)	520	渡辺孝一 自[無] 比 北海道 3508-7401 当4
野田聖子 自[無] 岐阜1区 3508-7161 当10	504		521	防災備蓄室
菅家一郎 自[無] 比 東北 3508-7107 当4	503	EV	522	辻　清人 自[無] 東京2区 3508-7288 当4
松野博一 自[無] 千葉3区 3508-7329 当8	502		523	西田昭二 自[無] 石川3区 3508-7139 当2
畦元将吾 自[無] 比 中国 3508-7710 当2	501	WC(男) WC(女)	524	議員予備室

国会議事堂側

衆議院第1議員会館6階

左側	号室	中央	号室	右側
林 幹雄 自[無] 千葉10区 3508-7151 当10	612	階段	613	山際大志郎 自[麻] 神奈川18区 3508-7477 当6
西村康稔 自[無] 兵庫9区 3508-7101 当7	611	喫煙室	614	鈴木英敬 自[無] 三重4区 3508-7269 当1
武田良太 自[無] 福岡11区 3508-7180 当7	610	WC (男) WC (女)	615	藤井比早之 自[無] 兵庫4区 3508-7185 当4
海江田万里 無 比 東京 3508-7316 当8	609	階段	616	大串正樹 自[無] 比 近畿 3508-7191 当4
藤岡隆雄 立 比 北関東 3508-7178 当1	608	EV ホール	617	山田賢司 自[麻] 兵庫7区 3508-7908 当4
小宮山泰子 立 比 北関東 3508-7184 当7	607		618	議員会議室 (立憲)
川内博史 立 比 九州 3508-7176 繰当7	606		619	大岡敏孝 自[無] 滋賀1区 3508-7208 当4
小沢一郎 立 比 東北 3508-7175 当18	605	EV ホール	620	細野豪志 自[無] 静岡5区 3508-7116 当8
宮内秀樹 自[無] 福岡4区 3508-7174 当4	604	階段	621	上野賢一郎 自[無] 滋賀2区 3508-7004 当5
関 芳弘 自[無] 兵庫3区 3508-7173 当5	603	EV	622	橘 慶一郎 自[無] 富山3区 3508-7227 当5
武村展英 自[無] 滋賀3区 3508-7118 当4	602	WC (男) WC (女)	623	伊東良孝 自[無] 北海道7区 3508-7170 当5
小寺裕雄 自[無] 滋賀4区 3508-7126 当2	601		624	源馬謙太郎 立 静岡8区 3508-7160 当2

国会議事堂側

衆 会館

衆議院第1議員会館7階

左側	号室		号室	右側
田中 健 国 比東海 3508-7190 当1	712	階段	713	**鈴木 義弘** 国 比北関東 3508-7282 当3
岡本 あき子 立 比東北 3508-7064 当2	711	喫煙室	714	**永岡 桂子** 自[麻] 茨城7区 3508-7274 当6
大塚 拓 自[無] 埼玉9区 3508-7608 当5	710	WC(男) WC(女)	715	**鬼木 誠** 自[無] 福岡2区 3508-7182 当4
松島 みどり 自[無] 東京14区 3508-7065 当7	709	階段	716	**田所 嘉德** 自[無] 比北関東 3508-7068 当4
福田 昭夫 立 栃木2区 3508-7289 当6	708	EVホール	717	**簗 和生** 自[無] 栃木3区 3508-7186 当4
松本 剛明 自[麻] 兵庫11区 3508-7214 当8	707		718	**議員会議室** (公明)
玉木 雄一郎 国 香川2区 3508-7213 当5	706		719	**篠原 孝** 立 比北陸信越 3508-7268 当7
加藤 鮎子 自[無] 山形3区 3508-7216 当3	705	EVホール	720	**守島 正** 維 大阪2区 3508-7112 当1
後藤 茂之 自[無] 長野4区 3508-7702 当7	704	階段	721	**奥下 剛光** 維 大阪7区 3508-7225 当1
遠藤 利明 自[無] 山形1区 3508-7158 当9	703	EV	722	**中野 洋昌** 公 兵庫8区 3508-7224 当4
川崎 ひでと 自[無] 三重2区 3508-7152 当1	702	WC(男) WC(女)	723	**青柳 仁士** 維 大阪14区 3508-7609 当1
高村 正大 自[麻] 山口1区 3508-7113 当2	701		724	**防災備蓄室**

国会議事堂側

衆議院第1議員会館8階

小森卓郎 自[無] 石川1区 3508-7179 当1	812	813	石原宏高 自[無] 比 東京 3508-7319 当5
小里泰弘 自[無] 比 九州 3508-7247 当6	811	喫煙室	814	小倉將信 自[無] 東京23区 3508-7140 当4
新藤義孝 自[無] 埼玉2区 3508-7313 当8	810	WC(男) WC(女)	815	保岡宏武 自[無] 比 九州 3508-7633 当1
前原誠司 教 京都2区 3508-7171 当10	809	816	黄川田仁志 自[無] 埼玉3区 3508-7123 当4
小熊慎司 立 福島4区 3508-7138 当4	808	EVホール	817	泉 健太 立 京都3区 3508-7005 当8
城井 崇 立 福岡10区 3508-7389 当4	807	818	議員会議室 (立憲)
下条みつ 立 長野2区 3508-7271 当5	806	819	玄葉光一郎 立 福島3区 3508-7252 当10
山井和則 立 京都6区 3508-7240 当8	805	EVホール	820	おおつき紅葉 立 比 北海道 3508-7493 当1
枝野幸男 立 埼玉5区 3508-7448 当10	804	821	野田佳彦 立 千葉4区 3508-7141 当9
濱地雅一 公 比 九州 3508-7235 当4	803	EV	822	齋藤 健 自[無] 千葉7区 3508-7221 当5
手塚仁雄 立 東京5区 3508-7234 当5	802	823	秋葉賢也 自[無] 比 東北 3508-7392 当7
金城泰邦 公 比 九州 3508-7153 当1	801	WC(男) WC(女)	824	屋良朝博 立 比 九州 3508-7904 繰当2

国会議事堂側

衆議院第1議員会館9階

漆間譲司 維 大阪8区 3508-7298 当1	912	913	西野太亮 自[無] 熊本2区 3508-7144 当1
村井英樹 自[無] 埼玉1区 3508-7467 当4	911	914	平 将明 自[無] 東京4区 3508-7297 当6
石原正敬 自[無] 比 東海 3508-7706 当1	910	915	木原誠二 自[無] 東京20区 3508-7169 当5
福重隆浩 公 比 北関東 3508-7249 当1	909	916	伊東信久 維 大阪19区 3508-7243 当3
佐藤茂樹 公 大阪3区 3508-7200 当10	908	917	防災備蓄室
池下 卓 維 大阪10区 3508-7454 当1	907	918	議員会議室 (自民)
岩谷良平 維 大阪13区 3508-7314 当1	906	919	井林辰憲 自[麻] 静岡2区 3508-7127 当4
中司 宏 維 大阪11区 3508-7146 当1	905	920	勝俣孝明 自[無] 静岡6区 3508-7202 当4
盛山正仁 自[無] 比 近畿 3508-7380 当5	904	921	伊藤 渉 公 比 東海 3508-7187 当5
高市早苗 自[無] 奈良2区 3508-7198 当9	903	922	中川宏昌 公 比 北陸信越 3508-3639 当1
田村憲久 自[無] 三重1区 3508-7163 当9	902	923	大西健介 立 愛知13区 3508-7108 当5
御法川信英 自[無] 秋田3区 3508-7167 当6	901	924	鰐淵洋子 公 比 近畿 3508-7070 当2

喫煙室

WC(男) WC(女)

EVホール

EVホール

EV

WC(男) WC(女)

国会議事堂側

衆 会館

衆議院第1議員会館10階

渡辺博道 自[無] 千葉6区 3508-7387 当8	1012		1013	山岸一生 立 東京9区 3508-7124 当1
松本洋平 自[無] 比 東京 3508-7133 当5	1011	喫煙室	1014	寺田 学 立 比 東北 3508-7464 当6
田中和德 自[麻] 神奈川10区 3508-7294 当9	1010	WC WC (男) (女)	1015	渡辺 創 立 宮崎1区 3508-7086 当1
松本 尚 自[無] 千葉13区 3508-7295 当1	1009		1016	足立康史 維 大阪9区 3508-7100 当4
髙木 毅 自[無] 福井2区 3508-7296 当8	1008	EV ホール	1017	志位和夫 共 比 南関東 3508-7285 当10
長坂康正 自[麻] 愛知9区 3508-7043 当4	1007		1018	議員会議室 (維新)
亀岡偉民 自[無] 比 東北 3508-7148 当5	1006		1019	美延映夫 維 大阪4区 3508-7194 当2
岡本三成 公 東京12区 3508-7147 当4	1005	EV ホール	1020	土田 慎 自[麻] 東京13区 3508-7341 当1
伊佐進一 公 大阪6区 3508-7391 当4	1004		1021	
安住 淳 立 宮城5区 3508-7293 当9	1003	EV	1022	佐藤公治 立 広島6区 3508-7145 当4
若林健太 自[無] 長野1区 3508-7277 当1	1002		1023	湯原俊二 立 比 中国 3508-7129 当2
鈴木俊一 自[麻] 岩手2区 3508-7267 当10	1001	WC WC (男) (女)	1024	平井卓也 自[無] 比 四国 3508-7307 当8

国会議事堂側

衆 会館

39

衆議院第1議員会館 11 階

左側	号室		号室	右側
瀬戸隆一 自[麻] 比四国 3508-7712 繰当3	1112	階段	1113	小山展弘 立 静岡3区 3508-7270 当3
島尻安伊子 自[無] 沖縄3区 3508-7265 当1	1111	喫煙室	1114	吉田宣弘 公 比 九州 3508-7276 当3
鈴木淳司 自[無] 愛知7区 3508-7264 当6	1110	WC(男) WC(女)	1115	平沢勝栄 自[無] 東京17区 3508-7257 当9
渡海紀三朗 自[無] 兵庫10区 3508-7643 当10	1109	階段	1116	牧原秀樹 自[無] 比 北関東 3508-7254 当5
宮本岳志 共 比 近畿 3508-7255 当5	1108	EV ホール	1117	葉梨康弘 自[無] 茨城3区 3508-7248 当6
赤嶺政賢 共 沖縄1区 3508-7196 当8	1107		1118	議員会議室 (共用)
本村伸子 共 比 東海 3508-7280 当3	1106		1119	奥野総一郎 立 千葉9区 3508-7256 当5
越智隆雄 自[無] 比 東京 3508-7479 当5	1105	EV ホール	1120	土井 亨 自[無] 宮城1区 3508-7470 当5
谷川とむ 自[無] 比 近畿 3508-7514 当3	1104	階段	1121	酒井なつみ 立 東京15区 3508-7066 補当1
福田達夫 自[無] 群馬4区 3508-7181 当4	1103	EV	1122	英利アルフィヤ 自[麻] 千葉5区 3508-7436 補当1
塩崎彰久 自[無] 愛媛1区 3508-7189 当1	1102	WC(男) WC(女)	1123	防災備蓄室
衛藤征士郎 自[無] 大分2区 3508-7618 当13	1101		1124	神田憲次 自[無] 愛知5区 3508-7253 当4

国会議事堂側

㊾ 会館

40

衆議院第1議員会館 12階

吉田 真次 自[無] 山口4区 3508-7172 補当1	1212	喫煙室 WC(男) WC(女)	1213	**寺田 稔** 自[無] 広島5区 3508-7606 当6
大野敬太郎 自[無] 香川3区 3508-7132 当4	1211		1214	**髙鳥修一** 自[無] 比 北陸信越 3508-7607 当5
森 英介 自[麻] 千葉11区 3508-7162 当11	1210		1215	**田嶋 要** 立 千葉1区 3508-7229 当7
秋本真利 無 比 南関東 3508-7611 当4	1209		1216	**鈴木庸介** 立 比 東京 3508-7028 当1
谷田川 元 立 比 南関東 3508-7292 当3	1208	EV ホール	1217	**馬淵澄夫** 立 奈良1区 3508-7122 当7
宮下一郎 自[無] 長野5区 3508-7903 当6	1207		1218	**議員会議室** (自民)
小島敏文 自[無] 比 中国 3508-7192 当4	1206		1219	**宮本 徹** 共 比 東京 3508-7508 当3
小林史明 自[無] 広島7区 3508-7455 当4	1205	EV ホール	1220	**国定勇人** 自[無] 比 北陸信越 3508-7131 当1
義家弘介 自[無] 比 南関東 3508-7241 当4	1204		1221	**石橋林太郎** 自[無] 比 中国 3508-7901 当1
岸 信千世 自[無] 山口2区 3508-1203 補当1	1203	EV	1222	**岸田文雄** 自[無] 広島1区 3508-7279 当10
鈴木貴子 自[無] 比 北海道 3508-7233 当4	1202		1223	**深澤陽一** 自[無] 静岡4区 3508-7709 当2
林 芳正 自[無] 山口3区 3508-7115 当1	1201	WC(男) WC(女)	1224	**村上誠一郎** 自[無] 愛媛2区 3508-7291 当12

国会議事堂側

衆 会 館

41

衆議院第2議員会館2階

特別室	212

訴追委員会事務局長室

EV

喫煙室

WC（男） WC（女）

藤丸　敏	211
自[無] 福岡7区	
3508-7431　当4	

本田太郎	210
自[無] 京都5区	
3508-7012　当2	

石井　拓	209
自[無] 比 東海	
3508-7031　当1	

鷲尾英一郎	208
自[無] 比 北陸信越	
3508-7650　当6	

井原　巧	207
自[無] 愛媛3区	
3508-7201　当1	

岩田和親	206
自[無] 比 九州	
3508-7707　当4	

伊藤信太郎	205
自[麻] 宮城4区	
3508-7091　当7	

EVホール

神津たけし	204
立 比 北陸信越	
3508-7015　当1	

階　　猛	203
立　　岩手1区	
3508-7024　当6	

EV

緑川貴士	202
立　　秋田2区	
3508-7002　当2	

WC（男） WC（女）

青山大人	201
立　比 北関東	
3508-7039　当2	

訴追委員会事務室
訴追委員会委員長次室兼資料室
訴追委員会委員長室
訴追委員会会議室

仁木博文	213
自[麻] 徳島1区	
3508-7011　当2	

田畑裕明	214
自[無] 富山1区	
3508-7704　当4	

中谷真一	215
自[無] 山梨1区	
3508-7336　当4	

古賀　篤	216
自[無] 福岡3区	
3508-7081　当4	

高木宏壽	217
自[無] 北海道3区	
3508-7636　当3	

工藤彰三	218
自[麻] 愛知4区	
3508-7018　当4	

防災備蓄室	219

中野英幸	220
自[無] 埼玉7区	
3508-7220　当1	

鳩山二郎	221
自[無] 福岡6区	
3508-7905　当3	

伊藤忠彦	222
自[無] 愛知8区	
3508-7003　当5	

二階俊博	223
自[無] 和歌山3区	
3508-7023　当13	

会館

国会議事堂側

衆議院第2議員会館3階

堤　かなめ 立　　福岡5区 3508-7062　当1	312		313	石田真敏 自[無] 和歌山2区 3508-7072　当7
中山展宏 自[麻] 比 南関東 3508-7435　当4	311	喫煙室	314	田野瀬太道 自[無] 奈良3区 3508-7071　当4
髙木　啓 自[無] 比 東京 3508-7601　当2	310	WC WC (男)(女)	315	浜田靖一 自[無] 千葉12区 3508-7020　当10
角田秀穂 公　　比 南関東 3508-7052　当2	309		316	笹川博義 自[無] 群馬3区 3508-7338　当4
大口善徳 公　　比 東海 3508-7017　当9	308	EV ホール	317	西銘恒三郎 自[無] 沖縄4区 3508-7218　当6
輿水恵一 公　　比 北関東 3508-7076　当3	307		318	議員会議室 (れいわ)
橋本　岳 自[無] 岡山4区 3508-7016　当5	306		319	八木哲也 自[無] 愛知11区 3508-7236　当4
上川陽子 自[無] 静岡1区 3508-7460　当7	305	EV ホール	320	藤巻健太 維　　比 南関東 3508-7503　当1
国光あやの 自[無] 茨城6区 3508-7036　当2	304		321	阿部　司 維　　比 東京 3508-7504　当1
住吉寛紀 維　　比 近畿 3508-7415　当1	303	EV	322	吉田統彦 立　　比 東海 3508-7104　当3
山本剛正 維　　比 九州 3508-7009　当2	302	WC WC (男)(女)	323	沢田　良 維　　比 北関東 3508-7526　当1
佐々木　紀 自[無] 石川2区 3508-7059　当4	301		324	西村明宏 自[無] 宮城3区 3508-7906　当6

会館

国会議事堂側

衆議院第2議員会館4階

議員	室番号		室番号	議員
山口俊一 自[麻] 徳島2区 3508-7054 当11	412	階段	413	稲津 久 公 北海道10区 3508-7089 当5
中村喜四郎 立 比 北関東 3508-7501 当15	411	喫煙室	414	赤羽一嘉 公 兵庫2区 3508-7079 当9
金子恭之 自[無] 熊本4区 3508-7410 当8	410	WC WC (男)(女)	415	たがや 亮 れ 比 南関東 3508-7008 当1
櫻井 周 立 比 近畿 3508-7465 当2	409	階段	416	櫛渕万里 れ 比 東京繰 3508-7063 当2
堀井 学 自[無] 比 北海道 3508-7125 当4	408	EV ホール	417	大石あきこ れ 比 近畿 3508-7404 当1
堀内詔子 自[無] 山梨2区 3508-7487 当4	407		418	議員会議室 (立憲)
中村裕之 自[麻] 北海道4区 3508-7406 当4	406		419	福島伸享 無(有志) 茨城1区 3508-7262 当3
斎藤アレックス 教 比 近畿 3508-7637 当1	405	EV ホール	420	防災備蓄室
西村智奈美 立 新潟1区 3508-7614 当6	404	階段	421	金村龍那 維 比 南関東 3508-7411 当1
梅谷 守 立 新潟6区 3508-7403 当1	403	EV	422	堀場幸子 維 比 近畿 3508-7422 当1
近藤昭一 立 愛知3区 3508-7402 当9	402	WC WC (男)(女)	423	古屋圭司 自[無] 岐阜5区 3508-7440 当11
山田勝彦 立 長崎3区 3508-7420 補当2	401		424	吉田とも代 維 比 四国 3508-7001 当1

国会議事堂側

会館

衆議院第2議員会館5階

左室名	号室		号室	右室名
石川香織 立 北海道11区 3508-7512 当2	512	階段	513	**森 由起子** 自[無] 比 東海 3508-7443 繰当1
池田佳隆 無 比東海 3508-7616 当4	511	喫煙室	514	**甘利 明** 自[麻] 比 南関東 3508-7528 当13
大西英男 自[無] 東京16区 3508-7033 当4	510	WC(男) WC(女)	515	**石破 茂** 自[無] 鳥取1区 3508-7525 当12
池畑浩太朗 維 比 近畿 3508-7520 当1	509	階段	516	**道下大樹** 立 北海道1区 3508-7516 当2
熊田裕通 自[無] 愛知1区 3508-7513 当4	508	EVホール	517	**逢坂誠二** 立 北海道8区 3508-7517 当5
一谷勇一郎 維 比 近畿 3508-7300 当1	507		518	**議員会議室** (自民)
赤木正幸 維 比 近畿 3508-7505 当1	506		519	**北神圭朗** 無(有志) 京都4区 3508-7069 当4
吉川 元 立 比 九州 3508-7056 当4	505	EVホール	520	**高見康裕** 自[無] 島根2区 3508-7166 当1
吉田久美子 公 比 九州 3508-7055 当1	504		521	**田中良生** 自[無] 埼玉15区 3508-7058 当5
河西宏一 公 比 東京 3508-7630 当1	503	EV	522	**三ッ林裕巳** 自[無] 埼玉14区 3508-7416 当4
古屋範子 公 比 南関東 3508-7629 当7	502		523	**若宮健嗣** 自[無] 比 東京 3508-7509 当5
小林茂樹 自[無] 比 近畿 3508-7090 当3	501	WC(男) WC(女)	524	**伊藤達也** 自[無] 東京22区 3508-7623 当9

会館

国会議事堂側

45

衆議院第2議員会館6階

古川禎久 自[無] 宮崎3区 3508-7612 当7	612		613	森山浩行 立 比 近畿 3508-7426 当3	
	611	喫煙室	614	平沼正二郎 自[無] 岡山3区 3508-7251 当1	
江田憲司 立 神奈川8区 3508-7462 当7	610	WC(男) WC(女)	615	勝目 康 自[無] 京都1区 3508-7615 当1	
徳永久志 教 比 近畿 3508-7250 当1	609		616	青山周平 自[無] 比 東海 3508-7083 当4	
篠原豪 立 神奈川1区 3508-7130 当3	608	EVホール	617	緒方林太郎 無(有志) 福岡9区 3508-7119 当3	
吉田はるみ 立 東京8区 3508-7620 当1	607		618	議員会議室 (共用)	
落合貴之 立 東京6区 3508-7134 当3	606		619	防災備蓄室	
船田元 自[無] 栃木1区 3508-7156 当13	605	EVホール	620	穀田恵二 共 比 近畿 3508-7438 当10	
田中英之 自[無] 比 近畿 3508-7007 当4	604		621	笠井亮 共 比 東京 3508-7439 当6	
山口壯 自[無] 比 近畿 3508-7521 当7	603	EV	622	下村博文 自[無] 東京11区 3508-7084 当9	
荒井優 立 比 北海道 3508-7602 当1	602		623	城内実 自[無] 静岡7区 3508-7441 当6	
野間健 立 鹿児島3区 3508-7027 当3	601	WC(男) WC(女)	624	吉野正芳 自[無] 福島5区 3508-7143 当8	

国会議事堂側

会館

46

衆議院第2議員会館7階

田村貴昭 共　比 九州 3508-7475　当3	712	713	**棚橋泰文** 自[麻]　岐阜2区 3508-7429　当9
新垣邦男 社(立憲) 沖縄2区 3508-7157　当1	711	714	**金子容三** 自[無] 長崎4区 3508-7627　補当1
金子恵美 立　福島1区 3508-7476　当3	710	715	**小野寺五典** 自[無] 宮城6区 3508-7432　当8
松原　仁 無(立憲) 東京3区 3508-7452　当8	709	716	**國重　徹** 公　　大阪5区 3508-7405　当4
星野剛士 自[無] 比 南関東 3508-7413　当4	708	717	**佐藤英道** 公　比 北海道 3508-7457　当4
吉良州司 無(有志) 大分1区 3508-7412　当6	707	718	**議員会議室** (自民)
長妻　昭 立　東京7区 3508-7456　当8	706	719	**山下貴司** 自[無] 岡山2区 3508-7057　当4
岬　麻紀 維　比 東海 3508-7409　当1	705	720	**白石洋一** 立　比 四国 3508-7244　当3
早坂　敦 維　比 東北 3508-7414　当1	704	721	**井出庸生** 自[麻] 長野3区 3508-7469　当4
長谷川淳二 自[無] 愛媛4区 3508-7453　当1	703	722	**宮﨑政久** 自[無] 比 九州 3508-7360　当4
坂本哲志 自[無] 熊本3区 3508-7034　当7	702	723	**中島克仁** 立　比 南関東 3508-7423　当4
中川貴元 自[麻] 比 東海 3508-7461　当1	701	724	**米山隆一** 立　新潟5区 3508-7485　当1

喫煙室

WC(男)　WC(女)

EVホール

EVホール

EV

WC(男)　WC(女)

会館

国会議事堂側

衆議院第2議員会館8階

議員名	部屋番号		部屋番号	議員名
神田潤一 自[無] 青森2区 3508-7502 当1	812		813	古川　康 自[無] 比 九州 6205-7711 当3
上田英俊 自[無] 富山2区 3508-7061 当1	811	喫煙室	814	後藤祐一 立 神奈川16区 3508-7092 当5
谷　公一 自[無] 兵庫5区 3508-7010 当7	810	WC(男) WC(女)	815	
木村次郎 自[無] 青森3区 3508-7407 当2	809		816	吉川　赳 無 比 東海 3508-7228 当3
高橋英明 維 比 北関東 3508-7260 当1	808	EVホール	817	防災備蓄室
和田有一朗 維 比 近畿 3508-7527 当1	807		818	議員会議室 (立憲)
掘井健智 維 比 近畿 3508-7088 当1	806		819	近藤和也 立 比 北陸信越 3508-7605 当3
新谷正義 自[無] 広島4区 3508-7604 当4	805	EVホール	820	浮島智子 公 比 近畿 3508-7290 当4
平口　洋 自[無] 広島2区 3508-7622 当5	804		821	馬場雄基 立 比 東北 3508-7631 当1
浅川義治 維 比 南関東 3508-7197 当1	803	EV	822	柴山昌彦 自[無] 埼玉8区 3508-7624 当7
菊田真紀子 立 新潟4区 3508-7524 当7	802	WC(男) WC(女)	823	小渕優子 自[無] 群馬5区 3508-7424 当8
神谷　裕 立 比 北海道 3508-7050 当2	801		824	額賀福志郎 無 茨城2区 3508-7447 当13

国会議事堂側

衆議院第2議員会館9階

長友慎治 国　　比九州 3508-7212　当1	912		913	金子俊平 自[無]　岐阜4区 3508-7060　当2
亀井亜紀子 立　　島根1区 3508-7701　補当2	911	喫煙室	914	泉田裕彦 自[無]　比北陸信越 3508-7640　当2
伴野　豊 立　　比東海 3508-7019　当6	910	WC(男) WC(女)	915	五十嵐　清 自[無]　比北関東 3508-7085　当1
重徳和彦 立　　愛知12区 3508-7910　当4	909		916	丹羽秀樹 自[無]　愛知6区 3508-7025　当6
穂坂　泰 自[無]　埼玉4区 3508-7030　当2	908	EVホール	917	山田美樹 自[無]　東京1区 3508-7037　当4
杉田水脈 自[無]　比中国 3508-7029　当3	907		918	議員会議室 （自民）
根本幸典 自[無]　愛知15区 3508-7711　当4	906		919	中川康洋 公　　比東海 3508-7038　当2
塩川鉄也 共　　比北関東 3508-7507　当8	905	EVホール	920	日下正喜 公　　比中国 3508-7021　当1
高橋千鶴子 共　　比東北 3508-7506　当7	904		921	井野俊郎 自[無]　群馬2区 3508-7219　当4
梶山弘志 自[無]　茨城4区 3508-7529　当8	903	EV	922	防災備蓄室
佐藤　勉 自[無]　栃木4区 3508-7408　当9	902	WC(男) WC(女)	923	中曽根康隆 自[無]　群馬1区 3508-7272　当2
尾﨑正直 自[無]　高知2区 3508-7619　当1	901		924	三反園　訓 無(自民)　鹿児島2区 3508-7511　当1

衆 会館

国会議事堂側

衆議院第2議員会館 10階

早稲田ゆき			青柳陽一郎
立　神奈川4区	1012	1013	立　比 南関東
3508-7106　当2			3508-7245　当4

茂木敏充		喫煙室	石川昭政
自[無]　栃木5区	1011	1014	自[無]　比 北関東
3508-1011　当10			3508-7159　当4

武部　新		WC(男) WC(女)	藤原　崇
自[無]　北海道12区	1010	1015	自[無]　岩手3区
3508-7425　当4			3508-7207　当4

金田勝年			國場幸之助
自[無]　比 東北	1009	1016	自[無]　比 九州
3508-7053　当5			3508-7741　当4

末松義規		EVホール	武井俊輔
立　東京19区	1008	1017	自[無]　比 九州
3508-7488　当7			3508-7388　当4

小田原　潔			議員会議室
自[無]　東京21区	1007	1018	(公明)
3508-7909　当4			

古川元久			冨樫博之
国　愛知2区	1006	1019	自[無]　秋田1区
3508-7078　当9			3508-7275　当4

小川淳也		EVホール	東　国幹
立　香川1区	1005	1020	自[無]　北海道6区
3508-7621　当6			3508-7634　当1

稲富修二			江渡聡徳
立　比 九州	1004	1021	自[麻]　青森1区
3508-7515　当3			3508-7096　当8

森田俊和		EV	赤澤亮正
立　埼玉12区	1003	1022	自[無]　鳥取2区
3508-7419　当2			3508-7490　当6

江﨑鐵磨			高木陽介
自[無]　愛知10区	1002	1023	公　比 東京
3508-7418　当8		WC(男) WC(女)	3508-7481　当9

奥野信亮			山崎正恭
自[無]　比 近畿	1001	1024	公　比 四国
3508-7421　当6			3508-7472　当1

国会議事堂側

会館

衆議院第2議員会館 11 階

吉田豊史 無 比 北陸信越 3508-7434 当2	1112	1113	菅　義偉 自[無] 神奈川2区 3508-7446 当9
上杉謙太郎 自[無] 比 東北 3508-7074 当2	1111	1114	古川直季 自[無] 神奈川6区 3508-7523 当1
山本ともひろ 自[無] 比 南関東 3508-7193 当5	1110	1115	稲田朋美 自[無] 福井1区 3508-7035 当6
渡辺　周 立 比 東海 3508-7077 当9	1109	1116	木原　稔 自[無] 熊本1区 3508-7450 当5
山口　晋 自[無] 埼玉10区 3508-7430 当1	1108	1117	櫻田義孝 自[無] 比 南関東 3508-7381 当8
小泉龍司 自[無] 埼玉11区 3508-7121 当7	1107	1118	議員会議室 (自民)
加藤竜祥 自[無] 長崎2区 3508-7230 当1	1106	1119	坂井　学 自[無] 神奈川5区 3508-7489 当5
三木圭恵 維 比 近畿 3508-7638 当2	1105	1120	三谷英弘 自[無] 比 南関東 3508-7522 当3
加藤勝信 自[無] 岡山5区 3508-7459 当7	1104	1121	門山宏哲 自[無] 比 南関東 3508-7382 当4
河野太郎 自[麻] 神奈川15区 3508-7006 当9	1103	1122	伊藤俊輔 立 比 東京 3508-7150 当2
阿部弘樹 維 比 九州 3508-7480 当1	1102	1123	鈴木　敦 教 比 南関東 3508-7286 当1
	1101	1124	西岡秀子 国 長崎1区 3508-7343 当2

喫煙室

WC（男）　WC（女）

EV ホール

EV ホール

EV

WC（男）　WC（女）

会館

国会議事堂側

衆議院第2議員会館 12階

武藤容治 自[麻] 岐阜3区 3508-7482 当5	1212			1213	根本 匠 自[無] 福島2区 3508-7312 当9
塩谷 立 無 比 東海 3508-7632 当10	1211	喫煙室		1214	防災備蓄室
今村雅弘 自[無] 比 九州 3508-7610 当9	1210	WC WC (男)(女)		1215	鈴木隼人 自[無] 東京10区 3508-7463 当3
岩屋 毅 自[無] 大分3区 3508-7510 当9	1209			1216	井坂信彦 立 兵庫1区 3508-7082 当3
髙階恵美子 自[無] 比 中国 3508-7518 当1	1208	EV ホール		1217	柚木道義 立 比 中国 3508-7301 当6
江藤 拓 自[無] 宮崎2区 3508-7468 当7	1207			1218	議員会議室 (自民)
中根一幸 自[無] 比 北関東 3508-7458 当5	1206			1219	本庄知史 立 千葉8区 3508-7519 当1
萩生田光一 自[無] 東京24区 3508-7154 当6	1205	EV ホール		1220	細田健一 自[無] 新潟2区 3508-7278 当4
津島 淳 自[無] 比 東北 3508-7073 当4	1204			1221	坂本祐之輔 立 比 北関東 3508-7449 当3
市村浩一郎 維 兵庫6区 3508-7165 当4	1203	EV		1222	中谷 元 自[無] 高知1区 3508-7486 当11
空本誠喜 維 比 中国 3508-7451 当2	1202	WC WC (男)(女)		1223	竹内 譲 公 比 近畿 3508-7473 当6
尾身朝子 自[無] 比 北関東 3508-7484 当3	1201			1224	庄子賢一 公 比 東北 3508-7474 当1

国会議事堂側

第49回総選挙（小選挙区比例代表並立制）
（令和3年10月31日施行／令和7年10月30日満了）

議　長	額賀福志郎 ぬか が ふく し ろう	秘書	平川　大輔 田中　翔太	☎3581-1461
副議長	海江田万里 かい え だ ばん り	秘書	清家　弘司 落合　友子	☎3423-0311

勤続年数は令和6年8月末現在です。

北海道1区　450,946　⊛59.13

札幌市（中央区、北区の一部
（P169参照）、南区、西区の一部
（P169参照））

当118,286　道下大樹　立前（45.3）
比106,985　船橋利実　自前（41.0）
比35,652　小林　悟　維新（13.7）

立前　　当2
道下大樹
みち した だい き
北海道新得町　S50・12・24
勤7年　（初/平29）

法務委、総務委、党国対副委員長、党税調事務局長、北海道議、道議会民進党政審会長、衆議院議員秘書、中央大／48歳

〒060-0042　札幌市中央区大通西5丁目
昭和ビル5F　　☎011(233)2331

北海道2区　460,828　⊛52.60

札幌市（北区（1区に属しない区域）（P169参照）、東区）

当105,807　松木謙公　立前（44.7）
比89,745　高橋祐介　自新（37.9）
比41,076　山崎　泉　維新（17.4）

立前　　当6
松木けんこう
まつき
北海道札幌市　S34・2・22
勤15年5ヵ月　（初/平15）

環境委、沖北特委、沖北特委員長、党選対委員長代理、決算行監委、農水大臣政務官、官房長官・労働大臣秘書、青山学院大学／65歳

〒001-0908　札幌市北区新琴似8条9丁目2-1
☎011(769)7770
〒168-0063　杉並区和泉3-31-12

北海道3区　474,944　⊛56.24

札幌市（白石区、豊平区、清田区）

当116,917　高木宏寿　自元（44.7）
比当112,535　荒井　優　立新（43.0）
比32,340　小和田康文　維新（12.4）

自元［無］　　当3
高木宏壽
たか ぎ ひろ ひさ
北海道札幌市　S35・4・9
勤7年9ヵ月　（初/平24）

復興副大臣、党生活安全関係団体委員長、党内閣第一部会長代理、内閣府大臣政務官兼復興大臣政務官、道議、慶大法／64歳

〒062-0020　札幌市豊平区月寒中央通5-1-12
☎011(852)4764
〒100-8982　千代田区永田町2-1-2、会館☎03(3508)7636

北海道4区 363,778 ⑰61.14

当109,326 中村裕之 自前(50.2)
比当108,630 大築紅葉 立新(49.8)

札幌市(西区(1区に属しない区域)(P169参照)、手稲区)、小樽市、後志総合振興局管内

なか むら ひろ ゆき
中村 裕之

自前[麻]　　当4
北海道　S36・2・23
勤11年10ヵ月 (初/平24)

文科委理、国交委、原子力特委理、党水産部会長代理、党文科会長、農水副大臣、文科大臣政務官、道議、道PTA連会長、JC、道庁、北海学園大／63歳

〒047-0024　小樽市花園1-4-19　☎0134(21)5770
〒107-0052　港区赤坂2-17-10、宿舎　☎03(5549)4671

北海道5区 467,864 ⑰60.22

当139,950 和田義明 自前(50.6)
比111,366 池田真紀 立前(40.3)
16,758 橋本美香 共新(6.1)
8,520 大津伸太郎 無新(3.1)

札幌市(厚別区)、江別市、千歳市、恵庭市、北広島市、石狩市、石狩振興局管内

わ だ よし あき
和田 義明

自前[無]　　当3
大阪府池田市 S46・10・10
勤8年6ヵ月 (初/平28補)

党女性局次長、防衛大臣補佐官、内閣府副大臣、内閣府大臣政務官、党遊説局長、党国防副部会長、三菱商事、早大商／52歳

〒004-0053　札幌市厚別区厚別中央3条5丁目8-20　☎011(896)5505
〒100-8981　千代田区永田町2-2-1、会館　☎03(3508)7117

北海道6区 415,008 ⑰56.86

当128,670 東　国幹 自新(55.5)
比93,403 西川将人 立新(40.3)
比9,776 斉藤忠行 N新(4.2)

旭川市、士別市、名寄市、富良野市、上川総合振興局管内

あずま くに よし
東　　国幹

自新[無]　　当1
北海道名寄市 S43・2・17
勤2年11ヵ月 (初/令3)

農水委、法務委、災害特委、沖北特委、党地方組織・議員総局次長、道議会議員、旭川市議、衆院議員秘書、東海大学／56歳

〒079-8412　旭川市永山2条4丁目2-19　☎0166(40)2223
〒107-0052　港区赤坂2-17-10、宿舎

北海道7区 253,134 ⑰56.19

当80,797 伊東良孝 自前(58.0)
比45,563 篠田奈保子 立新(32.7)
12,913 石川明美 共新(9.3)

釧路市、根室市、釧路総合振興局管内、根室振興局管内

い とう よし たか
伊東 良孝

自前[無]　　当5
北海道　S23・11・24
勤15年2ヵ月 (初/平21)

衆沖北特委理、農水委理、党総務会総務、党北海道総合開発特委員長、地方創生特委長、農水副大臣(2回目)、水産部会長、農水委員長、副幹事長、財務政務官、釧路市長、道議、市議、道教育大／75歳

〒085-0021　釧路市浪花町13-2-1　☎0154(25)5500
〒100-8981　千代田区永田町2-2-1、会館　☎03(3508)7170

北海道 8 区	361,180
㊗ 60.08	

当112,857　逢坂誠二　立前（52.7）
比101,379　前田一男　自元（47.3）

函館市、北斗市、渡島総合振興
局管内、檜山振興局管内

おお　さか　せい　じ
逢坂誠二

立前　　　　　　　当5
北海道ニセコ町　S34・4・24
勤17年1ヵ月（初/平17）

憲法審野党筆頭幹事、内閣委、原子力特委、党代表代行、道連代表、総理補佐官、総務大臣政務官、ニセコ町長、薬剤師、行政書士、北大／65歳

〒040-0073　函館市宮前町8-4　　☎0138(41)7773
〒100-8982　千代田区永田町2-1-2、会館　☎03(3508)7517

北海道 9 区	381,776
㊗ 58.92	

当113,512　山岡達丸　立前（51.5）
比当106,842　堀井　学　自前（48.5）

室蘭市、苫小牧市、登別市、伊
達市、胆振総合振興局管内、日高
振興局管内

やま　おか　たつ　まる
山岡達丸

立前　　　　　　　当3
東京都　　　　　　S54・7・22
勤10年4ヵ月（初/平21）

経産委理、党副幹事長（総務局長兼務）、ハラスメント対策委員会事務局長、NHK記者、慶大経／45歳

〒053-0021　北海道苫小牧市若草町1丁目1-24
　　　　　　　　　　　　　　　☎0144(37)5800
〒100-8981　千代田区永田町2-2-1、会館　☎03(3508)7306

北海道 10 区	284,648
㊗ 64.80	

当96,843　稲津　久　公前（53.9）
比82,718　神谷　裕　立前（46.1）

夕張市、岩見沢市、留萌市、美唄市、
芦別市、赤平市、三笠市、滝川市、
砂川市、歌志内市、深川市、空知総
合振興局管内、留萌振興局管内

いな　つ　ひさし
稲津　久

公前　　　　　　　当5
北海道芦別市　　　S33・2・9
勤15年2ヵ月（初/平21）

党幹事長代理、中央幹事、政調会長代理、北海道本部代表、元厚生労働副大臣、元農水政務官、元道議、専修大／66歳

〒068-0853　岩見沢市大和3条4丁目14-7　☎0126(22)8511
〒107-0052　港区赤坂2-17-10、宿舎

北海道 11 区	283,874
㊗ 63.51	

当91,538　石川香織　立前（51.8）
比85,336　中川郁子　自元（48.2）

帯広市、十勝総合振興局管内

いし　かわ　か　おり
石川香織

立前　　　　　　　当2
神奈川県　　　　　S59・5・10
勤7年　　　　　　（初/平29）

予算委、国交委、消費者特委、党副幹事長、前党青年局長、元日本BS11アナウンサー、聖心女子大／40歳

〒080-0028　帯広市西18条南5丁目47-5　☎0155(67)7730
〒107-0052　港区赤坂2-17-10、宿舎

北見市、網走市、稚内市、紋別市、
宗谷総合振興局管内、オホーツ
ク総合振興局管内

たけ　べ　　あらた
武部　新

自前［無］　　当4
北海道　　S45・7・20
勤11年10ヵ月（初/平24）

衆院法務委員長、農林水産副大臣、環境
兼内閣府大臣政務官、衆院議事進行係、
党農林部会長、早大法、シカゴ大院／54歳

〒090-0833 北見市とん田東町603-1　☎0157(61)7711

比例代表 北海道 8 人　北海道

すず　き　たか　こ
鈴木貴子

自前［無］　　当4
北海道帯広市　S61・1・5
勤11年4ヵ月（初/平25補）

自民党青年局長、自民党副幹事長、前外務副大臣、元
防衛大臣政務官、元NHK長野放送局番組制作ディレ
クター、カナダオンタリオ州トレント大学／38歳

〒085-0018 釧路市黒金町7-1-1
クロガネビル3F　☎0154(24)2522

わた　なべ　こう　いち
渡辺孝一

自前［無］　　当4
北海道　　S32・11・25
勤11年10ヵ月（初/平24）

総務副大臣、総務大臣政務官、防衛大臣
政務官、農水委理事、党副幹事長、岩見
沢市長、歯科医、東日本学園大／66歳

〒068-0004 岩見沢市4条東1-7-1
北商4-1ビル1F
〒107-0052 港区赤坂2-17-10、宿舎　☎0126(25)1188

ほり　い　　　まなぶ
堀井　学

自前［無］　当4(初/平24)
北海道室蘭市　S47・2・19
勤11年10ヵ月〈北海道9区〉

農水委、経産委、地・こ・デジ特委、内閣府副
大臣、予算委理、党文科部会長代理、外務大
臣政務官、党議、王子製紙、専修大商／52歳

〒059-0012 登別市中央町5-14-1　☎0143(88)2811
〒107-0052 港区赤坂2-17-10、宿舎　☎03(5549)4671

なか　がわ　ゆう　こ
中川郁子

自元［麻］　当3(初/平24)
新潟県　　S33・12・22
勤7年9ヵ月〈北海道11区〉

外務委理、党内閣第一部会長代理、党生活安全関
係団体委員長、水産総合調査会副会長、農林水産
大臣政務官、三菱商事、聖心女子大学／65歳

〒080-0802 帯広市東2条南13丁目18　☎0155(27)2611

㊨略歴

北海道・比例北海道

おおつき紅葉〔くれは〕 立新 当1(初/令3)
北海道小樽市 S58・10・16
勤2年11ヵ月 〈北海道4区〉

総務委、法務委、消費者特委、党国対委員長
補佐、党政調会長補佐、フジテレビ政治部
記者、英国バーミンガムシティ大／40歳

〒047-0024 小樽市花園2-6-7
プラムビル5F ☎0134(61)7366

荒井 優〔あらい ゆたか〕 立新 当1(初/令3)
北海道 S50・2・28
勤2年11ヵ月 〈北海道3区〉

経産委理、復興特委、党政調会長補佐、
人材局長、ソフトバンク(株)社長室、高
校校長、早大／49歳

〒062-0933 札幌市豊平区平岸3条10-1-29 酒井ビル
☎011(826)3021
〒107-0052 港区赤坂2-17-10、宿舎 ☎03(5549)6471

神谷 裕〔かみや ひろし〕 立前 当2(初/平29)
東京都豊島区 S43・8・10
勤7年 〈北海道10区〉

農水委、沖北特委筆頭理事、党政調副会
長、参院議員秘書、衆院議員秘書、国務
大臣秘書官、日鰹連職員、帝京大／56歳

〒068-0024 北海道岩見沢市4条西4丁目12 ☎0126(22)1100

佐藤英道〔さとう ひでみち〕 公前 当4
宮城県名取市 S35・9・26
勤11年10ヵ月 (初/平24)

予算委理、党厚労部会長、厚生労働・内閣府副
大臣、議運委理事、農水政務官、党国体渉外委
員長、中央幹事、国交部会長、創大院／63歳

〒060-0001 札幌市中央区北1条西19丁目
緒方ビル4F ☎011(688)5450
〒100-8982 千代田区永田町2-1-2、会館 ☎03(3508)7457

比例北海道

| 比例代表 北海道 8人 | 有効投票数 2,569,130票 |

政党名	当選数		得票数	得票率	
	惜敗率	小選挙区		惜敗率	小選挙区
自 民 党	**4人**		**863,300票**	**33.60%**	

当①鈴木 貴子 前
当②渡辺 孝一 前
当③堀井 学 前(94.12)北9
当③中川 郁子 元(93.22)北11
③船橋 利実 新(90.45)北1
③前田 一男 元(89.8)北8
③高橋 祐介 新(84.8)北2
⑭鶴羽 佳子 新
⑮長友 隆典 新

【小選挙区での当選者】
③高木 宏寿 元 北3
③中村 裕之 前 北4
③和田 義明 前 北5
③東 国幹 新 北6
③伊東 良孝 前 北7
③武部 新 前 北12

立憲民主党　3人　　682,912票　26.58%

当①大築　紅葉 新(99.36) 北4		【小選挙区での当選者】
当①荒井　優 新(96.25) 北3		①道下　大樹 前　　　北1
当①神谷　裕 新(85.41) 北10		①松木　謙公 前　　　北2
①池田　真紀 前(79.58) 北5		①逢坂　誠二 前　　　北8
①西川　将人 新(72.59) 北6		①山岡　達丸 前　　　北9
①川原田英世 新(56.66) 北12		①石川　香織 前　　　北11
①篠田奈保子 新(56.39) 北7		
⑬原谷　那美 新		
⑭秋元　恭兵 新		
⑮田中　勝一 新		

公　明　党　1人　　294,371票　11.46%

当①佐藤　英道 前	②荒瀬　正昭 前

その他の政党の得票数・得票率は下記のとおりです。
（当選者はいません）

政党名	得票数	得票率			
日本維新の会	215,344票	8.38%	支持政党なし	46,142票	1.80%
共産党	207,189票	8.06%	NHKと裁判してる党弁護士法72条違反で		
れいわ新選組	102,086票	3.97%		42,916票	1.67%
国民民主党	73,621票	2.87%	社民党	41,248票	1.61%

青森県1区　342,174／51.84

当91,011　江渡聡徳　自前(52.4)
　比64,870　升田世喜男　立元(37.4)
　　17,783　斎藤　美緒　共新(10.2)

青森市、むつ市、東津軽郡、上北郡（野辺地町、横浜町、六ヶ所村）、下北郡

江渡聡徳（えと　あきのり）　自前［麻］　当8
青森県十和田市　S30・10・12
勤24年8ヵ月　（初/平8）

安保委、原子力特委、党総務、防衛大臣、安保委員長、防衛副大臣、短大講師、日大院／68歳

〒030-0812　青森市堤町1-3-12　☎017(718)8820
〒107-0052　港区赤坂2-17-10、宿舎

青森県2区　389,510／53.56

当126,137　神田潤一　自新(61.5)
　比65,909　高畑紀子　立新(32.1)
　　12,966　田端深雪　共新(6.3)

八戸市、十和田市、三沢市、上北郡（七戸町、六戸町、東北町、おいらせ町）、三戸郡

神田潤一（かんだ　じゅんいち）　自新［無］　当1
青森県八戸市　S45・9・27
勤2年11ヵ月　（初/令3）

内閣府大臣政務官（経済再生、金融庁担当）、日本銀行職員、金融庁出向、日本生命出向、マネーフォワード執行役員、東大経、イェール大学院／53歳

〒031-0081　八戸市柏崎1-1-1　☎0178(51)8866

青森県3区 347,625 ㊙53.29

当118,230	木村次郎　自前(65.0)
比63,796	山内　崇　立新(35.0)

弘前市、黒石市、五所川原市、
つがる市、平川市、西津軽郡、
中津軽郡、南津軽郡、北津軽郡

き　むら　じ　ろう
木 村 次 郎

自前[無]　　当2
青森県藤崎町 S42・12・16
勤7年　　　（初/平29）

議運委、文科委、原子力特委、党鳥獣被害対
策特委事務局次長、防衛大臣政務官、国土交
通大臣政務官、青森県職員、中央大／56歳

〒036-8191 青森県弘前市親方町43-3F　☎0172(36)8332
〒107-0052 港区赤坂2-17-10、宿舎　　☎03(5549)4671

岩手県1区 293,290 ㊙58.81

当87,017	階　　猛　立前(51.2)
比62,666	高橋比奈子　自前(36.9)
20,300	吉田恭子　共新(11.9)

盛岡市、紫波郡

しな
階　　　猛
たけし

立前　　当6
岩手県盛岡市 S41・10・7
勤17年3ヵ月（初/平19補）

予算委、財金委、憲法審委、党「次の内閣」
財務金融大臣、総務大臣政務官、民進党
政調会長、弁護士、銀行員、東大法／57歳

〒020-0021 盛岡市中央通3-3-2
　　　　　　菱和ビル6F　　　　　☎019(654)7111
〒107-0052 港区赤坂2-17-10、宿舎

岩手県2区 369,175 ㊙60.28

当149,168	鈴木俊一　自前(68.0)
比66,689	大林正英　立前(30.4)
3,548	荒川順子　N新(1.6)

宮古市、大船渡市、久慈市、遠野市、
陸前高田市、釜石市、二戸市、八幡
平市、滝沢市、岩手郡、気仙郡、上
閉伊郡、下閉伊郡、九戸郡、二戸郡

すず　き　しゅん　いち
鈴 木 俊 一

自前[麻]　　当10
岩手県　　 S28・4・13
勤31年5ヵ月（初/平2）

財務・金融担当大臣、党総務会長、東京オ
リパラ大臣、環境大臣、外務副大臣、衆外
務・厚労・復興特委員長、早大／71歳

〒020-0668 岩手県滝沢市鵜飼狐洞1-432
　　　　　　　　　　　　　　　　☎019(687)5525
〒100-8981 千代田区永田町2-2-1、会館　☎03(3508)7267

岩手県3区 377,117 ㊙61.71

当118,734	藤原　崇　自前(52.1)
比当109,362	小沢一郎　立前(47.9)

花巻市、北上市、一関市、奥州市、
和賀郡、胆沢郡、西磐井郡

ふじ　わら　たかし
藤 原　崇

自前[無]　　当4
岩手県西和賀町 S58・8・2
勤11年10ヵ月（初/平24）

法務委、財金委、復興特委、党青年局長、法
務大臣政務官、内閣府兼復興大臣政務
官、明治学院大学法科大学院修了／41歳

〒024-0091 岩手県北上市大曲町2-24　☎0197(72)6056
〒100-8982 千代田区永田町2-1-2、会館　☎03(3508)7207

宮城県1区　439,697　⊕54.60

当101,964　土井　亨　自前（43.4）
比当96,649　岡本　章子　立前（41.2）
　　23,033　春藤沙弥香　維新（ 9.8）
　　13,174　大草　芳江　無新（ 5.6）

仙台市（青葉区、太白区（本庁管内））

土井　亨（どい　とおる）

自前［無］　　　当5
宮城県　　　S33・8・12
勤15年9ヵ月　（初／平17）

国交委、党所有者不明土地等に関する特別委員長、党情報調査局長、国交副大臣、復興副大臣、国交政務官、党国対副委長、党財金部会長、副幹事長、県議3期、東北学院大／66歳

〒980-0011　仙台市青葉区上杉1-1-30-102　☎022（262）7223

宮城県2区　455,409　⊕53.62

当116,320　鎌田さゆり　立元（49.0）
比当115,749　秋葉　賢也　自前（48.7）
　　5,521　林マリアゆき　N新（ 2.3）

仙台市（宮城野区、若林区、泉区）

鎌田さゆり（かまた）

立元　　　　　当3
宮城県　　　S40・1・8
勤7年6ヵ月　（初／平12）

法務委、震災復興特委理、党災害・緊急事態局東北ブロック副局長、党政調副会長、東北学院大学／59歳

〒981-3133　仙台市泉区中央1-34-6-2F　☎022（771）5022
〒100-8981　千代田区永田町2-2-1、会館　☎03（3508）7204

宮城県3区　286,936　⊕57.71

当96,210　西村　明宏　自前（59.3）
比60,237　大野　篤士　立新（37.1）
　5,890　浅田　晃司　無新（ 3.6）

仙台市（太白区（秋保総合支所管内（秋保町湯向、秋保町境野、秋保町長袋、秋保町馬場、秋保町湯元）、白石市、名取市、角田市、岩沼市、刈田郡、柴田郡、伊具郡、亘理郡

西村明宏（にしむらあきひろ）

自前［無］　　　当6
福岡県北九州市　S35・7・16
勤17年7ヵ月　（初／平15）

党国対委員長代行、環境大臣、内閣府特命担当大臣、内閣官房副長官、国交・内閣府・復興副大臣、国交委員長、党筆頭副幹事長、党政調副会長事務局長、経産・国交会長、早大院／64歳

〒981-1231　宮城県名取市手倉田字諏訪609-1　☎022（384）4757
〒100-8982　千代田区永田町2-1-2、会館　☎03（3508）7906

宮城県4区　237,478　⊕57.15

当74,721　伊藤信太郎　自前（56.5）
比30,047　舩山　由美　共新（22.7）
比当27,451　早坂　敦　維新（20.8）

塩竃市、多賀城市、富谷市、宮城郡（七ヶ浜町、利府町）、黒川郡（大和町、大衡村）、加美郡

伊藤信太郎（いとうしんたろう）

自前［麻］　　　当7
東京都港区　S28・5・6
勤19年8ヵ月　（初／平13補）

環境大臣、党国際局長、復興特委員長、環境委員長、外務副大臣、外務政務官、慶大院、ハーバード大院／71歳

〒985-0021　宮城県塩釜市尾島町24-20　☎022（367）8687
〒100-8982　千代田区永田町2-1-2、会館　☎03（3508）7091

宮城県5区　252,373　当81,033　安住　淳　立前（56.9）
　　　　　　❀57.34　　比64,410　森下千里　自新（43.1）

石巻市、東松島市、大崎市（松山・三本木・鹿
島台・田尻総合支所管内）、宮城郡（松島町）、
黒川郡（大郷町）、遠田郡、牡鹿郡、本吉郡

あ　ずみ　　　　じゅん　　**立前**　　　　　当9
安住　淳　宮城県　S37・1・17
　　　　　　　　　　　勤28年1ヵ月　（初/平8）

党国対委員長、懲罰委員、民進党国対委員長、
財務大臣、政府税調会長、防衛副大臣、衆安保
委員長、党幹事長代行、NHK記者、早大/62歳

〒986-0814　石巻市南中里4-1-18　　☎0225(23)2881
〒100-8981　千代田区永田町2-2-1、会館　☎03(3508)7293

宮城県6区　253,730　当119,555　小野寺五典　自前（83.2）
　　　　　　❀57.38　　　24,072　内藤隆司　共新（16.8）

気仙沼市、登米市、栗原市、大
崎市（第5区に属しない区域）

お　の　でら　いつのり　　**自前[無]**　　　　当8
小野寺五典　宮城県気仙沼市　S35・5・5
　　　　　　　　　　　勤22年11ヵ月　（初/平9補）

予算委員長、党安全保障調査会長、防衛大臣、党政
調会長代理、外務副大臣、外務大臣政務官、東北福
祉大客員教授、県職員、松下政経塾、東大院/64歳

〒987-0511　登米市迫町佐沼字中江1-10-4
　　　　　中江第一ビル2F．1号☎0220(22)6354
〒107-0052　港区赤坂2-17-10、宿舎

秋田県1区　261,956　当77,960　冨樫博之　自前（51.9）
　　　　　　❀58.18　　比当72,366　寺田　学　立前（48.1）

秋田市

と　がし　ひろ　ゆき　　**自前[無]**　　　　当4
冨樫博之　秋田県秋田市　S30・4・27
　　　　　　　　　　　勤11年10ヵ月　（初/平24）

**党内閣第二部会長、内閣委理、経産委、復興特委、
政治改革特委**、復興副大臣、総務大臣政務官、秋
田県議会議長、衆院秘書、秋田経済大/69歳

〒010-1427　秋田市仁井田新田3-13-20　☎018(839)5601
〒107-0052　港区赤坂2-17-10、宿舎

秋田県2区　258,568　当81,845　緑川貴士　立前（52.5）
　　　　　　❀61.23　　比当73,945　金田勝年　自前（47.5）

能代市、大館市、男鹿市、鹿角市、
潟上市、北秋田市、鹿角郡、北
秋田郡、山本郡、南秋田郡

みどりかわ　たか　し　　**立前**　　　　　当2
緑川貴士　埼玉県　S60・1・10
　　　　　　　　　　　勤7年　　（初/平29）

農水委、党秋田県連代表、秋田朝日放送
アナウンサー、早大/39歳

〒017-0897　秋田県大館市三ノ丸92　　☎0186(57)8614
〒100-8982　千代田区永田町2-1-2、会館　☎03(3508)7002

秋田県3区　320,409　当55.89

当134,734　御法川信英　自前（77.9）
　38,118　杉山　彰　共新（22.1）

横手市、湯沢市、由利本荘市、大仙市、にかほ市、仙北市、仙北郡、雄勝郡

み　のりかわ　のぶ　ひで
御法川信英
自前［無］　当6
秋田県　S39・5・25
勤17年7ヵ月（初／平15）

党国対委員長代理、災害対策特別委員長、国土交通・内閣府・復興副大臣、財務副大臣、外務政務官、慶大、コロンビア大院／60歳

〒014-0046　秋田県大仙市大曲田町20-32　☎0187（63）5835
〒107-0052　港区赤坂2-17-10、宿舎

山形県1区　303,982　当61.59

当110,688　遠藤利明　自前（60.0）
比73,872　原田和広　立新（40.0）

山形市、上山市、天童市、東村山郡

えん　どう　とし　あき
遠藤利明
自前［無］　当9
山形県上山市　S25・1・17
勤27年11ヵ月（初／平5）

党中央政治大学院学院長、党総務会長、党選対委員長、東京五輪担当相、党幹事長代理、文科副大臣、建設政務次官、中大法／74歳

〒990-2481　山形市あかねヶ丘2-1-6　☎023（646）6888
〒107-0052　港区赤坂2-17-10、宿舎　☎03（5549）4671

山形県2区　313,967　当65.71

当125,992　鈴木憲和　自前（61.8）
比77,742　加藤健一　国新（38.2）

米沢市、寒河江市、村山市、長井市、東根市、尾花沢市、南陽市、西村山郡、北村山郡、東置賜郡、西置賜郡

すず　き　のり　かず
鈴木憲和
自前［無］　当4
山形県南陽市　S57・1・30
勤11年10ヵ月（初／平24）

農林水産副大臣、党青年局長、外務大臣政務官、党外交部会長代理、党農林部会長代理、農水省、東大法／42歳

〒992-0012　米沢市金池2-1-11　☎0238（26）4260
〒100-8981　千代田区永田町2-2-1、会館　☎03（3508）7318

山形県3区　287,642　当65.74

当108,559　加藤鮎子　自前（58.1）
　66,320　阿部ひとみ　無新（35.5）
　12,100　梅木　威　共新（6.5）

鶴岡市、酒田市、新庄市、最上郡、東田川郡、飽海郡

か　とう　あゆ　こ
加藤鮎子
自前［無］　当3
山形県鶴岡市　S54・4・19
勤9年10ヵ月（初／平26）

内閣府特命担当大臣、党厚労部会長代理、国土交通大臣政務官、環境兼内閣府大臣政務官、コロンビア大院、慶大／45歳

〒997-0026　鶴岡市大東町17-23（自宅）　☎0235（22）0376
〒107-0052　港区赤坂2-17-10、宿舎

福島県1区 404,405 [投]60.61

当123,620 金子恵美 立前(51.1)
比当118,074 亀岡偉民 自前(48.9)

福島市、相馬市、南相馬市、伊達市、伊達郡、相馬郡

かねこえみ
金子恵美
立前 当3(初/平26)※1
福島県保原町(現伊達市) S40・7・7
勤15年11ヵ月(参6年1ヵ月)

党会計監査、党「次の内閣」ネクスト農水大臣、党震災復興本部事務局長、復興特委、農水委、内閣府政務官兼復興政務官、参議員、福島大院／59歳

〒960-8253 福島市泉字泉川34-1 ☎024(573)0520
〒100-8982 千代田区永田町2-1-2、会館 ☎03(3508)7476

福島県2区 347,250 [投]55.06

当102,638 根本　匠 自前(54.6)
比当85,501 馬場雄基 立新(45.4)

郡山市、二本松市、本宮市、安達郡

ねもとたくみ
根本　匠
自前[無] 当9
福島県 S26・3・7
勤28年 (初/平5)

国家基本政策委員長、党復興本部長、予算委員長、党中小企業調査会長、厚労大臣、党金融調査会長、復興大臣、総理補佐官、経産委員長、内閣府副大臣、厚生政務次官、建設省、東大／73歳

〒963-8012 郡山市咲田1-2-1-103 ☎024(932)6662
〒100-8982 千代田区永田町2-1-2、会館 ☎03(3508)7312

福島県3区 264,121 [投]64.05

当90,457 玄葉光一郎 立前(54.2)
比当76,302 上杉謙太郎 自前(45.8)

白河市、須賀川市、田村市、岩瀬郡、西白河郡(泉崎村、中島村、矢吹町)、東白川郡、石川郡、田村郡

げんばこういちろう
玄葉光一郎
立前 当10
福島県田村市 S39・5・20
勤31年4ヵ月 (初/平5)

安保委、復興特委、決算行監委長、外相、国家戦略担当・内閣府特命担当大臣、民主党政調会長、選対委長、県議、上智大／60歳

〒962-0832 須賀川市本町3-2 ☎0248(72)7990
〒100-8981 千代田区永田町2-2-1、会館 ☎03(3508)7252

福島県4区 237,353 [投]64.68

当76,683 小熊慎司 立前(51.0)
比当73,784 菅家一郎 自前(49.0)

会津若松市、喜多方市、南会津郡、耶麻郡、河沼郡、大沼郡、西白河郡(西郷村)

おぐましんじ
小熊慎司
立前 当4(初/平24)※2
福島県 S43・6・16
勤14年4ヵ月(参2年6ヵ月)

拉致特委員長、外務委、参院議員、福島県議、会津若松市議、専大法学部／56歳

〒965-0835 会津若松市館馬町2-14
ニューパークハイツ1F ☎0242(38)3565
〒100-8981 千代田区永田町2-2-1、会館 ☎03(3508)7138

※1 平19参院初当選　※2 平22参院初当選

よしの　まさよし
吉野正芳

自前［無］　　　当8
福島県いわき市　S23・8・8
勤24年4ヵ月　（初/平12）

党復興本部長代理、復興大臣、政倫審会長、農林水産委・震災復興特委・原子力特委・環境委各委員長、環境副大臣、文科政務官、早大／76歳

〒970-8026　いわき市平尼子町2-26NKビル　☎0246(21)4747
〒107-0052　港区赤坂2-17-10、宿舎

比例代表 東北	13人	青森、岩手、宮城、秋田、 山形、福島

㊕略歴

福島・比例東北

つしま　じゅん
津島　淳

自前［無］　　　当4
東京都　　　S41・10・18
勤11年10ヵ月　（初/平24）
〈宮城2区〉

衆財務金融委員長、法務副大臣、国交宋内閣府政務官、党国土交通部会長、財務金融・内閣第一部会長代理、学習院大／57歳

〒038-0031　青森市三内字丸山381　☎017(718)3726
〒100-8982　千代田区永田町2-1-2、会館　☎03(3508)7073

あきば　けんや
秋葉賢也

自前［無］　当7(初/平17)
宮城県　　　S37・7・3
勤19年6ヵ月　〈宮城2区〉

消費者問題特委員長、厚労委、元復興大臣、党政調副会長、内閣総理大臣補佐官、環境委員、厚労・復興副大臣、総務大臣政務官、松下政経塾、中大法、東北大院法／62歳

〒981-3121　仙台市泉区上谷刈4-17-16　☎022(375)4477
〒100-8981　千代田区永田町2-2-1、会館　☎03(3508)7392

かんけ　いちろう
菅家一郎

自前［無］　当4(初/平24)
福島県　　　S30・5・20
勤11年10ヵ月　〈福島4区〉

環境委、復興副大臣、環境大臣政務官兼内閣府大臣政務官、会津若松市長、県議、市議、会社役員、早大／69歳

〒965-0872　会津若松市東栄町5-19　☎0242(27)9439

かめおか　よしたみ
亀岡偉民

自前［無］　当5(初/平17)
福島県　　　S30・9・10
勤15年9ヵ月　〈福島1区〉

予算委、倫選特委員長、拉致特委員長、党総裁補佐、復興副大臣、文科兼内閣府副大臣、文科委員長、農相秘書、早大教育(野球部)／68歳

〒960-8055　福島市野田町5-6-25　☎024(533)3131
〒100-8981　千代田区永田町2-2-1、会館　☎03(3508)7148

かね だ かつ とし
金田 勝年
自前［無］ 当5(初/平21)※
秋田県 S24・10・4
勤27年4ヵ月(参12年2ヵ月)〈秋田2区〉

予算委、災害特委、党総務会長代行、予算委員長、法務大臣、財務金融委員長、外務副大臣、農林水産政務次官、大蔵主計官、一橋大／74歳

〒016-0843 能代市中和1-16-2 ☎0185(54)3000
〒107-0052 港区赤坂2-17-10、宿舎 ☎03(5549)4671

うえ すぎ けん た ろう
上杉 謙太郎
自前［無］ 当2(初/平29)
神奈川県 S50・4・20
勤7年 〈福島3区〉

外務委、文科委、地・こ・デジ特委理事、震災復興特委、外務大臣政務官、議員秘書、県3区支部長、早大／49歳

〒961-0075 白河市会津町93 県南会津ビル ☎0248(21)9477

おか もと こ
岡本 あき子
立前 当2(初/平29)
宮城県 S39・8・16
勤7年 〈宮城1区〉

総務委、地・こ・デジ特委理、党政調副会長、子ども若者応援本部事務局長、党ジェンダー平等推進本部事務局長、仙台市議、NTT、東北大／60歳

〒980-0811 仙台市青葉区一番町2-5-12-3F ☎022(395)4781
〒100-8981 千代田区永田町2-2-1、会館 ☎03(3508)7064

てら た まなぶ
寺田 学
立前 当6(初/平15)
秋田県横手市 S51・9・20
勤18年11ヵ月 〈秋田1区〉

政倫審筆頭幹事、法務委、内閣総理大臣補佐官、三菱商事社員、中央大／47歳

〒010-1424 秋田市御野場1-1-9 ☎018(827)7515
〒100-8981 千代田区永田町2-2-1、会館 ☎03(3508)7464

お ざわ いち ろう
小沢 一郎
立前 当18(初/昭44)
岩手県旧水沢市 S17・5・24
勤55年 〈岩手3区〉

自由党代表、生活の党代表、国民の生活が第一代表、民主党代表、自由党党首、新進党党首、自民党幹事長、官房副長官、自治相、慶大／82歳

〒023-0814 奥州市水沢袋町2-38 ☎0197(24)3851
〒100-8981 千代田区永田町2-2-1、会館 ☎03(3508)7175

ば ば ゆう き
馬場 雄基
立新 当1(初/令3)
福島県 H4・10・15
勤2年11ヵ月 〈福島2区〉

環境委理、震災復興特委理、三井住友信託銀行、松下政経塾、コミュニティ施設事業統括、慶大法／31歳

〒963-8014 郡山市虎丸町6-18 虎丸ビル201 ☎024(953)8109
〒100-8982 千代田区永田町2-1-2、会館 ☎03(3508)7631

略歴

比例東北

公新　　　　　　　　　　当1
庄子賢一
しょうじ けんいち
宮城県仙台市　S38・2・8
勤2年11ヵ月　（初／令3）

党中央幹事、党東北方面本部長、内閣委
理、決算行監委、復興特委理、宮城県議会
議員5期、広告代理店、東北学院大／61歳

〒983-0852　仙台市宮城野区榴岡4-5-24-502
〒100-8982　千代田区永田町2-1-2、会館　☎022（290）3770　☎03（3508）3770

共前　　　　　　　　　　当7
高橋千鶴子
たかはし ちづこ
秋田県　S34・9・16
勤20年11ヵ月　（初／平15）

党衆議院議員団長、障害者の権利委員会責
任者、党国交部会長、党幹部会委員、国交委、
復興特委、地・こ・デジ特委、弘前大／64歳

〒980-0021　仙台市青葉区中央4-3-28
朝市ビル4F　☎022（223）7572
〒107-0052　港区赤坂2-17-10、宿舎　☎03（5549）4671

維新　　　　　　当1（初／令3）
早坂　敦
はや さか あつし
宮城県　S46・3・11
勤2年11ヵ月　〈宮城4区〉

文科委、復興特委理、会社役員、児童指
導員、仙台市議、東北高校／53歳

〒984-0063　仙台市若林区石名坂7加藤ビル206
〒107-0052　港区赤坂2-17-10、宿舎　☎022（344）6115

比例代表　東北　13人　有効投票数　4,120,670票

政党名	当選者数		得票数	得票率
	惜敗率 小選挙区			惜敗率 小選挙区

自民党　6人　1,628,233票　39.51%

当①津島　　淳　前		②木村　次郎　前　　青3
当②秋葉　賢也　前(99.51)宮2		②鈴木　俊一　前　　岩2
当②菅家　一郎　前(96.22)福4		②藤原　　崇　前　　岩3
当②亀岡　偉民　前(95.51)福1		②土井　　亨　前　　宮1
当②金田　勝年　前(90.38)秋2		②西村　明宏　前　　宮3
当②上杉謙太郎　前(84.35)福3		②伊藤信太郎　前　　宮4
②森下　千里　新(75.78)宮5		②小野寺五典　前　　宮6
②高橋比奈子　前(72.02)岩1		②冨樫　博之　前　　秋1
⑳前川　恵元		②御法川信英　前　　秋3
㉕入野田　博新		②遠藤　利明　前　　山1
【小選挙区での当選者】		②鈴木　憲和　前　　山2
②江渡　聡徳　前　　　青1		②加藤　鮎子　前　　山3
②神田　潤一　新　　　青2		②根本　　匠　前　　福2

立憲民主党　4人　991,504票　24.06%

当①岡本　章子　前(94.79)宮1		①原田　和広　新(66.74)山1
当①寺田　　学　前(92.82)秋1		①大野　園子　新(62.61)宮3
当①小沢　一郎　前(92.11)岩3		①山内　　崇　新(53.96)青3
当①馬場　雄基　新(83.30)福2		①高畑　紀子　新(52.25)青2
①升田世喜男　元(71.28)青1		①大林　正英　新(44.71)岩2

⑱佐野　利恵　新
⑲鳥居　作弥　新
⑳内海　太　新
【小選挙区での当選者】
①階　　猛　前　　岩1
①鎌田さゆり　元　　宮2

①安住　　淳　前　　宮5
①緑川　貴士　前　　秋2
①金子　恵美　新　　福1
①玄葉光一郎　前　　福3
①小熊　慎司　前　　福4

公明党　　1人　　　　456,287票　11.07%

当①庄子　賢一　新　　　③曽根　周作　新
　②佐々木雅文　新

共産党　　1人　　　　292,830票　7.11%

当①高橋千鶴子　前　　　③藤本　友里　新
　②舩山　由美　新　宮4

日本維新の会　1人　　258,690票　6.28%

当①早坂　　敦　新(36.74)宮4　　▼①春藤沙弥香　新(22.59)宮1

··
その他の政党の得票数・得票率は下記のとおりです。
(当選者はいません)

政党名	得票数	得票率	
国民民主党	195,754票	4.75%	NHKと裁判してる党弁護士法72条違反で
れいわ新選組	143,265票	3.48%	52,664票 1.28%
社民党	101,442票	2.46%	

茨城県1区 402,090
⑫51.29

当105,072　福島伸享　無元(52.1)
比当96,791　田所嘉徳　自前(47.9)

水戸市(本庁管内、赤塚・常澄出張所管内)、下妻市の一部(P169参照)、笠間市(笠間市管内)、常陸大宮市(御前山支所管内)、筑西市、桜川市、東茨城郡(城里町)

ふく　しま　のぶ　ゆき
福島伸享　無元(有志)　　　　当3
茨城県　　S45・8・8
勤9年1ヵ月　(初/平21)

国交委、厚労委、政治改革特委、震災復興特委、筑波大学客員教授、東京財団、内閣官房参事官補佐、経産省、東大／54歳

〒310-0804　水戸市白梅1-7-21　　☎029(302)8895
〒107-0052　港区赤坂2-17-10、宿舎

茨城県2区 355,390
⑫49.80

当110,831　額賀福志郎　自前(64.5)
比61,103　藤田幸久　立元(35.5)

水戸市(第1区に属しない区域)、笠間市(第1区に属しない区域)、鹿嶋市、潮来市、神栖市、行方市、鉾田市、小美玉市(本庁管内、小川総合支所管内)、東茨城郡(茨城町)、東茨城郡

ぬか　が　ふく　し　ろう
額賀福志郎　無前　　　　　　当13
茨城県行方市　　S19・1・11
勤40年11ヵ月　(初/昭58)

衆議院議長、財務大臣、防衛庁長官、経済財政担当大臣、自民党政調会長、党税調顧問、党震災復興本部長、早大／80歳

〒311-3832　行方市麻生3287-32　　☎0299(72)1218
〒100-8982　千代田区永田町2-1-2、会館　☎03(3508)7447

▼は小選挙区の得票が有効投票総数の10分の1未満で、復活当選の資格がない者　　67

茨城県3区 389,521 ⊕53.52

当109,448	葉梨康弘	自前(53.6)
比63,674	梶岡博樹	立新(31.2)
比31,100	岸野智康	維新(15.2)

龍ヶ崎市、取手市、牛久市、守谷市、稲敷市、稲敷郡、北相馬郡

葉梨康弘 <small>は なし やす ひろ</small>

自前［無］ 当6
東京都 S34・10・12
勤17年7ヵ月 （初／平15）

総務委、国家基本委、懲罰委、情報監視審査会、党選対委員長代理、国対副委員長、法務大臣、党政調会長代理、農林水産副大臣、東大法／64歳

〒302-0017 取手市桑原1108 ☎0297(74)1859

茨城県4区 268,147 ⊕52.81

当98,254	梶山弘志	自前(70.5)
比25,162	武藤優子	維新(18.0)
比16,018	大内久美子	共新(11.5)

常陸太田市、ひたちなか市、常陸大宮市（第1区に属しない区域）、那珂市、久慈郡

梶山弘志 <small>かじ やま ひろ し</small>

自前［無］ 当8
茨城県常陸太田市 S30・10・18
勤24年4ヵ月 （初／平12）

党幹事長代行、経済産業大臣、地方創生大臣、国交副大臣・政務官、国交・災対特委員長、党選対委員長代理、政調会長代理、元JAEA職員、日大／68歳

〒313-0013 常陸太田市山下町1189 ☎0294(72)2772
〒100-8982 千代田区永田町2-1-2、会館

茨城県5区 241,755 ⊕53.30

当61,373	浅野 哲	国前(48.5)
比53,878	石川昭政	自前(42.6)
8,061	飯田美弥子	共新(6.4)
3,248	田村 弘	無新(2.6)

日立市、高萩市、北茨城市、那珂郡

浅野 哲 <small>あさ の さとし</small>

国前 当2
東京都 S57・9・25
勤7年 （初／平29）

党国対委員長代理、エネルギー調査会長、議運委、内閣委、原子力特委、衆議員秘書、(株)日立製作所、日立労組、青学院修了／41歳

〒317-0071 茨城県日立市鹿島町1-11-13
友愛ビル ☎0294(21)5522
〒100-8981 千代田区永田町2-2-1、会館☎03(3508)7231

茨城県6区 454,712 ⊕53.62

当125,703	国光文乃	自前(52.5)
比当113,570	青山大人	立前(47.5)

土浦市、石岡市、つくば市、かすみがうら市、つくばみらい市、小美玉市（第2区に属しない区域）

国光あやの <small>くに みつ</small>

自前［無］ 当2
山口県 S54・3・20
勤7年 （初／平29）

党外交副部会長、総務大臣政務官、医師、厚労省職員、長崎大医学部、東京医科歯科大大院、UCLA大学院／45歳

〒305-0045 つくば市梅園2-7-1
コンフォートつくば101 ☎029(886)3686
〒100-8982 千代田区永田町2-1-2、会館☎03(3508)7036

茨城県7区 303,353 ⑲53.71

当74,362	永岡桂子 自前(46.5)
比70,843	中村喜四郎 立前(44.3)
比14,683	水梨伸晃 維新(9.2)

古河市、結城市、下妻市(第1区に属しない区域)、常総市、坂東市、結城郡、猿島郡

なが おか けい こ
永 岡 桂 子　　自前［麻］　　当6
東京都　S28・12・8
勤19年1ヵ月　(初/平17)

党選対委員長代理、文科委筆頭理事、文部科学大臣、党副幹事長、文科・厚労各副大臣、文科・消費者特委員長、農水政務官、学習院大法/70歳

〒306-0023 古河市本町2-7-13　☎0280(31)5033
〒100-8981 千代田区永田町2-2-1、会館　☎03(3508)7274

栃木県1区 434,814 ⑲52.42

当102,870	船田 元 自前(46.2)
比66,700	渡辺典喜 立新(29.9)
比43,935	柏倉祐司 維元(19.7)
9,393	青木 弘 共新(4.2)

宇都宮市(本庁管内、平石・清原・横川・瑞穂野・城山・国本・富屋・豊郷・篠井・姿川・雀宮地区市民センター管内、宝木・陽南出張所管内)、下野市の一部(P169参照)、河内郡

ふな だ はじめ
船 田 元　　自前［無］　　当13
栃木県宇都宮市 S28・11・22
勤38年4ヵ月　(初/昭54)

憲法審幹事、文科委、消費者特委、党代議士会長、党消費者問題調査会長、経企庁長官、文部政務次官、慶大院/70歳

〒320-0047 宇都宮市一の沢1-2-6　☎028(666)8735
〒100-8982 千代田区永田町2-1-2、会館　☎03(3508)7156

栃木県2区 262,690 ⑲53.75

当73,593	福田昭夫 立前(53.4)
比当64,253	五十嵐 清 自新(46.6)

宇都宮市(第1区に属しない区域)、栃木市(西方総合支所管内)、鹿沼市、日光市、さくら市、塩谷郡

ふく だ あき お
福 田 昭 夫　　立前　　当6
栃木県日光市 S23・4・17
勤19年1ヵ月　(初/平17)

総務委、地・こ・デジ特委、党県連代表、総務大臣政務官、栃木県知事、今市市長、東北大/76歳

〒321-2335 日光市森友781-3　☎0288(21)4182
〒107-0052 港区赤坂2-17-10、宿舎

栃木県3区 241,014 ⑲52.07

当82,398	簗 和生 自前(67.4)
比39,826	伊賀 央 立新(32.6)

大田原市、矢板市、那須塩原市、那須烏山市、那須郡

やな かず お
簗 和 生　　自前［無］　　当4
東京都　S54・4・22
勤11年10ヵ月　(初/平24)

内閣委、農水委、災害特委、安全保障委員長、文部科学副大臣、国交政務官兼内閣府政務官、党農林部会長、農水・国交・経産委理、慶大、東大院修/45歳

〒324-0042 栃木県大田原市末広2-3-17　☎0287(22)8706

栃木県4区 402,456 ⓗ55.37

当111,863 佐藤 勉 自前(51.1)
比当107,043 藤岡隆雄 立新(48.9)

栃木市(大平・藤岡・都賀・岩舟総合支所管内)、小山市、真岡市、下野市(第1区に属しない区域)、芳賀郡、下都賀郡

さ とう つとむ
佐 藤 　勉　
自前[無]　当9
栃木県壬生町　S27・6・20
勤28年1ヵ月　(初/平8)

国家基本委理、党総務会長、国家基本政策委員長、議院運営委員長、党国会対策委員長、総務大臣、日大／72歳

〒321-0225　下都賀郡壬生町本丸2-15-20　☎0282(83)0001

栃木県5区 284,314 ⓗ50.99

当108,380 茂木敏充 自前(77.4)
31,713 岡村恵子 共新(22.6)

足利市、栃木市(第2区及び第4区に属しない区域)、佐野市

も て ぎ とし みつ
茂 木 敏 充
自前[無]　当10
栃木県足利市　S30・10・7
勤31年4ヵ月　(初/平5)

党幹事長、元外務大臣、経済財政政策担当大臣、党政調会長、経産大臣、金融・行革大臣、科技・IT大臣、東大、ハーバード大院／68歳

〒326-0053　足利市伊勢4-14-6　☎0284(43)3050
〒100-8982　千代田区永田町2-1-2、会館　☎03(3508)1011

群馬県1区 378,869 ⓗ52.97

当110,244 中曽根康隆 自前(56.3)
比42,529 宮崎岳志 維元(21.7)
24,072 斎藤敦子 無新(12.3)
18,917 店橋世津子 共新(9.7)

前橋市、桐生市(新里・黒保根支所管内)、沼田市、渋川市(赤城・北橘行政センター管内)、みどり市(東支所管内)、利根郡

なか そ ね やす たか
中曽根康隆
自前[無]　当2
東京都　S57・1・19
勤7年　(初/平29)

安全保障委員会理事、防衛大臣政務官兼内閣府大臣政務官、参議院議員秘書、JPモルガン証券(株)、慶大／42歳

〒371-0841　前橋市石倉町3-10-5　☎027(289)6650
〒100-8982　千代田区永田町2-1-2、会館　☎03(3508)7272

群馬県2区 322,971 ⓗ50.66

当88,799 井野俊郎 自前(54.0)
比50,325 堀越啓仁 立前(30.6)
25,216 石関貴史 無元(15.3)

桐生市(第1区に属しない区域)、伊勢崎市、太田市(藪塚町、山之神町、寄合町、大原町、六千石町、大久保町)、みどり市(第1区に属しない区域)、佐波郡

い の とし ろう
井 野 俊 郎
自前[無]　当4
群馬県　S55・1・8
勤11年10ヵ月　(初/平24)

党国対副委員長、防衛副大臣兼内閣府副大臣、法務大臣政務官、弁護士、市議、明大法／44歳

〒372-0042　伊勢崎市中央町26-2　☎0270(75)1050
〒106-0032　港区六本木7-1-3、宿舎

群馬県3区　303,475　⑯53.62

太田市（第2区に属しない区域）、
館林市、邑楽郡

当86,021　笹川　博義　自前(54.6)
比67,689　長谷川嘉一　立前(43.0)
　3,737　説田　健二　N新(2.4)

笹川　博義（ささがわ ひろよし）

自前[無]　当4
東京都　S41・8・29
勤11年10ヵ月（初/平24）

党法務部会長、衆議院農水委員長・議事
進行係、環境副大臣・政務官、党総務・副
幹事長、県議、明大中退／58歳

〒373-0818　群馬県太田市小舞木町270-1 ☎0276(46)7424
〒100-8982　千代田区永田町2-1-2、会館 ☎03(3508)7338

群馬県4区　295,511　⑯56.39

高崎市（本庁管内、新町・吉井支
所管内）、藤岡市、多野郡

当105,359　福田　達夫　自前(65.0)
比56,682　角倉　邦良　立新(35.0)

福田　達夫（ふくだ たつお）

自前[無]　当4
東京都　S42・3・5
勤11年10ヵ月（初/平24）

経産委、党筆頭副幹事長、党中小企業調査
会事務局長、党税調幹事、党総務会長、防衛
政務官、総理秘書官、商社員、慶大法／57歳

〒370-0073　高崎市緑町3-6-3 ☎027(365)1192
〒100-8981　千代田区永田町2-2-1、会館 ☎03(3508)7181

群馬県5区　303,298　⑯56.42

高崎市（第4区に属しない区域）、渋川
市（第1区に属しない区域）、富岡市、
安中市、北群馬郡、甘楽郡、吾妻郡

当125,702　小渕　優子　自前(76.6)
　38,428　伊藤　達也　共新(23.4)

小渕　優子（おぶち ゆうこ）

自前[無]　当8
群馬県　S48・12・11
勤24年4ヵ月（初/平12）

党選挙対策委員長、国家基本委、経産大
臣、文科委員、財務副大臣、内閣府特命
担当大臣、成城大、早大院修了／50歳

〒377-0423　吾妻郡中之条町大字伊勢町1003-7
　　　　　　　　　　　　　　☎0279(75)2234
〒100-8982　千代田区永田町2-1-2、会館 ☎03(3508)7424

埼玉県1区　465,306　⑯55.48

さいたま市（見沼区の一部(P169
参照)、浦和区、緑区、岩槻区）

当120,856　村井　英樹　自前(47.6)
比96,690　武正　公一　立元(38.1)
比23,670　吉村　豪介　維新(9.3)
　11,540　佐藤　真実　無新(4.5)
　 1,234　中島　徳二　無新(0.5)

村井　英樹（むらい ひでき）

自前[無]　当4
埼玉県さいたま市　S55・5・14
勤11年10ヵ月（初/平24）

内閣官房副長官、内閣総理大臣補佐官、党
国対副委員長、内閣府大臣政務官、党副幹
事長、財務省、ハーバード大院、東大／44歳

〒330-0061　さいたま市浦和区常盤9-27-9 ☎048(711)3241
〒100-8981　千代田区永田町2-2-1、会館 ☎03(3508)7467

埼玉県2区　470,538　㉑50.35

川口市の一部(P169参照)

当121,543　新藤 義孝　自前(52.8)
比57,327　高橋 英明　維新(24.9)
51,420　奥田 智子　共新(22.3)

しん どう よし たか
新藤 義孝

自前[無]　当8
埼玉県川口市　S33・1・20
勤26年3ヵ月　(初/平8)

経済再生大臣、裁判官訴追委員長、衆憲
法審査会与党筆頭幹事、党政調会長代
行、総務大臣、経産副大臣、明大／66歳

〒332-0034　川口市並木1-10-22　☎048(254)6000
〒100-8981　千代田区永田町2-2-1、会館　☎03(3508)7313

埼玉県3区　462,607　㉑51.88

草加市、越谷市の一部(P170参照)

当125,500　黄川田仁志　自前(53.6)
比100,963　山川百合子　立前(43.1)
7,534　河合 悠祐　N新(3.2)

き かわ だ ひと し
黄川田仁志

自前[無]　当4
神奈川県横浜市　S45・10・13
勤11年10ヵ月　(初/平24)

党国防部会長、党海洋小委事務局長、外務委
員長、内閣府副大臣、外務大臣政務官、松下
政経塾、米メリーランド大学院修了／53歳

〒343-0813　越谷市越ケ谷1-4-3 イハシ第一ビル1階　☎048(962)8005
〒100-8981　千代田区永田町2-2-1、会館　☎03(3508)7123

埼玉県4区　386,796　㉑54.49

朝霞市、志木市、和光市、新座市

当107,135　穂坂 泰　自前(52.3)
比47,863　浅野 克彦　国新(23.3)
34,897　工藤 薫　共新(17.0)
11,733　宮崎 宣彦　無元(5.7)
3,358　小笠原洋輝　無新(1.6)

ほ さか　やすし
穂坂　泰

自前[無]　当2
埼玉県志木市　S49・2・17
勤7年　(初/平29)

外務大臣政務官、外務委、環境大臣政務
官兼内閣府大臣政務官、志木市議、青山
学院大／50歳

〒351-0011　埼玉県朝霞市本町1-10-40-101　☎048(458)3344
〒100-8982　千代田区永田町2-1-2、会館　☎03(3508)7030

埼玉県5区　397,522　㉑56.58

さいたま市(西区、北区、大宮区、
見沼区(大字砂、砂町2丁目、東
大宮2～4丁目)、中央区)

当113,615　枝野 幸男　立前(51.4)
比107,532　牧原 秀樹　自前(48.6)

えだ の ゆき お
枝野 幸男

立前　当10
栃木県　S39・5・31
勤31年4ヵ月　(初/平5)

前党代表、民進党憲法調査会長、経済産業大臣、
内閣官房長官、行政刷新大臣、沖縄・北方担当大
臣、党幹事長、政調会長、弁護士、東北大／60歳

〒330-0846　さいたま市大宮区大門町2-108-5
永峰ビル2F　☎048(648)9124

埼玉県6区
443,180
⑰55.32

鴻巣市(本庁管内、吹上支所管内)、上尾市、桶川市、北本市、北足立郡

当134,281 大島　敦 立前(56.0)
比当105,433 中根一幸 自前(44.0)

おお　しま　あつし
大島　敦

立前　　　　当8
埼玉県北本市 S31・12・21
勤24年4ヵ月 (初/平12)

憲法審査会委、経産委・団体交流委員長、懲罰委員、内閣府副大臣、総務副大臣、日本鋼管・ソニー生命社員、早大／67歳

〒363-0021 桶川市泉2-11-32 天沼ビル ☎048(789)2110
〒100-8981 千代田町永田町2-2-1、会館 ☎03(3508)7093

埼玉県7区
436,985
⑰52.63

川越市、富士見市、ふじみ野市(本庁管内)

当98,958 中野英幸 自新(44.2)
比当93,419 小宮山泰子 立前(41.7)
比31,475 伊勢田享子 維新(14.1)

なか　の　ひで　ゆき
中野英幸

自新[無]　　　当1
埼玉県　　 S36・9・6
勤2年11ヵ月 (初/令3)

法務大臣政務官、法務委、前内閣府大臣政務官兼復興大臣政務官、埼玉県議会議員(3期)、日大中退／62歳

〒350-0055 川越市久保町5-2 ☎049(226)8888
〒107-0052 港区赤坂2-17-10、宿舎 ☎03(5549)4671

埼玉県8区
365,768
⑰56.69

所沢市、ふじみ野市(第7区に属しない区域)、入間郡(三芳町)

当104,650 柴山昌彦 自前(51.6)
98,102 小野塚勝俊 無元(48.4)

しば　やま　まさ　ひこ
柴山昌彦

自前[無]　　　当7
愛知県名古屋市 S40・12・5
勤20年6ヵ月 (初/平16)

党政調会長代理、県連会長、教育・人材力強化調査会長、幹事長代理、文部科学大臣、首相補佐官、総務副大臣、外務政務官、弁護士、東大法／58歳

〒359-1141 所沢市小手指町2-12-4 ユーケー小手指101 ☎04(2924)5100
〒100-8982 千代田町永田町2-1-2、会館 ☎03(3508)7624

埼玉県9区
404,689
⑰55.44

飯能市、狭山市、入間市、日高市、入間郡(毛呂山町、越生町)

当117,002 大塚　拓 自前(53.4)
比80,756 杉村慎治 立新(36.8)
21,464 神田三春 共新(9.8)

おお　つか　たく
大塚　拓

自前[無]　　　当5
東京都　　 S48・6・14
勤15年9ヵ月 (初/平17)

党選対副委員長、党政調副会長、安保委員長、国防部会長、内閣府副大臣、法務政務官、三菱銀、慶大法、ハーバード大院／51歳

〒358-0003 入間市豊岡1-2-23 清水ビル2F ☎04(2901)1112

埼玉県10区　328,163　⓲58.19

当96,153　山口　晋　自新（51.6）
比当90,214　坂本祐之輔　立元（48.4）

東松山市、坂戸市、鶴ヶ島市、
比企郡

やま　ぐち　　すすむ
山口　晋

自新［無］　　　　当1
埼玉県川島町　S58・7・28
勤2年11ヵ月　（初／令3）

農水・文科・災特・沖北特委、党青年局研修部長、国対委、GX・eメタン議連事務局長、官房長官秘書官、衆院議員秘書、一橋大院、国立シンガポール大院／41歳

〒350-0227　坂戸市仲町12-10　☎049(282)3773

埼玉県11区　351,863　⓲52.87

当111,810　小泉龍司　自前（61.9）
比49,094　島田　誠　立新（27.2）
　19,619　小山森也　共新（10.9）

熊谷市（江南行政センター管内）、
秩父市、本庄市、深谷市、秩父郡、
児玉郡、大里郡

こ　いずみりゅう　じ
小泉龍司

自前［無］　　　　当7
東京都　　　S27・9・17
勤20年5ヵ月　（初／平12）

法務大臣、元大蔵省銀行局調査室長、東大法／71歳

〒366-0051　深谷市上柴町東3-17-19　☎048(575)3030

埼玉県12区　369,482　⓲55.52

当102,627　森田俊和　立前（51.0）
比98,493　野中　厚　自前（49.0）

熊谷市（第11区に属しない区域）、
行田市、加須市、羽生市、鴻巣
市（第6区に属しない区域）

もり　た　とし　かず
森田俊和

立前　　　　　　当2
埼玉県熊谷市　S49・9・19
勤7年　　　　（初／平29）

環境委筆頭理事、会社役員、埼玉県議、早大大学院／49歳

〒360-0831　埼玉県熊谷市久保島1003-2　☎048(530)6001

埼玉県13区　400,359　⓲52.43

当101,149　土屋品子　自前（49.4）
比86,923　三角創太　立新（42.5）
　16,622　赤岸雅治　共新（ 8.1）

春日部市の一部（P170参照）、越谷市
（第3区に属しない区域）（P170参照）、
久喜市（本庁管内、菖蒲総合支所管
内）、蓮田市、白岡市、南埼玉郡

つち　や　しな　こ
土屋品子

自前［無］　　　　当8
埼玉県春日部市　S27・2・9
勤24年9ヵ月　（初／平8）

復興大臣、党総務会副会長、党食育調査会長、厚生労働副大臣、環境副大臣、外務委員長、消費者特委員長、聖心女子大／72歳

〒344-0062　春日部市粕壁東2-3-40-101　☎048(761)0475
〒100-8981　千代田区永田町2-2-1、会館　☎03(3508)7188

埼玉

埼玉県14区 442,310 ㉚50.08

春日部市(第13区に属しない区域)、久喜市(第13区に属しない区域)、八潮市、三郷市、幸手市、吉川市、北葛飾郡

当111,262 三ッ林裕巳 自前(51.6)
比71,460 鈴木義弘 国元(33.1)
33,062 田村 勉 共新(15.3)

み つばやしひろ み
三ッ林裕巳 自前[無] 当4
埼玉県 S30・9・7
勤11年10ヵ月 (初/平24)

法務委、厚労委、議運委、内閣府副大臣、厚労委員長、党副幹事長、日本歯科大特任教授、日大客員教授、医師、日大医学部／68歳

〒340-0161 埼玉県幸手市千塚490-1 ☎0480(42)3535

埼玉県15区 422,917 ㉚53.65

さいたま市(桜区、南区)、川口市の一部(P170参照)、蕨市、戸田市

当102,023 田中良生 自前(45.9)
比71,958 高木錬太郎 立前(32.4)
比48,434 沢田 良 維新(21.8)

た なかりょう せい
田中良生 自前[無] 当5
埼玉県 S38・11・11
勤15年9ヵ月 (初/平17)

総務委理事、党総務、内閣府・国土交通副大臣、党経済産業部会長、経済産業大臣政務官、党副幹事長、立教大／60歳

〒336-0018 さいたま市南区南本町1-14-5-104 ☎048(844)3131
〒100-8982 千代田区永田町2-1-2、会館 ☎03(3508)7058

比例代表 北関東 19人 | 茨城、栃木、群馬、埼玉

お み あさ こ
尾身朝子 自前[無] 当3
東京都 S36・4・26
勤9年10ヵ月 (初/平26)

文科委、総務委、沖北特委、党総務会副会長、総務副大臣、外務大臣政務官、党情報・通信関係団体委員長、NTT、東大法／63歳

〒371-0852 前橋市総社町総社3137-1 ☎027(280)5250
〒100-8982 千代田区永田町2-1-2、会館 ☎03(3508)7484

の なか あつし
野中 厚 自前[無] 当4(初/平24)
埼玉県 S51・11・17
勤11年10ヵ月 〔埼玉12区〕

農林水産委員長、農林水産副大臣、党総務、党国土・建設関係団体委員長、農水大臣政務官、党国対副委員長、埼玉県議、慶大／47歳

〒347-0001 埼玉県加須市大越2194 ☎0480(53)5563
〒100-8981 千代田区永田町2-2-1、会館 ☎03(3508)7041

牧原秀樹（まき はら ひで き）

自前［無］ 当5(初/平17)
東京都　S46・6・4
勤15年9ヵ月　〈埼玉5区〉

法務委筆頭理、予算委理、党厚労部会長、経産副大臣、内閣委員長、厚労副大臣、環境政務官、青年局長、弁護士、東大法／53歳

〒338-0001 さいたま市中央区上落合2-1-24
　　　三殖ビル5F
〒100-8981 千代田区永田町2-2-1、会館　☎03(3508)7254
☎048(854)0808

田所嘉徳（た どころ よし のり）

自前［無］ 当4(初/平24)
茨城県　S29・1・19
勤11年10ヵ月　〈茨城1区〉

党副幹事長、法務副大臣、法務政務官、党総務部会長、労働関係団体委員長、法務・自治関係団体委員長、白鷗大法科大学院／70歳

〒310-0804 水戸市白梅2-4-12　☎029(353)6822
〒100-8981 千代田区永田町2-2-1、会館　☎03(3508)7068

石川昭政（いし かわ あき まさ）

自前［無］ 当4(初/平24)
茨城県日立市　S47・9・18
勤11年10ヵ月　〈茨城5区〉

デジタル副大臣兼内閣府副大臣、党経済産業部会長、経済産業兼内閣府兼復興大臣政務官、國學院大学院修了／51歳

〒317-0076 茨城県日立市会瀬町4-5-17　☎0294(51)5887

五十嵐清（い が らし きよし）

自新［無］ 当1(初/令3)
栃木県小山市　S44・12・14
勤2年11ヵ月　〈栃木2区〉

衆農水委、法務委、震災復興特委、党農水・環境団体委副委員長、国際協力調査会事務局次長、元栃木県議会議員、豪州ボンド大／54歳

〒322-0024 栃木県鹿沼市晃望台25　☎0289(60)8811
〒100-8982 千代田区永田町2-1-2、会館　☎03(3508)7085

中根一幸（なか ね かず ゆき）

自前［無］ 当5(初/平17)
埼玉県鴻巣市　S44・7・11
勤15年9ヵ月　〈埼玉5区〉

国交委、原子力特委、党ITS推進・道路調査会幹事長、原子力特委員、国交委員長、内閣府副大臣、外務副大臣、党総務部会長、党国交部会長、専大院法／55歳

〒365-0038 埼玉県鴻巣市本町3-9-28　☎048(543)8880
〒100-8982 千代田区永田町2-1-2、会館　☎03(3508)7458

藤岡隆雄（ふじ おか たか お）

立新 当1(初/令3)
愛知県　S52・3・28
勤2年11ヵ月　〈栃木4区〉

予算委、総務委、地・こ・デジ特委理、党政調会長補佐、党栃木県連代表代行、金融庁課長補佐、大阪大／47歳

〒323-0022 小山市駅東通り2-14-22　☎0285(37)8214

なかむらきしろう
中村喜四郎　立前　当15(初/昭51)
茨城県　S24・4・10
勤45年4ヵ月　〈茨城7区〉

国家基本委、建設大臣、自民党国対副委員長、政調副会長、科技庁長官、建設委員長、日大／75歳

〒306-0400　猿島郡境町1728　☎0280(87)0154
〒107-0052　港区赤坂2-17-10、宿舎　☎03(5549)4671

こみやまやすこ
小宮山泰子　立前　当7(初/平15)
埼玉県川越市　S40・4・25
勤20年11ヵ月　〈埼玉7区〉

国交委、復興特委、党国土交通・復興部門長、ネクスト国交・復興大臣、元農水委員長、埼玉県議、衆議員秘書、NTT社員、慶大商、日大院修了／59歳

〒350-0043　川越市新富町1-18-6-2F　☎049(222)2900

さかもとゆうのすけ
坂本祐之輔　立元　当3(初/平24)
埼玉県東松山市　S30・1・30
勤7年9ヵ月　〈埼玉10区〉

文科委理、地・こ・デジ特委、武蔵丘短大客員教授、元科技特委員、民進党副代表、埼玉県体育協会長、東松山市長、日大／69歳

〒355-0016　東松山市材木町20-9　☎0493(22)3682
〒100-8982　千代田区永田町2-1-2、会館　☎03(3508)7449

あおやまやまと
青山大人　立前　当2(初/平29)
茨城県土浦市　S54・1・24
勤7年　〈茨城6区〉

文科委、消費者特委理、茨城県議、世界史講師、土浦YEG顧問、消防団員、土浦一高、慶大経／45歳

〒300-0815　土浦市中高津1-21-3
　　　　　　村山ビル2F　☎029(828)7011

いしいけいいち
石井啓一　公　当10
東京都　S33・3・20
勤31年4ヵ月　(初/平5)

党幹事長、党茨城県本部顧問、埼玉県本部顧問、国土交通大臣、党政調会長、財務副大臣、東大工／66歳

〒340-0005　草加市中根3-34-33　☎048(951)7110
〒107-0052　港区赤坂2-17-10、宿舎

こしみずけいいち
輿水恵一　公元　当3
山梨県　S37・2・4
勤7年9ヵ月　(初/平24)

党国対委員長代理、党地方議会局長、議運委理、政治改革特委、政倫審幹、総務大臣政務官、さいたま市議、キヤノン、青学大／62歳

〒336-0967　さいたま市緑区美園4-13-5
　　　　　　ドルフィーノ浦和美園202

ふく しげ たか ひろ
福重隆浩 **公**新 東京都 当1 S37・5・3 勤2年11ヵ月 (初/令3)

党群馬県本部代表、党地方議会局次長、国際局次長、労働局次長、厚労委、決算行監委理、震災復興特委、群馬県議、創価大/62歳

〒370-0069 高崎市飯塚町457-2 3F ☎027(370)5650
〒100-8981 千代田区永田町2-2-1、会館 ☎03(3508)7249

さわ だ りょう
沢田　良 **維**新 東京都江東区 当1(初/令3) S54・9・27 勤2年11ヵ月 〈埼玉15区〉

財金委、復興特委、参議員秘書、日大校友会埼玉県支部常任幹事、日大芸術学部/44歳

〒336-0024 さいたま市南区根岸2-22-16 1F
☎048(767)8045

たか はし ひで あき
高橋英明 **維**新 埼玉県川口市 当1(初/令3) S38・5・10 勤2年11ヵ月 〈埼玉2区〉

国交委、沖北特委理、川口市議、武蔵大経済学部、中央工学校/61歳

〒337-0847 川口市芝中田2-9-6 ☎048(262)5808

しお かわ てつ や
塩川鉄也 **共**前 埼玉県日高市 当8 S36・12・18 勤24年4ヵ月 (初/平12)

党幹部会委員、党国会議員団国対委員長代理、衆院国対副委員長、内閣委、議運委、政治改革特委、日高市職員、都立大/62歳

〒330-0835 さいたま市大宮区北袋町1-171-1 ☎048(649)0409
〒100-8982 千代田区永田町2-1-2、会館 ☎03(3508)7507

すず き よし ひろ
鈴木義弘 **国**元 埼玉県三郷市 当3(初/平24) S37・11・10 勤7年9ヵ月 〈埼玉14区〉

経産委、消費者特委、復興特委、(故)土屋義彦参院議員秘書、元埼玉県議、日本大学理工学部/61歳

〒341-0044 三郷市戸ケ崎3-347 ☎048(948)2070

比例代表 北関東 19人 有効投票数 6,172,103票

政党名	当選者数 惜敗率 小選挙区	得票数	得票率 惜敗率 小選挙区
自民党	7人	2,172,065票	35.19%

当①尾身　朝子 前
当②野中　　厚 前(95.97)埼12
当②牧原　秀樹 前(94.65)埼5
当②田所　嘉徳 前(92.12)茨1

当②石川　昭政　前(87.79) 茨5
当②五十嵐　清　新(87.31) 栃2
当②中根　一幸　前(78.52) 埼5
㉜河村　建一　新
㉝神山　佐市　前
㉞西川　鎭央　新
㉟上野　宏史　新
㊲佐藤　明男　前
㊳鈴木　聖二　新
㊴小川　雅幸　新
【小選挙区での当選者】
②葉梨　康弘　前　茨3
②梶山　弘志　前　茨4
②国光　文乃　前　茨6
②永岡　桂子　前　茨7
②船田　元　前　栃1
②簗　和生　前　栃3
②佐藤　勉　前　栃4

②茂木　敏充　前　栃5
②中曽根康隆　前　群1
②井野　俊郎　前　群2
②笹川　博義　前　群3
②福田　達夫　前　群4
②小渕　優子　前　群5
②村井　英樹　前　埼1
②新藤　義孝　前　埼2
②黄川田仁志　前　埼3
②穂坂　泰　前　埼4
②柴山　昌彦　前　埼8
②大塚　拓　前　埼9
②山口　晋　新　埼10
②小泉　龍司　前　埼11
②土屋　品子　前　埼13
②三ツ林裕巳　前　埼14
②田中　良生　前　埼15
㊱中野　英幸　新　埼7

立憲民主党　5人　1,391,148票　22.54%

当①藤岡　隆雄　新(95.69) 栃4
当①中村喜四郎　前(95.27) 茨7
当①小宮山泰子　前(94.40) 埼7
当①坂本祐之輔　元(93.82) 埼10
当①青山　大人　前(90.35) 茨6
①三角　創太　新(85.94) 埼13
①山川百合子　前(80.45) 埼3
①武正　公一　元(80.00) 埼1
①長谷川嘉一　前(78.69) 群1
①高木錬太郎　前(70.53) 埼15
①杉村　慎治　新(69.02) 埼3
①渡辺　典喜　新(64.84) 栃1
①梶岡　博樹　新(58.18) 茨3

①堀越　啓仁　前(56.67) 群2
①藤田　幸久　元(55.13) 茨2
①角倉　邦良　新(53.80) 群4
①伊賀　央　新(48.33) 栃3
①島田　誠　新(43.91) 埼11
㉓石塚　貞通　新
㉔知山　幸雄　新
㉕高杉　徹　新
【小選挙区での当選者】
①福田　昭夫　前　栃2
①枝野　幸男　前　埼5
①大島　敦　前　埼6
①森田　俊和　前　埼12

公明党　3人　823,930票　13.35%

当①石井　啓一　前
当②興水　恵一　元

当③福重　隆浩　新
④村上　知己　新

日本維新の会　2人　617,531票　10.01%

当①沢田　良　新(47.47) 埼15
当①高橋　英明　新(47.17) 埼2
①柏倉　祐司　元(42.71) 栃1
①宮崎　岳志　元(38.58) 群1
①伊勢田享子　新(31.81) 埼7

①岸野　智康　新(28.42) 茨3
①武藤　優子　新(25.61) 茨4
▼①水梨　伸晃　新(19.75) 茨7
▼①吉村　豪介　新(19.59) 茨1

共産党　1人　444,115票　7.20%

当①塩川　鉄也　前
②梅村早江子　元

③大内久美子　新　茨4

国民民主党　1人　298,056票　4.83%

当①鈴木　義弘　元(64.23) 埼14
①浅野　克彦　新(44.68) 埼4

【小選挙区での当選者】
①浅野　哲　前　茨5

その他の政党の得票数・得票率は下記のとおりです。
（当選者はいません）

政党名	得票数	得票率			
れいわ新選組	239,592票	3.88%	NHKと裁判してる党弁護士法72条違反で	87,702票	1.42%
社民党	97,963票	1.59%			

▼は小選挙区の得票が有効投票総数の10分の1未満で、復活当選の資格がない者

千葉県1区 430,513 ⑯54.51

千葉市（中央区、稲毛区、美浜区）

当128,556 田嶋 要 立前（56.3）
比当99,895 門山宏哲 自前（43.7）

田嶋 要 （たじま かなめ）
立前 当7
愛知県 S36・9・22
勤20年11ヵ月 （初/平15）

党NC経産大臣、経産委、原子力特委、経産政務官、原子力災害現地対策本部長、NTT、世銀IFC投資官、米ウォートンMBA、東大法／62歳

〒260-0015 千葉市中央区富士見2-9-28
第1山崎ビル6F ☎043(202)1511

千葉県2区 460,509 ⑯54.65

千葉市（花見川区）、習志野市、八千代市

当153,017 小林鷹之 自前（62.0）
比69,583 黒田 雄 立元（28.2）
比24,052 寺尾 賢 共新（9.8）

小林鷹之 （こばやし たかゆき）
自前［無］ 当4
千葉県 S49・11・29
勤11年10ヵ月 （初/平24）

憲法審幹事、復興特委理事、経産委、国交委、党組織運動副本部長、経済安全保障大臣、防衛大臣政務官、財務省、ハーバード大院、東大法／49歳

〒276-0033 千葉市八千代市八千代台南1-3-3
山萬八千代台ビル1F ☎047(409)5842
〒100-8981 千代田区永田町2-2-1、会館 ☎03(3508)7617

千葉県3区 336,241 ⑯52.36

千葉市（緑区）、市原市

当106,500 松野博一 自前（61.9）
比65,627 岡島一正 立前（38.1）

松野博一 （まつの ひろかず）
自前［無］ 当8
千葉県 S37・9・13
勤24年4ヵ月 （初/平12）

前内閣官房長官、情報監視審査会長、党総務会長代行、党雇用問題調査会長、文科大臣、厚労政務官、松下政経塾、ライオン(株)、早大法／61歳

〒290-0072 市原市西国分寺台1-16-16 ☎0436(23)9060
〒107-0052 港区赤坂2-17-10、宿舎 ☎03(5549)4671

千葉県4区 463,083 ⑯52.69

船橋市（本庁管内、二宮・芝山・高根台・習志野台・西船橋出張所管内、船橋駅前総合窓口センター管内(丸山1〜5丁目に属する区域を除く。)）

当154,412 野田佳彦 立前（64.5）
比84,813 木村哲也 自前（35.5）

野田佳彦 （のだ よしひこ）
立前 当9
千葉県船橋市 S32・5・20
勤27年7ヵ月 （初/平5）

党最高顧問、元民進党幹事長、内閣総理大臣、財務大臣、財務副大臣、懲罰委長、党幹事長代理、党国対委長、県議、松下政経塾、早大／67歳

〒274-0077 船橋市薬円台6-6-8-202 ☎047(496)1110
〒107-0052 港区赤坂2-17-10、宿舎

千葉県5区 450,365 ㊺54.07

（総選挙の結果はP168参照）
補選（令和5.4.23）

当50,578 英利アルフィヤ 自新（30.6）

市川市（本庁管内の一部（P170参照）、
行徳支所管内）、浦安市
令和4年12月21日 薗浦健太郎議員辞職

45,635	矢崎堅太郎	立新	(27.6)
24,842	岡野純子	国新	(15.0)
22,552	阿部智康	共新	(13.9)
12,360	斉藤和子	無新	(7.5)
6,561	星健太郎	無新	(4.0)
2,463	織田三江	政新	(1.5)

英利アルフィヤ（えり）　自新［麻］　補当1
福岡県北九州　S63・10・16
勤1年5ヵ月（初／令5補）

法務委、財金委、消費者特委、党国対委、党女性局・青年局次長、党広報戦略局次長、国連事務局本部、日本銀行、ジョージタウン大学外交政策学部・院卒／35歳

〒272-0021　市川市八幡3-14-3 シロワビル202　☎047(702)8520
〒100-8981　千代田区永田町2-2-1 会館　☎03(3508)7436

千葉県6区 369,609 ㊺52.99

当80,764 渡辺博道 自前（42.5）

市川市（第5区に属しない区域）、
松戸市（本庁管内、常盤平・六実・
矢切・東部支所管内）

比当48,829	藤巻健太	維新	(25.7)
32,444	浅野史子	共新	(17.1)
28,083	生方幸夫	無前	(14.8)

渡辺博道（わた なべ ひろ みち）　自前［無］　当8
千葉県　S25・8・3
勤24年9ヵ月（初／平8）

党財務委員長、党再犯防止推進特別委員長、復興大臣、党経理局長、原子力特委員、地方創生特委員、厚労委員、総務委員、経産副大臣、早大、明大院／74歳

〒270-2241　松戸市松戸新田592　☎047(369)2929
〒100-8981　千代田区永田町2-2-1 会館　☎03(3508)7387

千葉県7区 434,040 ㊺54.54

当127,548 斎藤健 自前（55.0）

松戸市（第6区に属しない区域）、
野田市、流山市

比77,048	竹内千春	立新	(30.6)
比28,594	内山晃	維元	(12.3)
4,749	渡辺晋宏	N新	(2.0)

齋藤健（さい とう　けん）　自前［無］　当5
東京都港区　S34・6・14
勤15年2ヵ月（初／平21）

経済産業大臣、法務大臣、農水大臣、党団体総局長、環境政務官、経産省課長、埼玉県副知事、ハーバード大院／65歳

〒270-0119　千葉県流山市おおたかの森北1-5-2
　　　　　セレーナおおたかの森2F　☎04(7190)5271

千葉県8区 423,866 ㊺56.16

当135,125 本庄知史 立新（59.7）

柏市（本庁管内、田中・増尾・富勢・光ケ丘・豊
四季台・南部・西原・松葉・麗心出張所管内、柏
駅前行政サービスセンター管内）、我孫子市

| 比当81,556 | 桜田義孝 | 自前 | (36.0) |
| 9,845 | 宮岡進一郎 | 無新 | (4.3) |

本庄知史（ほん じょう さと し）　立新　当1
京都府　S49・10・22
勤2年11ヵ月（初／令3）

内閣委、政治改革特委、憲法審幹、党副幹事長、千葉県連副代表、副総理・外務大臣秘書官、衆議院議員政策秘書、東大法学部／49歳

〒277-0863　柏市豊四季949-9-101　☎04(7170)2680

千葉県9区 407,331 ㉒53.01

当107,322　奥野総一郎　立前（51.1）
比当102,741　秋本真利　自前（48.9）

千葉市（若葉区）、佐倉市、四街
道市、八街市

おくの そういちろう
奥野総一郎

立前　　　　　　　　当5
兵庫県神戸市　S39・7・15
勤15年2ヵ月　（初／平21）

予算委理、総務委、憲法審査委、党役員室
長、党千葉県連代表、沖北特委長、総務
省調査官、東大法／60歳

〒285-0845　佐倉市西志津1-20-4　☎043(461)8609

千葉県10区 341,141 ㉒53.28

当83,822　林　幹雄　自前（47.3）
比当80,971　谷田川元　立前（45.7）
10,272　梓　まり　諸新（5.8）
2,173　今留尚人　無新（1.2）

銚子市、成田市、旭市、匝瑳市、
香取市、香取郡、山武郡（横芝光
町の一部（P170参照））

はやし もとお
林　　幹雄

自前［無］　　　　　当10
千葉県銚子市　S22・1・3
勤31年4ヵ月　（初／平5）

党幹事長代理、経産大臣、議運委員、党航空特委長、党総
務会長代理、国務大臣国家公安委員、沖・北・防災担当大
臣、国交委長、国交副大臣、運輸政務次官、日大芸／77歳

〒288-0046　銚子市大橋町2-2　☎0479(23)1093
〒100-8981　千代田区永田町2-2-1、会館

千葉県11区 351,570 ㉒51.38

当110,538　森　英介　自前（64.4）
30,557　椎名史明　共新（17.8）
比当30,432　多ケ谷亮　れ新（17.7）

茂原市、東金市、勝浦市、山武市、
いすみ市、大網白里市、山武郡（九
十九里町、芝山町、横芝光町（第10区に属
しない区域））、長生郡、夷隅郡

もり えいすけ
森　　英介

自前［麻］　　　　　当11
東京都　S23・8・31
勤34年9ヵ月　（初／平2）

憲法審査会長、党労政局長、政倫審会長、
憲法審査会長、法務大臣、厚労副大臣、川
崎重工社員、工学博士、東北大／76歳

〒297-0016　茂原市木崎284-10　☎0475(26)0200

千葉県12区 380,864 ㉒52.20

当123,210　浜田靖一　自前（64.0）
比56,747　樋高　剛　立元（29.5）
12,530　葛原　茂　共新（6.5）

館山市、木更津市、鴨川市、君
津市、富津市、袖ヶ浦市、南房
総市、安房郡

はまだ やすかず
浜田靖一

自前［無］　　　　　当10
千葉県富津市　S30・10・21
勤31年4ヵ月　（初／平5）

党国対委員長、国家基本委、情報監視審
査会長、防衛大臣、予算委員長、党幹事
長代理、国対委員長、専修大／68歳

〒292-0066　木更津市新宿1-3柴野ビル2F　☎0438(23)5432
〒100-8982　千代田区永田町2-1-2、会館　☎03(3508)7020

千葉県13区　416,857　⑳54.49

当100,227　松本　尚　自新（45.1）
比79,687　宮川　伸　立前（35.8）
比42,473　清水聖士　維新（19.1）

船橋市（豊富・二和出張所管内、船橋駅前総合窓口センター管内（丸山1〜5丁目に属する区域に限る。）、柏市（第8区に属しない区域）、鎌ケ谷市、印西市、白井市、富里市、印旛郡

まつ　もと　ひさし
松本　尚

自新［無］　　　当1
石川県金沢市　S37・6・3
勤2年11ヵ月　（初／令3）

防衛大臣政務官、救急・外傷外科医、日本医科大学千葉北総病院副院長、同大学特任教授、千葉県医師会顧問、MBA、金沢大医学部／62歳

〒270-1345　印西市船尾1380-2　　☎0476(29)5099
〒107-0052　港区赤坂2-17-10、宿舎

神奈川県1区　427,922　⑳53.99

当100,118　篠原　豪　立前（45.0）
76,064　松本　純　無前（34.2）
比当46,271　浅川義治　維新（20.8）

横浜市（中区、磯子区、金沢区）

しの　はら　ごう
篠原　豪

立前　　　当3
神奈川県横浜市　S50・2・12
勤9年10ヵ月　（初／平26）

安保委、党政調副会長、党外交・安全保障戦略PT事務局長、党県政策委員長、横浜市議、早大院／49歳

〒235-0016　横浜市磯子区磯子3-6-23
アイランドビル1F　　☎045(349)9180
〒100-8982　千代田区永田町2-1-2、会館　☎03(3508)7130

神奈川県2区　436,066　⑳56.00

当146,166　菅　義偉　自前（61.1）
比92,880　岡本英子　立元（38.9）

横浜市（西区、南区、港南区）

すが　よし　ひで
菅　義偉

自前［無］　　　当9
秋田県　S23・12・6
勤28年1ヵ月　（初／平8）

前内閣総理大臣、前党総裁、内閣官房長官、党幹事長代行、総務大臣、総務副大臣、経産・国交各政務官、横浜市議、法政大／75歳

〒232-0017　横浜市南区宿町2-4　　☎045(743)5550
〒100-8982　千代田区永田町2-1-2、会館　☎03(3508)7446

神奈川県3区　442,398　⑳52.64

当119,199　中西健治　自新（52.5）
比68,457　小林丈人　立新（30.2）
23,310　木佐木忠晶　共新（10.3）
15,908　藤村晃子　無新（7.0）

横浜市（鶴見区、神奈川区）

なか　にし　けん　じ
中西健治

自新［麻］　当1（初／令3）※
東京都　S39・1・4
勤14年4ヵ月　（参11年5ヵ月）

決算行監委筆頭理事、憲法審委、財務副大臣、参財政金融委員長、党財金部会長、元JPモルガン証券副社長、東大法／60歳

〒221-0822　横浜市神奈川区西神奈川2-2-1
日光堂ビル2F　　☎045(565)5520

※平22参院初当選

83

神奈川県4区　332,708　⑭61.70

当66,841　早稲田夕季　立前（33.0）
　63,687　浅尾慶一郎　無元（31.5）
比当47,511　山 本 朋 広　自前（23.5）
比16,559　髙 谷 清 彦　維新（ 8.2）
　7,790　大 西 恒 樹　無新（ 3.8）

横浜市（栄区）、鎌倉市、逗子市、
三浦郡

わ せ だ
早稲田ゆき
立前　　　　当2
東京都渋谷区　S33・12・6
勤7年　　　　（初/平29）

予算委、厚労委、地・こ・デジ特委、党政
調副会長、神奈川県議、鎌倉市議、日本
輸出入銀行、早大／65歳

〒248-0012　神奈川県鎌倉市御成町5-41-2F　☎0467（24）0573

神奈川県5区　467,198　⑭56.05

当136,288　坂 井　学　自前（53.5）
比当118,619　山 崎　誠　立前（46.5）

横浜市（戸塚区、泉区、瀬谷区）

さか　い　　　　まなぶ
坂 井　学
自前［無］　　当5
東京都府中市　S40・9・4
勤15年9ヵ月　（初/平17）

党政調副、党花博特委員長、総務委、党総務、前内閣官房副長
官、財金委員長、総務兼内閣府副大臣、財務副大臣、党国交部
会長、国交兼復興政務官、松下政経塾十期生、東大法／58歳

〒244-0003　横浜市戸塚区戸塚町142
　　　　　　鈴木ビル3F　　　　　　☎045（863）0900

神奈川県6区　381,141　⑭55.88

当92,405　古 川 直 季　自新（44.3）
比当87,880　青柳陽一郎　立前（42.1）
比28,214　串 田 誠 一　維前（13.5）

横浜市（保土ヶ谷区、旭区）

ふる　かわ　なお　き
古 川 直 季
自新［無］　　当1
神奈川県横浜市　S43・8・31
勤2年11ヵ月　（初/令3）

総務委、文科委、政治改革特委、党国対
委、横浜市会議員、衆議院議員秘書、横
浜銀行員、明治大政経、明治大院／56歳

〒241-0825　横浜市旭区中希望が丘199-1　☎045（391）4000

神奈川県7区　449,449　⑭57.58

当128,870　鈴 木 馨 祐　自前（50.9）
比124,524　中 谷 一 馬　立前（49.1）

横浜市（港北区、都筑区の一部
（P170参照））

すず　き　けい　すけ
鈴 木 馨 祐
自前［麻］　　当5
東京都　　　　S52・2・9
勤15年9ヵ月　（初/平17）

財金理事、党政調副会長、外務副大臣、財務副大臣、党青年局
長、国土交通政務官、予算・議運理、法務委員長、大蔵省、（ジョー
ジタウン大学院）、在ニューヨーク副領事、東大法／47歳

〒222-0033　横浜市港北区新横浜3-18-9
　　　　　　新横浜ICビル102号室　　　　☎045（620）0223
〒100-8981　千代田区永田町2-2-1、会館☎03（3508）7304

神奈川県8区　427,843　⊕59.37

当130,925　江田憲司　立前（52.6）
　比当117,963　三谷英弘　自前（47.4）

横浜市（緑区、青葉区、都筑区（荏田東町、荏田東1～4丁目、荏田南町、荏田南1～5丁目、大丸）

立前　　　　　当7
え だ けん じ
江田憲司　岡山県　S31・4・28
　　　　　　　勤20年2ヵ月　（初/平14補）

財金委、決算行政監視委員長、党代表代行、民進党代表代行、維新の党代表、桐蔭横浜大客員教授、首相・通産相秘書官、ハーバード大客員研究員、東大/68歳

〒227-0062 横浜市青葉区青葉台2-9-30　☎045(989)3911

神奈川県9区　338,241　⊕59.47

当83,847　笠浩史　立前（42.4）
　比当68,918　中山展宏　自前（34.9）
　比24,547　吉田大成　維新（12.4）
　　20,432　斎藤温　共新（10.3）

川崎市（多摩区、宮前区（神木本町1～5丁目）、麻生区）

立前　　　　　当7
りゅう ひろ ふみ
笠　浩史　福岡県　S40・1・3
　　　　　　勤20年11ヵ月　（初/平15）

文科委、国家基本委理、政治審委、党国対委員長代理、科技特委長、文科副大臣、文科政務官、民主党幹事長代理、衆議運委筆頭理事、テレビ朝日政治部記者、慶大文/59歳

〒214-0014 川崎市多摩区登戸1644-1
　　　　　　新川ガーデンビル1F　☎044(900)1800

神奈川県10区　470,746　⊕55.04

当104,832　田中和徳　自前（41.4）
　比69,594　金村龍那　維新（27.5）
　比48,839　畑野君枝　共前（19.3）
　比当30,013　鈴木敦　国新（11.8）

川崎市（川崎区、幸区、中原区の一部（P170参照））

自前［麻］　　　当9
た なか かず のり
田中和徳　山口県下関市　S24・1・21
　　　　　　　勤28年1ヵ月　（初/平8）

政倫審会長、党交通安全対策特委長、党税調副会長、党幹事長代理、復興大臣、党組織運動本部長、財務副大臣、財金委員、法大/75歳

〒210-0846 川崎市川崎区小田6-11-24　☎044(366)1400

神奈川県11区　374,938　⊕52.21

当147,634　小泉進次郎　自前（79.2）
　　38,843　林伸明　共新（20.8）

横須賀市、三浦市

自前［無］　　　当5
こいずみしん じ ろう
小泉進次郎　神奈川県横須賀市　S56・4・14
　　　　　　　勤15年2ヵ月　（初/平21）

安全保障委員長、党国対副委員、党総務会長代理、元環境大臣、党厚労部会長、筆頭副幹事長、農林部会長、コロンビア大院修了/43歳

〒238-0004 横須賀市小川町13　宇野ビル3F　☎046(822)6600
〒100-8981 千代田区永田町2-2-1、会館　☎03(3508)7327

神奈川県12区 406,623 ⑯56.14
藤沢市、高座郡

当95,013　阿部知子　立前(42.4)
比当91,159　星野剛士　自前(40.7)
比37,753　水戸将史　維元(16.9)

あ　べ　とも　こ
阿部知子

立前　　　　　　　当8
東京都目黒区　S23・4・24
勤24年4ヵ月 (初/平12)

衆厚労委、原子力特委、超党派議連「原発ゼロ再エネ100の会」事務局長、小児科医、東大医学部／76歳

〒251-0025　藤沢市鵠沼石上1-13-13
藤沢共同ビル1F　　☎0466(52)2680

神奈川県13区 471,671 ⑯55.77
大和市、海老名市、座間市の一部(P170参照)、綾瀬市

当130,124　太　栄志　立新(51.1)
比当124,595　甘利　明　自前(48.9)

ふとり　　　ひで　し
太　　栄志

立新　　　　　　　当1
鹿児島県大島郡知名町　S52・4・27
勤2年11ヵ月 (初/令3)

内閣委理、政治改革特委、衆議院議員秘書、米ハーバード大国際問題研究所員、ウィルソン・センター研究員、中大法、中大院／47歳

〒242-0017　大和市大和東3-7-11
大和東共同ビル101　　☎046(244)3203

神奈川県14区 460,744 ⑯56.02
相模原市（緑区の一部(P171参照)、中央区、南区の一部(P171参照))

当135,197　赤間二郎　自前(53.8)
比116,273　長友克洋　立新(46.2)

じ　ろう
あかま二郎

自前［麻］　　　　当5
神奈川県相模原市　S43・3・27
勤15年9ヵ月 (初/平17)

国交委筆頭理事、国交委、党総務部会長、内閣府副大臣、総務副大臣、総務政務官、副幹事長、県議、立教大、マンチェスター大学院／56歳

〒252-0239　相模原市中央区中央2-11-10　☎042(756)1500
〒100-8981　千代田区永田町2-2-1、会館　☎03(3508)7317

神奈川県15区 473,497 ⑯57.32
平塚市、茅ヶ崎市、中郡

当210,515　河野太郎　自前(79.3)
比46,312　佐々木克己　社新(17.5)
8,565　渡辺マリコ　N新(3.2)

こう　の　た　ろう
河野太郎

自前［麻］　　　　当9
神奈川県小田原市　S38・1・10
勤28年1ヵ月 (初/平8)

デジタル大臣、党広報本部長、ワクチン担当大臣、規制改革・行政改革・沖北対策担当大臣、防衛大臣、外務大臣、国家公安委員長、富士ゼロックス、ジョージタウン大／61歳

〒254-0811　平塚市八重咲町26-8　　☎0463(20)2001
〒100-8982　千代田区永田町2-1-2、会館　☎03(3508)7006

神奈川県16区	466,042	当137,558 後藤祐一 立前(54.6)
段55.35		比当114,396 義家弘介 自前(45.4)

相模原市（緑区（第14区に属しない区域）、南区（第14区に属しない区域）（P171参照））、厚木市、伊勢原市、座間市（相模が丘1〜6丁目）、愛甲郡

ご とう ゆう いち
後藤祐一 立前　　　　当5
神奈川県相模原市　S44・3・25
勤15年2ヵ月 （初/平21）

議運委理事、国家基本委理事、党国対副委員長、県連選対委員長、党役員室長、経産省課長補佐、東大法／55歳

〒243-0017 厚木市栄町2-4-28-212　☎046(296)2411
〒106-0032 港区六本木7-1-3、宿舎

神奈川県17区	424,659	当131,284 牧島かれん 自前(55.3)
段56.98		比89,837 神山洋介 立元(37.9)
		16,202 山田　正 共新(6.8)

小田原市、秦野市、南足柄市、足柄上郡、足柄下郡

まきしま
牧島かれん 自前［麻］　　　当4
神奈川県　S51・11・1
勤11年10ヵ月 （初/平24）

党副幹事長、党ネットメディア局長、前デジタル大臣、第51代党青年局長、元内閣府政務官、ICU大(Ph. D)、GW大修士／47歳

〒250-0862 小田原市成田178-1　☎0465(38)3388
〒100-8981 千代田区永田町2-2-1、会館 ☎03(3508)7026

神奈川県18区	451,301	当120,365 山際大志郎 自前(47.7)
段57.25		比90,390 三村和也 立元(35.8)
		比41,562 横田光弘 維新(16.5)

川崎市（中原区（第10区に属しない区域）（P171参照）、高津区、宮前区（第9区に属しない区域）（P171参照））

やまぎわだい し ろう
山際大志郎 自前［麻］　　　当6
東京都　S43・9・12
勤17年7ヵ月 （初/平15）

党競争政策調査会長、経済再生・コロナ担当大臣、経産副大臣、内閣府大臣政務官、内閣委員長、獣医学博士、東大院／55歳

〒213-0001 川崎市高津区溝口2-14-12　☎044(850)8884
〒100-8981 千代田区永田町2-2-1、会館 ☎03(3508)7477

山梨県1区	424,441	当125,325 中谷真一 自前(50.5)
段59.49		比当118,223 中島克仁 立前(47.6)
		4,826 辺見信介 N新(1.9)

甲府市、韮崎市、南アルプス市、北杜市、甲斐市、中央市、西八代郡、南巨摩郡、中巨摩郡

なか たに しん いち
中谷真一 自前［無］　　　当4
山梨県甲府市　S51・9・30
勤11年10ヵ月 （初/平24）

議運委理、党国対副委員長、党総務、経産副大臣兼内閣府副大臣、外務大臣政務官、元自衛官、元参議院議員秘書、防大／47歳

〒400-0064 山梨県甲府市下飯田3-8-29　☎055(288)8220
〒106-0032 港区六本木7-1-3、宿舎

山梨県2区	262,259 ㉒62.31	当109,036　堀内詔子　自前（67.9）
		比44,441　市来伴子　立新（27.7）
		7,027　大久保令子　共新（ 4.4）

富士吉田市、都留市、山梨市、大
月市、笛吹市、上野原市、甲州市、
南都留郡、北都留郡

ほり うち のり こ	自前［無］　　当4
堀内詔子	山梨県笛吹市 S40・10・28
	勤11年10ヵ月（初/平24）

環境委理、厚労委、消費者特委理、党女性活躍推進特別委員長、党
副幹事長、元ワクチン接種推進担当大臣、東京オリパラ担当大臣、
環境副大臣兼内閣府副大臣、厚労大臣政務官、学習院大院／58歳

〒403-0007　富士吉田市中曽根1-5-25　☎0555（23）7688
〒100-8982　千代田区永田町2-1-2、会館　☎03（3508）7487

比例代表 南関東 22人　千葉、神奈川、山梨

ほし の つよ し	自前［無］　当4(初/平24)
星野剛士	神奈川県藤沢市 S38・8・8
	勤11年10ヵ月〈神奈川12区〉

衆議院内閣委員長、内閣府副大臣、経産兼
内閣府兼復興政務官、産経新聞記者、神奈
川県議、NYエルマイラ大、日大法／61歳

〒251-0052　藤沢市藤沢973
　　　　　　相模プラザ第三ビル1F　☎0466（23）6338
〒100-8982　千代田区永田町2-1-2、会館　☎03（3508）7413

あま り	自前［麻］　当13(初/昭58)
甘利明	神奈川県厚木市 S24・8・27
	勤40年10ヵ月〈神奈川13区〉

党税調顧問、党幹事長、選対委員長、政調
会長、予算委員長、労働大臣、経済産業大
臣、行革大臣、経済再生大臣、慶大／75歳

〒252-0303　相模原市南区相模大野6-7-9-1F
　　　　　　　　　　　　　　　　☎042（765）0011
〒100-8982　千代田区永田町2-1-2、会館　☎03（3508）7528

あき もと まさ とし	無前　　　当4(初/平24)
秋本真利	千葉県 S50・8・10
	勤11年10ヵ月〈千葉9区〉

決算行監委、外務大臣政務官、自民党副幹事
長、党再エネ議連事務局長、党国対副委員
長、国土交通大臣政務官、法政大法／49歳

〒264-0021　千葉市若葉区若松町360-21　☎043（214）3600

み たに ひで ひろ	自前［無］　当3(初/平24)
三谷英弘	神奈川県藤沢市 S51・6・28
	勤9年〈神奈川8区〉

厚労委理事、文科委、憲法審委、党遊説
局長、党消費者問題調査会事務局長、弁
護士、東大法学部／48歳

〒227-0055　横浜市青葉区つつじが丘10-20
　　　　　　ラポール若野 2F　☎045（532）4600

よし いえ ひろ ゆき
義家 弘介
自前[無] 当4(初/平24)※
長野県　S46・3・31
勤17年3ヵ月(参5年5ヵ月)〈神奈川16区〉

党政調副会長、文科委、拉致特委、法務副大臣、文科副大臣、文科政務官、党副幹事長、党財金部会長、参議院議員、教育再生会議担当室長、横浜市教育委員、高校教論、明治学院大学／53歳

〒243-0014　厚木市旭町1-15-17　☎046(226)8585

なか やま のり ひろ
中山 展宏
自前[麻] 当4(初/平24)
兵庫県　S43・9・16
勤11年10ヵ月〈神奈川9区〉

内閣委理、財金委、消費者特委理、国土交通副大臣、外務大臣政務官、内閣委理、ルール形成戦略議連事務局長、東大先端研上級研究員、早大院中退／55歳

〒214-0014　川崎市多摩区登戸2663
東洋ビル5F　☎044(322)8600

かど やま ひろ あき
門山 宏哲
自前[無] 当4(初/平24)
千葉県千葉市　S39・9・3
勤11年10ヵ月〈千葉1区〉

法務副大臣、元党副幹事長、元法務大臣政務官、弁護士、元千葉家裁事調停委員、中央大学法学部／59歳

〒260-0013　千葉市中央区中央4-13-31
高嶋ビル101
〒106-0032　港区六本木7-1-3、宿舎　☎043(223)0050

やまもと
山本 ともひろ
自前[無] 当5(初/平17)
京都府京都市　S50・6・20
勤15年9ヵ月〈神奈川4区〉

内閣委、党文科部会長、防衛副大臣・内閣府副大臣、松下政経塾員、米ジョージタウン大客員研究員、関西大、京大院修／49歳

〒247-0056　鎌倉市大船1-22-2 つるやビル301
☎0467(39)6933

さくら だ よし たか
櫻田 義孝
自前[無] 当8(初/平8)
千葉県柏市　S24・12・20
勤24年9ヵ月〈千葉8区〉

自民党千葉県連会長、国交委、拉致特委、国務大臣、党文科副大臣、内閣府副大臣、外務政務官、千葉県議、柏市議、明大商／74歳

〒277-0814　柏市正連寺373-3　☎04(7132)0881
〒100-8982　千代田区永田町2-1-2、会館　☎03(3508)7381

なか たに かず ま
中谷 一馬
立前 当2(初/平29)
神奈川県川崎市　S58・8・30
勤7年〈神奈川7区〉

内閣委、決算行監委、地・こ・デジ特委、党政調副会長、党デジタル政策PT座長、県議、デジタルハリウッド大大学院／41歳

〒223-0061　横浜市港北区日吉2-6-3-201　☎045(534)9624
〒107-0052　港区赤坂2-17-10、宿舎

※平19参院初当選

谷田川　元　<ruby>や<rt></rt>た<rt></rt>が<rt></rt>わ</ruby>　<ruby>はじめ</ruby>

立前　当3(初/平21)
千葉県香取市　S38・1・17
勤8年11ヵ月　〈千葉10区〉

国交委、決算行監委、憲法審委、党政調副会長、千葉県議4期、山村新治郎衆院議員秘書、松下政経塾、早大政経／61歳

〒287-0001　香取市佐原口2164-2　☎0478(54)5678

青柳陽一郎　<ruby>あおやぎ</ruby>　<ruby>よういちろう</ruby>

立前　当4(初/平24)
神奈川県横浜市
保土ケ谷区　S44・8・29
勤11年10ヵ月　〈神奈川6区〉

議運委理事、決算行監委、党神奈川県代表、NPO法人ICAジャパン会長、元国務大臣政策秘書、早大院、日大法／55歳

〒240-0003　横浜市保土ケ谷区天王町1-9-5
　　　　　　第7瀬戸ビル1F　☎045(334)4110
〒100-8982　千代田区永田町2-1-2、会館　03(3508)7245

中島克仁　<ruby>なか</ruby>　<ruby>じま</ruby>　<ruby>かつ</ruby>　<ruby>ひと</ruby>

立前　当4(初/平24)
山梨県　S42・9・27
勤11年10ヵ月　〈山梨1区〉

厚労委筆頭理事、ほくと診療所院長、韮崎市立病院、山梨大学病院第一外科、帝京大医学部、医師／56歳

〒400-0858　山梨県甲府市相生1-1-21　☎055(242)9208
〒107-0052　港区赤坂2-17-10、宿舎

比例南関東

山崎　誠　<ruby>やま</ruby>　<ruby>ざき</ruby>　<ruby>まこと</ruby>

立前　当3(初/平21)
東京都練馬区　S37・11・22
勤10年4ヵ月　〈神奈川5区〉

内閣委、経産委、原子力特委理、党政調副会長、党環境エネルギーPT事務局長、横浜市議2期、横浜国大院博士課程単位取得／61歳

〒244-0003　横浜市戸塚区戸塚町121-2F　☎045(438)9696
〒100-8981　千代田区永田町2-2-1、会館　03(3508)7137

金村龍那　<ruby>かね</ruby>　<ruby>むら</ruby>　<ruby>りゅう</ruby>　<ruby>な</ruby>

維新　当1(初/令3)
愛知県名古屋市　S54・4・6
勤2年11ヵ月　〈神奈川10区〉

文科委理、内閣委、政治改革特委、党国対副委員長、神奈川維新の会代表、会社役員、児童福祉施設代表、衆議員秘書、専修大法中退／45歳

〒210-0836　川崎市川崎区大島上町18-1
　　　　　　サニークレイン201　☎044(366)8680

藤巻健太　<ruby>ふじ</ruby>　<ruby>まき</ruby>　<ruby>けん</ruby>　<ruby>た</ruby>

維新　当1(初/令3)
英国ロンドン　S58・10・7
勤2年11ヵ月　〈千葉6区〉

財金委、沖北特委、参院議員秘書、みずほ銀行、慶大経済／40歳

〒271-0092　千葉県松戸市松戸1836
　　　　　　メグロビル1F　☎047(710)0523
〒100-8982　千代田区永田町2-1-2、会館　03(3508)7503

浅川 義治（あさ かわ よし はる）　維新　当1（初/令3）
神奈川県横浜市　S43・2・23
勤2年11ヵ月　〈神奈川1区〉

党県幹事長、安保委、消費者特委、党国対副委員長、横浜市議会議員、日本大学法学部／56歳

〒236-0021　横浜市金沢区泥亀1-15-4
　　　　　　雨宮ビル1F　　☎045（349）4231

古屋 範子（ふる や のり こ）　公前　当7
埼玉県さいたま市　S31・5・14
勤20年11ヵ月　（初/平15）

党副代表、総務委員長、党神奈川県本部顧問、厚労副大臣、総務大臣政務官、早大／68歳

〒238-0011　横須賀市米が浜通1-7-2
　　　　　　サクマ横須賀ビル503号　☎046（828）4230

角田 秀穂（つの だ ひで お）　公元　当2
東京都　S36・3・25
勤5年9ヵ月　（初/平26）

農水委理事、予算委、党国対副委員長、党千葉県本部副代表、農水政務官、船橋市議4期、社会保険労務士、創価大／63歳

〒273-0011　船橋市湊町1-7-4　　☎047（404）8013

志位 和夫（し い かず お）　共前　当10
千葉県四街道市　S29・7・29
勤31年4ヵ月　（初/平5）

党中央委員会議長、国家基本委、党委員長、党書記局長、党青年・学生対策委員会責任者、党選挙対策局政策論戦副部長、東大／70歳

〒221-0822　横浜市神奈川区西神奈川1-10-16
　　　　　　斉藤ビル2F　　☎045（324）6516

鈴木 敦（すず き あつし）　教新　当1（初/令3）
神奈川県川崎市　S63・12・15
勤2年11ヵ月　〈神奈川10区〉

外務委、拉致特委、党国対委員長、政党職員、元衆院議員秘書、航空関連会社社員、駿河台大中退／35歳

〒211-0025　川崎市中原区木月2-4-3
　　　　　　TFTビル2階　　☎044（872）7182
〒100-8982　千代田区永田町2-1-2、会館☎03（3508）7286

たがや 亮（りょう）　れ新　当1（初/令3）
東京都　S43・11・25
勤2年11ヵ月　〈千葉11区〉

党国会対策委員長、国土交通委、決算行監委、会社経営、国学院大／55歳

〒297-0037　茂原市早野1342-1　　☎0475（44）6750
〒107-0052　港区赤坂2-17-10、宿舎

政党名	当選者数	得票数	得票率
	惜敗率 小選挙区		惜敗率 小選挙区

自民党　9人　2,590,787票　34.94%

当①星野　剛士　前(95.94)神12
当①甘利　明　前(95.75)神13
当①秋本　真利　前(95.73)千9
当①三谷　英弘　前(90.10)神8
当①義家　弘介　前(83.16)神16
当①中山　展宏　前(82.19)神9
当①門山　宏哲　前(77.71)千1
当①山本　朋広　前(71.08)神4
当①桜田　義孝　前(60.36)千8
⑩木村　哲也　前(54.93)千4
⑪出畑　実　前
㉛高橋　恭介　新
㉜文月　涼　新
㉝望月　忠彦　新
㉞高木　昭彦　新
㉟及川　博　新
【小選挙区での当選者】
①小林　鷹之　前　千2

①松野　博一　前　千3
①薗浦健太郎　前　千5
①渡辺　博道　前　千6
①斎藤　健　前　千7
①浜田　靖一　前　千12
①松本　尚　新　千13
①菅　義偉　前　神2
①中西　健治　新　神3
①坂井　学　前　神5
①古川　直季　新　神6
①鈴木　馨祐　前　神7
①田中　和徳　前　神10
①赤間　二郎　前　神14
①河野　太郎　前　神15
①牧島かれん　前　神17
①山際大志郎　前　神18
①中谷　真一　前　山1
①堀内　詔子　前　山2

立憲民主党　5人　1,651,562票　22.28%

当①中谷　一馬　前(96.63)神7
当①谷田川　元　前(96.60)千10
当①青柳陽一郎　前(95.10)神6
当①中島　克仁　前(94.34)山1
当①山崎　誠　前(87.04)神5
①長友　克洋　新(86.00)神14
①宮川　伸　前(79.51)千13
①三村　和也　元(75.10)神18
①神山　洋介　元(68.43)神17
①岡本　英子　元(63.54)神2
①矢崎堅太郎　新(62.41)千5
①岡島　一正　前(61.62)千3
①小林　丈人　新(57.43)神3
①竹内　千春　新(55.70)千7
①樋高　剛　元(46.06)千12
①黒田　雄　元(45.47)千2

①市来　伴子　新(40.76)山2
㉙小野　次郎　元
㉚金子　健一　元
【小選挙区での当選者】
①田嶋　要　前　千1
①野田　佳彦　前　千4
①本庄　知史　新　千8
①奥野総一郎　前　千9
①篠原　豪　新　神1
①早稲田夕季　前　神4
①江田　憲司　前　神8
①笠　浩史　前　神9
①阿部　知子　前　神12
①太　栄志　新　神13
①後藤　祐一　前　神16

日本維新の会　3人　863,897票　11.65%

当①金村　龍那　新(66.39)神10
当①藤巻　健太　新(60.46)千6
当①浅川　義治　新(46.22)神1
①清水　聖士　新(42.38)千13
①水戸　将史　元(39.73)神12
①横山　光弘　新(34.53)神18

①串田　誠一　前(30.53)神6
①吉田　大成　新(29.28)神9
①椎木　保　元(28.79)千5
①内山　晃　元(22.42)千7
▼①高谷　清彦　新(24.77)神4

公明党　2人　850,667票　11.47%

当①古屋　範子　前
当②角田　秀穂　元
③上田　勇　元

④江端　功一　新
⑤井川　泰雄　新

共産党　1人　534,493票　7.21%

当①志位　和夫　前
②畑野　君枝　前　　　　　神10
③斉藤　和子　元

④沼上　徳光　新
▼⑤寺尾　賢　新　　　　千2

㊗　略　歴

比例南関東

▼は小選挙区の得票が有効投票総数の10分の1未満で、復活当選の資格がない者

国民民主党　1人　　384,481票　5.19%

当①鈴木　敦 新(28.63) 神10　　③長谷　康人 新
　①鴨田　敦 新(21.71) 千5

れいわ新選組　1人　　302,675票　4.08%

当①多ケ谷　亮 新　千11　　②木下　隼 新

....

その他の政党の得票数・得票率は下記のとおりです。
（当選者はいません）

政党名	得票数	得票率	NHKと裁判してる党弁護士法72条違反で
社民党	124,447票	1.68%	111,298票　1.50%

東京都1区	462,609 ⑫56.27	当99,133　山田美樹　自前（39.0）
千代田区、港区の一部(P171参照)、新宿区の一部(P171参照)		比当90,043　海江田万里　立前（35.4）
		比当60,230　小野泰輔　維新（23.7）
		4,715　内藤久遠　無新（ 1.9）

自前［無］　　当4
山田美樹
やまだみき
東京都　S49・3・15
勤11年10ヵ月（初/平24）

党副幹事長、財金委理事、環境副大臣、党
法務部会長、外務政務官、エルメス、BCG、
通産省、東大法、コロンビア大／50歳

〒100-8982　千代田区永田町2-1-2、会館　☎03(3508)7037

東京都2区	463,165 ⑫60.82	当119,281　辻　清人　自前（43.4）
中央区、港区(第1区に属しない区域)(P171参照)、文京区、台東区の一部(P171参照)		比90,422　松尾明弘　立前（32.9）
		比45,754　木内孝胤　維元（16.7）
		比14,487　北村　造　れ新（ 5.3）
		4,659　出口紳一郎　無新（ 1.7）

自前［無］　　当4
辻　清人
つじきよと
東京都　S54・9・7
勤11年10ヵ月（初/平24）

外務副大臣、党国会対策副委員長、党副
幹事長、外務大臣政務官、京大、米コロ
ンビア大院修了／44歳

〒111-0021　台東区日本堤2-23-13
　　　　　深谷ビル　☎03(6802)4701

東京都3区	470,083 ⑬59.87	当124,961　松原　仁　立前（45.9）
品川区の一部(P171参照)、大田区の一部(P171参照)、大島・三宅・八丈・小笠原支庁管内		比当116,753　石原宏高　自前（42.9）
		30,648　香西克介　共新（11.3）

無前（立憲）　　当8
松原　仁
まつばらじん
東京都板橋区　S31・7・31
勤24年4ヵ月（初/平12）

外務委、民進党国対委員長、党都連会長、国家公
安委長、拉致担当大臣、消費者担当大臣、国交副
大臣、拉致特委長、都議、松下政経塾、早大／68歳

〒152-0004　目黒区鷹番3-19-2
　　　　　第8エスペランス3階　☎03(6412)7655

略歴

比例南関東・東京

東京都4区　474,029　⑳54.43

当128,708　平　　将明　自前（51.5）
比62,286　谷川智行　共新（24.9）
比58,891　林　智興　維新（23.6）

大田区（第3区に属しない区域）
（P171参照）

たいら　　　まさ　あき
平　　将明

自前［無］　　　　当6
東京都　S42・2・21
勤19年1ヵ月（初／平17）

原子力特別委員長、内閣府副大臣、選対副委員長、消費者特委筆頭理事、経産政務官兼内閣府政務官、副幹事長、早大／57歳

〒144-0052　大田区蒲田5-30-15
　　　　　　　第20下川ビル7F　　　　☎03(5714)7071

東京都5区　464,694　⑳60.03

当111,246　手塚仁雄　立前（41.0）
比当105,842　若宮健嗣　自前（39.0）
比54,363　田淵正文　維新（20.0）

目黒区の一部（P171参照）、世田谷区の一部（P171参照）

て　づか　よし　お
手塚仁雄

立前　　　　　　当5
東京都目黒区　S41・9・14
勤15年7ヵ月（初／平12）

党幹事長代理、党東京都連幹事長、科技特委長、議運野党筆頭理事、内閣総理大臣補佐官、都議、早大／57歳

〒154-0002　世田谷区下馬2-20-2-2F　☎03(3412)0440

東京都6区　467,339　⑳60.36

当110,169　落合貴之　立前（40.1）
比105,186　越智隆雄　自前（38.3）
比59,490　碓井梨恵　維新（21.6）

世田谷区（第5区に属しない区域）
（P171参照）

おち　あい　たか　ゆき
落合貴之

立前　　　　　　当3
東京都世田谷区　S54・8・17
勤9年10ヵ月（初／平26）

政治改革特委理、経産委、党副幹事長、党政治改革実行本部事務局長、党都連政調会長、元銀行員、慶大経済／45歳

〒156-0055　世田谷区船橋2-1-1
　　　　　　　千歳第一マンション103号　☎03(5938)1800
〒100-8982　千代田区永田町2-1-2,会館　☎03(3508)7134

東京都7区　459,575　⑳56.47

当124,541　長妻　　昭　立前（49.2）
比81,087　松本文明　自前（32.1）
比37,781　辻　健太郎　維新（14.9）
5,665　込山　洋　無新（2.2）
3,822　猪野恵司　N新（1.5）

品川区（第3区に属しない区域）（P171参照）、目黒区（第5区に属しない区域）（P171参照）、渋谷区、中野区の一部（P171参照）、杉並区（方南1～2丁目）

なが　つま　　あきら
長妻　昭

立前　　　　　　当8
東京都　S35・6・14
勤24年4ヵ月（初／平12）

党政調会長、党都連会長、党代表代行、党選対委員長、厚労委、厚生労働大臣、日経ビジネス記者、NEC、慶大／64歳

〒164-0011　中野区中央4-11-13-101　☎03(5342)6551

東京都8区　476,188　投61.03

杉並区（第7区に属しない区域）
（P172参照）

当137,341	吉田晴美	立新（48.4）
比105,381	石原伸晃	自前（37.2）
比40,763	笠谷圭司	維新（14.4）

吉田はるみ
よし　だ

立新　　　　当1
山形県　S47・1・1
勤2年11ヵ月　（初/令3）

文科委、議運委、懲罰委理、憲法審委、党国際局副局長、外資系経営コンサルタント、法務大臣政務秘書官、大学特任教授、立教大卒、バーミンガム大学経営大学院修了／52歳

〒166-0001　杉並区阿佐谷北1-3-4
　　　　　　小堺ビル301
☎03(5364)9620

東京都9区　478,743　投57.71

練馬区の一部（P172参照）

当109,489	山岸一生	立新（40.9）
比95,284	安藤高夫	自前（35.6）
比47,842	南　　純	維新（17.9）
15,091	小林興起	諸元（5.6）

山岸一生
やま　ぎし　いっ　せい

立新　　　　当1
東京都練馬区　S56・8・28
勤2年11ヵ月　（初/令3）

予算委、内閣委、情報監視審委、党政調会長筆頭補佐、党政治改革実行本部役員、元朝日新聞記者、東大法／43歳

〒177-0041　練馬区石神井町8-17-8-105　☎03(6676)7318
〒100-8981　千代田区永田町2-2-1、会館　☎03(3508)7124

東京都10区　479,088　投56.50

新宿区（第1区に属しない区域）（P172参照）、中野区（第7区に属しない区域）（P172参照）、豊島区の一部（P172参照）、練馬区（第9区に属しない区域）

当115,122	鈴木隼人	自前（43.8）
比107,920	鈴木庸介	立前（41.1）
比30,574	藤川隆史	維新（11.6）
4,684	小山　徹	無所（1.8）
4,552	沢口祐司	諸新（1.7）

鈴木隼人
すず　き　はや　と

自前［無］　　　当3
東京都　S52・8・8
勤9年10ヵ月　（初/平26）

経済産業委理、財務委、沖北特委、前外務大臣政務官、経済産業省課長補佐、東大、東大院修／47歳

〒171-0022　豊島区南池袋2-35-7-602　☎03(6908)1071
〒100-8982　千代田区永田町2-1-2、会館　☎03(3508)7463

東京都11区　462,626　投54.97

板橋区の一部（P172参照）

当122,465	下村博文	自前（50.0）
比87,635	阿久津幸彦	立前（35.8）
29,304	西之原修斗	共新（12.0）
5,639	桑島康文	無新（2.3）

下村博文
しも　むら　はく　ぶん

自前［無］　　　当9
群馬県　S29・5・23
勤28年1ヵ月　（初/平8）

党中央政治大学院長、党政調会長、党選対委員長、党憲法改正本部長、党幹事長代行、文科大臣、オリパラ大臣、内閣官房副長官、都議、早大／70歳

〒173-0024　板橋区大山金井町38-12
　　　　　　新大山ビル205
〒100-8982　千代田区永田町2-1-2、会館　☎03(3508)7084
☎03(5995)4491

95

東京都12区 462,732 @57.45

当101,020 岡本 三成 公前 (39.9)
比80,323 阿部 司 維新 (31.7)
比71,948 池内沙織 共元 (28.4)

豊島区(第10区に属しない区域)(P172参照)、北区、板橋区(第11区に属しない区域)(P172参照)、足立区の一部(P172参照)

おか もと みつ なり 公前 当4
岡本 三成 佐賀県 S40・5・5
勤11年10ヵ月 (初/平24)

経産委員長、党国際委員長、財務副大臣、外務政務官、ゴールドマン・サックス証券、米国ケロッグ経営大学院(MBA)、創価大/59歳

〒116-0013 荒川区西日暮里5-32-5 ウシオビル2階 ☎03(5604)5923
〒100-8981 千代田区永田町2-2-1、会館 ☎03(3508)7147

東京都13区 480,247 @50.88

当115,669 土田 慎 自新 (49.3)
比78,665 北條智彦 立元 (33.5)
30,204 沢田真吾 共新 (12.9)
5,985 渡辺秀高 無新 (2.6)
4,039 橋本孫美 無新 (1.7)

足立区(第12区に属しない区域)(P172参照)

つち だ しん 自新[麻] 当1
土田 慎 神奈川県茅ヶ崎市 H2・10・30
勤2年11ヵ月 (初/令1)

デジタル大臣政務官兼内閣府大臣政務官、衆・参議員秘書、参議院議長参事、京大/33歳

〒121-0816 足立区梅島2-2-10 楠ビル201

東京都14区 465,702 @55.96

当108,681 松島みどり 自前 (43.3)
比80,932 木村剛司 立元 (32.2)
比49,517 西村恵美 維新 (19.7)
5,845 梁本和則 無新 (2.3)
3,364 竹本秀之 無新 (1.3)
2,772 大塚紀久雄 無新 (1.1)

台東区(第2区に属しない区域)(P172参照)、墨田区、荒川区

まつしま 自前[無] 当7
松島みどり 大阪府 S31・7・15
勤21年 (初/平12)

党住宅土地・都市政策調査会長、党中小企業・小規模事業者政策調査会長代理、党文化立国調査会長代理、法務大臣、経産副大臣、国交副大臣、外務政務官、朝日新聞記者、東大経/68歳

〒131-0045 墨田区押上1-24-2川柴ビル2F ☎03(5610)5566
〒100-8981 千代田区永田町2-2-1、会館 ☎03(3508)7065

東京都15区 424,125 @58.73

補選(令和6.4.28)
当49,476 酒井菜摘 立新 (29.0)
29,669 須藤元気 無新 (17.4)
28,461 金沢結衣 維新 (16.7)
24,264 飯山陽 諸新 (14.2)
19,655 吉川里奈 参新 (11.5)
8,639 福永活也 諸新 (5.1)
8,061 秋元司 無元 (4.7)
1,410 根本良輔 諸新 (0.8)
1,110 橋本崇 無新 (0.7)

江東区
令和6年2月1日柿沢未途議員辞職
(総選挙の結果はP168参照)

さか い 立新 補当1
酒井なつみ 福岡県北九州市 S61・7・24
勤5ヵ月 (初/令6補)

安保委、党政調会長補佐、江東区議会議員(2期)、昭和大学江東豊洲病院、看護師、助産師、私立自由ケ丘高校看護専攻科、中林病院助産学院/38歳

〒100-8981 千代田区永田町2-2-1、会館 ☎03(3508)7066

東京都16区 465,115 ㉫51.58

江戸川区の一部(P173参照)

当88,758	大 西 英 男	自前(38.7)
比68,397	水 野 素 子	立新(29.8)
比39,290	中津川博郷	維元(17.1)
26,819	太 田 彩 花	共新(11.7)
比6,264	田 中 健	N新(2.7)

おお にし ひで お
大 西 英 男

自前[無]　　当4
東京都江戸川区　S21・8・28
勤11年10ヵ月 (初/平24)

党総務、衆議院内閣委員長、国土交通副大臣、総務大臣政務官、江戸川区議会議長、都議会自民党幹事長、國学院大／78歳

〒132-0011 江戸川区瑞江2-6-19 6階　☎03(5666)7770

東京都17区 475,912 ㉫53.06

葛飾区、江戸川区(本庁管内(上一色1〜3丁目、本一色1〜3丁目、興宮町)、小岩事務所管内)

当119,384	平 沢 勝 栄	自前(50.1)
比52,260	猪 口 幸 子	維新(22.0)
36,309	新 井 杉 生	共新(15.3)
比30,103	円 より 子	国新(12.6)

ひら さわ かつ えい
平 沢 勝 栄

自前[無]　　当9
岐阜県　S20・9・4
勤28年1ヵ月 (初/平8)

外務委、予算委、復興大臣、党国際局長、党広報本部長、予算委理、党政調会長代理、外務委員、内閣府副大臣、拉致特委長、警察庁審議官、官房長官秘書官、東大／78歳

〒124-0012 葛飾区立石8-6-1-102　☎03(5670)1111

東京都18区 444,924 ㉫59.86

武蔵野市、府中市、小金井市

当122,091	菅 　直 人	立前(47.1)
比当115,881	長 島 昭 久	自前(44.7)
21,151	子 安 正 美	無新(8.2)

かん　　なお と
菅 　直 人

立前　　当14
山口県　S21・10・10
勤44年5ヵ月 (初/昭55)

党最高顧問、懲罰委、原子力特委、首相、副総理、財務相、厚相、民主党代表、さきがけ政調会長、社民連審査会長、弁護士、東工大／77歳

〒180-0006 武蔵野市中町1-2-9-302　☎0422(55)7010

東京都19区 439,147 ㉫60.00

小平市、国分寺市、西東京市

当111,267	末 松 義 規	立前(43.0)
比当109,131	松 本 洋 平	自前(42.2)
比38,182	山 崎 英 昭	維新(14.8)

すえ まつ よし のり
末 松 義 規

立前　　当7
福岡県北九州市　S31・12・5
勤23年3ヵ月 (初/平8)

財金委筆頭理事、沖北特委長、元復興副大臣兼内閣府副大臣、内閣総理大臣補佐官、一橋大、米国プリンストン大学大学院／67歳

〒187-0002 小平市花小金井2-1-39　☎042(460)9050

東京都20区 418,245 ⑯56.77

当121,621 木原 誠二 自前 (52.6)
比66,516 宮本 徹 共前 (28.8)
比43,089 前田順一郎 維新 (18.6)

東村山市、東大和市、清瀬市、
東久留米市、武蔵村山市

き はら せい じ
木 原 誠 二

自前 [無] 当5
東京都 S45・6・8
勤15年9ヵ月 (初/平17)

党幹事長代理兼政調会長特別補佐、官房副
長官、外務副大臣、外務政務官、議運委理
事、党情報調査局長、財務省、東大法／54歳

〒189-0013 東村山市栄町2-22-3 ☎042(392)4105

東京都21区 438,466 ⑯57.72

当112,433 小田原 潔 自前 (45.5)
比99,090 大河原雅子 立前 (40.1)
比35,527 竹田光明 維元 (14.4)

八王子市(中野、大塚)、立川市、
日野市、国立市、多摩市の一部(P173
参照)、稲城市の一部(P173参照)

お だ わら きよし
小 田 原 潔

自前 [無] 当4
大分県宇佐市 S39・5・23
勤11年10ヵ月 (初/平24)

外務委、財金委、震災復興特委、外務副大
臣、モルガンスタンレー証券マネジング
ディレクター、富士銀行、東大／60歳

〒190-0011 立川市高松町3-14-11
マスターズオフィス立川 ☎042(548)0065

東京都22区 478,721 ⑯60.01

当131,351 伊藤 達也 自前 (46.9)
比112,393 山花郁夫 立前 (40.1)
比31,981 櫛渕万里 れ元 (11.4)
4,535 長谷川洋平 N新 (1.6)

三鷹市、調布市、狛江市、稲城
市(第21区に属しない区域)(P173
参照)

い とう たつ や
伊 藤 達 也

自前 [無] 当9
東京都 S36・7・6
勤28年 (初/平5)

党国際局長、中小企業調査会長、税調副会長、
予算委、憲法審委、情報監視審委、元金融相、
総理大臣補佐官、衆財金委員長、慶大／63歳

〒182-0024 調布市布田1-3-1ダイヤビル2F ☎042(499)0501
〒107-0052 港区赤坂2-17-10、宿舎

東京都23区 458,998 ⑯58.37

当133,206 小倉 将信 自前 (51.2)
比126,732 伊藤俊輔 立前 (48.8)

町田市、多摩市(第21区に属しな
い区域)(P173参照)

お ぐら まさ のぶ
小 倉 將 信

自前 [無] 当4
東京都 S56・5・30
勤11年10ヵ月 (初/平24)

党副幹事長、少子化担当大臣、党青年局
長、総務政務官、日本銀行職員、東大、
オックスフォード大学院／43歳

〒194-0013 町田市原町田5-4-7 からかあさ101号
☎042(710)1192

東京都24区	463,096	当149,152 萩生田光一 自前(58.5)
	低56.77	比44,546 佐藤 由美 国新(17.5)
八王子市(第21区に属しない区域)(P173参照)		44,474 吉川 穂香 共新(17.5)
		比16,590 朝倉 玲子 社新(6.5)

萩生田光一 <small>はぎうだこういち</small>

自前[無]　当6
東京都八王子市　S38・8・31
勤17年7ヵ月　(初/平15)

党経連会長、党政調会長、経済産業大臣、文科大臣、党幹事長代行、内閣官房副長官、党総裁特別補佐、党青年局長、都議、市議、明大／61歳

〒192-0046 八王子市明神町4-1-2
　　　　　　ストーク八王子205　　☎042(646)3008

東京都25区	413,266	当131,430 井上 信治 自前(59.4)
	低54.90	比89,991 島田 幸成 立新(40.6)
青梅市、昭島市、福生市、羽村市、あきる野市、西多摩郡		

井上信治 <small>いのうえしんじ</small>

自前[麻]　当7
東京都　S44・10・7
勤20年11ヵ月　(初/平15)

党幹事長代理、環境・温暖化対策調査会長、国際博覧会担当大臣、内閣府特命担当大臣、環境副大臣、内閣委員長、国交省、東大／54歳

〒198-0024 青梅市新町3-39-1　　☎0428(32)8182
〒100-8981 千代田区永田町2-2-1、会館　☎03(3508)7328

比例代表 東京都 17人　東京

髙木 啓 <small>たかぎけい</small>

自前[無]　当2
東京都北区　S40・3・16
勤7年　(初/平29)

党経済産業副部会長、運輸・交通関係団体副委員長、外務大臣政務官、党国土交通副部会長、都議、北区議、立教大／59歳

〒114-0022 北区王子本町1-14-9-202　☎03(5948)6790

松本洋平 <small>まつもとようへい</small>

自前[無]　当5(初/平17)
東京都　S48・8・31
勤15年9ヵ月　〈東京19区〉

党政調副会長兼事務局長、経産委、災害特委、経産副大臣、内閣府副大臣、党副幹事長、党青年局長、慶大経済学部／51歳

〒187-0003 小平市花小金井南町2-17-4　☎042(461)6644
〒100-8981 千代田区永田町2-2-1、会館　☎03(3508)7133

越智隆雄 <ruby>越<rt>お</rt></ruby><ruby>智<rt>ち</rt></ruby><ruby>隆<rt>たか</rt></ruby><ruby>雄<rt>お</rt></ruby>

自前［無］ 当5(初/平17)
東京都　S39・2・27
勤15年9ヵ月　〈東京6区〉

予算委、財金委、憲法審委、党金融調査会幹事長、元内閣府副大臣（経済財政）、住友銀行、東大法院、慶大経／60歳

〒156-0052　世田谷区経堂2-2-11-2F　☎03(5799)4260

若宮健嗣 <ruby>若<rt>わか</rt></ruby><ruby>宮<rt>みや</rt></ruby><ruby>健<rt>けん</rt></ruby><ruby>嗣<rt>じ</rt></ruby>

自前［無］ 当5(初/平17)
東京都　S36・9・2
勤15年9ヵ月　〈東京5区〉

党政調会長代理、幹事長代理、内閣府特命担当大臣、外務副大臣、防衛副大臣、外務委員、安保委長、慶大／62歳

〒154-0004　世田谷区太子堂4-6-1 パークヒル6
〒100-8982　千代田区永田町2-1-2、会館　☎03(3795)8255
　　　　　　　　　　　　　　　　　　　☎03(3508)7509

長島昭久 <ruby>長<rt>なが</rt></ruby><ruby>島<rt>しま</rt></ruby><ruby>昭<rt>あき</rt></ruby><ruby>久<rt>ひさ</rt></ruby>

自前［無］ 当7(初/平15)
神奈川県横浜市　S37・2・17
勤20年11ヵ月　〈東京18区〉

党政務調査会副会長・国際局長代理、震災復興特委筆頭理事、安保委、震災復興特委員長、防衛副大臣、総理補佐官、慶大院、米ジョンズホプキンス大院／62歳

〒183-0022　府中市宮西町4-12-11
　　　　　　モア府中2F　☎042(319)2118

石原宏高 <ruby>石<rt>いし</rt></ruby><ruby>原<rt>はら</rt></ruby><ruby>宏<rt>ひろ</rt></ruby><ruby>高<rt>たか</rt></ruby>

自前［無］ 当5(初/平17)
神奈川県　S39・6・19
勤15年11ヵ月　〈東京3区〉

総理補佐官、党離島半島特委委員長、党環境調査会事務局次、環境委員長、環境・内閣府副大臣、外務大臣政務官、銀行員、慶大／60歳

〒140-0014　品川区大井1-22-5
　　　　　　八木ビル7F　☎03(3777)2275
〒100-8981　千代田区永田町2-2-1、会館　☎03(3508)7319

伊藤俊輔 <ruby>伊<rt>い</rt></ruby><ruby>藤<rt>とう</rt></ruby><ruby>俊<rt>しゅん</rt></ruby><ruby>輔<rt>すけ</rt></ruby>

立前 当2(初/平29)
東京都町田市　S54・8・5
勤7年　〈東京23区〉

党副幹事長、青年局長、UR議連事務局次長、全建総連懇話会幹事、小田急多摩線延伸促進議連顧問、議運委、情報監視審委、桐蔭高、北京大留学、中央大／45歳

〒194-0021　町田市中町2-6-11
　　　　　　サワダビル3F　☎042(723)0117

鈴木庸介 <ruby>鈴<rt>すず</rt></ruby><ruby>木<rt>き</rt></ruby><ruby>庸<rt>よう</rt></ruby><ruby>介<rt>すけ</rt></ruby>

立新 当1(初/令3)
東京都　S50・11・21
勤2年11ヵ月　〈東京10区〉

法務委、外務委理、復興特委、元NHK記者、立教大学経済学部兼任講師、コロンビア大院／48歳

〒100-8981　千代田区永田町2-2-1、会館　☎03(3508)7028

かい え だ ばん り
海江田万里

無 前　当8(初/平5)
東京都　S24・2・26
勤22年7ヵ月　〈東京1区〉

衆議院副議長、立憲民主党都連顧問、税制調査
会顧問、前決算行監委員長、元民主党代表、元経済
産業大臣、元内閣府特命担当大臣、慶大／75歳

〒160-0004　新宿区四谷3-11山一ビル6F　☎03(5363)6015
〒160-0023　新宿区西新宿4-8-4-301(自宅)　☎03(3375)1445

おおかわら
大河原まさこ

立 前　当2(初/平29)※
神奈川県横浜市　S28・4・8
勤13年1ヵ月(参6年1ヵ月)〈東京21区〉

環境委、決算行監委理、消費者特委、党ジェ
ンダー平等推進本部副事務局長、元参議院
議員、東京都議、国際基督教大／71歳

〒190-0022　立川市錦町1-10-25
　　　　　　YS錦町ビル1F　☎042(529)5155
〒100-8981　千代田区永田町2-2-1、会館☎03(3508)7261

あ べ つかさ
阿部　司

維 新　当1(初/令3)
東京都大田区　S57・6・18
勤2年11ヵ月　〈東京12区〉

内閣委、総務委、党代表付、青山社中株
式会社(政策シンクタンク)、日本
ヒューレット・パッカード、早大／42歳

〒114-0022　北区王子本町1-22-7
　　　　　　パークハイムKT1階　☎03(3908)3121

お の たい すけ
小野泰輔

維 新　当1(初/令3)
東京都　S49・4・20
勤2年11ヵ月　〈東京1区〉

経産委、原子力特委理、憲法審委、熊本
県副知事、東大法／50歳

〒150-0012　渋谷区広尾5-16-1 北村60館 302号室
　　　　　　　　　☎03(6824)6087
〒100-8981　千代田区永田町2-2-1、会館☎03(3508)7340

たか ぎ よう すけ
高木陽介

公 前　当9
東京都　S34・12・16
勤27年7ヵ月　(初/平5)

党政調会長、党都本部代表、経産副大臣、衆
総務委員長、国交政務官、党国対委員長、党
選対委員長、毎日記者、創価大／64歳

〒190-0022　立川市錦町1-4-4
　　　　　　立川サニーハイツ301　☎042(540)1155

か さい こう いち
河西宏一

公 新　当1
神奈川県鎌倉市　S54・6・25
勤2年11ヵ月　(初/令3)

党青年副委員長・学生局長、党都本部副代
表、内閣委、憲法審査会、地こデジ特委理事、
政党職員、電機メーカー社員、東大／45歳

〒100-8982　千代田区永田町2-1-2、会館☎03(3508)7630

※平19参院初当選

笠井　亮（かさい　あきら）

共 前　当6(初/平17)※
大阪府　S27・10・15
勤25年2ヵ月（参6年1ヵ月）

党原発・気候変動・エネルギー対策委員
会責任者、経産委、原子力特委、拉致特
委、参院議員1期、東大／71歳

〒151-0053　渋谷区代々木1-44-11-1F　☎03(5304)5639
〒107-0052　港区赤坂2-17-10、宿舎

宮本　徹（みや　もと　とおる）

共 前　当3(初/平26)
兵庫県三木市　S47・1・22
勤9年10ヵ月　〈東京20区〉

党中央委員、厚労委、予算委、東大教育
／52歳

〒151-0053　渋谷区代々木1-44-11　☎03(5304)5639
〒100-8981　千代田区永田町2-2-1、会館　☎03(3508)7508

櫛渕万里（くし　ぶち　ま　り）

れ 元　繰当2(初/平21)
群馬県沼田市　S42・10・15
勤5年7ヵ月　〈東京22区〉

決算行監委、党共同代表、国際交流
NGO共同代表兼事務局長、立教大／56
歳

〒132-0035　江戸川区平井4-14-8　☎03(5875)5128
〒100-8982　千代田区永田町2-1-2、会館　☎03(3508)7063

比例代表　東京都　17人　有効投票数　6,446,898票

政党名	当選者数		得票数		得票率	
	惜敗率	小選挙区			惜敗率	小選挙区

自民党　6人　　2,000,084票　31.02%

				【小選挙区での当選者】	
当①高木　　啓 前					
当②宮本　洋平 前(98.08)東19		②山田　美樹 前	東1
当②越智　隆雄 前(95.48)東6		②辻　　清人 前	東2
当②若宮　健嗣 前(95.14)東5		②平　　将明 前	東4
当②長島　昭久 前(94.91)東18		②鈴木　隼人 前	東10
当②石原　宏高 前(93.43)東3		②下村　博文 前	東11
②安藤　高夫 前(87.03)東9		②土田　　慎 新	東13
②石原　伸晃 前(76.73)東8		②松島みどり 前	東14
②松本　文明 前(65.11)東7		②木原　誠二 前	東20
㉓伊藤　智加 新		②小田原　潔 前	東21
㉔松野　未佳 新		②伊藤　達也 前	東22
㉕小松　　裕 前		②小倉　将信 前	東23
㉖西田　　譲 元		②萩生田光一 前	東24
㉗和泉　武彦 新		②井上　信治 前	東25
㉘崎山　知尚 新			

立憲民主党　4人　　1,293,281票　20.06%

当①伊藤　俊輔 前(95.14)東23		①山花　郁夫 前(85.57)東22
当①鈴木　庸介 新(93.74)東10		①井戸　正枝 元(77.38)東15
当①海江田万里 前(90.83)東1		①水野　素子 新(77.06)東16
当①大河原雅子 前(88.13)東21		①松尾　明弘 前(75.81)東2

※ 平7参院初当選

①木村　剛司　元(74.47)東14	①松原　仁　前　東3
①阿久津幸彦　前(71.56)東11	①手塚　仁雄　前　東5
①島田　幸成　新(68.47)東25	①落合　貴之　新　東6
①北條　智廣　新(68.01)東13	①長妻　昭　前　東7
㉑高松　智之　新	①吉田　晴美　新　東8
㉒川島智太郎　元	①山岸　一生　新　東9
㉓北出　美翔　新	①菅　直人　前　東18
【小選挙区での当選者】	①末松　義規　前　東19

日本維新の会　2人　858,577票　13.32%

当①阿部　司　新(79.51)東12	①南　純　新(43.70)東9
当①小野　泰輔　新(60.76)東1	①木内　孝胤　元(38.36)東2
①金沢　結衣　新(58.85)東15	①前田順一郎　新(35.43)東20
①碓井　梨恵　新(54.00)東6	①山崎　英昭　新(34.32)東19
①田淵　正文　新(48.87)東5	①竹田　光明　元(31.60)東21
①林　智興　新(45.76)東4	①辻　健太郎　新(30.37)東7
①西村　恵美　新(45.56)東14	①笠谷　圭司　新(29.68)東8
①中津川博郷　元(44.27)東16	①藤川　隆史　新(26.56)東10
①猪口　幸子　新(43.77)東17	

公明党　2人　715,450票　11.10%

当①高木　陽介　前	③藤井　伸城　新
当②河西　宏一　新	④大沼　伸貴　新
	(令4.6.15離党)

共産党　2人　670,340票　10.40%

当①笠井　亮　前	③池内　沙織　元　東12
当②宮本　徹　前　東20	④谷川　智行　新　東4

れいわ新選組　1人　360,387票　5.59%

当①山本　太郎　新	▼②北村　造　新(12.15)東2
(令4.4.19辞職)	④渡辺　照子　新
繰②櫛渕　万里　元(24.35)東22	
(令4.4.27繰上)	

....

その他の政党の得票数・得票率は下記のとおりです。
(当選者はいません)

政党名	得票数	得票率			
国民民主党	306,179票	4.75%	日本第一党	33,661票	0.52%
社民党	92,995票	1.44%	新党やまと	16,970票	0.26%
NHKと裁判してる党弁護士法72条違反で			政権交代によるコロナ対策強化新党		
	92,353票	1.43%		6,620票	0.10%

新潟県1区	434,016 ㊟57.25	当127,365　西村智奈美　立前(52.6)
		比96,591　塚田一郎　自前(39.9)
		比18,333　石崎　徹　維元(7.6)

新潟市(北区・東区・中央区・江南区・南区・西区の一部)(P173参照)

にしむら　ち　なみ
西村智奈美

立前　　　　　当6
新潟県　　S42・1・13
勤18年11ヵ月(初/平15)

党代表代行、厚労委、拉致特理、党県連代表、厚労副大臣、外務大臣政務官、新潟県議、新潟大院／57歳

〒950-0916　新潟市中央区米山2-5-8
米山プラザビル202　　☎025(244)1173
〒107-0052　港区赤坂2-17-10、宿舎

▼は小選挙区の得票が有効投票総数の10分の1未満で、復活当選の資格がない者　　103

新潟県2区 288,107 投62.66

当105,426 細田健一 自前（59.9）
比37,157 高倉　栄 国新（21.1）
比33,399 平あや子 共新（19.0）

新潟市（南区（味方・月潟出張所管内）、西区（第1区に属しない区域）、西蒲区）、長岡市の一部（P173参照）、柏崎市、燕市、佐渡市、西蒲原郡、三島郡、刈羽郡

ほそ　だ　けん　いち
細田健一　東京都　S39・7・11

自前［無］　　当4
勤11年10ヵ月（初/平24）

党農林部会長、農林水産委、経産副大臣、予算委理事、農水政務官、経産省、京大法、米ハーバード大学院／60歳

〒959-1232　燕市井土巻4-21　　☎0256(47)1809
〒100-8982　千代田区永田町2-1-2、会館　☎03(3508)7278

新潟県3区 298,289 投65.04

当102,564 斎藤洋明 自前（53.6）
比88,744 黒岩宇洋 立前（46.4）

新潟市（北区の一部（P173参照））、新発田市、村上市、五泉市、阿賀野市、胎内市、北蒲原郡、東蒲原郡、岩船郡

さい　とう　ひろ　あき
斎藤洋明　新潟県村上市　S51・12・8

自前［麻］　　当4
勤11年10ヵ月（初/平24）

総務理事、党情報・通信関係団体委員長、総務大臣政務官、党総務部会長代理、内閣府、公正取引委員会、神戸大学院、学習院大／47歳

〒957-0056　新発田市大栄町3-6-3　　☎0254(21)0003
〒100-8981　千代田区永田町2-2-1、会館　☎03(3508)7155

新潟県4区 307,471 投64.17

当97,494 菊田真紀子 立前（50.1）
比97,256 国定勇人 自新（49.9）

新潟市（北区・東区・中央区・江南区の一部、秋葉区、南区の一部（P173参照））、長岡市の一部（P173参照）、三条市、加茂市、見附市、南蒲原郡

きく　た　ま　き　こ
菊田真紀子　新潟県加茂市　S44・10・24

立前　　当7
勤20年11ヵ月（初/平15）

党「次の内閣」文科大臣・子ども政策担当大臣、拉致問題対策副本部長、外務政務官、市議（2期）、中国黒龍江大学留学、加茂高／54歳

〒955-0071　三条市本町6-13-3　　☎0256(35)6066
〒107-0052　港区赤坂2-17-10、宿舎

新潟県5区 275,224 投65.20

当79,447 米山隆一 無新（45.0）
比当60,837 泉田裕彦 自前（34.4）
36,422 森　民夫 無新（20.6）

長岡市（第2区及び第4区に属しない区域）、小千谷市、魚沼市、南魚沼市、南魚沼郡

よね　やま　りゅう　いち
米山隆一　新潟県魚沼市　S42・9・8

立新　　当1
勤2年11ヵ月（初/令3）

法務理事、予算委、災害特委、前新潟県知事、医師、医学博士、弁護士、灘高校、東大大学院医学系研究科／56歳

〒940-2108　長岡市千秋1-253-5　　☎0258(89)8800
〒100-8982　千代田区永田町2-1-2、会館　☎03(3508)7485

新潟県6区 | 272,966 投57.79

当90,679　梅谷　守　立新（49.6）
比当90,549　高鳥　修一　自前（49.5）
　　1,711　神鳥古賛　無新（　0.9）

十日町市、糸魚川市、妙高市、
上越市、中魚沼郡

うめ たに　まもる
梅谷　守

立新　　　　　当1
東京都　　S48・12・9
勤2年11ヵ月　（初／令3）

党政調会長補佐、農水委、拉致特委、新
潟県議会議員、国会議員政策担当秘書、
早大／50歳

〒943-0805　上越市木田1-8-14　　☎025（526）4211
〒100-8982　千代田区永田町2-1-2、会館　☎03（3508）7403

富山県1区 | 267,782 投52.43

当71,696　田畑　裕明　自前（51.8）
比当45,411　吉田　豊史　維元（32.8）
比14,563　西尾　政英　立新（10.5）
　6,800　青山　了介　共新（　4.9）

富山市の一部（P173参照）

た ばた ひろ あき
田畑　裕明

自前［無］　　　当4
富山県　　S48・1・2
勤11年10ヵ月　（初／平24）

総務委、厚労委、厚労委員長、党厚労部会長、総務副
大臣、厚労・文科委理事、国対副委員長、厚労大臣政
務官、県議、富山市議、獨協大学経済学部／51歳

〒930-0017　富山市東田地方町2-2-5　☎076（471）6036
〒107-0052　港区赤坂2-17-10、宿舎

富山県2区 | 247,492 投54.22

当89,341　上田　英俊　自新（68.4）
比41,252　越川　康晴　立新（31.6）

富山市（第1区に属しない区域）、
魚津市、滑川市、黒部市、中新
川郡、下新川郡

うえ だ　えいしゅん
上田　英俊

自新［無］　　　当1
富山県下新川郡入善町　S40・1・22
勤2年11ヵ月　（初／令3）

厚労委、農水委、沖北特委、原子力特委、
党地方組織・議員総局長、党総務、富山
県議会議員、早大政経学部／59歳

〒937-0051　魚津市駅前新町5-30
　　　　　　魚津サンプラザ3F　☎0765（22）6648
〒107-0052　港区赤坂2-17-10、宿舎　☎03（5549）4671

富山県3区 | 364,742 投59.06

当161,818　橘　慶一郎　自前（78.5）
　44,214　坂本　洋史　共新（21.5）

高岡市、氷見市、砺波市、小矢
部市、南砺市、射水市

たちばな けい いち ろう
橘　慶一郎

自前［無］　　　当5
富山県高岡市　S36・1・23
勤15年2ヵ月　（初／平21）

議運理事、農水・地デジ特各委、政倫審
幹事、党国対副委長、復興副大臣、総務大
臣政務官、高岡市長、北開庁、東大／63歳

〒933-0912　高岡市丸の内1-40
　　　　　　高岡商工ビル　☎0766（25）5780
〒107-0052　港区赤坂2-17-10、宿舎

石川県1区 376,122 ⊕52.20
金沢市

当88,321	小森　卓郎	自新（46.1）
比48,491	荒井淳志	立新（25.3）
比45,663	小林　誠	維新（23.9）
8,930	亀田良典	共新（ 4.7）

こ もり たく お
小森卓郎
自新［無］　　　当1
神奈川県　S45・5・21
勤2年11ヵ月　（初／令3）

国交委、内閣委、拉致特委、原子力特委、総務大臣政務官、金融庁総合政策課長、防衛省会計課長、財務省主計局主査、石川県総務部長、プリンストン大院修了、東大法／54歳

〒920-8203　金沢市鞍月5-181　☎076(239)0102
〒100-8981　千代田区永田町2-2-1、会館　☎03(3508)7179

石川県2区 325,273 ⊕56.13
小松市、加賀市、白山市、能美市、
野々市市、能美郡

当137,032	佐々木　紀	自前（78.4）
27,049	坂本　浩	共新（15.5）
10,632	山本保浩	無新（ 6.1）

さ さき　　　はじめ
佐々木紀
自前［無］　　　当4
石川県能美市　S49・10・18
勤11年10ヵ月　（初／平24）

国交委、拉致特委、原子力特委、党国土交通部会長、国交大臣政務官、党青年局長、会社役員、東北大法／49歳

〒923-0941　小松市城南町35番地　☎0761(21)1181
〒107-0052　港区赤坂2-17-10、宿舎　☎03(5549)4671

石川県3区 243,618 ⊕66.09
七尾市、輪島市、珠洲市、羽咋市、
かほく市、河北郡、羽咋郡、鹿
島郡、鳳珠郡

当80,692	西田昭二	自前（50.7）
比当76,747	近藤和也	立前（48.3）
1,588	倉知昭一	無新（ 1.0）

にし　だ　しょう じ
西田昭二
自前［無］　　　当2
石川県七尾市　S44・5・1
勤7年　（初／平29）

総務大臣政務官、国土交通・内閣府・復興大臣政務官、党総務、党国交副部会長、元県議会副議長、県議(3期)、市議(3期)、秘書、愛知学院大／55歳

〒926-0041　石川県七尾市府中町員外26　☎0767(58)6140
〒100-8981　千代田区永田町2-2-1、会館　☎03(3508)7139

福井県1区 375,210 ⊕56.82
福井市、大野市、勝山市、あわ
ら市、坂井市、吉田郡

当136,171	稲田朋美	自前（65.5）
比71,845	野田富久	立新（34.5）

いな　だ　とも　み
稲田朋美
自前［無］　　　当6
福井県　S34・2・20
勤19年1ヵ月　（初／平17）

党幹事長代理、党整備新幹線等鉄道調査会長、党幹事長代行、防衛大臣、党政調会長、内閣府特命担当相、弁護士、早大／65歳

〒910-0858　福井市手寄1-9-20　☎0776(22)0510
〒100-8982　千代田区永田町2-1-2、会館　☎03(3508)7035

福井県2区 262,612 ⊕59.12

当81,705　高木　毅　自前(53.9)
比69,984　斉木武志　立前(46.1)

敦賀市、小浜市、鯖江市、越前市、
今立郡、南条郡、丹生郡、三方郡、
大飯郡、三方上中郡

たか　ぎ　　つよし
高木　毅

自前[無]　　　当8
福井県敦賀市　S31・1・16
勤24年4ヵ月（初／平12）

前党国対委員長、議運委員長、復興大臣、
国交副大臣、防衛政務官、党遊説局長、原
子力特委員長、青山学院大学／68歳

〒914-0805　敦賀市鋳物師町4-8
　　　　　　森口ビル2F　　　☎0770(21)2244
〒100-8981　千代田区永田町2-2-1、会館 ☎03(3508)7296

長野県1区 425,440 ⊕59.74

当128,423　若林健太　自新(51.3)
比当121,962　篠原　孝　立前(48.7)

長野市の一部（P174参照）、須坂
市、中野市、飯山市、上高井郡、
下高井郡、下水内郡

わか　ばやし　けん　た
若林健太

自新[無]　　当1(初/令3)※
長野県長野市　S39・1・11
勤9年（参6年1ヵ月）

党国対副委員長、予算委、経産委、災害特委、税理
士・公認会計士、参農水委長、外務政務官、監査法
人代表社員、長野JC理事長、慶大、早大院／60歳

〒380-0921　長野市栗田8-1
〒107-0052　港区赤坂2-17-10、宿舎 ☎026(269)0330

長野県2区 382,123 ⊕57.03

当101,391　下条みつ　立前(47.5)
比68,958　務台俊介　自前(32.3)
比43,026　手塚大輔　維新(20.2)

長野市（第1区に属しない区域）、
松本市、大町市、安曇野市、東
筑摩郡、北安曇郡、上水内郡

しも　じょう
下条みつ

立前　　　　当5
長野県松本市　S30・12・29
勤16年1ヵ月（初／平15）

文科委、拉致特委、防衛大臣政務官、拉
致特委、予算委理、党総務、厚生大臣
秘書官、富士銀行参事役、信州大／68歳

〒390-0877　松本市沢村2-13-9
〒100-8981　千代田区永田町2-2-1、会館 ☎03(3508)7271 ☎0263(87)3280

長野県3区 399,168 ⊕59.32

当120,023　井出庸生　自前(51.5)
比当109,179　神津　健　立新(46.9)
比3,722　池　高生　N新(1.6)

上田市、小諸市、佐久市、千曲市、
東御市、南佐久郡、北佐久郡、
小県郡、埴科郡

い　で　よう　せい
井出庸生

自前[麻]　　　当4
東京都　S52・11・21
勤11年10ヵ月（初／平24）

党国対副委員長、文部科学副大臣、党厚
生労働部会長代理、党司法制度調査会
事務局長、NHK記者、東大／46歳

〒385-0022　佐久市岩村田638
〒100-8982　千代田区永田町2-1-2、会館 ☎03(3508)7469 ☎0267(78)5515

略
歴

福井・長野

長野県4区　240,401　㉝59.37

当86,962　後藤茂之　自前(62.6)
　51,922　長瀬由希子　共新(37.4)

岡谷市、諏訪市、茅野市、塩尻市、
諏訪郡、木曽郡

後藤茂之（ご とう しげ ゆき）

自前[無]　　当7
東京都　S30・12・9
勤21年　（初/平12）

災害特別委員長、党こども若者未来本部長、税調小委長代理、経済再生大臣、厚生労働大臣、党政調会長代理、社会保障制度調査会長、大蔵省、東大法/68歳

〒392-0021　諏訪市上川3丁目2212-1　☎0266(57)3370
〒100-8981　千代田区永田町2-2-1、会館　☎03(3508)7702

長野県5区　280,123　㉝64.54

当97,730　宮下一郎　自前(54.9)
比80,408　曽我逸郎　立新(45.1)

飯田市、伊那市、駒ヶ根市、上
伊那郡、下伊那郡

宮下一郎（みや した いち ろう）

自前[無]　　当6
長野県伊那市　S33・8・1
勤17年7ヵ月　（初/平15）

財金委、党長野県連会長、前農林水産大臣、党農林・経産部会長、内閣府・財務副大臣、財務金融委員長、東大/66歳

〒396-0010　伊那市境1550-3　☎0265(78)2828

比例代表　北陸信越　11人　新潟、富山、石川、福井、長野

鷲尾英一郎（わし お えいいちろう）

自前[無]　　当6
新潟県　S52・1・3
勤19年1ヵ月　（初/平17）

議運理事、党国対副委員長、党外務政務次長、党副幹事長、外務副大臣、環境委長、農水政務官、公認会計士、税理士、行政書士、新日本監査法人、東大経/47歳

〒940-2023　長岡市蓮潟5-1-72　☎0258(86)4900

髙鳥修一（たか とり しゅういち）

自前[無]　当5(初/平17)
新潟県上越市　S35・9・29
勤15年9ヵ月　〈新潟6区〉

農水委、災害特委、拉致特委、党政調会長代理、元党筆頭副幹事長・総裁特別補佐、元農水・内閣府副大臣、早大/63歳

〒943-0804　上越市新光町2-1-1　☎025(521)0760

くに さだ いさ と
国定勇人

自 新［無］　当1(初/令3)
東京都　S47・8・30
勤2年11ヵ月　〈新潟4区〉

環境大臣政務官兼内閣府大臣政務官、
三条市長、総務省、一橋大商学部／52歳

〒955-0071　三条市本町4-9-27　☎0256(47)1555
〒100-8981　千代田区永田町2-2-1、会館　☎03(3508)7131

いず み だ ひろ ひこ
泉田裕彦

自 前［無］　当2(初/平29)
新潟県　S37・9・15
勤7年　〈新潟5区〉

原子力特委理、内閣委、国交委理、国土
交通・内閣府・復興大臣政務官、元新潟
県知事、経産省、通産省、京大法／61歳

〒940-0082　長岡市千歳3-2-33　☎0258(89)8506
〒100-8982　千代田区永田町2-1-2、会館　☎03(3508)7640

つか だ いち ろう
塚田一郎

自 新［麻］　当1(初/令3)※
新潟県新潟市　S38・12・27
勤15年1ヵ月(参12年2ヵ月)〈新潟1区〉

財金委理、予算委、拉致特委理、財務金融委員長、
国土交通副大臣、復興副大臣、内閣府副大臣、党
新潟県連会長、中央大、ボストン大院／60歳

〒950-0945　新潟市中央区女池上山2-22-7　☎025(280)1016
〒100-8981　千代田区永田町2-2-1、会館　☎03(3508)7705

む たい しゅん すけ
務台俊介

自 前［麻］　当4(初/平24)
長野県安曇野市　S31・7・3
勤11年10ヵ月　〈長野2区〉

環境委員長、環境兼内閣府副大臣、内閣
府兼復興大臣政務官、消防庁防災課長、
神奈川大教授、東大法／68歳

〒390-0863　松本市白板2-3-30
　　　　　　大永第三ビル101　☎0263(33)0518
〒100-8981　千代田区永田町2-2-1、会館　☎03(3508)7334

こん どう かず や
近藤和也

立 前　当3(初/平21)
石川県　S48・12・12
勤10年4ヵ月　〈石川3区〉

農水委理、災害特委、党選対委員長代
理、党拉致問題対策本部幹事、元野村證
券(株)、京大経済学部／50歳

〒926-0054　七尾市川原町60-2　☎0767(57)5717

しの はら たかし
篠原孝

立 前　当7(初/平15)
長野県中野市　S23・7・17
勤20年11ヵ月　〈長野1区〉

環境委、憲法審委、農水副大臣、農水政
策研究所長、OECD代表部、京大法、
UW大修士／76歳

〒380-0928　長野市若里4-12-26
　　　　　　宮沢ビル2F　☎026(229)5777
〒100-8981　千代田区永田町2-2-1、会館　☎03(3508)7268

比例北陸信越

神津たけし こう づ

立新　当1(初/令3)
神奈川県鎌倉市　S52・1・21
勤2年11ヵ月　〈長野3区〉

国交委、災害特委、元JICA企画調査員(南アフリカ、ケニア、チュニジア、コートジボワール、ルワンダ駐在)、政策研究大学院大／47歳

〒386-0023　上田市中央西1-7-7 北大手ビル201号室　☎0268(71)5250
〒385-0011　佐久市猿久保668-1 ミニタウンA&A-2号室　☎0267(88)7866

吉田豊史 よし だ とよ ふみ

無元　当2(初/平26)
富山県　S45・4・10
勤5年9ヵ月　〈富山1区〉

財金委、会社員、起業、会社役員、富山県議会議員(2期)、早大法／54歳

〒930-0975　富山市西長江3-1-14　☎076(495)8823

中川宏昌 なか がわ ひろ まさ

公新　当1
長野県塩尻市　S45・7・15
勤2年11ヵ月　（初/令3）

党中央幹事、北信越方面本部長、長野県代表、安保部会長代理、衆安保委理事、財金委、拉致特委、長野県議、長野銀行、創価大／54歳

〒399-0006　松本市野溝西1-3-4 2F　☎0263(88)5550
〒106-0032　港区六本木7-1-3、宿舎

比例代表 北陸信越 **11人**　有効投票数 3,510,613票

政党名	当選者数		得票数		得票率
		惜敗率 小選挙区		惜敗率 小選挙区	

自民党　6人　1,468,380票　41.83%

当①鷲尾英一郎	前		②斎藤　洋明	前	新3
当②髙鳥　修一(99.86)	新6		②田畑　裕明	前	富1
当②国定　勇人(99.76)	新4		②上田　英俊	新	富2
当②泉田　裕彦(76.58)	新5		②橘　慶一郎	前	富3
当②塚田　一郎(75.84)	新1		②小森　卓郎	新	石1
当②務台　俊介(68.01)	長2		②佐々木　紀	前	石2
㉑山本　拓	前		②西田　昭二	前	石3
㉒佐藤　俊	新		②稲田　朋美	前	福1
㉓工藤　昌克	新		②高木　毅	前	福2
㉔滝沢　圭隆	新		②若林　健太	新	長1
㉕近藤　真衣	新		②井出　庸生	前	長3
【小選挙区での当選者】			②後藤　茂之	前	長4
②細田　健一	前	新2	②宮下　一郎	前	長5

立憲民主党　3人　773,076票　22.02%

当①近藤　和也(95.11)	石3		①越川　康晴(46.17)	富2
当①篠原　孝(94.97)	長1		①西尾　政英(20.31)	富1
当①神津　健(90.97)	長3		⑮石本　伸二	新
①黒岩　宇洋(86.53)	新3		【小選挙区での当選者】
①斉木　武志(85.65)	福2		①西村智奈美	前	新1
①曽我　逸郎(82.28)	長5		①菊田真紀子	前	新4
①荒井　淳志(54.90)	石1		①梅谷　守	新	新6
①野田　富久(52.76)	福1		①下条　みつ	前	長2

110

日本維新の会　1人　361,476票　10.30%

当①吉田　豊史 元(63.34)富1　　①手塚　大輔 新(42.44)長2
①小林　誠 新(51.70)石1　　▼①石崎　徹 元(14.39)新1

公明党　1人　322,535票　9.19%

当①中川　宏昌 新　　②小松　実 新

その他の政党の得票数・得票率は下記のとおりです。
(当選者はいません)

政党名	得票数	得票率
共産党	225,551票	6.42%
国民民主党	133,599票	3.81%
れいわ新選組	111,281票	3.17%
社民党	71,185票	2.03%
NHKと裁判してる党弁護士法72条違反で	43,529票	1.24%

岐阜県1区　326,022　[投]52.31

岐阜市(本庁管内、西部・東部・北部・南部東・南部西・日光事務所管内)

当103,805 野田聖子 自前(62.5)
比48,629 川本慧佑 立新(29.3)
9,846 山越 徹 共新(5.9)
3,698 土田正光 諸新(2.2)

野田聖子(のだ せいこ)　自前[無]　当10
福岡県北九州市　S35・9・3
勤31年4ヵ月　(初/平5)

党情報通信戦略調査会長、内閣府特命担当大臣、党幹事長代行、予算委員長、総務大臣、党総務会長、郵政大臣、県議、帝国ホテル、上智大／63歳

〒500-8367　岐阜市宇佐南4-14-20 2F　☎058(276)2601
〒100-8981　千代田区永田町2-2-1、会館　☎03(3508)7161

岐阜県2区　300,608　[投]56.09

大垣市、海津市、養老郡、不破郡、安八郡、揖斐郡

当108,755 棚橋泰文 自前(65.8)
比40,179 大谷由里子 国新(24.3)
16,374 三尾圭司 共新(9.9)

棚橋泰文(たなはし やすふみ)　自前[麻]　当9
岐阜県大垣市　S38・2・11
勤28年1ヵ月　(初/平8)

党行政改革推進本部長、党総務副会長、国家公安委員長、予算委員長、党幹事長代理、内閣府特命担当大臣、党青年局長、通産省課長補佐、弁護士、東大／61歳

〒503-0904　大垣市桐ヶ崎町93　☎0584(73)3000
〒100-8982　千代田区永田町2-1-2、会館　☎03(3508)7429

▼は小選挙区の得票が有効投票総数の10分の1未満で、復活当選の資格がない者

岐阜県3区　422,993　⑳54.55

当132,357　武藤容治　自前(58.6)
比93,616　阪口直人　立元(41.4)

岐阜市(第1区に属しない区域)、関市、美濃市、羽島市、各務原市、山県市、瑞穂市、本巣市、羽島郡、本巣郡

武藤容治
む　とう　よう　じ

自前［麻］　当5
岐阜県　S30・10・18
勤15年9ヵ月　(初/平17)

議運理事、党国対副委員長、農水委長、経産副大臣、外務副大臣、総務政務官、党政調副会長、会社会長、慶大商／68歳

〒504-0909　各務原市那加信長町1-91　☎058(389)2711
〒100-8982　千代田区永田町2-1-2、会館　☎03(3508)7482

岐阜県4区　330,497　⑳66.37

当110,844　金子俊平　自前(51.2)
比91,354　今井雅人　立前(42.2)
比14,171　佐伯哲也　維新(6.5)

高山市、美濃加茂市、可児市、飛騨市、郡上市、下呂市、加茂郡、可児郡、大野郡

金子俊平
かね　こ　しゅん　ぺい

自前［無］　当2
岐阜県高山市　S53・5・28
勤7年　(初/平29)

党青年局国際部長、党国交副部会長、財務大臣政務官、党副幹事長、党農林副部会長、三井不動産、国交相秘書官、高山青年会議所理事長、日本青年会議所岐阜ブロック協議会長、慶大／46歳

〒506-0008　高山市初田町1-58-15　☎0577(32)0395

岐阜県5区　273,847　⑳62.72

当82,140　古屋圭司　自前(48.5)
比68,615　今井瑠々　立新(40.5)
比9,921　山田良司　維元(5.9)
8,736　小関祥子　共新(5.2)

多治見市、中津川市、瑞浪市、恵那市、土岐市

古屋圭司
ふる　や　けい　じ

自前［無］　当11
岐阜県恵那市　S27・11・1
勤34年9ヵ月　(初/平2)

党憲法改正実現本部長、予算委、憲法審委、党政調会長代行、議運委長、党選対委長、国家公安委員長、拉致問題・国土強靭化・防災担当大臣、経産副大臣、成蹊大／71歳

〒509-7203　恵那市長島町正家1-25　ナカヤマプラザ2F
〒100-8982　千代田区永田町2-1-2、会館　☎0573(25)7550
　　　　　　　　　　　　　　　　　　　☎03(3508)7440

静岡県1区　387,132　⑳50.99

当101,868　上川陽子　自前(52.4)
比53,974　遠藤行洋　立新(27.7)
比21,074　高橋美穂　国元(10.8)
比17,667　青山雅幸　維前(9.1)

静岡市(葵区・駿河区・清水区の一部(P175参照))

上川陽子
かみ　かわ　よう　こ

自前［無］　当7
静岡県静岡市　S28・3・1
勤21年　(初/平12)

外務大臣、党幹事長代理、法務大臣、党一億総活躍推進本部長、党司法制度調査会長、厚労委、総務副大臣、内閣府特命大臣、公文書管理相、東大、ハーバード大院／71歳

〒420-0035　静岡市葵区七間町18-10　☎054(251)8424
〒100-8982　千代田区永田町2-1-2、会館　☎03(3508)7460

静岡県2区　388,436　⑯56.11

島田市、焼津市、藤枝市、御前崎市（御前崎支所管内）、牧之原市、榛原郡

当131,082　井林辰憲　自前（61.1）
比71,032　福村　隆　新（33.1）
12,396　山口祐樹　共新（5.8）

井林辰憲
い　ばやし　たつ　のり

自前［麻］　　　　当4
東京都　　S51・7・18
勤11年10ヵ月　（初/平24）

内閣府副大臣、党副幹事長、党財務金融部会長、環境兼内閣府大臣政務官、国土交通省、京都大学工学部環境工学科、大学院／48歳

〒426-0037　藤枝市青木3-13-8　☎054（639）5801
〒100-8981　千代田区永田町2-2-1、会館　☎03（3508）7127

静岡県3区　371,830　⑯58.14

浜松市（天竜区の一部（P175参照））、磐田市、掛川市、袋井市、御前崎市（第2区に属しない区域）、菊川市、周智郡

当112,464　小山展弘　立元（52.7）
比当100,775　宮沢博行　自前（47.3）

小山展弘
こ　やま　のぶ　ひろ

立元　　　　　　当3
静岡県掛川市　S50・12・26
勤9年1ヵ月　（初/平21）

予算委、経産委、財金委、災害特委、党企業団体委副委員長、党静岡県連副代表、農林中央金庫職員、早大院／48歳

〒438-0078　磐田市中泉656-1　☎0538（39）1234

静岡県4区　320,052　⑯50.07

静岡市（葵区（第1区に属しない区域）、駿河区（第1区に属しない区域）、清水区（第1区に属しない区域））、富士宮市、富士市（木島、岩淵、中之郷、南松野、北松野、中野台1〜2丁目）

当84,154　深沢陽一　自前（53.3）
比当49,305　田中　健　国新（31.2）
比24,441　中村憲一　維新（15.5）

深澤陽一
ふか　ざわ　よう　いち

自前［無］　　　当2
静岡県静岡市　S51・6・21
勤4年6ヵ月　（初/令2）

外務大臣政務官、外務委、党財務金融副部会長、厚労政務官、党青年局・女性局次長、静岡県議、静岡市議、衆院議員秘書、信州大学／48歳

〒424-0817　静岡市清水区銀座14-17　☎054（361）0615
〒107-0052　港区赤坂2-17-10、宿舎

静岡県5区　458,636　⑯54.39

三島市、富士市（第4区に属しない区域）、御殿場市、裾野市、伊豆の国市（本庁管内）、田方郡、駿東郡（小山町）

当127,580　細野豪志　無前（51.8）
比当61,337　吉川　赳　自前（24.9）
比51,965　小野範和　立新（21.1）
5,350　千田　光　諸新（2.2）

細野豪志
ほそ　の　ごう　し

自前［無］　　　当8
滋賀県　　S46・8・21
勤24年4ヵ月　（初/平12）

安保委、復興特委、憲法審委、民主党政調会長、党幹事長、環境大臣、原発事故収束・再発防止担当大臣、内閣府特命担当大臣（原子力行政）、京大法／53歳

〒411-0847　三島市西本町4-6
コーア三島ビル2F　☎055（991）1269

113

静岡県6区 425,131 ⊕53.77

当104,178 勝俣 孝明 自前(46.1)
比99,758 渡辺 周 立前(44.1)
比22,086 山下 洸棋 維新(9.8)

沼津市、熱海市、伊東市、下田市、伊豆市、伊豆の国市(第5区に属しない区域)、賀茂郡、駿東郡(清水町、長泉町)

かつ また たか あき
勝俣 孝明

自前[無] 当4
静岡県沼津市 S51・4・7
勤11年10ヵ月 (初/平24) 48歳

外務委員長、農林水産副大臣、党政調副会長、環境大臣政務官、スルガ銀行、財団法人企業経営研究所、学習院大、慶大院修了/48歳

〒410-0062 静岡県沼津市宮前町13-3 ☎055(922)5526

静岡県7区 328,735 ⊕58.72

当130,024 城内 実 自前(68.2)
比60,726 日吉雄太 立前(31.8)

浜松市(中区の一部(P175参照)、西区、南区の一部(P175参照)、北区、浜北区、天竜区(第3区に属しない区域))、湖西市

き うち みのる
城内 実

自前[無] 当6
静岡県浜松市 S40・4・19
勤17年 (初/平15)

党副幹事長、党政務調査会副会長、外務委長、環境副大臣、外務副大臣、外務省、東大教養国際関係論/59歳

〒433-8112 浜松市中央区初生町1288-1 ☎053(430)5789

静岡県8区 367,189 ⊕56.47

当114,210 源馬謙太郎 立前(55.8)
比当90,408 塩谷 立 自前(44.2)

浜松市(中区(第7区に属しない区域)、東区、南区(第7区に属しない区域))

げん ま けん た ろう
源馬謙太郎

立前 当2
静岡県浜松市 S47・12・21
勤7年 (初/平29)

外務委筆頭理事、議運委、倫選特委、党副幹事長、国際局長、県連代表、静岡県議、松下政経塾、成蹊大、American University大学院/51歳

〒430-0852 浜松市中央区領家1-1-16 ☎053(464)0755

愛知県1区 400,338 ⊕49.49

当94,107 熊田 裕通 自前(48.8)
比当91,707 吉田 統彦 立前(47.6)
6,988 門田 節代 N新(3.6)

名古屋市(東区、北区、西区、中区)

くま だ ひろ みち
熊田 裕通

自前[無] 当4
愛知県名古屋市 S39・8・28
勤11年10ヵ月 (初/平24) 60歳

法務委理、環境委、拉致特理事、党法務部会長代理、安保調査会事務局長、総務副大臣、防衛大臣政務官、県議、総理秘書、神奈川大法/60歳

〒451-0061 名古屋市西区浄心1-1-41浄心ステーションビル北館102
〒107-0052 港区赤坂2-17-10、宿舎 ☎052(521)1144

愛知県2区 404,436 ⓣ53.44

名古屋市(千種区、守山区、名東区)

当131,397 古川 元久 国前(62.3)
比当79,418 中川 貴元 自新(37.7)

古川 元久（ふる かわ もと ひさ）

国前　当9
愛知県名古屋市　S40・12・6
勤28年1ヵ月　(初/平8)

党国対委員長、企業団体委員長、国際局長、国交委、災害特委、内閣委員、国家戦略担当大臣、官房副長官、大蔵省、米国コロンビア大学院留学、東大／58歳

〒464-0075　名古屋市千種区内山3-8-16
トキワビル2F
〒107-0052　港区赤坂2-17-10、宿舎
☎052(733)8401

愛知県3区 417,728 ⓣ54.22

名古屋市(昭和区、緑区、天白区)

当121,400 近藤 昭一 立前(55.0)
比当99,489 池田 佳隆 自前(45.0)

近藤 昭一（こん どう しょう いち）

立前　当9
愛知県名古屋市　S33・5・26
勤28年1ヵ月　(初/平8)

環境委、憲法審委、党企業・団体交流委員会顧問、党副代表・選対委員長、環境副大臣、総務委員長、中日新聞社員、上智大／66歳

〒468-0058　名古屋市天白区植田西3-1207 ☎052(808)1181
〒100-8982　千代田区永田町2-1-2、会館 ☎03(3508)7402

愛知県4区 372,310 ⓣ48.95

名古屋市(瑞穂区、熱田区、港区、南区)

当78,004 工藤 彰三 自前(43.7)
比当72,786 牧 義夫 立前(40.8)
比27,640 中田 千代 維新(15.5)

工藤 彰三（く どう しょう ぞう）

自前[麻]　当4
愛知県　S39・12・8
勤11年10ヵ月　(初/平24)

内閣府副大臣、国土交通大臣政務官、国交委理事、文科委理事、災害特委理事、名古屋市議、議員秘書、中央大商／59歳

〒456-0052　名古屋市熱田区二番2-2-24 ☎052(651)9591
〒107-0052　港区赤坂2-17-10、宿舎

愛知県5区 432,024 ⓣ48.63

名古屋市(中村区、中川区)、清須市、北名古屋市、西春日井郡

当84,320 神田 憲次 自前(41.2)
比74,995 西川 厚志 立新(36.6)
比45,540 岬 麻紀 維新(22.2)

神田 憲次（かん だ けん じ）

自前[無]　当4
大分県　S38・2・19
勤11年10ヵ月　(初/平24)

農水委、経産委、財務副大臣、内閣府大臣政務官、内閣委理、財金委、党内閣第二部会長、税理士、中京大院、愛知学院大院／61歳

〒453-0021　名古屋市中村区松原町5-64 ☎052(462)9872
〒107-0052　港区赤坂2-17-10、宿舎

愛知県6区
435,949
⑯54.83

当136,168　丹羽秀樹　自前(58.3)
比76,912　松田　功　立前(33.0)
　20,299　内田　謙　共新(8.7)

瀬戸市の一部(P175参照)、春日井市、犬山市、小牧市

に　わ　ひで　き
丹羽秀樹
自前[無]　　　当6
愛知県　S47・12・20
勤17年5ヵ月　(初/平17)

議運委筆頭理事、党国対筆頭副委員長、文部科学副大臣兼内閣府副大臣、党広報戦略局長、厚労委員長、党副幹事長、玉川大／51歳

〒486-0844　春日井市鳥居松町4-68　　☎0568(87)6226
〒107-0052　港区赤坂2-17-10、宿舎

愛知県7区
455,656
⑯59.54

当144,725　鈴木淳司　自前(54.7)
比88,914　森本和義　立元(33.6)
　30,956　須山初美　共新(11.7)

瀬戸市(第6区に属しない区域)、大府市、尾張旭市、豊明市、日進市、長久手市、愛知郡

すず　き　じゅん　じ
鈴木淳司
自前[無]　　　当6
愛知県瀬戸市　S33・4・7
勤17年7ヵ月　(初/平15)

経産委、前総務大臣、元法務・原子力特委員長、党原子力規制特委員長、党経産部会長、瀬戸市議、松下政経塾、早大／66歳

〒489-0929　瀬戸市西長根町83　　☎0561(89)3611
　　　　　　　Kインタービル2F
〒100-8981　千代田区永田町2-2-1、会館　☎03(3508)7264

愛知県8区
437,645
⑯56.53

当121,714　伊藤忠彦　自前(50.2)
比120,649　伴野　豊　立元(49.8)

半田市、常滑市、東海市、知多郡、知多郡

い　とう　ただ　ひこ
伊藤忠彦
自前[無]　　　当5
愛知県　S39・7・11
勤15年9ヵ月　(初/平17)

衆環境委理事、前衆法務委員、前震災復興特委員長、前国交部会長、前環境副大臣、県議、電通、早大法／60歳

〒478-0021　知多市岡田字向田61　　☎0562(55)5508
〒100-8982　千代田区永田町2-1-2、会館　☎03(3508)7003

愛知県9区
432,760
⑯53.98

当120,213　長坂康正　自前(52.7)
比107,722　岡本充功　立前(47.3)

一宮市(本庁管内(P175参照))、津島市、稲沢市、愛西市、弥富市、あま市、海部郡

なが　さか　やす　まさ
長坂康正
自前[麻]　　　当4
愛知県　S32・4・10
勤11年10ヵ月　(初/平24)

国土交通委員長、経産兼内閣府副大臣、内閣府兼復興政務官、県連幹事長、県議6期、総理大臣秘書、内閣官房調査員、青山学院大学経済学部／67歳

〒496-0044　津島市立込町3-26-2　　☎0567(26)3339
〒100-8981　千代田区永田町2-2-1、会館　☎03(3508)7043

愛知県10区	436,560 ⊕54.49	当81,107	江崎鉄磨	自前（35.0）
		比当62,601	杉本和巳	維前（27.0）
一宮市（第9区に属しない区域）、 江南市、岩倉市、丹羽郡		比53,375	藤原規真	立前（23.0）
		比20,989	安井美沙子	れ新（9.1）
		13,605	板倉正文	共新（5.9）

え さき てつ ま
自前[無]　　当8
江﨑鐵磨
愛知県　S18・9・17
勤24年7ヵ月（初/平5）

決算行監所、党総務会長代理、元内閣府特命大臣
（沖縄・北方・消費者等担当）、法務・消費者各委員
長、国土交通副大臣、外務総括政官、立教大／80歳

〒491-0002　一宮市時之島字下奈良西2　☎0586(77)8555
〒107-0052　港区赤坂2-17-10、宿舎　☎03(5563)9732

愛知県11区	383,834 ⊕62.80	当158,018	八木哲也	自前（69.1）
		36,788	本多信弘	共新（16.1）
豊田市（旭・足助・小原・上郷・挙 母・猿投・下山・高岡・高橋・藤岡・ 松平地域自治区）、みよし市		33,990	梅村忠司	無新（14.9）

や ぎ てつ や
自前[無]　　当4
八木哲也
愛知県豊田市　S22・8・10
勤11年10ヵ月（初/平24）

環境副大臣、予算委、環境委、復興特委、党国
対副委員長、党経産副部会長、党副幹事長、環
境大臣政務官、豊田市議長、中大理工／77歳

〒471-0868　豊田市神田町1-5-9　☎0565(32)0048
〒107-0052　港区赤坂2-17-10、宿舎

愛知県12区	444,780 ⊕61.97	当142,536	重徳和彦	立前（52.7）
		比当128,083	青山周平	自前（47.3）
岡崎市、西尾市				

しげ とく かず ひこ
立前　　当4
重徳和彦
愛知県　S45・12・21
勤11年10ヵ月（初/平24）

安保委理、経産委、党県連代表、総務省
課長補佐、コロンビア大公共経営学修
士、東大法／53歳

〒444-0858　岡崎市上六名3-13-13
浅井ビル3F西　☎0564(51)1192
〒107-0052　港区赤坂2-17-10、宿舎

愛知県13区	422,731 ⊕61.56	当134,033	大西健介	立前（52.7）
		比当120,203	石井拓	自新（47.3）
碧南市、刈谷市、安城市、知立市、 高浜市				

おお にし けん すけ
立前　　当5
大西健介
奈良県　S46・4・13
勤15年2ヵ月（初/平21）

**予算委、厚労委、消費者特委、党政調会
長代理**、元議員秘書、元外交官、元参院
職員、京大法／53歳

〒446-0074　安城市井杭山町高見8-7-2F　☎0566(70)7122
〒100-8981　千代田区永田町2-2-1、会館　☎03(3508)7108

117

愛知県14区 296,452 投62.26

当114,160 今枝宗一郎 自前（63.0）
比59,462 田中克典 立新（32.8）
7,689 野沢康幸 共新（4.2）

豊川市、豊田市（第11区に属しない区域）、蒲郡市、新城市、額田郡、北設楽郡

いまえだそういちろう
今枝宗一郎
自前［麻］　　　当4
愛知県　S59・2・18
勤11年10ヵ月　（初/平24）

文部科学副大臣、党経産部会長代理、党青年局青年部長、衆・予算委員会理事、財務大臣政務官、医師、名大医学部／40歳

〒442-0031　豊川市豊川西町64　☎0533(89)9010
〒100-8981　千代田区永田町2-2-1、会館　☎03(3508)7080

愛知県15区 348,761 投58.10

当104,204 根本幸典 自前（52.4）
比80,776 関健一郎 立前（40.6）
比13,832 菅谷竜 れ新（7.0）

豊橋市、田原市

ねもとゆきのり
根本幸典
自前［無］　　　当4
愛知県豊橋市　S40・2・21
勤11年10ヵ月　（初/平24）

党総務部会長、総務委、文科委、災害特委、国土交通政務官兼内閣府政務官、豊橋市議(2期)、一橋大経済／59歳

〒441-8032　豊橋市花中町63　☎0532(35)0261
〒107-0052　港区赤坂2-17-10、宿舎

三重県1区 359,419 投54.88

当122,772 田村憲久 自前（63.1）
比64,507 松田直久 立元（33.1）
比7,329 山田いずみ N新（3.8）

津市、松阪市

たむらのりひさ
田村憲久
自前［無］　　　当9
三重県松阪市　S39・12・15
勤28年1ヵ月　（初/平8）

党政調会長代行、裁判官訴追委員長、元厚労大臣(2回)、元総務副大臣、元厚労委長、保育関係議連会長、千葉大／59歳

〒514-0053　津市博多町5-63　☎059(253)2883
〒107-0052　港区赤坂2-17-10、宿舎　☎03(3508)7163

三重県2区 408,281 投54.86

当110,155 川崎秀人 自新（50.2）
比109,165 中川正春 立前（49.8）

四日市市（日永・四郷・内部・塩浜・小山田・河原田・水沢・楠地区市民センター管内）、鈴鹿市、名張市、亀山市、伊賀市

かわさき
川崎ひでと
自新［無］　　　当1
三重県伊賀市　S56・11・4
勤2年11ヵ月　（初/令3）

総務委、厚労委、政治改革特委、党デジタル社会推進本部web3PT事務局長、党青年局団体部長、党ネットメディア局次長、衆院議員秘書、(株)NTTドコモ、法政大／42歳

〒518-0832　伊賀市上野車坂町821　☎0595(21)3249
〒107-0052　港区赤坂2-17-10、宿舎　☎03(5549)4671

三重県3区 414,312 ⊛55.31

当144,688 岡田克也 立前（64.1）
比当81,209 石原正敬 自新（35.9）

四日市市（富洲原・富田・羽津・常磐・川島・神前・桜・三重・県・八郷・下野・大矢知・保々・海蔵・橋北・中部地区市民センター管内）、桑名市、いなべ市、桑名郡、員弁郡、三重郡

おか だ かつ や
岡田克也

立前 当11
三重県四日市市 S28・7・14
勤34年9ヵ月 （初/平2）

立憲民主党幹事長、民進党・民主党代表、副総理、外相、東大法／71歳

〒510-8121 三重郡川越町高松30-1 ☎059（361）6633
〒100-8981 千代田区永田町2-2-1、会館 ☎03（3508）7109

三重県4区 297,008 ⊛60.76

当128,753 鈴木英敬 自新（72.4）
比41,311 坊農秀治 立新（23.2）
7,882 中川民英 共新（4.4）

伊勢市、尾鷲市、鳥羽市、熊野市、志摩市、多気郡、度会郡、北牟婁郡、南牟婁郡

すず き えい けい
鈴木英敬

自新［無］ 当1
兵庫県 S49・8・15
勤2年11ヵ月 （初/令3）

党文部科学部会副部会長、サイバーセキュリティーPT事務局長、内閣委、厚労委、前内閣府大臣政務官、三重県知事、東大／50歳

〒516-0007 伊勢市小木町677-1 ☎0596（31）0001
〒100-8981 千代田区永田町2-2-1、会館 ☎03（3508）7269

比例代表 東海 21人 岐阜、静岡、愛知、三重

あお やま しゅう へい
青山周平

自前［無］ 当4（初/平24）
愛知県岡崎市 S52・4・28
勤10年6ヵ月 （愛知12区）

文科委、内閣委、文部科学副大臣、党国対副委員長、幼教委次長、ラグビー少年団指導員、幼稚園園長、法政大／47歳

〒444-0038 岡崎市伝馬通5-63-1 ☎0564（25）2345
〒106-0032 港区六本木7-1-3、宿舎

いし い たく
石井 拓

自新［無］ 当1（初/令3）
愛知県碧南市 S40・4・11
勤2年11ヵ月 （愛知13区）

経済産業大臣政務官兼内閣府大臣政務官（国際博覧会担当）、党国対委、愛知県議、碧南市議、立命館大学法学部／59歳

〒446-0039 愛知県安城市花ノ木町49-96
Actic HANANOKI D号 ☎0566（87）7407
〒107-0052 港区赤坂2-17-10、宿舎

<ruby>池<rt>いけ</rt></ruby> <ruby>田<rt>だ</rt></ruby> <ruby>佳<rt>よし</rt></ruby> <ruby>隆<rt>たか</rt></ruby>　**無 前**　当4(初/平24)
愛知県　S41・6・20
勤11年10ヵ月　〈愛知3区〉

決算行監委、文科副大臣、内閣府副大臣、日本JC会頭、MBA、慶大院／58歳

〒468-0037　名古屋市天白区天白町
　　　　　　野並上大塚124-1　☎052(838)6381
〒100-8982　千代田区永田町2-1-2、会館　☎03(3508)7616

<ruby>塩<rt>しお</rt></ruby> <ruby>谷<rt>のや</rt></ruby>　<ruby>立<rt>りゅう</rt></ruby>　**無 前**　当10(初/平2)
静岡県浜松市　S25・2・18
勤28年10ヵ月　〈静岡8区〉

外務委、政治倫理審査会長、文科大臣、内閣官房副長官、国交委長、文科副大臣、総務政務次官、慶大／74歳

〒430-0928　浜松市中央区板屋町605　☎053(455)3711
〒107-0052　港区赤坂2-17-10、宿舎

<ruby>中<rt>なか</rt></ruby> <ruby>川<rt>がわ</rt></ruby> <ruby>貴<rt>たか</rt></ruby> <ruby>元<rt>もと</rt></ruby>　**自 新[麻]**　当1(初/令3)
愛知県あま市　S42・2・25
勤2年11ヵ月　〈愛知2区〉

総務委、経産委、党国対委、前総務大臣政務官、名古屋市議、名古屋市会議長、指定都市議長会会長、早大／57歳

〒464-0848　名古屋市千種区春岡1-4-8 805号
〒107-0052　港区赤坂2-17-10、宿舎　☎052(752)6255

<ruby>石<rt>いし</rt></ruby> <ruby>原<rt>はら</rt></ruby> <ruby>正<rt>まさ</rt></ruby> <ruby>敬<rt>たか</rt></ruby>　**自 新[無]**　当1
三重県菰野町　S46・11・29
勤2年11ヵ月　〈三重3区〉

党総務会総務、衆議運委、財金委、環境委、災害特委、党中小企業小規模事業者政策調査会幹事、菰野町長、名古屋大院／52歳

〒510-1226　三重郡菰野町吉澤441-1　☎059(394)6533
〒510-8028　四日市市下之宮町345-1　☎059(324)0661

<ruby>吉<rt>よし</rt></ruby> <ruby>川<rt>かわ</rt></ruby>　<ruby>赳<rt>たける</rt></ruby>　**無 前**　当3(初/平24)
静岡県　S57・4・7
勤7年7ヵ月　〈静岡5区〉

総務委、内閣府大臣政務官兼復興大臣政務官、医療法人役員、国会議員秘書、日大院博士前期課程修了／42歳

〒416-0923　静岡県富士市横割本町16-1　☎0545(62)3020
〒107-0052　港区赤坂2-17-10、宿舎

<ruby>山<rt>やま</rt></ruby> <ruby>本<rt>もと</rt></ruby> <ruby>左<rt>さ</rt></ruby> <ruby>近<rt>こん</rt></ruby>　**自 新[麻]**　当1
愛知県豊橋市　S57・7・9
勤2年11ヵ月　(初/令3)

文科委、厚労委、元文部科学大臣政務官兼復興大臣政務官、元F1ドライバー、医療法人・社会福祉法人理事、南山大学中退／42歳

〒440-0806　豊橋市八町通1-14-1　☎0532(21)7008
〒100-8981　千代田区永田町2-2-1、会館　☎03(3508)7302

森　由起子
もり　ゆきこ

自新[無]　　繰当1
三重県四日市市　S46・9・29
勤4ヵ月　　（初/令6繰）

環境委、内閣委、党女性局次長、会社役員、三菱UFJニコス社員、名古屋大原学園情報処理科／52歳

〒510-0072　四日市市九の城町5-12 うの森ビル1F西室　☎059(327)6875
〒100-8982　千代田区永田町2-1-2、会館　☎03(3508)7443

伴野　豊
ばんの　ゆたか

立元　　当6(初/平12)
愛知県東海市　S36・1・1
勤18年3ヵ月　　〈愛知8区〉

国交委、外務副大臣、国土交通副大臣、国土交通委員長、立憲民主党愛知県第8区総支部長、名古屋工業大学大学院修了／63歳

〒475-0836　半田市青山2-19-8
　　　　　　アンビシャス青山1F　☎0569(25)1888
〒107-0052　港区赤坂2-17-10、宿舎　☎03(5549)4671

中川正春
なかがわまさはる

立前　　当9(初/平8)
三重県　S25・6・10
勤28年1ヵ月　　〈三重2区〉

懲罰委員長、防災担当大臣、文部科学大臣、党憲法調査会長、党外交・安保調査会長、NC財務大臣、三重県議、米ジョージタウン大／74歳

〒513-0801　鈴鹿市神戸7-1-5　☎059(381)3513
〒100-8981　千代田区永田町2-2-1、会館　☎03(3508)7128

吉田統彦
よしだつねひこ

立前　　当3(初/平21)
愛知県名古屋市　S49・11・14
勤10年4ヵ月　　〈愛知1区〉

厚労委、党愛知県連副代表、医師・医博、愛知学院大歯学部眼科客員教授、名大、名大院修了／49歳

〒462-0810　名古屋市北区山田1-10-8　☎052(508)8412

渡辺　周
わたなべ　しゅう

立前　　当9(初/平8)
静岡県沼津市　S36・12・11
勤28年1ヵ月　　〈静岡6区〉

安保委理、党常幹議長、NC安保大臣、党政治改革推進本部長、元総務・防衛副大臣、領土議連事務局長、拉致議連会長代行、早大／62歳

〒410-0888　沼津市末広町54　☎055(951)1949

牧　義夫
まき　よしお

立前　　当7(初/平12)
愛知県名古屋市　S33・1・14
勤22年4ヵ月　　〈愛知4区〉

文科委理事、政倫審、憲法審査会委、議運委理、環境委員長、厚生労働委員長、厚生労働副大臣、議員秘書、上智大中退／66歳

〒456-0031　名古屋市熱田区神宮2-9-12　☎052(681)0440
〒100-8981　千代田区永田町2-2-1、会館　☎03(3508)7628

大口善徳 おお ぐち よし のり　公前　当9

大阪府大阪市　S30・9・5
勤27年11ヵ月　（初/平5）

党政務調査会長代理、党中央幹事、党静岡県本部代表、党中部方面副本部長、党東海道方面本部長、法務委、憲法審委、情監査委、裁判官訴追委、厚労副大臣、弁護士、創価大/68歳

〒420-0067　静岡市葵区幸町11-1 1F　☎054（273）8739
〒107-0052　港区赤坂2-17-10、宿舎

伊藤 渉 い とう わたる　公前　当5

愛知県名古屋市S44・11・13
勤15年9ヵ月　（初/平17）

党中央幹事、党政調会長代理、党中部方面本部長、財務副大臣、厚生労働大臣政務官、JR東海（新幹線運転免許所持）、防災士、阪大院/54歳

〒485-0031　小牧市若草町173 カーサ
　　　　　　 フェリーチェ若草101　☎0568（54）2231
〒100-8981　千代田区永田町2-2-1、会館　☎03（3508）7187

中川康洋 なか がわ やす ひろ　公元　当2

三重県四日市市　S43・2・12
勤5年9ヵ月　（初/平26）

党中央幹事、党国対筆頭副委員長、党総務部会長、党三重県本部代表、環境大臣政務官、三重県議、四日市市議、衆・参議員秘書、創価大/56歳

〒510-0822　四日市市芝田1-10-29
　　　　　　 新栄ビル　☎059（340）5341

杉本和巳 すぎ もと かず み　維前　当4(初/平21)

東京都　S35・9・17
勤12年4ヵ月　〈愛知10区〉

環境委、決算行監委理、弾劾裁判所裁判員、元銀行員、英オックスフォード大院・米ハーバード大院修了、早大政経/63歳

〒491-0873　一宮市せんい4-5-1　☎0586（75）5507
〒100-8981　千代田区永田町2-2-1、会館　☎03（3508）7266

岬 麻紀 みさき ま き　維新　当1(初/令3)

愛知県名古屋市 S43・12・26
勤2年11ヵ月　〈愛知5区〉

厚労委、消費者特委、フリーアナウンサー、愛知大学(中退)、早大eスクール在学中/55歳

〒453-0043　名古屋市中村区上ノ宮町1-2-2
　　　　　　　　☎052（264）0833

本村伸子 もと むら のぶ こ　共前　当3

愛知県豊田市 S47・10・20
勤9年10ヵ月　（初/平26）

党幹部会委員、党中央委員、法務委、消費者特委、八田ひろ子参院議員秘書、県立刈谷高、龍谷大院修士課程修了/51歳

〒460-0007　名古屋市中区新栄3-12-25　☎052（264）0833
〒107-0052　港区赤坂2-17-10、宿舎

た なか   けん
田中　健

国 新　　当1(初/令3)
静岡県　　S52・7・18
勧2年11ヵ月　〈静岡4区〉

党政務調査副会長、党静岡県連代表、予算委、厚労委、地・こ・デジ特委、東京都議、大田区議、銀行員、青学大／47歳

〒424-0872　静岡市清水区平川地6-50　☎054(340)5256

比例代表 東海　21人　有効投票数 6,728,400票

政党名	当選者数	得票数	得票率
	惜敗率 小選挙区		惜敗率 小選挙区

自 民 党　9人　2,515,841票　37.39%

当①青山　周平 前(89.86)愛12	①金子　俊平 前	岐4
当①石井　拓 新(89.68)愛13	①古屋　圭司 前	岐5
当①宮沢　博行 前(89.61)静3	①上川　陽子 前	静1
(令6.4.25辞職)	①井林　辰憲 前	静2
当①池田　佳隆 前(81.95)愛3	①深沢　陽一 前	静4
当①塩谷　立 前(79.16)静8	①勝俣　孝明 前	静6
当①中川　貴元 新(60.44)愛2	①城内　実 前	静7
当①石原　正敬 新(56.13)三3	①熊田　裕通 前	愛1
当①吉川　赳 前(48.08)静5	①工藤　彰三 前	愛4
当㉛山本　左近 新	①神田　憲次 前	愛5
㉜木造　燿子 新	①丹羽　秀樹 前	愛6
(名簿から削除)	①鈴木　淳司 前	愛7
繰㉝森　由起子 新	①伊藤　忠彦 前	愛8
(令6.5.10操上)	①長坂　康正 前	愛9
㉞松本　忠真 新	①今枝宗一郎 前	愛14
㉟岡本　宏幸 新	①根本　幸典 前	愛15
【小選挙区での当選者】	①田村　憲久 前	三1
①野田　聖子 前　　岐1	①川崎　秀人 新	三2
①棚橋　泰文 前　　岐2	①鈴木　英敬 新	三4
①武部　容治 前　　岐3		

立憲民主党　5人　1,485,947票　22.08%

当①伴野　豊 元(99.12)愛8	①遠藤　行洋 新(52.98)静1
当①中川　正春 前(99.10)三2	①松田　功 元(52.54)三1
当①吉田　統彦 前(97.45)愛2	①田中　克典 新(52.09)愛14
当①渡辺　周 前(95.76)静6	①川本　慧佑 新(46.85)岐1
当①牧　義夫 前(93.31)愛5	①日吉　雄太 前(46.70)静7
①岡本　充功 前(89.61)愛9	①小野　範和 前(40.73)静5
①西川　厚志 新(88.94)愛5	①坊農　秀治 新(32.09)三4
①今井　瑠々 新(83.53)岐5	㉘芳野　正英 新
①今井　雅人 前(82.42)岐4	㉙大島　もえ 新
①関　健一郎 前(77.52)愛15	【小選挙区での当選者】
①阪口　直人 元(70.73)岐3	①小山　展弘 元　　静3
①藤原　規真 新(65.13)愛10	①源馬謙太郎 前　　静8
①森本　和義 元(61.44)愛7	①近藤　昭一 前　　愛3
①松田　功 前(56.48)愛6	①重徳　和彦 前　　愛12
①福村　隆 新(54.19)静2	①大西　健介 前　　愛13

公 明 党　3人　784,976票　11.67%

当①大口　善徳 前	④国森　光信 新
当②伊藤　渉 前	⑤越野　優一 新
当③中川　康洋 元	

日本維新の会　2人　　694,630票　10.32%

当①杉本　和巳　前(77.18)　愛10	▼①山下　洸棋　新(21.20)　静6	
当①岬　麻紀　新(54.01)　愛5	▼①青山　雅幸　前(17.34)　静1	
①中田　千代　新(35.43)　愛4	▼①佐伯　哲也　新(12.78)　岐4	
①中村　憲一　新(29.04)　静4	▼①山田　良司　元(12.08)　岐5	

共産党　1人　　408,606票　6.07%

当①本村　伸子　前	③長内　史子　新
②島津　幸広　元	

国民民主党　1人　　382,733票　5.69%

当①田中　健(58.59)　静4	【小選挙区での当選者】
①大谷由里子(36.94)　岐2	①古川　元久　前　　愛2
①高橋　美穂(20.69)　静1	

··

その他の政党の得票数・得票率は下記のとおりです。
（当選者はいません）

政党名	得票数	得票率		
れいわ新選組	273,208票	4.06%	社民党	84,220票　1.25%
NHKと裁判してる党弁護士法72条違反で		98,238票　1.46%		

滋賀県1区	324,354 ㊹58.90	当97,482　大岡敏孝　自前(52.2)
大津市、高島市		比当84,106　斎藤アレックス　国新(45.1)
		比5,092　日高千穂　N新(2.7)

おお　おか　とし　たか
大岡敏孝

自前［無］　　当4
滋賀県　S47・4・16
勤11年10ヵ月　(初/平24)

厚労委理、経産委、原子力特委、党副幹事長、環境副大臣、財務大臣政務官、静岡県議、浜松市議、中小企業診断士、スズキ(株)、早大政治経済学部／52歳

〒520-0026　大津市桜野町1-1-6
　　　　　　　西大津IS II 203
〒106-0032　港区六本木7-1-3、宿舎

☎077(572)7770

滋賀県2区	263,110 ㊹56.93	当83,502　上野賢一郎　自前(56.6)
彦根市、長浜市、東近江市(愛東・湖東支所管内)、米原市、愛知郡、犬上郡		比64,119　田島一成　立元(43.4)

うえ　の　けんいちろう
上野賢一郎

自前［無］　　当5
滋賀県長浜市　S40・8・3
勤15年9ヵ月　(初/平17)

予算委理事、内閣委筆頭理事、税調幹事、内閣委員長、財務副大臣、党経産部会長、党財金部会長、国交政務官、総務省、京大法／59歳

〒526-0021　長浜市八幡中山町88-11　☎0749(63)9977
〒100-8981　千代田区永田町2-2-1、会館　☎03(3508)7004

　▼は小選挙区の得票が有効投票総数の10分の1未満で、復活当選の資格がない者

滋賀県3区	274,521 ⑯57.43	当81,888	武村展英	自前(52.8)
草津市、守山市、栗東市、野洲 市		比41,593	直山　仁	維新(26.8)
		20,423	佐藤耕平	共新(13.2)
		比11,227	高井崇志	れ前(7.2)

たけ　むら　のぶ　ひで　**自前[無]**　当4
武村展英
滋賀県草津市　S47・1・21
勤11年10ヵ月　（初/平24）

農林水産副大臣、党副幹事長、党総務部会長、内閣府政務官、公認会計士、新日本監査法人、慶大／52歳

〒525-0025　草津市西渋川1-4-6
　　　　　　MAEDA第二ビル1F　☎077(566)5345
〒107-0052　港区赤坂2-17-10、宿舎　☎03(5549)4671

滋賀県4区	291,102 ⑯55.83	当86,762	小寺裕雄	自前(54.6)
近江八幡市、甲賀市、湖南市、 東近江市(第2区に属しない区 域)、蒲生郡		比当72,116	徳永久志	立新(45.4)

こ　てら　ひろ　お　**自前[無]**　当2
小寺裕雄
滋賀県東近江　S35・9・18
勤7年　（初/平29）

文科理事、農水委、復興特委理、地デジ特委、党農林副部会長、内閣府大臣政務官、会社役員、滋賀県議会副議長、八日市青年会議所理事長、同志社大／63歳

〒527-0032　東近江市春日町3-1　☎0748(22)5001
〒106-0032　港区六本木7-1-3、宿舎

京都府1区	390,373 ⑯55.90	当86,238	勝目　康	自新(40.4)
京都市(北区、上京区、中京区、 下京区、南区)		比65,201	穀田恵二	共前(30.5)
		比当62,007	堀場幸子	維新(29.1)

かつ　め　やすし　**自新[無]**　当1
勝目　康
京都府　S49・5・17
勤2年11ヵ月　（初/令3）

党京都府第一選挙区支部長、文科委、厚労委、総務省室長、京都府総務部長、内閣官房副長官秘書官、在仏大使館書記官、東大法／50歳

〒600-8008　京都市下京区四条通東洞院角
　　　　　　フコク生命ビル3F　☎075(211)1889

京都府2区	264,808 ⑯57.14	当72,516	前原誠司	国前(48.9)
京都市(左京区、東山区、山科区)		比43,291	繁本　護	自前(29.2)
		25,260	地坂拓晃	共新(17.0)
		比7,263	中　辰哉	れ新(4.9)

まえ　はら　せい　じ　**教前**　当10
前原誠司
京都府京都市　S37・4・30
勤31年4ヵ月　（初/平5）

党代表、文科委、民進党代表、外相、国交相、国家戦略担当相、民主党代表、府議、松下政経塾、京大法／62歳

〒606-8007　京都市左京区山端壱町田町8-46
〒100-8981　千代田区永田町2-2-1、会館　☎075(723)2751

京都府3区 353,915 ⑳53.52

当89,259　泉　健太　立前(48.2)
比61,674　木村弥生　自前(33.3)
比34,288　井上博明　維新(18.5)

京都市(伏見区)、向日市、長岡
京市、乙訓郡

いずみ　けん　た
泉　健太

立前　　　　当8
北海道　S49・7・29
勤21年　(初/平15)

党代表、国家基本委、党政務調査会長、
国民民主党国対委員長、議運筆頭理事、
内閣府政務官、立命館大／50歳

〒612-8434　京都市伏見区深草加賀屋敷町3-6
　　　　　　ネクスト21ⅡⅠF　☎075(646)5566
〒100-8981　千代田区永田町2-2-1、会館☎03(3508)7005

京都府4区 396,960 ⑳56.21

当96,172　北神圭朗　無元(44.2)
比当80,775　田中英之　自前(37.1)
　　40,603　吉田幸一　共新(18.7)

京都市(右京区、西京区)、亀岡市、
南丹市、船井郡

きた　がみ　けい　ろう
北神圭朗

無元(有志)　　当4
東京都　S42・2・1
勤11年8ヵ月　(初/平17)

農水委、憲法審委、首相補佐官、経済産業
大臣政務官、内閣府大臣政務官、経産委
筆頭理事、大蔵省、金融庁、京大法／57歳

〒615-0055　京都市右京区西院西田町23
　　　　　　日新ビル2F　　　☎075(315)3487
〒100-8982　千代田区永田町2-1-2、会館☎03(3508)7069

京都府5区 238,618 ⑳59.49

当68,693　本田太郎　自前(49.4)
比32,108　山本和嘉子　立前(23.1)
　21,904　井上一徳　無前(15.7)
　16,375　山内　健　共新(11.8)

福知山市、舞鶴市、綾部市、宮
津市、京丹後市、与謝郡

ほん　だ　た　ろう
本田太郎

自前[無]　　当2
京都府　S48・12・1
勤7年　(初/平29)

議運委、厚労委、総務委理、政倫審委、党
税調幹事、党厚労副部会長、外務大臣政
務官、弁護士、府議、東大法／50歳

〒629-2251　京都府宮津市須津413-41　☎0772(46)5033
〒100-8982　千代田区永田町2-1-2、会館☎03(3508)7012

京都府6区 460,284 ⑳56.81

当116,111　山井和則　立前(45.2)
　82,004　清水鴻一郎　自元(32.0)
比58,487　中嶋秀樹　維新(22.8)

宇治市、城陽市、八幡市、京田
辺市、木津川市、久世郡、綴喜郡、
相楽郡

やま　のい　かず　のり
山井和則

立前　　　　当8
京都府京都市　S37・1・6
勤24年4ヵ月　(初/平12)

厚労委、予算委、党国対筆頭副委員長、民進党
国対委長、厚生労働大臣政務官、高齢社会研究
所長、大学講師、松下政経塾、京大工院／62歳

〒610-0101　城陽市平川茶屋裏58-1　☎0774(54)0703
〒100-8981　千代田区永田町2-2-1、会館☎03(3508)7240

大阪府1区 427,637 ⑳53.27

大阪市(中央区、西区、港区、天王寺区、浪速区、東成区)

当110,120 井上英孝 維前(49.4)
比67,145 大西宏幸 自前(30.1)
比28,477 村上賀厚 立新(12.8)
17,194 竹内祥倫 共新(7.7)

いの うえ ひで たか　維前　　当4
井上英孝
大阪府大阪市 S46・10・25
勤11年10ヵ月　(初/平24)

党会計監査人代表、選対本部長代行、懲罰委理事、科技特委員、国交理事、大阪市議、近畿大/52歳

〒552-0011 大阪市港区南市岡1-7-24 1F ☎06(6581)0001
〒107-0052 港区赤坂2-17-10、宿舎 ☎03(5549)4671

大阪府2区 446,933 ⑳56.98

大阪市(生野区、阿倍野区、東住吉区、平野区)

当120,913 守島　正 維新(48.5)
比80,937 左藤　章 自前(32.5)
比47,487 尾辻かな子 立前(19.0)

もり しま　ただし　維新　　当1
守島　正
大阪府 S56・7・15
勤2年11ヵ月　(初/令3)

経産委理事、予算委、党国会議員団政調副会長、経産部会長、大阪市議3期、中小企業診断士、同志社大商、大阪市大院/43歳

〒545-0011 大阪市阿倍野区昭和町2-1-26-6B
☎06(6195)4774

大阪府3区 367,518 ⑳53.87

大阪市(大正区、住之江区、住吉区、西成区)

当79,507 佐藤茂樹 公前(44.7)
比41,737 萩原　仁 立元(23.4)
38,170 渡部　結 共新(21.4)
18,637 中条栄太郎 無新(10.5)

さ とう しげ き　公前　　当10
佐藤茂樹
滋賀県 S34・6・8
勤28年4ヵ月　(初/平5)

党国会対策委員長、党関西方面副本部長、厚生労働副大臣、文部科学委員長、国土交通大臣政務官、京大/65歳

〒557-0041 大阪市西成区岸里3-1-29 ☎06(6653)3630
〒100-8981 千代田区永田町2-2-1、会館 ☎03(3508)7200

大阪府4区 408,256 ⑳58.33

大阪市(北区、都島区、福島区、城東区)

当107,585 美延映夫 維前(46.1)
比72,835 中山泰秀 自前(31.2)
比28,254 吉田　治 立元(12.1)
比24,469 清水忠史 共前(10.5)

み のべ てる お　維前　　当2
美延映夫
大阪府大阪市北区 S36・5・23
勤4年6ヵ月　(初/令2)

法務委、復興特委、大阪市会議長、大阪維新の会市会議員団幹事長2期、大阪市監査委員、大阪市議、会社役員、神戸学院大/63歳

〒530-0043 大阪市北区天満1-6-6
井上ビル3F ☎06(6351)1258
〒100-8981 千代田区永田町2-2-1、会館 ☎03(3508)7194

大阪府5区 431,558 ⑳52.98

大阪市(此花区、西淀川区、淀川区、東淀川区)

当106,508 国重 徹 公前(53.1)
比当48,248 宮本 岳志 共元(24.1)
比当34,202 大石 晃子 れ新(17.1)
　　11,458 籠池 諄子 無新(5.7)

くに しげ　とおる
國重 徹

公前　当4
大阪府大阪市 S49・11・23
勤11年10ヵ月 (初/平24)

党青年委員長、党広報局長、党国交部会長、国交委理、憲法審委、総務大臣政務官、弁護士、税理士、創価大/49歳

〒532-0023 大阪市淀川区十三東1-17-19
ファルコンビル5F ☎06(6885)6000
〒100-8982 千代田区永田町2-1-2、会館 ☎03(3508)7405

大阪府6区 391,045 ⑳54.27

大阪市(旭区、鶴見区)、守口市、門真市

当106,878 伊佐 進一 公前(54.8)
比59,191 村上 史好 立前(30.4)
　28,895 星 健太郎 無新(14.8)

い さ　しん いち
伊佐 進一

公前　当4
大阪府 S49・12・10
勤11年10ヵ月 (初/平24)

党厚生労働部会長、党政調副会長、前厚生労働副大臣兼内閣府副大臣、ジョンズホプキンス大院/49歳

〒570-0027 守口市桜町5-9-201 ☎06(6992)8881

大阪府7区 382,714 ⑳60.02

吹田市、摂津市

当102,486 奥下 剛光 維新(45.3)
比71,592 渡嘉敷 奈緒美 自前(31.7)
比24,952 乃木 涼介 国新(11.0)
　20,083 川添 健真 共新(8.9)
比6,927 西川 弘城 れ新(3.1)

おく した たけ みつ
奥下 剛光

維新　当1
大阪府 S50・10・4
勤2年11ヵ月 (初/令3)

環境委理、予算委、沖北特委、党国対副委員長、元大阪市長・元大阪府知事秘書、元外務副大臣秘書、元内閣総理大臣宮澤喜一秘書、専修大学/48歳

〒564-0032 吹田市内本町2-6-13
アイワステーションビルⅡ号館 ☎06(6381)7711

大阪府8区 337,105 ⑳59.75

豊中市

当105,073 漆間 譲司 維新(53.2)
比53,877 高麗 啓一郎 自前(27.3)
比38,458 松井 博史 立新(19.5)

うる ま じょう じ
漆間 譲司

維新　当1
大阪府 S49・9・14
勤2年11ヵ月 (初/令3)

予算委理事、国交委、党政調副会長、党代表付、大阪府議3期、会社役員、銀行勤務、慶大商学部/49歳

〒561-0884 豊中市岡町北1-1-4 3F ☎06(6857)7770
〒107-0052 港区赤坂2-17-10、宿舎

大阪府9区 456,232 ⑳59.08	当133,146 足立康史 維前（50.3）
池田市、茨木市、箕面市、豊能郡	83,776 原田憲治 自前（31.7） 比42,165 大椿裕子 社新（15.9） 5,369 磯部和哉 無新（ 2.0）

あ だ ち やす し　維前　当4
足立康史
大阪府　S40・10・14
勤11年10ヵ月　（初/平24）

厚生労働委、元経済産業省大臣官房参事官、米コロンビア大院、京大院、京大工学部／58歳

〒567-0883 茨木市大手町9-26 吉川ビル3F ☎072（623）5834
〒107-0052 港区赤坂2-17-10、宿舎　　☎03（5549）4671

大阪府10区 320,990 ⑳63.32	当80,932 池下 卓 維新（40.3）
高槻市、三島郡	比66,943 辻元清美 立前（33.4） 比52,843 大隈和英 自前（26.3）

いけ した　たく　維新　当1
池下 卓
大阪府高槻市　S50・4・10
勤2年11ヵ月　（初/令3）

法務委理、拉致特委、党国会議員団政調会副会長、法務部会長、党会計監査人、大阪府議、税理士、龍谷大院／49歳

〒569-0804 高槻市紺屋町3-1-219 グリーンプラザたかつき3号館2階　　☎072（668）2013

大阪府11区 398,749 ⑳60.57	当105,746 中司 宏 維新（44.7）
枚方市、交野市	比70,568 佐藤ゆかり 自前（29.8） 比60,281 平野博文 立前（25.5）

なか つか　ひろし　維新　当1
中司 宏
大阪府枚方市　S31・3・11
勤2年11ヵ月　（初/令3）

総務委理、議運委、情報監視審査会委、党議員団代表会補佐、国対委員長代理、党紀委員長、枚方市長、府議、産経記者、早大／68歳

〒573-0022 枚方市宮之阪1-22-10-101 ☎072（898）4567
〒107-0052 港区赤坂2-17-10、宿舎

大阪府12区 339,395 ⑳55.00	当94,003 藤田文武 維前（51.2）
寝屋川市、大東市、四條畷市	比59,304 北川晋平 自新（32.3） 比17,730 宇都宮優子 立新（ 9.7） 12,614 松尾正利 共新（ 6.9）

ふじ た　ふみ たけ　維前　当2
藤田文武
大阪府寝屋川市　S55・12・27
勤5年6ヵ月　（初/平31）

党幹事長、国家基本委理、会社役員、筑波大／43歳

〒572-0838 寝屋川市八坂町24-6
ロイヤルライフ八坂101 ☎072（830）2620
〒107-0052 港区赤坂2-17-10、宿舎

129

大阪府13区 400,235 ⑫53.43

東大阪市

当101,857 岩谷良平 維新(48.5)
比当85,321 宗清皇一 自前(40.6)
22,982 神野淳一 共新(10.9)

いわ たに りょう へい
岩谷良平

維新 当1
大阪府守口市 S55・6・7
勤2年11ヵ月 (初/令3)

安保委、憲法審委、党副幹事長、党政調副会長、行政書士、元会社経営者、早大法卒、京産大院修了「法務博士(専門職)」／44歳

〒577-0809 大阪府東大阪市永和1-25-14-2F
☎06(6732)4204

大阪府14区 421,826 ⑫55.28

八尾市、柏原市、羽曳野市、藤井寺市

当126,307 青柳仁士 維新(55.7)
比70,029 長尾 敬 自前(30.9)
30,547 小松 久 共新(13.5)

あお やぎ ひと し
青柳仁士

維新 当1
埼玉県所沢市 S53・11・7
勤2年11ヵ月 (初/令3)

外務委理、憲法審、党国会議員団政調会長代行、党国際局次長、国連職員、JICA職員、早大政経、米デューク大修士／45歳

〒581-0081 八尾市南本町4-6-37 ☎072(992)2459
〒100-8981 千代田区永田町2-2-1、会館 ☎03(3508)7609

大阪府15区 390,415 ⑫55.78

堺市(美原区)、富田林市、河内長野市、松原市、大阪狭山市、南河内郡

当114,861 浦野靖人 維前(54.1)
比67,887 加納陽之助 自新(32.0)
29,570 為 仁史 共新(13.9)

うら の やす と
浦野靖人

維前 当4
大阪府松原市 S48・4・4
勤11年10ヵ月 (初/平24)

党選挙対策本部長代理、決算行政監視委、政治改革特別委理事、政倫審幹事、保育士、聖和大学(現関西学院大学)／51歳

〒580-0016 松原市上田3-4-6 ☎072(330)6700
〒107-0052 港区赤坂2-17-10、宿舎

大阪府16区 326,278 ⑫55.50

堺市(堺区、東区、北区)

当84,563 北側一雄 公前(50.8)
比当72,571 森山浩行 立前(43.6)
9,288 西脇京子 N新(5.6)

きた がわ かず お
北側一雄

公前 当10
大阪府 S28・3・2
勤31年5ヵ月 (初/平2)

党副代表・中央幹事会会長、党関西方面本部長、党憲法調査会長、憲法審幹事、安保委、元国土交通大臣、弁護士、税理士、創価大学法学部／71歳

〒590-0957 堺市堺区中之町西1-1-10 ☎072(221)2706
堀ビル2F
〒107-0052 港区赤坂2-17-10、宿舎 ☎03(5549)4671

大阪府17区	330,263 ⑳54.50	当94,398	馬場 伸幸	維前(53.6)
		比56,061	岡下 昌平	自前(31.8)
堺市(中区、西区、南区)		25,660	森 流星	共新(14.6)

ば ば　のぶ ゆき　**維前**　　　当4
馬 場 伸 幸
大阪府　S40・1・27
勤11年10ヵ月　（初/平24）

党代表、国家基本委理事、憲法審幹事、元堺市議会議長、衆院議員中山太郎秘書、「大阪維新の会」副代表、鳳高校／59歳

〒593-8325　堺市西区鳳南町5-711-5　　☎072(274)0771
〒107-0052　港区赤坂2-17-10、宿舎

大阪府18区	434,309 ⑳52.91	当118,421	遠藤 敬	維前(53.0)
		比61,597	神谷 昇	自前(27.5)
岸和田市、泉大津市、和泉市、		比24,490	川戸 康嗣	立新(11.0)
高石市、泉北郡		19,075	望月 亮佑	共新(8.5)

えん どう　たかし　**維前**　　　当4
遠 藤 敬
大阪府　S43・6・6
勤11年10ヵ月　（初/平24）

党国対委員長、議運委理、（社）秋田犬保存会会長、日本青年会議所大阪ブロック協議会長、大産大附属高／56歳

〒592-0014　高石市綾園2-7-18
　　　　　　千代田ビル201号　　☎072(266)8228
〒107-0052　港区赤坂2-17-10、宿舎

大阪府19区	304,908 ⑳53.96	当68,209	伊東 信久	維元(42.2)
		比当52,052	谷川 とむ	自前(32.2)
貝塚市、泉佐野市、泉南		比32,193	長安 豊	立元(19.9)
市、阪南市、泉南郡		9,258	北村 みき	共新(5.7)

い とう　のぶ ひさ　**維元**　　　当3
伊 東 信 久
大阪府大阪市　S39・1・4
勤7年9ヵ月　（初/平24）

財金委理、地・こ・デジ特委、党政務調査会副会長、医療法人理事長、大阪大学大学院招聘教授、神戸大学／60歳

〒598-0055　泉佐野市若宮町7-13
　　　　　　田端ビル4F　　　　☎072(463)8777
〒107-0052　港区赤坂2-17-10、宿舎　☎03(5549)4671

兵庫県1区	393,494 ⑳55.48	当78,657	井坂 信彦	立元(36.9)
		比当64,202	盛山 正仁	自前(30.1)
神戸市(東灘区、灘区、中央区)		比当53,211	一谷勇一郎	維新(25.0)
		9,922	高橋 進吾	無新(4.7)
		7,174	木原功仁哉	無新(3.4)

い さか　のぶ ひこ　**立元**　　　当3
井 坂 信 彦
東京都　S49・3・27
勤7年9ヵ月　（初/平24）

予算委、決算行監委理、厚労委理、消費者特委、党デジタルPT・フリーランスWT事務局長、行政書士、神戸市議、京大／50歳

〒651-0085　神戸市中央区八幡通4-2-14
　　　　　　トロア神戸ビル4F　☎078(271)3705

兵庫県2区	385,611 ㉒50.97	当99,455　赤羽一嘉　公前（54.2）
神戸市（兵庫区、北区、須田区）、西宮市（塩瀬・山口支所管内）		比61,884　舩川治郎　立新（33.7） 22,124　宮野鶴生　共新（12.1）

あか　ば　かず　よし
赤羽一嘉
公前　　　　　当9
東京都　S33・5・7
（初/平5）　勤28年目

党幹事長代行、前国土交通大臣、経済産業委員長、経済産業副大臣（兼）内閣府副大臣、三井物産、慶大法学部／66歳

〒652-0803　神戸市兵庫区大開通2-3-6
　　　　　　メゾンユニベール203　☎078（575）5139
〒107-0052　港区赤坂2-17-10、宿舎

兵庫県3区	315,484 ㉒54.43	当68,957　関　芳弘　自前（40.9）
神戸市（須磨区、垂水区）		比59,537　和田有一朗　維新（35.4） 比22,765　佐藤泰樹　立新（13.5） 17,155　赤田勝紀　共新（10.2）

せき　　　よし　ひろ
関　芳弘
自前［無］　　　当5
徳島県小松島市 S40・6・7
（初/平17）　勤15年9ヵ月

党副幹事長、経産副大臣、環境副大臣、三井住友銀行、関学大、英国ウェールズ大学院（MBA取得）／59歳

〒654-0026　神戸市須磨区大池町2-3-7
　　　　　　オルタンシア大池1F5号　☎078（739）0904

兵庫県4区	421,086 ㉒54.69	当112,810　藤井比早之　自前（50.0）
神戸市（西区）、西脇市、三木市、小野市、加西市、加東市、多可郡		比59,143　赤木正幸　維新（26.2） 比53,476　今泉真緒　立新（23.7）

ふじ　い　ひ　さ　ゆき
藤井比早之
自前［無］　　　当4
兵庫県西脇市 S46・9・11
（初/平24）　勤11年10ヵ月

党外交部会長、外務委理、党副幹事長、選対副委員長、内閣府副大臣、デジタル副大臣、国交大臣政務官、彦根市副市長、総務省、東大法／52歳

〒673-0404　兵庫県三木市大村530-1　☎0794（81）1118
〒100-8981　千代田区永田町2-2-1、会館　☎03（3508）7185

兵庫県5区	368,205 ㉒61.59	当94,656　谷　公一　自前（42.5）
豊岡市、川西市の一部（P175参照）、三田市、丹波篠山市、養父市、丹波市、朝来市、川辺郡、美方郡		比65,714　遠藤良太　維新（29.5） 比62,414　梶原康弘　立元（28.0）

たに　　　こう　いち
谷　公一
自前［無］　　　当7
兵庫県　S27・1・28
（初/平15）　勤20年11ヵ月

地域活性化・こども政策・デジタル社会形成に関する特別委員長、国家公安委員長・国務大臣、党政調会長代理、総務会副会長、衆院交安委長、復興特委長、復興大臣補佐官、復興副大臣、国交政務官、明大／72歳

〒667-0024　養父市八鹿町朝倉49-1　☎079（665）7070
〒107-0052　港区赤坂2-17-10、宿舎　☎03（5549）4671

兵庫県6区 465,210 ⓣ55.58

伊丹市、宝塚市、川西市（第5区に属しない区域）（P175参照）

当89,571	市村浩一郎	維元	(35.2)
比当87,502	大串 正樹	自前	(34.4)
比77,347	桜井 周	立前	(30.4)

いち むら こう いち ろう
市村浩一郎

維元 当4
福岡県福岡市 S39・7・16
勤12年 （初/平15）

党代議士会長、経産委、復興特委、国土交通大臣政務官、松下政経塾9期生、一橋大／60歳

〒665-0035 宝塚市逆瀬川2-6-2　☎0797(71)1111
〒106-0032 港区六本木7-1-3、宿舎　☎03(3408)4911

兵庫県7区 441,775 ⓣ58.38

西宮市（本庁管内、甲東・瓦木・鳴尾支所管内）、芦屋市

当95,140	山田賢司	自前	(37.5)
比当93,610	三木圭恵	維元	(36.9)
比64,817	安田真理	立新	(25.6)

やま だ けん じ
山田賢司

自前［麻］ 当4
大阪府 S41・4・20
勤11年10ヵ月 （初/平24）

文科委理事、党文科部会長、外務副大臣、議運委（議事進行係）、外務政務官、三井住友銀行、神戸大法／58歳

〒662-0998 西宮市産所町4-8
村井ビル205号室　☎0798(22)0340
〒107-0052 港区赤坂2-17-10、宿舎　☎03(5549)4671

兵庫県8区 386,254 ⓣ48.83

尼崎市

当100,313	中野洋昌	公前	(58.8)
比45,403	小村 潤	共新	(26.6)
比24,880	辻 恵	れ元	(14.6)

なか の ひろ まさ
中野洋昌

公前 当4
京都府京都市 S53・1・4
勤11年10ヵ月 （初/平24）

党経済産業部会長、経済産業委理事、元経済産業大臣政務官、元国交省課長補佐、東大、米コロンビア大院修了／46歳

〒660-0052 尼崎市七松町3-17-20-201　☎06(6415)0220

兵庫県9区 363,347 ⓣ53.23

明石市、洲本市、南あわじ市、淡路市

当141,973	西村康稔	自前	(76.3)
44,172	福原由加利	共新	(23.7)

にし むら やす とし
西村康稔

自前［無］ 当7
兵庫県明石市 S37・10・15
勤20年11ヵ月 （初/平15）

決算行監委、前経済産業大臣、元経済再生・コロナ対策担当大臣、内閣官房副長官、外務大臣政務官、東大法／61歳

〒673-0882 明石市相生町2-8-21
ドール明石201号　☎078(919)2320
〒107-0052 港区赤坂2-17-10、宿舎　☎03(5549)4671(代)

133

| 兵庫県10区 | 347,835 | 当79,061 | 渡海紀三朗 | 自前（45.0） |
| 当51.55 | | 比当57,874 | 掘井健智 | 維新（32.9） |

加古川市、高砂市、加古郡

比38,786　隠樹圭子　立新（22.1）

渡海紀三朗
とかいきさぶろう

自前［無］　当10
兵庫県高砂市　S23・2・11
勤31年3ヵ月（初/昭61）

党政調会長、国家基本委、文部科学大臣、決算行監委長、総理補佐官、政倫審会長、国家基本政策委員長、一級建築士、早大建築／76歳

〒676-0082　高砂市曽根町2248　☎079(447)4353
〒107-0052　港区赤坂2-17-10、宿舎

| 兵庫県11区 | 399,029 | 当92,761 | 松本剛明 | 自前（49.0） |
| 当48.39 | | 比当78,082 | 住吉寛紀 | 維新（41.3） |

姫路市の一部（P175参照）

18,363　太田清幸　共新（9.7）

松本剛明
まつもとたけあき

自前［麻］　当8
東京都　S34・4・25
勤24年4ヵ月（初/平12）

総務大臣、外相、議運委長、外務委長、党税調副会長、政調会長代理、競争調会長、国協議会長、金融調、情報調、新しい資本主義本部、デジタル本部、旧民主党政調会長、興銀、東大法／65歳

〒670-0972　姫路市手柄1-124　☎079(282)5516
〒100-8981　千代田区永田町2-2-1、会館　☎03(3508)7214

| 兵庫県12区 | 284,813 | 当91,099 | 山口壯 | 自前（55.6） |
| 当58.90 | | 比49,736 | 池畑浩太朗 | 維新（30.3） |

姫路市（第11に属しない区域）、相生市、赤穂市、宍粟市、たつの市、神崎郡、揖保郡、赤穂郡、佐用郡

比23,137　酒井孝典　立新（14.1）

山口壯
やまぐちつよし

自前［無］　当7
兵庫県相生市　S29・10・3
勤22年6ヵ月（初/平12）

農水委理、環境大臣、党筆頭副幹事長、拉致特委長、安保委長、内閣府・外務各副大臣、外務省国際科学協力室長、国際政治学博士、東大法、米ジョンズ・ホプキンス大院／69歳

〒678-0005　相生市大石町19-10　西本ビル2F　☎0791(23)6122
〒107-0052　港区赤坂2-17-10、宿舎

| 奈良県1区 | 359,066 | 当93,050 | 馬淵澄夫 | 立前（39.0） |
| 当61.30 | | 比83,718 | 小林茂樹 | 自前（35.1） |

奈良市（本庁管内、西部・北部・東部出張所管内、月ヶ瀬行政センター管内）、生駒市

比62,000　前川清成　維新（26.0）

馬淵澄夫
まぶちすみお

立前　当7
奈良県奈良市　S35・8・23
勤19年7ヵ月（初/平15）

国交委、党国対委員長、党常任幹事、国土交通大臣、国土交通副大臣、内閣総理大臣補佐官、災害特委長、決算行政監視委員長、会社役員、横浜国大／64歳

〒631-0036　奈良市学園北1-11-10　森田ビル6F　☎0742(40)5531
〒100-8981　千代田区永田町2-2-1、会館　☎03(3508)7122

奈良県2区	383,875 ㊺58.69	当141,858 高市 早苗 自前(64.6)
		比54,326 猪奥 美里 立新(24.8)
		23,285 宮本 次郎 共新(10.6)

奈良市(都祁行政センター管内)、大和郡山市、天理市、香芝市、山辺郡、生駒郡、磯城郡、北葛城郡

たか いち さ なえ
高市 早苗

自前[無]　　当9

奈良県奈良市　S36・3・7
勤29年6ヵ月　(初/平5)

経済安全保障担当大臣、党政調会長、総務大臣、科学技術担当大臣、経産副大臣、議運委員長、近畿大学教授、松下政経塾、神戸大/63歳

〒639-1123　大和郡山市筒井町940-1
〒107-0052　港区赤坂2-17-10、宿舎

奈良県3区	355,246 ㊺57.19	当114,553 田野瀬太道 自前(60.8)
		34,334 西川 正克 共新(18.2)
		32,669 高見 省次 無新(17.3)
		6,824 加藤 孝 N新(3.6)

大和高田市、橿原市、桜井市、五條市、御所市、葛城市、宇陀市、宇陀郡、高市郡、吉野郡

た の せ たい どう
田野瀬太道

自前[無]　　当4

奈良県五條市　S49・7・4
勤11年10ヵ月　(初/平24)

衆文部科学委員長、元文部科学兼内閣府副大臣、文部科学兼内閣府兼復興大臣政務官、衆議運理事、早大/50歳

〒634-0813　橿原市四条町627-5-2F　☎0744(29)6000
〒107-0052　港区赤坂2-17-10、宿舎

和歌山1区	307,817 ㊺55.16	補選(令和5.4.23)
		当61,720 林 佑美 維新(47.5)
		55,657 門 博文 自元(42.8)
		11,178 国重 秀明 共新(8.6)
		1,476 山本 貴平 政N(1.1)

和歌山市
令和4年9月1日　岸本周平議員辞職
(総選挙の結果はP168参照)

はやし ゆ み
林 佑美

維新　　補当1

京都府京都市中京区　S56・5・12
勤1年5ヵ月　(初/令5補)

予算委、環境委、消費者特理、和歌山維新の会副代表、会社役員、和歌山市議、立命館大学大学院政策科学研究科修了/43歳

〒640-8158　和歌山市十二番丁31番地 雑賀ビル1階
☎073(488)9331

和歌山県2区	242,858 ㊺57.94	当79,365 石田 真敏 自前(57.7)
		比35,654 藤井 幹雄 立新(25.9)
		比19,735 所 順子 維新(14.4)
		2,700 遠西愛美 N新(2.0)

海南市、橋本市、有田市、紀の川市、岩出市、海草郡、伊都郡

いし だ まさ とし
石田 真敏

自前[無]　　当8

和歌山県海南市　S27・4・11
勤22年6ヵ月　(初/平14補)

政治改革特委長、党税調副委長、総務大臣、財務副大臣、国交政務官、和歌山県議、海南市長、早大政経/72歳

〒649-6226　岩出市宮83 ホテルいとう1F　☎0736(69)0123
〒107-0052　港区赤坂2-17-10、宿舎

当102,834 二 階 俊 博 自前(69.3)
20,692 畑野 良弘 共新(14.0)
19,034 本間 奈々 諸新(12.8)
5,745 根来 英樹 無新(3.9)

御坊市、田辺市、新宮市、有田郡、
日高郡、西牟婁郡、東牟婁郡

に かい とし ひろ
二 階 俊 博

自前[無]　　当13
和歌山県　S14・2・17
勤40年11ヵ月（初/昭58）

党国土強靭化推進本部長、元党幹事長、総
務会長、予算委員長、元経産相・運輸相、
(社)全国旅行業協会長、県議、中大／85歳

〒644-0003 御坊市島440-1　☎0738(23)0123

比例代表 近畿 28人 滋賀、京都、大阪、兵庫、
奈良、和歌山

み き け え
三 木 圭 恵

維元　　当2(初/平24)
兵庫県西宮市　S41・7・7
勤4年11ヵ月　〈兵庫7区〉

国交委理、憲法審査会委、日本維新の会国
会議員団幹事長代理、兵庫維新の会幹事
長、三田市議2期、関西大学社会学部／58歳

〒662-0837 西宮市広田町1-27　☎0798(73)1825
〒100-8982 千代田区永田町2-1-2, 会館　☎03(3508)7638

わ だ ゆういちろう
和 田 有 一 朗

維新　　当1(初/令3)
兵庫県神戸市　S39・10・23
勤2年11ヵ月　〈兵庫3区〉

外務委、拉致特委理、国会議員秘書、団
体役員、神戸市議、兵庫県議、早大、神戸
市外国語大学大学院／59歳

〒655-0894 神戸市垂水区川原4-1-1　☎078(753)3533

すみ よし ひろ き
住 吉 寛 紀

維新　　当1(初/令3)
兵庫県神戸市　S60・1・24
勤2年11ヵ月　〈兵庫11区〉

内閣委、安保委、三菱UFJモルガン・ス
タンレー証券、兵庫県議、白陵高、名古
屋大、東大院／39歳

〒670-0043 姫路市小姓町35-1
船場西ビル1F4号室　☎079(293)7105
〒106-0032 港区六本木7-1-3, 宿舎　☎03(3508)7415

ほり い けん じ
掘 井 健 智

維新　　当1(初/令3)
兵庫県　S42・1・10
勤2年11ヵ月　〈兵庫10区〉

財金委、災害特委理、農水委、兵庫維新政治活動強化対策本部長、石橋
湛山研究会事務局次長、党選対副本部長、党能登半島地震対策副本部
長、UFJ議連事務局次長、加古川市議、兵庫県議、大阪産業大学／57歳

〒675-0063 加古川市加古川町平野386 船原ビル1階
　　　　　　　　　　　　　　　　　☎079(423)7458
〒107-0052 港区赤坂2-17-10, 宿舎　☎03(5549)4671

ほり ば さち こ
堀場幸子　維新　　当1(初/令3)
北海道札幌市　S54・3・24
勤2年11ヵ月　〈京都1区〉

文科委、内閣委理、災害特委、党団体副委員長、
アンガーマネジメントファシリテーター、
フェリス女学院大学大学院修士号／45歳

〒601-8025 京都市南区東九条柳下町6-4　☎075(888)6045

えん どう りょう た
遠藤良太　維新　　当1(初/令3)
大阪府　S59・12・19
勤2年11ヵ月　〈兵庫5区〉

厚労委理、決算行監委、元介護関連会社
役員、追手門学院大／39歳

〒669-1529 兵庫県三田市中央町3-12
マスダビル3階　　　☎079(564)6156
〒107-0052 港区赤坂2-17-10、宿舎

いち たに ゆう いち ろう
一谷勇一郎　維新　　当1(初/令3)
大阪府大阪市　S50・1・22
勤2年11ヵ月　〈兵庫1区〉

厚労委、農水委、地・こ・デジ特委、党国
対副委員長、柔道整復師、介護事業所経
営、関西医療学園専門学校／49歳

〒650-0001 神戸市中央区加納町4-4-15
KGビル201　　　　☎078(332)3536

いけ はた こう た ろう
池畑浩太朗　維新　　当1(初/令3)
東京都港区　S49・9・26
勤2年11ヵ月　〈兵庫12区〉

農林水産委理、党国対副委員長、兵庫県
議、衆院議員秘書、農業高校教員、岡山
県立農業大学校／49歳

〒679-4167 兵庫県たつの市龍野町富永730-20
玉田ビル1F　　　　☎0791(63)2814
〒107-0052 港区赤坂2-17-10、宿舎

あか ぎ まさ ゆき
赤木正幸　維新　　当1(初/令3)
岡山県倉敷市　S50・2・22
勤2年11ヵ月　〈兵庫4区〉

党代表付、国土交通委、IT会社代表、不
動産会社代表、早大法学部、早大大学院
政治学研究科博士課程修了／49歳

〒651-2276 神戸市西区春日台9-12-4　☎050(3154)0117
〒100-8982 千代田区永田町2-1-2、会館　☎03(3508)7505

なか じま ひで き
中嶋秀樹　維新　　繰当1(初/令繰)
京都府八幡市　S46・5・20
勤11ヵ月　〈京都6区〉

総務委、会社役員、大阪国際大学／53歳

〒611-0021 京都府宇治市宇治宇文字15-6
☎0774(34)4188
〒107-0052 港区赤坂2-17-10、宿舎

おく の しん すけ
奥野信亮　自前［無］　当6
奈良県　S19・3・5
勤17年7ヵ月（初/平15）

懲罰委員、予算委員、法務委、政治改革特
委、党紀委、総務・法務副大臣、日産取締
役、慶大／80歳

〒639-2212　御所市中央通り2-113-1　☎0745(62)4379
〒100-8982　千代田区永田町2-1-2、会館☎03(3581)5111
　　　　　　　　　　　　　　　　　　　　　　（内71001）

やなぎ もと　　あきら
柳本　顕　自新［麻］　当1
大阪府大阪市　S49・1・29
勤2年11ヵ月（初/令3）

厚労委、環境委、地・こ・デジ特委、環境兼
内閣府政務官、大阪市議(5期)、大阪市議
幹事長、関西電力㈱、京大法卒／50歳

〒557-0034　大阪市西成区松1-1-6　☎06(4398)6090
〒107-0052　港区赤坂2-17-10、宿舎

おお ぐし まさ き
大串正樹　自前［無］　当4(初/平24)
兵庫県　S41・1・20
勤11年10ヵ月　〈兵庫6区〉

党厚労部会長、厚生関係団体委員長、厚労委員、デジタル
副大臣兼内閣府副大臣、経産政務官、IHI、松下政経塾、
JAIST(Ph.D.)助教、西武文理大准教授、東北大院／58歳

〒664-0851　伊丹市中央1-2-6
　　　　　　　グランドハイツコーワ2-12　☎072(773)7601
〒100-8981　千代田区永田町2-2-1、会館☎03(3508)7191

こ ばやし しげ き
小林茂樹　自前［無］　当3(初/平24)
奈良県奈良市　S39・10・9
勤9年　〈奈良1区〉

党国交部会長代理、党国土・建設関係団体
委員長、国交委理事、文科委、環境副大臣、
国交政務官、元奈良県議、慶大法／59歳

〒631-0827　奈良市西大寺小坊町1-6
　　　　　　　西大寺ビル1F東　☎0742(52)6700

た なか ひで ゆき
田中英之　自前［無］　当4(初/平24)
京都府　S45・7・11
勤11年10ヵ月　〈京都4区〉

国交委、地・こ・デジ特委員、決算行監委理事、
党副幹事長、文科副大臣、国交政務官、党農
林部会長代理、京都市議、京都外大／54歳

〒615-0852　京都市右京区西京極西川町1-5
　　　　　　　　　　　　　　　　　　☎075(315)7500
〒107-0052　港区赤坂2-17-10、宿舎

むね きよ こう いち
宗清皇一　自前［無］　当3(初/平26)
大阪府東大阪市　S45・8・9
勤9年10ヵ月　〈大阪13区〉

財金委、経産委、原子力特委、内閣府兼復興大
臣政務官、経産兼内閣府大臣政務官(万博担
当)、大阪府議、衆院議員秘書、龍谷大／54歳

〒577-0843　東大阪市荒川1-13-23　☎06(6726)0090
〒107-0052　港区赤坂2-17-10、宿舎

盛山正仁 （もり やま まさ ひと）
自前［無］ 当5(初/平17)
大阪府大阪市 S28・12・14
勤15年9ヵ月 〈兵庫1区〉

文科大臣、議運委筆頭理、党国対筆頭副委員長、厚労委長、法務副大臣、国交省部長、東大、神戸大院、法学・商学博士／70歳

〒650-0001 神戸市中央区加納町2-4-10
水木ビル601 ☎078(231)5888

谷川とむ （たに がわ とむ）
自前［無］ 当3(初/平26)
兵庫県尼崎市 S51・4・27
勤9年10ヵ月 〈大阪19区〉

法務委、国交委、地・こ・デジ特委、党大阪府連会長、党副幹事長、総務政務官、参院議員秘書、僧侶、俳優、阪大院修士／48歳

〒598-0007 大阪府泉佐野市上町1-1-35
1,3ビルディング2階 ☎072(464)1416
〒107-0052 港区赤坂2-17-10、宿舎

竹内譲 （たけ うち ゆずる）
公前 当6
京都府京都市 S33・6・25
勤18年5ヵ月 〈初/平5〉

党中央幹事会会長代理、経済産業委員、総務委員、厚労副大臣、党政調会長、京都市議、三和銀行、京大法／66歳

〒602-8442 京都市上京区今出川通大宮南西角 ☎075(417)4440
〒100-8982 千代田区永田町2-1-2、会館 ☎03(3508)7473

浮島智子 （うき しま とも こ）
公前 当4(初/平24)[※1]
東京都 S38・2・1
勤17年11ヵ月 (参6年1ヵ月)

党文科部会長、政調副会長、中央規律委員長、女性委副委員長、文化芸術振興会議議長、文化芸術局長、教育改革推進本部長、衆総務委員長、文部科学大臣政務官兼内閣府副大臣、衆文科委長、環境兼内閣府政務官、参院議員、東京立正高／61歳

〒540-0025 大阪市中央区徳井町2-4-15
タニイビル6F ☎06(6942)1150
〒107-0052 港区赤坂2-17-10、宿舎

鰐淵洋子 （わに ぶち よう こ）
公前 当2(初/平29)[※2]
福岡県福岡市 S47・4・10
勤13年1ヵ月 (参6年1ヵ月)

党女性委副委員長、党国対副委員長、環境委理、文科委、消費者特委、文科大臣政務官、参議院議員、公明党本部、創価女子短大／52歳

〒550-0013 大阪市西区新町3-5-8
エーペック西長堀ビル401
〒107-0052 港区赤坂2-17-10、宿舎

櫻井周 （さくら い しゅう）
立前 当2(初/平29)
兵庫県 S45・8・16
勤7年 〈兵庫6区〉

財金委理、党国際局副局長、政調副会長、兵庫県連代表代行、伊丹市議、弁理士、JBIC、京大、京大院、ブラウン大院／54歳

〒664-0858 伊丹市西台5-1-11 ☎072(768)9260
〒107-0052 港区赤坂2-17-10、宿舎

※1 平16参院初当選　※2 平16参院初当選

もり やま ひろ ゆき
森山浩行

立前 当3(初/平21)
大阪府堺市　S46・4・8
勤10年4ヵ月　〈大阪16区〉

内閣委理、党災害・緊急事態局長、副幹事長、大阪府連代表、関西TV記者、堺市議、大阪府議、明大法／53歳

〒590-0078 堺市堺区南瓦町1-21
宏昌センタービル2F　☎072(233)8188

とく なが ひさし
徳永久志

教新 当1(初/令3)※1
滋賀県　S38・6・27
勤9年1ヵ月(参6年1ヵ月)〈滋賀4区〉

教育無償化を実現する会幹事長、外務委、国家基本委、参議院議員、外務大臣政務官、滋賀県議、松下政経塾、早大政経／61歳

〒523-0892 近江八幡市出町414-6
サツキビル　☎0748(31)3047
〒107-0052 港区赤坂2-17-10、宿舎

こく た けい じ
穀田恵二

共前 当10(初/平5)
岩手県水沢市　S22・1・11
勤31年4ヵ月　〈京都1区〉

党国対委員長、党選挙対策委員長、党常任幹部会委員、外務委、政倫審、京都市議、立命館職員、立命館大／77歳

〒604-0092 京都市中京区丸太町
新町角大炊町186　☎075(231)5198
〒107-0052 港区赤坂2-17-10、宿舎　☎03(5549)3114

みや もと たけ し
宮本岳志

共元 当5(初/平21)※2
和歌山県和歌山市　S34・12・25
勤18年9ヵ月(参6年1ヵ月)〈大阪5区〉

党中央委員、総務委、文科委、和歌山大学教育学部除籍／64歳

〒537-0025 大阪市東成区中道1-10-10　☎06(6975)9111
〒100-8981 千代田区永田町2-2-1、会館　☎03(3508)7255

さいとう
斎藤アレックス

教新 当1(初/令3)
スペイン国マドリッド市　S60・6・30
勤2年11ヵ月　〈滋賀1区〉

党政調会長、安保委理、法務委、政治改革特別委、証券会社社員、松下政経塾、米国議会フェロー、衆議院議員秘書、同志社大／39歳

〒520-0044 大津市京町3-2-11　☎077(526)0800
〒107-0052 港区赤坂2-17-10、宿舎

おおいし
大石あきこ

れ新 当1(初/令3)
大阪府大阪市　S52・5・27
勤2年11ヵ月　〈大阪5区〉

内閣委、元大阪府職員、大阪大／47歳

〒532-0011 大阪市淀川区西中島7-1-1 興北ビル2階
〒100-8982 千代田区永田町2-1-2、会館

略歴

比例近畿

政党名	当選者数		得票数	得票率
	借敗率	小選挙区	借敗率	小選挙区

日本維新の会　10人　3,180,219票　33.91%

当①三木　圭恵	元(98.39)	兵7	
当①和田有一朗	新(86.34)	兵3	
当①住吉　寛紀	新(84.18)	兵11	
当①掘井　健智	新(73.20)	兵10	
当①堀場　幸子	新(71.90)	京1	
当①遠藤　良太	新(69.42)	兵5	
当①一谷勇一郎	新(67.65)	兵1	
当①川川　清成	新(66.62)	奈1	
（令5.10.4辞職）			
当①池畑浩太朗	新(54.60)	兵12	
当①赤木　正幸	新(52.43)	兵4	
当①直山　仁	新(50.79)	滋3	
（公民権停止中）			
繰①中嶋　秀樹	新(50.37)	京6	
（令5.10.18繰上）			
①井上　博明	新(38.41)	京3	
①所　順子	新(24.87)	和2	

【小選挙区での当選者】

①井上　英孝	前	大1
①守島　正	新	大2
①美延　映夫	前	大4
①奥下　剛光	新	大7
①漆間　譲司	新	大8
①足立　康史	前	大9
①池下　卓	新	大10
①中司　宏	新	大11
①藤田　文武	前	大12
①岩谷　良平	新	大13
①青柳　仁士	新	大14
①浦野　靖人	前	大15
①馬場　伸幸	前	大17
①遠藤　敬	前	大18
①伊東　信久	元	大19
①市村浩一郎	元	兵6

自 民 党　8人　2,407,699票　25.67%

当①奥野　信亮	前	
当②柳本　顕	新	
当③大串　正樹	前(97.69)	兵6
当③小林　茂樹	前(89.97)	奈1
当③田中　英之	前(83.99)	京4
当③宗清　皇一	前(83.77)	大13
当③盛山　正仁	前(81.62)	兵1
当③谷川　とむ	前(76.31)	大19
③渡嘉敷奈緒美	前(69.86)	大7
③木村　弥生	前(69.10)	京3
③中山　泰秀	前(67.70)	大4
③左藤　章	前(66.94)	大2
③佐藤ゆかり	前(66.73)	大11
③大隈　和英	前(65.29)	大10
③北川　晋平	前(63.09)	大12
③大西　宏幸	前(60.97)	大1
③繁本　護	前(59.70)	京2
③門　博文	前(59.42)	和1
③岡下　昌平	前(59.39)	大17
③加納陽之助	前(59.35)	大15
③長尾　敬	前(55.44)	大14

③神谷　昇	前(52.02)	大18
③高麗啓一郎	新(51.28)	兵8
㊴湯峯　理之	新	
㊵野村　広志	新	

【小選挙区での当選者】

③大岡　敏孝	前	滋1
③上野賢一郎	前	滋2
③武村　展英	前	滋3
③小寺　裕雄	前	滋4
③勝目　康	新	京1
③本田　太郎	前	京5
③関　芳弘	前	兵3
③藤井比早之	前	兵4
③谷　公一	前	兵5
③山田　賢司	前	兵7
③西村　康稔	前	兵9
③松本　剛明	前	兵11
③山口　壮	前	兵12
③高市　早苗	前	奈2
③石田　真敏	前	和2

公 明 党　3人　1,155,683票　12.32%

当①竹内　譲	前	⑤田丸　義高	新
当②浮島　智子	前	⑥鷲岡　秀明	新
当③鰐淵　洋子	前	⑦田中　博之	新
④浜村　進	前	⑧井上　幸作	新

立憲民主党　3人　1,090,665票　11.63%

当①桜井　周	前(86.35)	兵6
当①森山　浩行	前(85.82)	大16
当①徳永　久志	新(83.12)	滋4
①辻元　清美	前(82.74)	大10
①田島　一成	元(76.79)	滋2
①安田　真理	新(71.83)	兵7
①梶原　康弘	元(65.94)	兵5
①船川　治郎	新(62.22)	兵2

①平野　博文	前(57.01)	大11
①村上　史好	前(55.38)	大6
①萩原　仁	元(52.49)	大3
①隠樹　圭子	新(49.06)	兵10
①今泉　真緒	新(47.40)	兵4
①長安　豊	元(47.20)	大19
①山本和嘉子	前(46.74)	京5
①藤井　幹雄	新(44.92)	和2

①尾辻かな子 前(39.27)大2　　　▼①宇都宮優子 新(18.86)大12
①猪奥　美里 新(38.30)奈2　　　㉚笹田　能美 新
①松井　博史 新(36.60)大8　　　㉛豊田潤多郎 元
①吉田　　治 新(26.26)大4　　　【小選挙区での当選者】
①村上　賀厚 新(25.86)大1　　　①泉　　健太 前　　京3
①酒井　孝典 新(25.40)兵12　　　①山井　和則 前　　京6
①乃木　涼介 新(24.35)大7　　　①井坂　信彦 元　　兵1
①川戸　康嗣 新(20.68)大18　　　①馬淵　澄夫 前　　奈1

共産党　2人　　　736,156票　7.85%

当①穀田　恵二 前　京1　　　④小村　　潤 新　　兵8
当②宮本　岳志 元　大5　　　⑤武山　彩子 新
③清水　忠史 元　大4　　　⑥西田佐枝子 新

国民民主党　1人　　　303,480票　3.24%

当①斎藤アレックス 新(86.28)滋1　　　【小選挙区での当選者】
①佐藤　泰樹 新(33.01)兵3　　　①岸本　周平 前　　和1
　　　　　　　　　　　　　　　①前原　誠司 前　　京2

れいわ新選組　1人　　　292,483票　3.12%

当①大石　晃子 新(32.11)大5　　　▼①中　　辰哉 新(10.02)京2
①辻　　　恵 元(24.80)兵8　　　▼①西川　弘城 新(6.76)大7
▼①高井　崇志 前(13.71)滋3　　　⑥八幡　　愛 新

その他の政党の得票数・得票率は下記のとおりです。
(当選者はいません)
政党名　　　得票数　　得票率
NHKと裁判してる党弁護士72条違反で　社民党　100,980票　1.08%
111,539票　1.19%

略歴

比例近畿・鳥取

鳥取県1区　230,959　投56.10　当105,441　石破　茂　自前(84.1)
　　　　　　　　　　　　　　　　19,985　岡田正和　共新(15.9)

鳥取市、倉吉市、岩美郡、八頭郡、東伯郡(三朝町)

石破　茂（いし ば しげる）　自前［無］　　　当12
鳥取県八頭郡　S32・2・4　勤38年4ヵ月　（初/昭61）

予算委、憲法審委、党総務、元地方創生担当相、党幹事長、政調会長、農林水産相、防衛相、防衛庁長官、運輸委長、三井銀行、慶大／67歳

〒680-0055　鳥取市戎町515-3　☎0857(27)4898
〒100-8982　千代田区永田町2-1-2、会館

鳥取県2区　234,420　投60.20　当75,005　赤沢亮正　自前(54.0)
　　　　　　　　　　　　　　　　比当63,947　湯原俊二　立元(46.0)

米子市、境港市、東伯郡(湯梨浜町、琴浦町、北栄町)、西伯郡、日野郡

赤澤亮正（あか ざわ りょう せい）　自前［無］　　　当6
東京都　S35・12・18　勤19年1ヵ月　（初/平17）

財務副大臣、内閣府副大臣、国交大臣政務官、東大法／63歳

〒683-0823　米子市加茂町1-24　☎0859(38)7333
〒100-8982　千代田区永田町2-1-2、会館　☎03(3508)7490

　▼は小選挙区の得票が有効投票総数の10分の1未満で、復活当選の資格がない者

島根県1区　268,337　@61.23

松江市、出雲市(平田支所管内)、安来市、雲南市(大東・加茂・木次総合センター管内)、仁多郡、隠岐郡
令和5年11月10日細田博之議員死去

（総選挙の結果はP168参照）補選（令和6.4.28）
　当82,691　亀井亜紀子　立元(58.8)
　　57,897　錦織功政　自新(41.2)

かめい　あきこ
亀井亜紀子
立元　　　　　補当2
東京都目黒区　S40・5・14
勤10年7ヵ月(参6年1ヵ月)(初/平29)※

懲罰委、政倫審委、党島根県連代表、参議院議員、衆院議員秘書、英語通訳、カールトン大／59歳

〒690-0055　松江市津田町301　リバーサイドビルディング1階　☎0852(67)6600
〒100-8982　千代田区永田町2-1-2、会館　☎03(3508)7701

島根県2区　291,649　@61.85

浜田市、出雲市(第1区に属しない区域)、益田市、大田市、江津市、雲南市(第1区に属しない区域)、飯石郡、邑智郡、鹿足郡

　当110,327　高見康裕　自新(62.4)
　比52,016　山本　誉　立新(29.4)
　　14,361　向瀬慎一　共新(8.1)

たかみ　やすひろ
高見康裕
自新[無]　　　　当1
島根県出雲市　S55・10・16
勤2年11ヵ月　　(初/令3)

防衛大臣補佐官、党青年局学生部長、法務委、安保委、消費者特委、法務大臣政務官、島根県議、海上自衛隊、読売新聞、東大大学院／43歳

〒693-0058　出雲市矢野町941-4　☎0853(23)8118
〒107-0052　港区赤坂2-17-10、宿舎

岡山県1区　364,162　@46.73

岡山市(北区の一部(P176参照)、南区の一部(P176参照))、加賀郡(吉備中央町(本庁管内(P176参照)、井原出張所管内)

　当90,939　逢沢一郎　自前(55.0)
　比65,499　原田謙介　立新(39.6)
　　8,990　余江雪央　共新(5.4)

あいさわ　いちろう
逢沢一郎
自前[無]　　　　当12
岡山県岡山市　S29・6・10
勤38年4ヵ月　　(初/昭61)

党選挙制度調査会長、政倫審会長、国家基本委員、議運委長、党国対委員、予算委員長、幹事長代理、外務副大臣、通産政務次官、松下政経塾理事、慶大工／70歳

〒700-0933　岡山市北区奥田1-2-3　☎086(233)0016
〒100-8982　千代田区永田町2-2-1、会館　☎03(3508)7105

岡山県2区　289,071　@50.42

岡山市(北区(第1区に属しない区域)、中区、東区(第1区(本庁管内)、南区(第1区に属しない区域))、玉野市、瀬戸内市

　当80,903　山下貴司　自前(56.4)
　比62,555　津村啓介　立前(43.6)

やました　たかし
山下貴司
自前[無]　　　　当4
岡山県岡山市　S40・9・8
勤11年10ヵ月　(初/平24)

党政調副会長、党改革実行本部事務局長、党憲法改正実現本部事務局長、経産委理事、法務大臣、検事、外交官、弁護士、東大法／58歳

〒703-8282　岡山市中区平井6-3-13　☎086(230)1570
〒100-8982　千代田区永田町2-1-2、会館　☎03(3508)7057

岡山県3区 270,568 57.97

当68,631 平沼正二郎 無新(44.4)
比当54,930 阿部 俊子 自前(35.5)
比23,316 森本 栄 立新(15.1)
7,760 尾崎 宏子 共新(5.0)

岡山市(東区(第2区に属しない区域))、
津山市、備前市、赤磐市、真庭市の一
部(P176参照)、美作市、和気郡、真庭
郡、苫田郡、勝田郡、美田郡、久米郡

ひらぬましょうじろう　　自新[無]　　　当1
平沼正二郎
岡山県岡山市 S54・11・11
勤2年11ヵ月 (初/令3)

内閣府兼復興大臣政務官、学習院大学
経済学部／44歳

〒708-0806 津山市大田81-11　☎0868(24)0107
〒100-8982 千代田町永田町2-1-2、会館 ☎03(3508)7251

岡山県4区 381,828 48.04

当89,052 橋本 岳 自前(49.7)
比83,859 柚木 道義 立前(46.8)
6,146 中川 智晴 無新(3.4)

倉敷市(本庁管内、児島・玉島・水
島・庄・茶屋町支所管内)、都窪郡

はし もと　　がく　　自前[無]　　　当5
橋本 岳
岡山県総社市 S49・2・5
勤15年9ヵ月 (初/平17)

厚労理事、予算委理、地・こ・デジ特委員、厚労委員
長、党総務、厚労副大臣、党厚労部会長、党外交部
会長、厚労政務官、三菱総研研究員、慶大院／50歳

〒710-0842 倉敷市吉岡552　☎086(422)8410
〒107-0052 港区赤坂2-17-10、宿舎

岡山県5区 262,936 54.33

当102,139 加藤 勝信 自前(72.6)
比31,467 はたともこ 立新(22.4)
7,067 美見 芳明 共新(5.0)

倉敷市(第4区に属しない区域)、笠岡市、井
原市、総社市、高梁市、新見市、真庭市(第3
区に属しない区域)、浅口市、浅口郡、小田郡、
加賀郡(吉備中央町(第1区に属しない区域))

か とう かつ のぶ　　自前[無]　　　当7
加藤 勝信
東京都 S30・11・22
勤20年11ヵ月 (初/平15)

党税制調査会小委員長、党社会保障制度調査会長、党
北朝鮮による拉致問題対策本部長、厚労相、官房長
官、党総務会長、一億総活躍相、元大蔵省、東大／68歳

〒714-0088 笠岡市中央町31-1　☎0865(63)6800
〒100-8982 千代田町永田町2-1-2、会館 ☎03(3508)7459

広島県1区 332,001 50.81

当133,704 岸田 文雄 自前(80.7)
比15,904 有田 優子 社新(9.6)
14,508 大西 理 共新(8.8)
1,630 上出 圭一 諸新(1.0)

広島市(中区、東区、南区)

きし だ ふみ お　　自前[無]　　　当10
岸田 文雄
東京都渋谷区 S32・7・29
勤31年4ヵ月 (初/平5)

内閣総理大臣、自民党総裁、党政調会長、外
務大臣、防衛大臣、党国対委員長、内閣府特
命担当大臣、厚労委員長、早大法／67歳

〒730-0013 広島市中区八丁堀6-3
　　　　　　 和光八丁堀ビル　☎082(228)2411
〒100-8981 千代田町永田町2-2-1、会館 ☎03(3508)7279

広島県2区 404,009 ㊗51.48

当133,126 平 口 洋 自前（65.2）
比70,939 大井赤亥 立新（34.8）

広島市（西区、佐伯区）、大竹市、廿日市市、江田島市（本庁管内、能美・沖美支所管内、深江・柿浦連絡所管内）

ひら ぐち ひろし
平 口 洋

自前［無］ 当5
広島県江田島市 S23・8・1
勤15年9ヵ月 （初／平17）

党報道局長、倫選特委員、農水委員、党国交部会長、法務副大臣、法務委員、党副幹事長、環境副大臣、国交省河川局次長、秋田県警本部長、東大法／76歳

〒733-0812 広島市西区己斐本町2-6-20 ☎082（527）2100
〒100-8982 千代田区永田町2-1-2、会館 ☎03（3508）7622

広島県3区 360,198 ㊗51.07

当97,844 斉藤鉄夫 公前（55.1）
比53,143 ライアン真由美 立新（29.9）
比18,088 瀬木寛親 維新（10.2）
3,559 大山 宏 無新（2.0）
比2,789 矢島秀平 N新（1.6）
2,251 玉田憲勲 無新（1.3）

広島市（安佐南区、安佐北区）、安芸高田市、山県郡

さい とう てつ お
斉 藤 鉄 夫

公前 当10
島根県 S27・2・5
勤31年4ヵ月 （初／平5）

国交大臣、党代表、党幹事長、党選対委員、党税制調査会長、党政調会長、環境大臣、文科委員、科技総括政務次官、プリンストン大研究員、清水建設、工博、技術士、東工大院／72歳

〒731-0103 広島市安佐南区緑井2-18-15 ☎082（870）0088
〒107-0052 港区赤坂2-17-10、宿舎 ☎03（5549）3145

広島県4区 309,781 ㊗53.18

当78,253 新谷正義 自前（48.3）
比33,681 上野喜治 立新（20.8）
比28,966 空本誠喜 維元（17.9）
21,112 中川俊直 無元（13.0）

広島市（安佐区）、三原市（大和支所管内）、東広島市（本庁管内、八本松・志和・高屋出張所管内、黒瀬・福富・豊栄・河内支所管内）、安芸郡

しん たに まさ よし
新 谷 正 義

自前［無］ 当4
広島 S50・3・8
勤11年10ヵ月 （初／平24）

厚生労働委員長、党副幹事長、総務副大臣、厚労大臣政務官、医師、帝京大医、東大経／49歳

〒739-0015 東広島市西条栄町9-21 ☎082（431）5177
〒100-8982 千代田区永田町2-1-2、会館 ☎03（3508）7604

広島県5区 242,034 ㊗54.52

当87,434 寺 田 稔 自前（67.7）
比41,788 野村功次郎 立新（32.3）

呉市、竹原市、三原市（本郷支所管内）、尾道市（瀬戸田支所管内）、東広島市（第4区に属しない区域）、江田島市（第2区に属しない区域）、豊田郡

てら だ みのる
寺 田 稔

自前［無］ 当6
広島県 S33・1・24
勤17年2ヵ月 （初／平16補）

党総務会長代理、総務委、憲法審幹事、総務大臣、総理大臣補佐官、党経理局長、総務副大臣兼内閣府副大臣、安保委員、内閣府副大臣、防衛政務官、内閣参事官、財務省主計官、ハーバード大院、東大法／66歳

〒737-0045 呉市本通4-3-18 佐藤ビル1F ☎0823（24）2358
〒100-8981 千代田区永田町2-2-1、会館 ☎03（3508）7606

広島県6区 294,154 投56.35%

当83,796 佐藤公治 立前（51.4）
比当79,158 小島敏文 自前（48.6）

三原市（第4区及び第5区に属しない区域）、尾道市（第5区に属しない区域）、府中市、三次市、庄原市、世羅郡、神石郡

さとう こうじ
佐藤公治 立前 当4（初/平12）※
広島県尾道市 S34・7・28
勤18年4ヵ月（参6年1ヵ月）

沖北特別委員長、**県連代表**、元参外交防衛委員長、国務大臣秘書官(旧国土庁、旧北海道・沖縄開発庁)、電通、慶大法／65歳

〒722-0045 広島県尾道市久保2-26-2 ☎0848(37)2100
〒100-8981 千代田区永田町2-2-1、会館 ☎03(3508)7145

広島県7区 382,135 投49.35%

当123,396 小林史明 自前（66.4）
比45,520 佐藤広典 立前（24.5）
11,580 村井明美 共新（6.2）
5,207 橋本加代 無新（2.8）

福山市

こばやし ふみ あき
小林史明 自前［無］ 当4
広島県福山市 S58・4・8
勤11年10ヵ月（初/平24）

決算行監委理、国交委、党情報調査局長、党新しい資本主義実行本部事務局長、デジタル副大臣兼内閣府副大臣、上智大学／41歳

〒721-0958 福山市西新涯町2-23-34 ☎084(959)5884
〒107-0052 港区赤坂2-17-10、宿舎

山口県1区 356,209 投48.50%

当118,882 高村正大 自前（70.1）
比50,684 大内一也 立新（29.9）

山口市（山口・小郡・秋穂・阿知須・徳地総合支所管内）、防府市、周南市の一部（P176参照））

こう むら まさ ひろ
高村正大 自前［麻］ 当2
山口県周南市 S45・11・14
勤7年 （初/平29）

外務大臣政務官、財務大臣政務官、党財務・国防・外務副部会長、外務大臣秘書官、経企庁長官秘書官、会社員、慶大／53歳

〒745-0004 山口県周南市毛利町1-3 ☎0834(31)4715
〒100-8981 千代田区永田町2-2-1、会館 ☎03(3508)7113

山口県2区 283,552 投51.61%

（総選挙の結果はP168参照）
補選（令和5.4.23）

当61,369 岸 信千世 自新（52.5）
55,601 平岡秀夫 無元（47.5）

下松市、岩国市、光市、柳井市、周南市（第1区に属しない区域）、大島郡、玖珂郡、熊毛郡
令和5年2月7日 岸信夫議員辞職

きし のぶちよ
岸 信千世 自新［無］ 補当1
東京都 H3・5・16
勤1年5ヵ月（初/令5補）

文科委、財金委、消費者特委、党国対委員、党青年局次長、防衛大臣秘書官、衆議院議員秘書、フジテレビ、慶大商／33歳

〒740-0017 山口県岩国市今津町1-10-17 三福ビル2階 ☎0827(30)7000
〒100-8981 千代田区永田町2-2-1、会館 ☎03(3508)1203

※ 平19参院初当選

山口県3区 256,039 ㊙50.14

| 当96,983 | 林　芳正 | 自前(76.9) |
| 比29,073 | 坂本史子 | 立新(23.1) |

宇部市、山口市(第1区に属しない区域)、萩市、美祢市、山陽小野田市、阿武郡

はやし　　よし　まさ
林　芳正

自新[無]　　当1※
山口県　S36・1・19
勤29年5ヵ月(参26年6ヵ月)(初/令3)

内閣官房長官、外務大臣、文部科学大臣、農林水産大臣、党政調会長代理、経済財政担当大臣、防衛大臣、三井物産、東大法、ハーバード大院/63歳

〒751-0823　山口県下関市貴船町4-8-18-101　☎083(224)1111
〒100-8981　千代田区永田町2-2-1、会館　☎03(3508)7115

山口県4区 244,858 ㊙48.64

補選(令和5.4.23)

当51,961	吉田真次	自新(63.5)
25,595	有田芳生	立新(31.3)
2,381	大野頼子	無新(2.9)
1,186	渡部亜衣	政新(1.4)
734	竹本秀之	無新(0.9)

下関市、長門市
令和44年7月8日　安倍晋三議員死去
(総選挙の結果はP168参照)

よし　だ　しん　じ
吉田真次

自新[無]　　補当1
山口県　S59・7・6
勤1年5ヵ月(初/令5補)

厚労委、経産委、復興特委、下関市議会議員3期、大阪府議会議員秘書、関西大学法学部政治学科/40歳

〒750-0066　下関市東大和町1-8-16　☎083(250)7311
〒100-8981　千代田区永田町2-2-1、会館　☎03(3508)7172

比例代表 中国 11人

鳥取、島根、岡山、広島、山口

㊙略歴

山口・比例中国

いしばしりん　た　ろう
石橋林太郎

自新[無]　　当1
広島県広島市　S53・5・2
勤2年11ヵ月　(初/令3)

国交大臣政務官、国交委、党青年局・女性局各次長、広島県議会議員(二期)、大阪外国語大学/46歳

〒731-0124　広島市安佐南区大町東2-15-7
〒107-0052　港区赤坂2-17-10、宿舎　☎082(836)3444

こ　じま　とし　ふみ
小島敏文

自前[無]　当4(初/平24)
広島県世羅町　S25・9・7
勤11年10ヵ月　〈広島6区〉

農林水産委理事、復興副大臣、党国土交通部会長、党厚労部会長代理、厚生労働大臣政務官、経産部会長代理、農林部会長代理、副幹事長、広島県議会副議長、大東文化大/73歳

〒722-1114　世羅郡世羅町大字神崎368-21　☎0847(22)4055
〒107-0052　港区赤坂2-17-10、宿舎

あべ 俊子（とし こ）

自前［無］ 当6（初/平17）
宮城県 S34・5・19
勤19年1ヵ月 〈岡山3区〉

文部科学副大臣、農水委・消費者特委筆頭理事、外務・農水副大臣、外務委員長、東京医科歯科大助教授、米イリノイ州立大院／65歳

〒708-0841 津山市川崎162-5 ☎0868(26)6711
〒100-8981 千代田区永田町2-2-1、会館 ☎03(3508)7136

髙階 恵美子（たか がい え み こ）

自新［無］ 当1（初/令3）※
宮城県 S38・12・21
勤14年4ヵ月（参11年5ヵ月）

復興特委員長、厚労委、元厚労副大臣、元厚労大臣政務官、元参院文教委員長、元党女性局長、東京医科歯科大大学院／60歳

〒690-0873 松江市内中原町140-2
島根県政会館3F ☎0852(28)2158
〒100-8982 千代田区永田町2-1-2、会館 ☎03(3508)7518

杉 田 水 脈（すぎ た み お）

自前［無］ 当3
兵庫県神戸市 S42・4・22
勤9年 （初/平24）

安保委、内閣委、災害特委、総務大臣政務官、党国土交通副部会長、党女性局次長、鳥取大学農学部／57歳

〒753-0067 山口市赤妻町3-1-102 ☎083(924)0588
〒107-0052 港区赤坂2-17-10、宿舎

畦 元 将 吾（あぜ もと しょう ご）

自前［無］ 当2
広島県広島市 S33・4・30
勤5年3ヵ月 （初/令元）

党副幹事長、環境委理、厚労委、原子力特委、前厚生労働大臣政務官、党総務、岐阜医療科学大学大学院保健医療学研究科（修士）／66歳

〒739-0269 広島県東広島市志和町志和堀3470-3 ☎082(433)5080
〒100-8981 千代田区永田町2-2-1、会館 ☎03(3508)7710

柚 木 道 義（ゆの き みち よし）

立前 当6（初/平17）
岡山県倉敷市 S47・5・28
勤19年1ヵ月 〈岡山4区〉

政治改革特委、厚労委、財務大臣政務官、会社員、岡山大文学部／52歳

〒710-0052 倉敷市美和2-16-20 ☎086(430)2355
〒100-8982 千代田区永田町2-1-2、会館 ☎03(3508)7301

湯 原 俊 二（ゆ はら しゅん じ）

立元 当2（初/平21）
鳥取県米子市 S37・11・20
勤6年3ヵ月 〈鳥取2区〉

総務委理、党国対副委員長、党鳥取県連代表、鳥取県議、米子市議、衆議員秘書、早大／61歳

〒683-0804 米子市米原5-3-20 ☎0859(21)2888

※平22参院初当選

公 新　　　　　　　　　　　当1
平林 晃（ひらばやし あきら）愛知県名古屋市　S46・2・2
勤2年11ヵ月　（初/令3）

総務委、文科委、原子力特委理、党組織局次長、デジタル社会推進本部事務局次長、立命館大学教授、山口大学准教授、博士（東工大）/53歳

〒732-0057 広島市東区二葉の里1-1-72-901

公 新　　　　　　　　　　　当1
日下 正喜（くさか まさき）和歌山県　S40・11・25
勤2年11ヵ月　（初/令3）

党組織局次長、広島県本部副代表、災害特委理、国交委、法務委、党広島県本部事務長、広大院中退、創大法（通信）卒/58歳

〒730-0854 広島市中区土橋町2-43-406
〒107-0052 港区赤坂2-17-10、宿舎

維 元　　　　　　　　　　当2(初/平21)
空本 誠喜（そらもと せいき）広島県呉市　S39・3・11
勤6年3ヵ月　〈広島4区〉

党広島県総支部代表、環境委、原子力特委、技術指導会社代表、元東芝（原子力）、工学博士（原子力）、東大院/60歳

〒739-0044 東広島市西条町下見4623番地15
〒107-0052 港区赤坂2-17-10、宿舎　☎082(421)8146

略歴

比例中国

比例代表 中国 11人

有効投票数 3,119,427票

政党名	当選者数		得票数	得票率
	惜敗率	小選挙区		惜敗率 小選挙区

自民党　6人　1,352,723票　43.36%

当①石橋林太郎 新		②逢沢 一郎 前	岡1
当②小島 敏文 前(94.47)広6		②山下 貴司 前	岡2
当②阿部 俊子 前(80.04)岡3		②橋本 岳 前	岡4
当⑱高階恵美子 新		②加藤 勝信 前	岡5
当⑲杉田 水脈 前		②新谷 正義 前	広3
当⑳畦元 将吾 前		②寺田 稔 前	広5
㉑小林孝一郎 新		②小林 史明 前	広7
㉒徳村純一郎 新		②高村 正大 前	山1
【小選挙区での当選者】		②岸 信夫 前	山2
②石破 茂 前	鳥1	②林 芳正 新	山3
②赤沢 亮正 前	鳥2	②安倍 晋三 前	山4
②高見 康裕 新	鳥2		

立憲民主党　2人　573,324票　18.38%

当①柚木 道義 前(94.17)岡4		①ライアン真由美 新(54.31)広3	
当①湯原 俊二 元(85.26)鳥2		①大井 赤亥 新(53.29)広2	
①津村 啓介 前(77.32)岡2		①野村功次郎 新(47.79)広5	
①亀井亜紀子 前(73.75)島1		①山本 誉 新(47.15)島2	
①原田 謙介 前(72.03)岡1		①上野 寛治 新(43.04)広4	

149

①大内　一也 新(42.63)山1　　　⑰加藤　寿彦 新
①佐藤　広典 新(36.89)広7　　　⑱姫井由美子 新
①森本　栄 新(33.97)岡3　　　　【小選挙区での当選者】
①はたともこ 新(30.81)岡5　　　①佐藤　公治 前　　　広6
①坂本　史子 新(29.98)山3

公明党　2人　436,220票　13.98%

当①平林　晃 新　　　　　　　③長谷川裕輝 新
当②日下　正喜 新

日本維新の会　1人　286,302票　9.18%

当①空本　誠喜 元(37.02)広4　　　③喜多　義典 新
①瀬木　寛親 元(18.49)広3

....

その他の政党の得票数・得票率は下記のとおりです。
（当選者はいません）

政党名	得票数	得票率			
共産党	173,117票	5.55%	社民党	52,638票	1.69%
国民民主党	113,898票	3.65%	NHKと裁判してる党弁護士法72条違反で		
れいわ新選組	94,446票	3.03%		36,758票	1.18%

徳島県1区	362,130 ◯55.93	当99,474　仁木博文　無元(50.1)

徳島市、小松島市、阿南市、勝
浦郡、名東郡、名西郡、那賀郡、
海部郡

比当77,398　後藤田正純　自前(38.9)
比当20,065　吉田　知代　維新(10.1)
　　1,808　佐藤　行俊　無新(0.9)

に　き　ひろ　ぶみ
仁木博文　自元［麻］　当2
　　　　　徳島県阿南市　S41・5・23
　　　　　勤6年3ヵ月　　（初/平21）

法務理事、厚労委、消費者特委、党厚生労働副
部会長、党農水関係団体副委員長、党情報通
信関係団体副委員長、徳大院医学博士／58歳

〒770-0865　徳島市南末広町4-88-1　☎088(624)9350
〒107-0052　港区赤坂2-17-10、宿舎　☎03(5549)4671

徳島県2区	260,655 ◯50.99	当76,879　山口俊一　自前(59.5)

鳴門市、吉野川市、阿波市、美馬
市、三好市、板野郡、美馬郡、三好
郡

比43,473　中野真由美　立新(33.6)
　8,851　久保孝之　共新(6.9)

やま　ぐち　しゅん　いち
山口俊一　自前［麻］　当11
　　　　　徳島県　S25・2・28
　　　　　勤34年9ヵ月　（初/平2）

議院運営委員長、元内閣府特命担当大
臣、首相補佐官、総務・財務副大臣、郵政
政務次官、青山学院大／74歳

〒771-0219　板野郡松茂町笹木野字八北開拓247-1
　　　　　　　　　　　　　　　　　　　☎088(624)4851
〒107-0052　港区赤坂2-17-10、宿舎　☎03(5571)9512

香川県1区 313,296 ⑱57.52

当90,267 小川淳也 立前(51.0)
比当70,827 平井卓也 自前(40.0)
比15,888 町川順子 維新(9.0)

高松市の一部(P176参照)、小豆郡、香川郡

おがわじゅんや
小川 淳也

立前　　　　　当6
香川県　　　S46・4・18
勤19年1ヵ月　(初/平17)

決算行政監視委員長、香川県連代表、国土審議会離島振興対策分科会長、総務政務官、総務省課長補佐、春日井市部長、自治省、東大/53歳

〒761-8083 高松市三名町569-3　　☎087(814)5600
〒107-0052 港区赤坂2-17-10、宿舎　☎03(5549)4671

香川県2区 258,730 ⑱58.53

当94,530 玉木雄一郎 国前(63.5)
比54,334 瀬戸隆一 自元(36.5)

高松市(第1区に属しない区域)、丸亀市(綾歌・飯山市民総合センター管内)、坂出市、さぬき市、東かがわ市、木田郡、綾歌郡

たまき ゆういちろう
玉木 雄一郎

国前　　　　　当5
香川県さぬき市寒川町　S44・5・1
勤15年2ヵ月　(初/平21)

党代表、国家基本委、憲法審査会委、元民進党幹事長代理、財務省主計局課長補佐、東大法、ハーバード大院修了/55歳

〒769-2321 さぬき市寒川町石田東甲814-1 ☎0879(43)0280
〒107-0052 港区赤坂2-17-10、宿舎

香川県3区 240,033 ⑱51.60

当94,437 大野敬太郎 自前(79.8)
23,937 尾崎淳一郎 共新(20.2)

丸亀市(第2区に属しない区域)、善通寺市、観音寺市、三豊市、仲多度郡

おおの けいたろう
大野 敬太郎

自前[無]　　　当4
香川県丸亀市　S43・11・1
勤11年10ヵ月　(初/平24)

党総務会副会長、国会対策副委員長、党科技イノベ調査会長、党副幹事長、内閣府副大臣、防衛政務官、UCB、東大博士、東工大、同大学院修士/55歳

〒763-0082 丸亀市土器町東1-129-2　　☎0877(21)7711
〒100-8981 千代田区永田町2-2-1、会館　☎03(3508)7132

愛媛県1区 385,321 ⑱52.10

当119,633 塩崎彰久 自新(60.8)
比77,091 友近聡朗 立нов (39.2)

松山市の一部(P176参照)

しおざき あきひさ
塩崎 彰久

自新[無]　　　当1
愛媛県松山市　S51・9・9
勤2年11ヵ月　(初/令3)

厚生労働大臣政務官、厚労委、長島・大野・常松法律事務所パートナー弁護士、内閣官房長官秘書官、東大/47歳

〒790-0003 松山市三番町4-7-2　　　☎089(941)4843

愛媛県2区 249,121 投52.73

当72,861　村上誠一郎　自前（57.5）
比42,520　石井智恵　国新（33.5）
　11,358　片岡　朗　共新（9.0）

松山市（浮穴支所管内（北井門2丁目に属する区域を除く。）、久谷・北条・中島支所管内）、今治市、東温市、越智郡、伊予郡

むらかみせいいちろう
村上誠一郎

自前［無］　当12
愛媛県今治市　S27・5・11
勤38年4ヵ月　（初/昭61）

決算行監委、国務大臣・内閣府特命担当大臣、財務副大臣、大蔵・石炭委員長、大蔵政務次官、東大法／72歳

〒794-0028　今治市北宝来町1-5-11　☎0898（31）2600
〒107-0052　港区赤坂2-17-10、宿舎　☎03（5549）4671

愛媛県3区 260,288 投57.42

当76,263　井原　巧　自新（51.6）
比71,600　白石洋一　立前（48.4）

新居浜市、西条市、四国中央市

い　はら　　たくみ
井原　巧

自新［無］　当1（初/令3）※
愛媛県四国中央市　S38・11・13
勤9年（初/令6年1ヵ月）

総務委、消費者特委理、経産委、党文科部会長代理、経産・内閣府・復興大臣政務官、参議院議員、四国中央市長、県議、専修大／60歳

〒799-0413　四国中央市中曽根町411-5　☎0896（23）8650
〒100-8982　千代田区永田町2-1-2、会館　☎03（3508）7201

愛媛県4区 246,664 投59.16

当81,015　長谷川淳二　自新（56.6）
　47,717　桜内文城　無元（33.1）
　11,555　西井直人　共新（8.1）
　1,547　藤島利久　無新（1.1）
　1,319　前田麗夫　無新（0.9）

宇和島市、八幡浜市、大洲市、伊予市、西予市、上浮穴郡、喜多郡、西宇和郡、北宇和郡、南宇和郡

は　せ　がわじゅんじ
長谷川淳二

自新［無］　当1
岐阜県　S43・8・5
勤2年11ヵ月　（初/令3）

総務大臣政務官、総務委、党県連会長、党農林水産関係団体副委員長、総務省地域政策課長、愛媛県副知事、東大／56歳

〒798-0040　宇和島市中央町2-3-30　☎0895（65）9410
〒100-8982　千代田区永田町2-1-2、会館　☎03（3508）7453

高知県1区 310,468 投53.50

当104,837　中谷　元　自前（64.3）
比50,033　武内則男　立前（30.7）
比4,081　中島康治　N新（2.5）
　4,036　川田永二　無新（2.5）

高知市の一部（P176参照）、室戸市、安芸市、南国市、香南市、香美市、安芸郡、長岡郡、土佐郡

なか　たに　　げん
中谷　元

自前［無］　当11
高知県高知市　S32・10・14
勤34年9ヵ月　（初/平2）

内閣総理大臣補佐官、防衛大臣、防衛庁長官、自治総括政務次官、郵政政務次官、衆総務委員長、中央政治大学院長、防衛大／66歳

〒781-5106　高知市介良乙278-1
タイシンビル2F　☎088（855）6678
〒107-0052　港区赤坂2-17-10、宿舎

愛媛・高知

※平25参院初当選

高知県2区	287,552
㊷61.50	

当117,810 尾﨑正直 自新(67.2)
比55,214 広田一 立前(31.5)
2,171 広田晋一郎 N新(1.2)

高知市(第1区に属しない区域)、土
佐市、須崎市、宿毛市、土佐清水市、
四万十市、吾川郡、高岡郡、幡多郡

尾﨑正直
お ざき まさ なお

自新[無] 当1
高知県高知市 S42・9・14
勤2年11ヵ月 (初/令3)

国土交通大臣政務官兼内閣府大臣政務官兼復興大臣政務官、デジタル大臣政務官、前高知県知事、東大/56歳

〒781-8010 高知市桟橋通3-25-31 ☎088(855)9140
〒100-8982 千代田区永田町1-2-1、会館 ☎03(3508)7619

比例代表 四国 6人 徳島、香川、愛媛、高知

山本有二
やま もと ゆう じ

自前[無] 当11
高知県 S27・5・11
勤34年9ヵ月 (初/平2)

予算委、憲法審委、党財務委員長、農林水産大臣、党道路調査会長、予算委員長、金融担当大臣、法務総括、弁護士、早大/72歳

〒781-8010 高知市桟橋通3-31-1 ☎088(803)7788
〒100-8981 千代田区永田町2-2-1、会館 ☎03(3508)7232

平井卓也
ひら い たく や

自前[無] 当8(初/平12)
香川県高松市 S33・1・25
勤24年4ヵ月 (香川1区)

国家基本委理、内閣委、党デジタル社会推進本部長、党広報本部長、初代デジタル大臣、デジタル改革担当相、内閣委長、電通、上智大/66歳

〒760-0025 高松市古新町4-3 ☎087(826)2811
〒100-8981 千代田区永田町2-2-1、会館 ☎03(3508)7307

瀬戸隆一
せ と たか かず

自元[麻] 繰当3
香川県坂出市 S40・8・2
勤6年6ヵ月 (初/平24)

財務大臣政務官、財金委、総務省、岩手県警、郵政省、東京工業大学大学院/59歳

〒762-0007 坂出市室町2-5-20 ☎0877(44)1755
〒100-8981 千代田区永田町2-2-1、会館 ☎03(3508)7712

白石洋一
しら いし よう いち

立前 当3(初/平21)
愛媛県 S38・6・25
勤10年4ヵ月 〈愛媛3区〉

国交委理事、党四国ブロック常任幹事、党国際局長代理、党政調副会長、米国監査法人、長銀、カリフォルニア大バークレー校MBA、東大法/61歳

〒793-0028 愛媛県西条市新田197-4 ☎0897(47)1000

㊹ 略歴 高知・比例四国

153

公 新 当1
やま さき まさ やす
山崎 正恭 高知県高知市 S46・3・5
勤2年11ヵ月 （初／令3）

党教育改革推進本部事務局次長、農林水産委、高知県議、中京大、鳴門教育大学院／53歳

〒781-8010 高知市桟橋通4-12-36 ウィンビル1F
〒100-8982 千代田区永田町2-1-2、会館 ☎088(805)0607 ☎03(3508)7472

維 新 当1(初／令3)
よし だ よ
吉田とも代 兵庫県神戸市 S50・2・23
勤2年11ヵ月 〈徳島1区〉

党徳島県第1選挙区支部長、総務委、災害特委、徳島維新の会代表、丹波篠山市議、神戸松蔭短大／49歳

〒770-0861 徳島市住吉2-1-10 ☎088(635)1718
〒100-8982 千代田区永田町2-1-2、会館 ☎03(3508)7001

比例代表 四国　6人　有効投票数 1,698,487票

政党名	当選者数		得票数	得票率
		惜敗率 小選挙区		惜敗率 小選挙区
自 民 党	**3人**		**664,805票**	**39.14%**

		【小選挙区での当選者】	
当①山本　有二 前		②山口　俊一 前	徳 2
当②平井　卓也 前(78.46) 香 1		②大野敬太郎 前	香 3
当②後藤田正純 前(77.81) 徳 1		②塩崎　彰久 新	愛 1
（令5.1.5辞職）		②村上誠一郎 前	愛 2
繰②瀬戸　隆一 元(57.48) 香 2		②井原　巧 新	愛 3
（令5.1.17繰上）		②長谷川淳二 新	愛 4
⑬福山　守 前		②中谷　元 前	高 1
⑭福井　照 前		②尾崎　正直 新	高 2
⑮二川　弘康 新			
⑯井桜　康司 新			

立憲民主党	**1人**		**291,870票**	**17.18%**

		【小選挙区での当選者】	
当①白石　洋一 前(93.89) 愛 3		⑦長山　雅一 新	
①友近　聡朗 新(64.44) 愛 1		⑧小山田経子 新	
①中野真由美 新(56.55) 徳 2		①小川　淳也 前	香 1
①武内　則男 前(47.72) 高 1			
①広田　一 前(46.87) 高 2			

公 明 党	**1人**		**233,407票**	**13.74%**

当①山崎　正恭 新		②坂本　道応 新

日本維新の会	**1人**		**173,826票**	**10.23%**

当①吉田　知代 新(20.17) 徳 1		③佐藤　暁 新
▼①町川　順子 新(17.60) 香 1		

その他の政党の得票数・得票率は下記のとおりです。
（当選者はいません）

政党名	得票数	得票率		
国民民主党	122,082票	7.19%	社民党	30,249票 1.78%
共産党	108,021票	6.36%	NHKと裁判してる党弁護士法72条違反で	
れいわ新選組	52,941票	3.12%		21,285票 1.25%

　▼は小選挙区の得票が有効投票総数の10分の1未満で、復活当選の資格がない者

福岡県1区　453,215 ⑱47.56

福岡市(東区、博多区)

当99,430　井上貴博　自前(47.5)
比53,755　坪田　晋　立新(25.7)
比当37,604　山本剛正　維元(18.0)
18,487　木村拓史　共新(8.8)

いのうえ　たか　ひろ

井上貴博

自前[麻]　　　　当4
福岡県福岡市　S37・4・2
勤11年10ヵ月　(初/平24)

党総括副幹事長、財務副大臣、財務大臣政務官、財務大臣補佐官、党国対副委員長、福岡県議、福岡JC理事長、獨協大法／62歳

〒812-0014　福岡市博多区比恵町2-1
博多エステートビル102号　☎092(418)9898

福岡県2区　449,552 ⑱53.81

福岡市(中央区、南区の一部
(P177参照)、城南区の一部(P177
参照))

当109,382　鬼木　誠　自前(46.0)
比当101,258　稲富修二　立前(42.6)
比27,302　新開崇司　維新(11.5)

おに　き　　まこと

鬼木　誠

自前[無]　　　　当4
福岡県福岡市　S47・10・16
勤11年10ヵ月　(初/平24)

防衛副大臣、前党国防部会長、元衆院安保委員長、衆院経産・国交・法務各理事、環境政務官、県議、銀行員、九大法／51歳

〒810-0014　福岡市中央区平尾2-3-15　☎092(707)1972
〒107-0052　港区赤坂2-17-10、宿舎

福岡県3区　433,603 ⑱54.42

福岡市(城南区(第2区に属しない
区域)(P177参照)、早良区、西
区)、糸島市

当135,031　古賀　篤　自前(57.9)
比98,304　山内康一　立前(42.1)

こ　が　　あつし

古賀　篤

自前[無]　　　　当4
福岡県福岡市　S47・7・14
勤11年10ヵ月　(初/平24)

内閣府副大臣、党厚労部会長、厚生労働副大臣、総務(兼)内閣府大臣政務官、国交委理事、金融庁課長補佐、財務省主計局主査、東大法／52歳

〒814-0015　福岡市早良区室見2-1-22 2F　☎092(822)5051
〒100-8981　千代田区永田町2-1-2、会館　☎03(3508)7081

福岡県4区　369,215 ⑱53.97

宗像市、古賀市、福津市、糟屋
郡

当96,023　宮内秀樹　自前(49.4)
比49,935　森本慎太郎　立新(25.7)
比当36,998　阿部弘樹　維新(19.0)
比11,338　竹内信昭　社新(5.8)

みや　うち　ひで　き

宮内秀樹

自前[無]　　　　当4
愛媛県　　　　　S37・10・19
勤11年10ヵ月　(初/平24)

党経済産業部会長、前文部科学委員長、元農林水産副大臣、党副幹事長、国土交通大臣政務官、青山学院大／61歳

〒811-3101　古賀市天神4-8-1　☎092(942)5510
〒100-8981　千代田区永田町2-2-1、会館　☎03(3508)7174

衆略歴

福岡

155

福岡県5区 454,493 ㊟54.52

当125,315 堤　かなめ 立新（53.1）
110,706 原田義昭 自前（46.9）

福岡市（南区（第2区に属しない区域）（P177参照））、筑紫野市、春日市、大野城市、太宰府市、朝倉市、那珂川市、朝倉郡

つつみ
堤　かなめ

立新　　　　　　当1
福岡県　　　　S35・10・27
勤2年11ヵ月　（初/令3）

厚労委、復興特委、党政調会長補佐、党福岡県連副代表、福岡県議（3期）、大学教員、NPO法人、九州大学／63歳

〒818-0072 筑紫野市二日市中央2-17-2F ☎092（409）0077
〒100-8982 千代田区永田町2-1-2、会館 ☎03（3508）7062

福岡県6区 374,631 ㊟51.19

当125,366 鳩山二郎 自前（67.4）
比38,578 田　辺　徹 立新（20.8）
12,565 河　野　一　弘 共新（ 6.8）
5,612 組坂善昭 無新（ 3.0）
3,753 熊　丸　英　治 N新（ 2.0）

久留米市、大川市、小郡市、うきは市、三井郡、三潴郡

はと　やま　じ　ろう
鳩　山　二　郎

自前［無］　　　当3
東京都　　　　S54・1・1
勤8年　　（初/平28補）

内閣委、総務委、政治改革特委理、総務大臣政務官、国土交通大臣政務官兼内閣府大臣政務官、大川市長、法務大臣秘書官、杏林大／45歳

〒830-0018 久留米市通町1-1 2F ☎0942（39）2111
〒107-0052 港区赤坂2-17-10、宿舎

福岡県7区 288,733 ㊟52.53

当92,233 藤丸　敏 自前（62.3）
比55,820 青　木　剛　志 立新（37.7）

大牟田市、柳川市、八女市、筑後市、みやま市、八女郡

ふじ　まる　さとし
藤　丸　敏

自前［無］　　　当4
福岡県　　　　S35・1・19
勤11年10ヵ月　（初/平24）

財金委、安保委理、内閣府副大臣、党外交部会長代理、防衛政務官兼内閣府政務官、衆議院議員秘書、高校教師、東京学芸大学大学院中退／64歳

〒836-0842 大牟田市有明町2-1-16
ウドノビル4F ☎0944（57）6106

福岡県8区 349,058 ㊟53.04

当104,924 麻生太郎 自前（59.6）
38,083 河　野　祥　子 共新（21.6）
比32,964 大島九州男 れ新（18.7）

直方市、飯塚市、中間市、宮若市、嘉麻市、遠賀郡、鞍手郡、嘉穂郡

あ　そう　う　た　ろう
麻　生　太　郎

自前［麻］　　　当14
福岡県飯塚市　S15・9・20
勤42年6ヵ月　（初/昭54）

党副総裁、前副総理・財務相・金融相、元首相、党幹事長、外相、総務相、党政調会長、経財相、経企庁長官、学習院大／83歳

〒820-0040 飯塚市吉原町10-7 ☎0948（25）1121
〒100-8981 千代田区永田町2-2-1、会館 ☎03（3508）7703

<table>
<tr><td colspan="2">福岡県9区</td><td>380,277
⑱50.95</td><td>当91,591</td><td>緒方林太郎　無元(48.1)</td></tr>
</table>

福岡県9区 380,277 ⑱50.95

当91,591　緒方林太郎　無元(48.1)
　　76,481　三原朝彦　自前(40.2)
　比22,273　真島省三　共元(11.7)

北九州市(若松区、八幡東区、八幡西区、戸畑区)

おがたりんたろう
緒方林太郎

無元(有志)　　当3
福岡県　S48・1・8
勤9年1ヵ月　(初/平21)

内閣委、予算委、元外務省課長補佐、東大法中退/51歳

〒806-0045　北九州市八幡西区竹末2-2-21　☎093(644)7077

福岡県10区 408,059 ⑱48.00

当85,361　城井　崇　立前(44.5)
　　81,882　山本幸三　自前(42.7)
　比21,829　西田主税　維新(11.4)
　　2,840　大西啓雅　無新(1.5)

北九州市(門司区、小倉北区、小倉南区)

きい　たかし
城井　崇

立前　　当4
福岡県北九州市　S48・6・23
勤12年2ヵ月　(初/平15)

国交委筆頭理、憲法審委、地・こ・デジ特委、党政調会長代理、広報本部副本部長、子ども若者応援本部副本部長、憲法調査会副会長、県連代表、文科大臣政務官、社会福祉士入認議員、衆院議員秘書、京大/51歳

〒802-0072　北九州市小倉北区東篠崎1-4-1
　　　　　　TAKAビル片野2F　☎093(941)7767
〒100-8981　千代田区永田町2-2-1、会館　☎03(3508)7389

福岡県11区 256,676 ⑱54.28

当75,997　武田良太　自前(55.8)
　40,996　村上智隆　無前(30.1)
　比19,310　志岐玲子　社新(14.2)

田川市、行橋市、豊前市、田川郡、京都郡、築上郡

たけだりょうた
武田良太

自前[無]　　当7
福岡県福智町(旧赤池町)　S43・4・1
勤20年11ヵ月　(初/平15)

総務大臣、国家公安委員長、内閣府特命担当大臣(防災)、幹事長特別補佐、防衛副大臣・政務官、安保委員長、早大院修了/56歳

〒826-0041　福岡県田川市大字弓削田3513-1　☎0947(46)0224
〒107-0052　港区赤坂2-17-10、宿舎

佐賀県1区 333,792 ⑱56.19

当92,452　原口一博　立前(50.0)
　比当92,319　岩田和親　自前(50.0)

佐賀市、鳥栖市、神埼市、神埼郡、三養基郡

はらぐちかずひろ
原口一博

立前　　当9
佐賀県　S34・7・2
勤28年1ヵ月　(初/平8)

財金委、党副代表、国会対策委員長代行、県連代表、国家基本委理、政倫審幹事、総務大臣、県議、松下政経塾、東大/65歳

〒849-0922　佐賀市高木瀬東2-5-41　☎0952(32)2321
〒107-0052　港区赤坂2-17-10、宿舎

佐賀県2区 340,930 @60.75

当106,608 大串 博志 立前(52.0)
比当98,224 古川 康 自前(48.0)

唐津市、多久市、伊万里市、武雄市、
鹿島市、小城市、嬉野市、東松浦郡、
西松浦郡、杵島郡、藤津郡

大串 博志 （おおぐし ひろし）

立前 当6
佐賀県白石町 S40・8・31
勤19年1ヵ月 （初/平17）

党選対委員長、懲罰委、党税調会長、首
相補佐官、財務大臣政務官、財務省主計
局主査、東大／59歳

〒849-0302 小城市牛津町柿樋瀬1062-1 セリオ2F
☎0952(66)5776
〒107-0052 港区赤坂2-17-10、宿舎
☎03(5549)4671

長崎県1区 334,139 @55.25

当101,877 西岡 秀子 国前(56.1)
比69,053 初村滝一郎 自新(38.0)
10,754 安江綾子 共新(5.9)

長崎市(本庁管内、小ヶ倉・土井首・小榊・
西浦上・滑石・福田・深堀・日見・茂木・式
見・東長崎・三重支所管内、香焼・伊王島・
高島・野母崎・三和行政センター管内)

西岡 秀子 （にし おか ひで こ）

国前 当2
長崎県長崎市 S39・3・15
勤7年 （初/平29）

総務委、文科委、党政調会長代理、党副幹事
長、党男女共同参画推進本部長代理、党長崎
県連代表、国会議員秘書、学習院大法／60歳

〒850-0842 長崎市新地町5-6 ☎095(821)2077
〒100-8982 千代田区永田町2-1-2、会館 ☎03(3508)7343

長崎県2区 293,298 @57.03

当95,271 加藤 竜祥 自新(58.2)
比68,405 松平浩一 立前(41.8)

長崎市(第1区に属しない区域)、
島原市、諫早市、雲仙市、南島
原市、西彼杵郡

加藤 竜祥 （か とう りゅうしょう）

自新［無］ 当1
長崎県島原市 S55・2・10
勤2年11ヵ月 （初/令3）

農水委、経産委、消費者特委、国土交通大
臣政務官兼内閣府大臣政務官兼復興大
臣政務官、衆議院議員秘書、日大経／44歳

〒854-0026 諫早市東本町2-4三央ビル2F ☎0957(35)1000
〒107-0052 港区赤坂2-17-10、宿舎 ☎03(5549)4671

長崎県3区 236,525 @60.93

（総選挙の結果はP168参照）補選（令和6.4.28）
当53,381 山田 勝彦 立前(68.4)
24,709 井上翔一朗 維新(31.6)

佐世保市(早岐・三川内・宮之所管内)、大
村市、対馬市、壱岐市、五島市、東彼杵
郡、北松浦郡(小値賀町)、南松浦郡
令和6年1月24日谷川弥一議員辞職

山田 勝彦 （やま だ かつ ひこ）

立前 補当2（初/令3）
長崎県長崎市 S54・7・19
勤3年

法務委、農水委、消費者特委、障がい福
祉施設代表、衆議員秘書、法政大／45歳

〒856-0805 大村市竹松本町859-1 ☎0957(46)3788
〒107-0052 港区赤坂2-17-10、宿舎

佐賀・長崎

長崎県4区 250,004 ⑳55.08

佐世保市（第3区に属しない区域）、平戸市、松浦市、西海市、北松浦郡（佐々町）
令和5年5月20日、北村誠吾議員死去

（総選挙の結果はP168参照）
補選〔令和5.10.22〕

当53,915	金子 容三	自新（53.5）
46,899	末次 精一	立前（46.5）

かね こ よう ぞう
金子 容三

自新［無］　補当1
長崎県　S58・2・1
勤11ヵ月（初／令5補）

厚労委、環境委、災害特委、消費者特委、党青年局次長、会社員、慶大法、ウィリアム＆メアリー大院修了／41歳

〒857-0028　佐世保市八幡町4-3-107　☎0956（23）5151
〒100-8982　千代田区永田町1-2-2、会館　☎03（3508）7627

熊本県1区 421,038 ⑳52.91

熊本市（中央区、東区、北区）

当131,371	木原 稔	自前（61.0）
比83,842	濱田 大造	立新（39.0）

き はら みのる
木原 稔

自前［無］　当5
熊本県熊本市　S44・8・12
勤15年9ヵ月（初／平17）

防衛大臣、国土交通委員長、党政調副会長兼事務局長、選対副委員長、文科部会長、青年局長、総理補佐官、財務副大臣、防衛政務官、日本航空、早大／55歳

〒862-0976　熊本市中央区九品寺2-8-17
　　　　　　九品寺サンシャイン1F　☎096（273）6833
〒100-8982　千代田区永田町1-2-2、会館　☎03（3508）7450

熊本県2区 314,184 ⑳58.67

熊本市（西区、南区）、荒尾市、玉名市、玉名郡

当110,310	西野 太亮	無所（60.6）
60,091	野田 毅	自前（33.0）
11,521	橋田 芳昭	共新（6.3）

にし の だい すけ
西野 太亮

自新［無］　当1
熊本県熊本市　S53・9・22
勤2年11ヵ月（初／令3）

総務委、農水委、震災復興特委、党青年局次長、財務省主計局主査、復興庁参事官補佐、コロンビア大学院、東大／45歳

〒861-4101　熊本市南区近見7-5-40　☎096（355）5008
〒100-8981　千代田区永田町2-2-1、会館　☎03（3508）7144

熊本県3区 315,296 ⑳57.37

山鹿市、菊池市、阿蘇市、合志市、菊池郡、阿蘇郡、上益城郡

当125,158	坂本 哲志	自前（71.2）
比37,832	馬場 功世	社新（21.5）
12,909	本間 明子	N新（7.3）

さか もと てつ し
坂本 哲志

自前［無］　当7
熊本県菊池郡　S25・11・6
勤19年1ヵ月（初／平15）

農林水産大臣、党組織運動本部長代理、内閣府特命担当大臣、農林水産委員長、県議、新聞記者、中大法／73歳

〒869-1235　菊池郡大津町室122-4　☎096（293）7990
〒100-8982　千代田区永田町1-2-2、会館　☎03（3508）7034

159

熊本県4区 404,286 ⑰ 57.50

当155,572 金子恭之 自前(68.1)
比72,966 矢上雅義 立前(31.9)

八代市、人吉市、水俣市、天草市、
宇土市、上天草市、宇城市、下益城郡、
八代郡、葦北郡、球磨郡、天草郡

金子恭之 かね こ やす し

自前[無] 当8
熊本県あさぎり町 S36・2・27
勤24年4ヵ月 (初/平12)

党組織運動本部長、総務大臣、党総務会長代理、党政調会長代理、党副幹事長、国土交通副大臣、農水政務官、早大／63歳

〒866-0814 八代市東片町463-1 ☎0965(39)8366

大分県1区 385,469 ⑰ 53.17

当97,117 吉良州司 無前(48.8)
比75,932 高橋舞子 自前(38.1)
15,889 山下　魁 共新(8.0)
6,216 西宮重貴 無új(3.1)
4,001 野中美咲 N新(2.0)

大分市の一部(P177参照)

吉良州司 き ら しゅう じ

無前(有志) 当6
大分県 S33・3・16
勤18年11ヵ月 (初/平15)

外務委、有志の会(会派)代表、元外務副大臣、外務大臣政務官、沖北特委長、日商岩井ニューヨーク部長、東大法／66歳

〒870-0820 大分市西大道2-4-2 ☎097(545)7777
〒100-8982 千代田区永田町2-1-2、会館 ☎03(3508)7412

大分県2区 267,779 ⑰ 60.45

当79,433 衛藤征士郎 自前(50.2)
比78,779 吉川　元 立前(49.8)

大分市(第1区に属しない区域)、日田市、佐伯市、臼杵市、津久見市、竹田市、豊後大野市、由布市、玖珠郡

衛藤征士郎 え とうせい し ろう

自前[無] 当13(初/昭58)※
大分県 S16・4・29
勤47年(参6年1ヵ月)

予算委、衆議院副議長、予算委員長、外務副大臣、決算・大蔵委長、防衛庁長官、参院議員、玖珠町長、早大院／83歳

〒876-0833 佐伯市池船町21-1 ☎0972(24)0003
〒107-0052 港区赤坂2-17-10、宿舎

大分県3区 301,700 ⑰ 59.67

当102,807 岩屋　毅 自前(58.4)
比73,159 横光克彦 立前(41.6)

別府市、中津市、豊後高田市、杵築市、宇佐市、国東市、東国東郡、速見郡

岩屋　毅 いわ や たけし

自前[無] 当9
大分県別府市 S32・8・24
勤27年9ヵ月 (初/平2)

情報監視審査会長、予算委、憲法審、党治安テロ調査会長、防衛大臣、外務副大臣、防衛政務官、文科委員長、県議、早大政経／67歳

〒874-0933 別府市野口元町1-3
富士吉ビル2F
〒107-0052 港区赤坂2-17-10、宿舎 ☎0977(21)1781
☎03(5549)4671

※昭52参院初当選

宮崎県1区 354,691 ㊤53.29

宮崎市、東諸県郡

当60,719　渡辺　創　立新（32.6）
比当59,649　武井俊輔　自前（32.0）
　　43,555　脇谷のりこ　無新（23.4）
比22,350　外山　斎　維新（12.0）

立新　　　　　　　　当1
わた なべ　　　　そう
渡辺　創
宮崎県宮崎市　S52・10・3
勤2年11ヵ月　（初／令3）

農水委、災害特委理、党県連代表、党組織委副委員長、党災害・緊急事態局事務局長、宮崎県議、毎日新聞記者、新潟大／46歳

〒880-0001　宮崎市橘通西5-5-19　☎0985(77)8777
〒107-0052　港区赤坂2-17-10、宿舎

宮崎県2区 273,071 ㊤56.28

延岡市、日向市、西都市、児湯郡、
東臼杵郡、西臼杵郡

当94,156　江藤　拓　自前（62.2）
比当57,210　長友慎治　国新（37.8）

自前［無］　　　　当7
え とう　　　　たく
江藤　拓
宮崎県門川町　S35・7・1
勤20年11ヵ月　（初／平15）

農水委、党総合農林政策調査会長、農水大臣、内閣総理大臣補佐官、災害特委員長、拉致特委員長、成城大／64歳

〒883-0021　日向市大字光寺233-1　☎0982(53)1367
〒100-8982　千代田区永田町2-1-2、会館　☎03(3508)7468

宮崎県3区 274,053 ㊤51.53

都城市、日南市、小林市、串間市、
えびの市、北諸県郡、西諸県郡

当111,845　古川禎久　自前（80.7）
　20,342　松本　隆　共新（14.7）
　6,347　重黒木優平　N新（4.6）

自前［無］　　　　当7
ふる かわ　よし ひさ
古川禎久
宮崎県串間市　S40・8・3
勤20年11ヵ月　（初／平15）

党団体総局長、財政健全化推進本部長、司法制度調査会長、税制調査会副会長、道路調査会事務総長、法務大臣、財務副大臣、東大法／59歳

〒885-0006　都城市吉尾町811-7　☎0986(47)1881
〒107-0052　港区赤坂2-17-10、宿舎

鹿児島県1区 358,070 ㊤54.10

鹿児島市（本庁管内、伊敷・東桜
島・吉野・吉田・桜島・松元・郡山支
所管内）、鹿児島郡

当101,251　宮路拓馬　自前（53.2）
比89,232　川内博史　立前（46.8）

自前［無］　　　　当3
みや じ　たく ま
宮路拓馬
鹿児島県南さつま市　S54・12・6
勤9年10ヵ月　（初／平26）

議運委、予算委、外務委、災害特委理、政倫審委、党総務、国対副委員長、内閣府政務官、総務政務官、総務省課長補佐、内閣官房参事官補佐、広島市財政課長、東大法／44歳

〒892-0838　鹿児島市新屋敷町16-422
　　　　　　公社ビル　　　　　　☎099(295)4860
〒100-8981　千代田区永田町2-2-1、会館　☎03(3508)7206

鹿児島県2区	337,186 ⑳ 58.58	当92,614	三反園 訓	無新（47.7）
		80,469	金子万寿夫	自前（41.4）
		比21,084	松崎真琴	共新（10.9）

鹿児島市（谷山・喜入支所管内）、枕崎市、指宿市、南さつま市、奄美市、南九州市、大島郡

三反園 訓（みたぞの さとし）

無新（自民）　当1
鹿児島県指宿市　S33・2・13
勤2年11ヵ月　（初／令3）

決算行監委、鹿児島県知事、ニュースキャスター、政治記者、総理官邸各省庁キャップ、早大大学院非常勤講師、早大／66歳

〒891-0141 鹿児島市谷山中央3-4701-4 ☎099（266）3333
〒100-8982 千代田区永田町2-1-2、会館 ☎03（3508）7511

鹿児島県3区	318,530 ⑳ 61.39	当104,053	野間 健	立元（53.9）
		比89,110	小里泰弘	自前（46.1）

阿久根市、出水市、薩摩川内市、日置市、いちき串木野市、伊佐市、姶良市、薩摩郡、出水郡、姶良郡

野間 健（のま たけし）

立元　当3
鹿児島県日置市　S33・10・8
勤7年9ヵ月　（初／平24）

農林水産委筆頭理事、原子力特委、国民新党政調会長、国務大臣秘書官、商社員、松下政経塾、慶大／65歳

〒895-0061 薩摩川内市御陵下町27-23 ☎0996（22）1505
〒100-8982 千代田区永田町2-1-2、会館 ☎03（3508）7027

鹿児島県4区	325,670 ⑳ 57.16	当127,131	森山 裕	自前（69.5）
		比49,077	米永淳子	社新（26.8）
		6,618	宮川直輝	N新（3.6）

鹿屋市、西之表市、垂水市、曽於市、霧島市、志布志市、曽於郡、肝属郡、熊毛郡

森山 裕（もりやま ひろし）

自前［無］　当7(初/平16補)※
鹿児島県鹿屋市　S20・4・8
勤26年4ヵ月（参5年10ヵ月）

党総務会長、党選対委員長、党国対委員長、党政調会長代理、農林水産大臣、財務副大臣、参議院議員、鹿児島市議会議員5期、日新高校（旧鶴丸高夜間課程）／79歳

〒893-0015 鹿屋市新川町671-2 ☎0994（31）1035
〒100-8981 千代田区永田町2-2-1、会館 ☎03（3508）7164

沖縄県1区	267,939 ⑳ 55.89	当61,519	赤嶺政賢	共前（42.2）
		比54,532	国場幸之助	自前（37.4）
		29,827	下地幹郎	無前（20.4）

那覇市、島尻郡（渡嘉敷村、座間味村、粟国村、渡名喜村、南大東村、北大東村、久米島町）

赤嶺政賢（あかみね せいけん）

共前　当8
沖縄県那覇市　S22・12・18
勤24年4ヵ月　（初／平12）

党沖縄県委員長、党幹部会委員、安保委、沖北特委、憲法審委、那覇市議、東京教育大／76歳

〒900-0016 那覇市前島3-1-17 ☎098（862）7521
〒100-8981 千代田区永田町2-2-1、会館 ☎03（3508）7196

　　　　　　　　　　※平10参院初当選

宜野湾市、浦添市、中頭郡

当74,665	新垣邦男	社新(47.4)
比当64,542	宮崎政久	自前(41.0)
比15,296	山川泰博	維新(9.7)
3,053	中村幸也	N新(1.9)

社新 当1(初/令3)
新垣邦男
あら かき くに お
沖縄県 S31・6・19
勤2年11ヵ月 〈沖縄2区〉

党副党首、政審会長、国対委員長、安保委、沖北特委、元北中城村長、日大／68歳

〒901-2212 宜野湾市長田4-16-11　☎098(892)2131
〒107-0052 港区赤坂2-17-10、宿舎

名護市、沖縄市、うるま市、国頭郡、島尻郡(伊平屋村、伊是名村)

当87,710	島尻安伊子	自新(52.1)
比80,496	屋良朝博	立前(47.9)

自新[無] 当1(初/令3)※
島尻安伊子
しま じり あ い こ
宮城県仙台市 S40・3・4
勤12年4ヵ月(参9年5ヵ月)

予算委理、沖北特委理、外務委、党副幹事長、内閣府特命担当大臣、参院環境委員長、党沖縄県連会長、参院議員、那覇市議、上智大／59歳

〒904-2172 沖縄市泡瀬4-24-16　☎098(921)3144
〒100-8981 千代田区永田町2-2-1、会館 ☎03(3508)7265

石垣市、糸満市、豊見城市、宮古島市、南城市、島尻郡(与那原町、南風原町、八重瀬町)、宮古郡、八重山郡

当87,671	西銘恒三郎	自前(54.9)
比72,031	金城徹	立新(45.1)

自前[無] 当6
西銘恒三郎
にし め こう さぶ ろう
沖縄県 S29・8・7
勤17年7ヵ月 (初/平15)

党幹事長代理、衆沖北特委筆頭、外務委、復興・沖北担当大臣、沖北特委理、安保・国交委長、経産・総務副大臣、国交政務官、予算委理、県議4期、上智大／70歳

〒901-1115 沖縄県島尻郡南風原町字山川286-1(2F)　☎098(888)5360
〒100-8982 千代田区永田町2-1-2、会館 ☎03(3508)7218

比例代表 九州 20人　福岡、佐賀、長崎、熊本、大分、宮崎、鹿児島、沖縄

自前[無] 当9
今村雅弘
いま むら まさ ひろ
佐賀県鹿島市 S22・1・5
勤28年1ヵ月 (初/平8)

党物流調査会長、予算委、元復興大臣、農林水産副大臣、国交・外務政務官、衆国交委長、JR九州、東大法／77歳

〒840-0032 佐賀市末広2-13-36　☎0952(27)8015
〒100-8982 千代田区永田町2-1-2、会館 ☎03(3508)7610

略歴

沖縄・比例九州

やす おか ひろ たけ
保岡 宏武 鹿児島県
自新［無］ 当1
S48・5・6
勤2年11ヵ月 （初/令3）

総務委、農水委、消費者特委、地・こ・デジ特委、衆議員保岡興治公設第一秘書、鹿児島事務所長、青山学院大法学部、鹿児島大学大学院農学研究科/51歳

〒891-0114 鹿児島市小松原2-14-15
　　　　　　新西ビル2F
〒106-0032 港区六本木7-1-3、宿舎 ☎099（296）8948

いわ た かず ちか
岩田 和親 佐賀県
自前［無］ 当4(初/平24)
S48・9・20
勤11年10ヵ月 〈佐賀1区〉

経産・内閣府副大臣、党経産部会長、経産・内閣府・復興・GX大臣政務官、防衛大臣政務官、佐賀県議、九州大法/50歳

〒840-0045 佐賀市西田代2-3-14-1 ☎0952（23）7880
〒107-0052 港区赤坂2-17-10、宿舎

たけ い しゅん すけ
武井 俊輔 宮崎県宮崎市
自前［無］ 当4(初/平24)
S50・3・29
勤11年10ヵ月 〈宮崎1区〉

国交委理、外務委、沖北特委、消費者特委理、外務副大臣、党国対副委員、県水泳連盟会長、県議、早大院、中大/49歳

〒880-0805 宮崎市橘通東2-1-4
　　　　　　テツカビル1F
〒100-8982 千代田区永田町2-1-2、会館 ☎0985（28）7608
　　　　　　　　　　　　　　　　　　☎03（3508）7388

ふる かわ やすし
古川 康 佐賀県唐津市
自前［無］ 当3(初/平26)
S33・7・15
勤9年10ヵ月 〈佐賀2区〉

党農林部会長代理、畜産・酪農対策委員長、農林水産関係団体委員長、高齢者小委幹事長、報道局次長、国土交通大臣政務官、総務大臣政務官、党税調幹事、財政金融証券関係団体委員長、佐賀県知事、東大/66歳

〒847-0052 唐津市呉服町1790 ☎0955（74）7888
〒107-0052 港区赤坂2-17-10、宿舎

こく ば こう の すけ
國場 幸之助 沖縄県
自前［無］ 当4(初/平24)
S48・1・10
勤11年10ヵ月 〈沖縄1区〉

国土交通副大臣、党国防部会長、中小企業・小規模事業者政策調査会事務局長、外務大臣政務官、党副幹事長、党沖縄県連会長、県議、会社員、早大卒、日大中退/51歳

〒900-0033 那覇市久米2-31-1
　　　　　　マリーナヴィスタ久米2F ☎098（861）6813
〒100-8982 千代田区永田町2-1-2、会館 ☎03（3508）7741

みや ざき まさ ひさ
宮﨑 政久 長野県
自前［無］ 当4(初/平24)
S40・8・8
勤10年9ヵ月 〈沖縄2区〉

厚生労働副大臣、党法務部会長、法務大臣政務官、党経産部会長代理、国交部会長代理、弁護士、明大法/59歳

〒901-2211 宜野湾市宜野湾1-1-1 2F ☎098（893）2955
〒107-0052 港区赤坂2-17-10、宿舎 ☎03（5549）4671

おざと やす ひろ
小里泰弘

自前［無］　当6(初/平17)
鹿児島県　S33・9・29
勤19年1ヵ月　〈鹿児島3区〉

内閣総理大臣補佐官、党総務会長代理、災害特委員長、農水副大臣、農水委員長、環境(兼)内閣府副大臣、慶大／65歳

〒895-0012　鹿児島県薩摩川内市平佐1-10　☎0996(23)5888
〒100-8981　千代田区永田町2-2-1、会館　☎03(3508)7247

よし かわ　はじめ
吉川　元

立前　当4(初/平24)
香川県　S41・9・28
勤11年10ヵ月　〈大分2区〉

文科委、総務委理、党国対副委員長、社民党副党首、政策秘書、神戸大中退／57歳

〒875-0041　大分県臼杵市大字臼杵195　☎0972(64)0370
〒107-0052　港区赤坂2-17-10、宿舎

いな とみ しゅう じ
稲富修二

立前　当3(初/平21)
福岡県　S45・8・26
勤10年4ヵ月　〈福岡2区〉

財金委、政倫審幹事、党副幹事長、財務局長、党政調副会長、丸紅、松下政経塾、東大法、米コロンビア大院修了／54歳

〒815-0041　福岡県南区野間4-1-35-107　☎092(557)8501
〒100-8982　千代田区永田町2-1-2、会館　☎03(3508)7515

や ら　とも ひろ
屋良朝博

立元　繰当2(初/平31)
沖縄県　S37・8・22
勤3年6ヵ月　〈沖縄3区〉

沖北特委理事、安保委、環境委、沖縄タイムス論説委員、ハワイ東西センター客員研究員、沖縄国際大学非常勤講師、フィリピン大／62歳

〒904-2155　沖縄市美原4-22-12 B203号　☎098(929)2416
〒100-8981　千代田区永田町2-2-1、会館　☎03(3508)7904

かわ うち ひろ し
川内博史

立元　繰当7(初/平8)
鹿児島県鹿児島市　S36・11・2
勤20年9ヵ月　〈鹿児島1区〉

農林水産委、党鹿児島県連選対委員長、会社役員、早大／62歳

〒890-0056　鹿児島市下荒田1-6-23-2F　☎099(206)2422
〒100-8981　千代田区永田町2-2-1、会館　☎03(3508)7176

はま ち　まさ かず
濱地雅一

公前　当4
福岡県福岡市　S45・5・8
勤11年10ヵ月　(初/平24)

厚生労働副大臣、党福岡県本部代表、外務大臣政務官、弁護士、早大法学部／54歳

〒812-0023　福岡市博多区奈良屋町11-6
　　　　　　奈良屋ビル2F　☎092(262)6616
〒100-8981　千代田区永田町2-2-1、会館　☎03(3508)7235

よし だ のぶ ひろ **公前** 当3
吉田宣弘
熊本県荒尾市　S42・12・8
勤6年6ヵ月　（初/平26）

経済産業・内閣府・復興政務官、党熊本県本部顧問、元福岡県議、元参院議員秘書、九州大学／56歳

〒862-0910　熊本市東区健軍本町26-10-2FA
〒100-8981　千代田区永田町2-2-1、会館　☎096(285)3685 ☎03(3508)7276

きん じょう やす くに **公新** 当1
金城泰邦
沖縄県浦添市　S44・7・16
勤2年11ヵ月　（初/令3）

外務委、予算委、沖縄特委理、党外交部会部会長代理、党内閣部会副部会長、党沖縄県本部代表代行、沖縄県議、浦添市議、沖縄国際大／55歳

〒901-2114　浦添市安波茶1-6-5 3F　☎098(870)7120
〒107-0052　港区赤坂2-17-10、宿舎

よし だ く み こ **公新** 当1
吉田久美子
佐賀県　S38・7・19
勤2年11ヵ月　（初/令3）

党女性委員会副委員長、内閣委、厚労委、消費者特委理、佐賀大教育学部／61歳

〒818-0072　筑紫野市二日市中央6-3-1-202 ☎092(929)2801
〒100-8982　千代田区永田町2-1-2、会館　☎03(3508)7055

あ べ ひろ き **維新** 当1(初/令3)
阿部弘樹
福岡県　S36・12・15
勤2年11ヵ月　〈福岡4区〉

法務委、原子力特委、福岡県議、津屋崎町長、厚生省課長補佐、保健所、医師、医博、熊本大学大学院／62歳

〒811-2207　福岡県糟屋郡志免町南里3-4-1 ☎092(957)8760
〒100-8982　千代田区永田町2-1-2、会館 ☎03(3508)7480

やま もと ごう せい **維元** 当2(初/平21)
山本剛正
東京都　S47・1・1
勤6年3ヵ月　〈福岡1区〉

経産委、商社員、会社役員、衆議院議員秘書、駒澤大学／52歳

〒812-0001　福岡市博多区大井2-13-23 ☎092(621)0120

た むら たか あき **共前** 当3(初/平26)
田村貴昭
大阪府枚方市　S36・4・30
勤9年10ヵ月

党中央委員、農水委、財金委、災害特委、北九州市議、北九州大学法学部政治学科／63歳

〒810-0022　福岡市中央区薬院3-13-12
　　　　　　 大場ビル3F　☎092(526)1933
〒107-0052　港区赤坂2-17-10、宿舎

長友 慎治 （なが とも しん じ）

国 新　当1（初/令3）
宮崎県宮崎市　S52・6・22
勤2年11ヵ月　〈宮崎2区〉

農水委、政治改革特委、党政調副会長、NPO法人フードバンク日向理事長、日向市産業支援センター長、㈱博報堂ケトル、早大法／47歳

〒882-0823 延岡市中町2-2-20　☎0982(20)2011
〒100-8982 千代田区永田町2-1-2、会館　☎03(3508)7212

比例代表	九州	20 人	有効投票数 6,307,040票

政党名	当選者数	得票数	得票率
	惜敗率 小選挙区		惜敗率 小選挙区

自 民 党　8 人　2,250,966票　35.69%

当①今村　雅弘 前		③古賀　篤 前	福3
当②保岡　宏武 新		③宮内　秀樹 前	福4
当③岩田　和親 前(99.86) 佐1		③鳩山　二郎 前	福6
当③武井　俊輔 前(98.24) 宮1		③藤丸　敏 前	福7
当③古川　康 前(92.14) 佐2		③武田　良太 前	福11
当③国場幸之助 前(88.41) 沖1		③加藤　竜祥 新	長2
当③宮崎　政久 前(86.44) 沖2		③木原　稔 前	熊1
当③小里　泰弘 前(85.64) 鹿3		③坂本　哲志 前	熊3
③高橋　舞子 新(78.19) 大1		③金子　恭之 前	熊4
③初村滝一郎 新(67.78) 長1		③岩屋　毅 前	大3
㉘河野　正美 元		③江藤　拓 前	宮2
㉙新　義明 新		③古川　禎久 前	宮3
㉚田畑　隆治 新		③宮路　拓馬 前	鹿1
【小選挙区での当選者】		③島尻安伊子 新	沖3
③井上　貴博 前	福1	③西銘恒三郎 前	沖4
③鬼木　誠 前	福2		

立憲民主党　4 人　1,266,801票　20.09%

当①末次　精一 新(99.30) 長4		①青木　剛志 新(60.52) 福7
（令5.10.14失職）		①坪田　晋 新(54.06) 福1
当①吉川　元 前(99.18) 大2		①森本慎太郎 新(52.00) 福4
当①山田　勝彦 新(96.45) 長3		①矢上　雅義 新(46.90) 熊4
（令6.4.16失職、4.28補選当選）		①田辺　徹 新(30.77) 福6
当①稲富　修二 前(92.57) 福2		㉓出口慎太郎 新
繰①屋良　朝博 前(91.78) 沖3		㉔大川　富洋 新
（令5.10.18繰上）		㉕川西　義人 新
繰①川内　博史 前(88.13) 鹿1		【小選挙区での当選者】
（令6.4.24繰上）		①堤　かなめ 新	福5
①金城　徹 新(82.16) 沖4		①城井　崇 前	福10
①山内　康一 前(72.80) 福3		①原口　一博 前	佐1
①松平　浩一 前(71.80) 長2		①大串　博志 前	佐2
①横光　克彦 前(71.16) 大3		①渡辺　創 新	宮1
①濱田　大造 新(63.82) 熊1		①野間　健 元	鹿3

公 明 党　4 人　1,040,756票　16.50%

当①浜地　雅一 前		当④吉田久美子 新
当②吉田　宣弘 前		⑤窪田　哲也 新
当③金城　泰邦 新		⑥中山　英一 新

日本維新の会　2人　540,338票　8.57%

当①阿部　弘樹 新(38.53)福 4		①西田　主税 新(25.57)福10
当①山本　剛正 元(37.82)福 1		①新開　崇司 新(24.96)福 2
①外山　斎 新(36.81)宮 1		▼①山川　泰博 新(20.49)沖 2

共　産　党　1人　365,658票　5.80%

	【小選挙区での当選者】
当②田村　貴昭 前	
③真島　省三 元　　　福 9	①赤嶺　政賢 前　　　沖 1
④松崎　真琴 新　　　鹿 2	

国民民主党　1人　279,509票　4.43%

	【小選挙区での当選者】
当①長友　慎治 新(60.76)宮 2	
③前野真実子 新	①西岡　秀子 前　　　長 1

その他の政党の得票数・得票率は下記のとおりです。
（当選者はいません）

政党名	得票数	得票率	
れいわ新選組	243,284票	3.86%	NHKと裁判してる党弁護士法72条違反で
社民党	221,221票	3.51%	98,506票　1.56%

衆議院選挙結果（未掲載分）

【千葉県5区】(P81参照)
当111,985 薗浦健太郎 自前(47.0)
　　比69,887 矢崎堅太郎 立新(29.3)
　　比32,241 椎木　保 維元(13.5)
　　比24,307 鴇田　敦 国新(10.2)

【東京都15区】(P96参照)
当76,261 柿沢 未途 自前(32.0)
　　比58,978 井戸 正枝 立元(24.7)
　　比44,882 金沢 結衣 維新(18.8)
　　26,628 今村 洋史 無元(11.2)
　　17,514 猪野　隆 無元(7.3)
　　9,449 桜井　誠 諸新(4.0)
　　4,608 吉田 浩司 無新(1.9)

【和歌山県1区】(P135参照)
当103,676 岸本 周平 国前(62.7)
　　比61,608 門　博文 自前(37.3)

【島根県1区】(P143参照)
当90,638 細田 博之 自前(56.0)
　　比66,847 亀井亜紀子 立前(41.3)
　　4,318 亀井 彰子 無新(2.7)

【山口県2区】(P146参照)
当109,914 岸　信 夫 自前(76.9)
　　32,936 松田一志 共新(23.1)

【山口県4区】(P147参照)
当80,448 安 倍 晋 三 自前(69.7)
　　比19,096 竹村克司 れ新(16.6)
　　15,836 大野頼子 無新(13.7)

【長崎県3区】(P158参照)
当57,223 谷 川 弥 一 自前(40.7)
　　比55,189 山田勝彦 立新(39.2)
　　25,566 山田博司 無新(18.2)
　　2,750 石本啓之 諸新(2.0)

【長崎県4区】(P159参照)
当55,968 北 村 誠 吾 自前(42.1)
　　比55,577 末次精一 立新(41.8)
　　16,860 萩原　活 無新(12.7)
　　4,675 田中隆治 無新(3.5)

衆議院小選挙区区割り詳細（未掲載分）

【北海道1区の札幌市北区・西区の一部】（P53参照）

北区（本庁管内（北六条西1～9丁目、北七条西1～10丁目、北八条西1～11丁目、北九条西1～11丁目、北十条西1～11丁目、北十一条西1～11丁目、北十二条西5～12丁目、北十三条西5～12丁目、北十四条西6～13丁目、北十六条西6～13丁目、北十七条西7～13丁目））、西区（山の手一条1～13丁目、山の手二条1～12丁目、山の手三条1～12丁目、山の手四条1～11丁目、山の手五条1～10丁目、山の手六条1～9丁目、山の手七条5～8丁目、山の手、二十四軒一条1～7丁目、二十四軒二条1～7丁目、二十四軒三条1～7丁目、二十四軒四条1～7丁目、琴似一条1～7丁目、琴似二条1～7丁目、琴似三条1～7丁目、琴似四条1～7丁目、発寒一条1～7丁目、発寒七条1丁目（14番）、発寒八条14丁目、発寒九条13丁目（5番から7番まで）、発寒八条14丁目、小別沢、宮の沢一条1～5丁目、宮の沢二条1～5丁目、宮の沢三条1～5丁目、宮の沢四条3～5丁目、宮の沢、西町南1～21丁目、西町北1～20丁目、西野一条1～10丁目、西野二条1～10丁目、西野三条1～10丁目、西野四条1～10丁目、西野五条1～10丁目、西野六条1～10丁目、西野七条1～10丁目、西野八条1～10丁目、西野九条1～9丁目、西野十条、西野十一条8丁目、西野、福井1～10丁目、福井、平和一条2～7丁目、平和二条1～11丁目、平和）

【北海道2区の札幌市北区（1区に属しない区域）】（P53参照）

本庁管内（北十二条西1～4丁目、北十三条西1～4丁目、北十四条西1～4丁目、北十五条西1～5丁目、北十六条西1～5丁目、北十七条西1～5丁目、北十八条西2～13丁目、北十九条西2～13丁目、北二十条西1～3丁目、北二十一条西2～14丁目、北二十四条西2～19丁目、北二十五条西1～18丁目、北二十六条西2～9丁目、北二十七条西2～16丁目、北二十八条西2～15丁目、北二十九条西2～14丁目、北三十条西1～10丁目、北三十一条西2～11丁目、北三十二条西2～10丁目、北三十三条西2～12丁目、北三十四条西2～9丁目、北三十八条西2～8丁目、北三十九条西3～7丁目、北四十条西4～6丁目、新川一条3～7丁目、新川二条1～7丁目、新川三条1～20丁目、新川四条1～6丁目、新川五条14～16丁目、新川五条20丁目、新川六条14～16丁目、新川六条20丁目、新川七条16丁目、新川八条17丁目、新川西一条1～4丁目、新川西二条1～5丁目、新川西三条1～7丁目、新川西四条3～4丁目、新川西五条1～6丁目、新川、新琴似一条1～13丁目、新琴似二条1～13丁目、新琴似三条1～13丁目、新琴似四条1～17丁目、新琴似五条1～17丁目、新琴似六条1～17丁目、新琴似七条1～17丁目、新琴似八条1～17丁目、新琴似九条1～16丁目、新琴似十一条1～17丁目、新琴似十二条1～17丁目、新琴似、屯田一条1～6丁目、屯田二条1～6丁目、屯田三条1～8丁目、屯田四条1～10丁目、屯田五条1～12丁目、屯田六条1～12丁目、屯田七条1～12丁目、屯田八条1～12丁目、屯田九条1～12丁目、屯田十条1～3丁目、屯田十一条1～3丁目、屯田町、麻生町1～9丁目）、篠路出張所管内

【北海道4区の札幌市西区（1区に属しない区域）】（P54参照）

八軒一条東1～5丁目、八軒二条東1～5丁目、八軒三条東1～5丁目、八軒四条東1～5丁目、八軒五条東1～5丁目、八軒六条東1～5丁目、八軒七条東1～5丁目、八軒一条西1～5丁目、八軒二条西1～5丁目、八軒三条西1～6丁目、八軒四条西1～4丁目、八軒五条西1～6丁目、八軒六条西1～6丁目、八軒七条西1～11丁目、八軒八条西1～10丁目、八軒九条西1～7丁目、八軒九条西9～11丁目、八軒十条西1～6丁目、八軒十条西9～13丁目、発寒一条2～4丁目、発寒二条1～5丁目、発寒三条1～6丁目、発寒四条1～7丁目、発寒五条2～8丁目、発寒六条3～5丁目、発寒七条2～13丁目、発寒八条4～5丁目、発寒十条1～3丁目、発寒九条3丁目、発寒八条7丁目、発寒八条9～12丁目、発寒八条13丁目（14番を除く。）、発寒九条9～12丁目、発寒九条13丁目（5番から7番までを除く。）、発寒十一条1～6丁目、発寒十一条11～14丁目、発寒十二条1～7丁目、発寒十二条11～15丁目、発寒十三条11～14丁目、発寒十四条1～5丁目、発寒十一条11～14丁目、発寒十二条1～7丁目、発寒十三条2～5丁目、発寒十三条11～14丁目、発寒十四条1～5丁目、発寒十四条11～14丁目、発寒十五条1～4丁目、発寒十五条12～14丁目、発寒十六条1～4丁目、発寒十六条12～14丁目、発寒十七条3～4丁目、発寒十七条13～14丁目

【茨城県1区の下妻市の一部】（P67参照）

下妻、長塚、砂沼新田、坂本新田、大木新田、石の宮、堀篭、坂井、比毛、横根、甲川、大宝、大谷、大串、平沼、福田、下木戸、神明、若柳、二本紀、数須、筑波島、下田、中郷、黒駒、江、平方、尻手、渋井、桐ヶ瀬、前河原、赤須、柴、半谷、大木、南原、上野、関本下、袋畑、古沢、小島、二本紀、今泉、中居指、新堀、加養、亀崎、樋橋、肘谷、山尻、谷田部、柳原、安食、高道祖、本城町1～3丁目、小野子町1～2丁目、田町1～2丁目

【栃木県1区の下野市の一部】（P69参照）

薬師寺、成田、町田、谷地賀、下文狭、田中、仁良川、本吉田、別当河原、下吉田、磯部、中川島、上川島、上吉田、三王山、下田山、上坪山、東根、祇園1～5丁目、緑1～6丁目

【埼玉県1区のさいたま市見沼区の一部】（P71参照）

大字大谷、大和田新田、卸町1～2丁目、大字加田屋新田、加田屋1～2丁目、大字片柳、片柳1～2丁目、片柳東、大字上山口新田、大字小深作、大字蓮沼、大字島、島町1～2丁目、大字新右エ門新田、大字染谷、染谷1～3丁目、大字春野1～4丁目、大字東新井、東大宮1丁目、東大宮5～7丁目、大字東宮下、大字風渡野、堀崎町、大字丸ヶ崎、丸ヶ崎町、大字御蔵、大字南中野、大字東門前、大字膝子、大字深作、大字深作1～5丁目、堀崎町、大字丸ヶ崎、丸ヶ崎町、大字御蔵、大字南中野、大字東門前、大字膝子、大字深作、大字深作1～5丁目、大字風渡野、堀崎町、大字丸ヶ崎、丸ヶ崎町、大字御蔵、大字南中野、大字谷塚1～5丁目、大字見山、大字山

【埼玉県2区の川口市の一部】（P72参照）

本庁管内、新郷・神根支所管内、芝支所管内（芝中田1～2丁目、芝宮根町、芝

169

高木1～2丁目、芝東町、芝1～4丁目、芝下1～3丁目、大字芝（3102番地から3198番地までを除く。）、芝西1丁目（1番から11番までを除く。）、芝西2丁目、芝塚原1丁目（1番及び4番を除く。）、芝塚原2丁目、大字伊刈、大字小谷場、柳崎1～5丁目、北園町、柳根町）、安行・戸塚・鳩ヶ谷支所管内

【埼玉県13区の越谷市の一部】（P72参照）

赤山町1～4丁目、赤山本町、東町1～2丁目、伊原1～2丁目、大字大里、大沢、大沢1～4丁目、大字大吉、大字大林、大字大松、大間野町1～5丁目、大字大吉、大字小曽川、大字上間久里（976番地から1075番地までを除く。）、大字蒲生、蒲生1～4丁目、蒲生茜町、蒲生旭町、蒲生愛宕町、蒲生寿町、蒲生西町1～2丁目、蒲生東町、蒲生本町、蒲生南町、川柳町1～6丁目、瓦曽根1～3丁目、大字北後谷、大字北川崎、北越谷1～5丁目、越ヶ谷、越ヶ谷1～5丁目、越ヶ谷本町、御殿町、相模町1～7丁目、七左町1丁目、七左町1～8丁目、大字砂原、千間台東1～4丁目、大成町1～8丁目、大字中島、中島1～3丁目、大字長島、中町、大字西新井、大字西方、西方1～2丁目、大字平方、登戸町、大字花田、花田1～7丁目、東大沢1～5丁目、東越谷1～10丁目、東柳田町、大字平方、平方南町、大字袋山（671番地から679番地まで、681番地から687番地まで、696番地から699番地まで、704番地、728番地から753番地まで、761番地から805番地まで、811番地から837番地まで、843番地、856番地から888番地まで、899番地から952番地まで、978番地から1021番地まで、1081番地から1162番地まで、1164番地から1187番地まで、1191番地から1218番地まで、1677番地、1717番地、1718番地、1756番地、1757番地、1851番地から2001番地まで及び2004番地から2060番地まで）、大字船渡、大字増林、増林1～3丁目、大字増森、増森1～2丁目、大字南荻島（1番地から4013番地まで、4095番地、4096番地及び4131番地から4135番地まで）、南越谷1～5丁目、南町1～3丁目、宮前1丁目、宮本町1～5丁目、大字向畑、元柳田町、弥栄町1～4丁目、大字弥十郎、谷中町1～3丁目、柳町、弥生町、流通団地1～4丁目、レイクタウン1～9丁目

【埼玉県13区の春日部市の一部、越谷市（3区に属しない区域）】（P74参照）

春日部市（赤沼、一ノ割、一ノ割1～4丁目、牛島、内牧、梅田、梅田1～3丁目、梅田本町1～2丁目、大枝、大沼1～7丁目、大場、大畑、粕壁、粕壁1～4丁目、粕壁東1～6丁目、上大増新田、上新田、小渕、栄町1～3丁目、下大増新田、下蛭田、新田、薄谷、千間1丁目、中央1～8丁目、銚子口、道口蛭田、道順川戸、豊野町1～3丁目、武里中野、新方袋、西八木崎1～3丁目、八丁目、花積、浜川戸1～2丁目、樋堀、樋籠、備後西1～7丁目、備後東1～8丁目、藤塚、不動院野、本田町1～2丁目、増富、増戸、増田新田、緑町1～6丁目、南1～5丁目、南栄町、南中曽根、八木崎町、谷原1～3丁目、谷原新田、豊町1～6丁目、六軒町）、越谷市（大竹、大字大道、大字大吉恩間、大字恩間新田、大字上間久里（976番地から1075番地まで）、大字三野宮、千間台西1～6丁目、大字袋山（671番地から679番地まで、681番地から687番地まで、696番地から699番地まで、704番地まで、728番地から753番地まで、761番地から805番地まで、811番地から837番地まで、843番地、856番地から888番地まで、899番地から952番地まで、978番地から1021番地まで、1081番地から1162番地まで、1164番地から1187番地まで、1191番地から1218番地まで、1677番地、1717番地、1718番地、1756番地、1757番地、1851番地から2001番地まで及び2004番地から2060番地までを除く。）、大字南荻島（1番地から4013番地まで、4095番地、4096番地及び4131番地から4135番地までを除く。））

【埼玉県15区の川口市の一部】（P75参照）

芝大所管内（芝新町、芝5丁目、芝樋ノ爪1～2丁目、芝富士1～2丁目、芝園町、大字芝（3102番地から3198番地まで）、芝西1丁目（1番から11番まで）、芝塚原1丁目（1番及び4番を除く。））

【千葉県5区の市川市本庁管内】（P81参照）

市川1～3丁目、市川南1～5丁目、真間1～3丁目、新田1～5丁目、平田1～4丁目、大洲1～4丁目、大和田1～5丁目、東大和田1～2丁目、稲荷木1～3丁目、八幡1～6丁目、南八幡1～5丁目、菅野1～6丁目、東菅野1～3丁目、鬼越1～2丁目、鬼高1～4丁目、高石神、中山1～4丁目、若宮1～3丁目、北方1～3丁目、本北方1～3丁目、北方町4丁目、東浜1丁目、田尻、田尻1～5丁目、高谷、高谷1～3丁目、北方町4丁目、原木、原木1～4丁目、二俣、二俣1～2丁目、二俣新町、上妙典

【千葉県10区の横芝光町の一部】（P82参照）

篠本、新井、宝米、市野原、二又、小川台、台方、傍示戸、富下、虫生、小田部、母子、芝崎、芝崎南、宮川、谷中、目篠、上原、原方、木戸、尾垂イ、尾垂ロ、篠本根切

【神奈川県7区の横浜市都筑区の一部】（P84参照）

あゆみが丘、池辺町、牛久保町、牛久保1～3丁目、牛久保西1～4丁目、牛久保東1～3丁目、大熊町、大棚町、大棚西、折本町、加賀原1～2丁目、勝田町、勝田南1～2丁目、川向町、川和台、川和町、北山田1～7丁目、葛が谷、佐江戸町、桜並木、新栄町、すみれが丘、高山、茅ヶ崎中央、茅ヶ崎東1～5丁目、茅ヶ崎南1～5丁目、中川1～8丁目、中川中央1～2丁目、長坂、仲町台1～5丁目、二の丸、早渕1～3丁目、東方町、東山田1～4丁目、東山田町、平台、富士見が丘、南山田町、南山田1～3丁目、見花山

【神奈川県10区の川崎市中原区の一部】（P85参照）

新丸子町、新丸子東、丸子通1～2丁目、丸子山王町1～2丁目、上丸子八幡町、上丸子天神町、小杉町1～3丁目、小杉御殿町1～2丁目、小杉陣屋町1～2丁目、等々力、木月1～4丁目、西加瀬、木月祇園町、木月伊勢町、木月大町、木月住吉町、苅宿、大倉町、今井上町、今井仲町、今井南町、今井西町、井田1～3丁目、井田中ノ町、上平間、田尻町、北谷町、中丸子、下沼部、上丸子、井田三舞町

【神奈川県13区の座間市の一部】（P86参照）

入谷1～5丁目、栗原、栗原中央1～6丁目、小松原1～2丁目、さがみ野1～3丁目、座間、座間1～2丁目、座間入谷、新田宿、相武台1～4丁目、立野台1～3丁目、

西栗原1〜2丁目、東原1〜5丁目、ひばりが丘1〜5丁目、広野台1〜2丁目、緑ケ丘1〜5丁目、南桜台1〜6丁目、明王、四ツ谷

【神奈川県14区の相模原市緑区・南区の一部】（P86参照）
緑区（相原、相模1〜6丁目、大島、大山町、上九沢、下九沢、田名、西橋本1〜5丁目、二本松1〜4丁目、橋本1〜8丁目、橋本台1〜4丁目、東橋本1〜4丁目、元橋本町）、南区（旭町、鵜野森1〜3丁目、大野台1〜8丁目、上鶴間1〜8丁目、上鶴間本町1〜9丁目、古淵1〜6丁目、栄町、相模大野1〜9丁目、相模台1〜7丁目（1番から18番まで）、相南2丁目（1番から12番まで、17番及び25番から28番まで）、相南3丁目（1番から26番まで及び34番から47番まで）、西大沼1〜5丁目、東大沼1〜4丁目、東林間1〜8丁目、文京1〜2丁目、御園1〜5丁目、豊町、若松1〜6丁目

【神奈川県16区の相模原市南区（14区に属しない区域）】（P87参照）
麻溝台、麻溝台1〜8丁目、新磯野、新磯野1〜5丁目、磯部、上鶴間、松が枝町1〜2丁目、相模台1〜7丁目、相模台団地、桜台、下溝、新戸、相模原1丁目（19番から24番まで）、相模原2丁目（13番から16番まで及び18番から24番まで）、相南3丁目（27番から33番まで）、相南4丁目、相武台1〜3丁目、相武台団地1〜2丁目、当麻、双葉1〜2丁目、松が枝町、御園4〜5丁目（14区に属しない区域）

【神奈川県18区の川崎市中原区（10区に属しない区域）・宮前区（9区に属しない区域）】（P87参照）
中原区（宮内1〜4丁目、新城、上新城1〜2丁目、新城1〜5丁目、新城中町、下新城1〜3丁目、上小田中1〜7丁目、下小田中1〜6丁目、井田三舞町、井田杉山町）、宮前区（向ケ丘、けやき平、神木1〜2丁目、馬絹、馬絹1〜3丁目、小台1〜2丁目、土橋1〜7丁目、有馬1〜9丁目、東有馬1〜5丁目、野川、宮崎、宮崎1〜6丁目、宮前平1〜3丁目、鷺沼1〜4丁目、梶ケ谷、菅生ケ丘、水沢1〜3丁目、潮見台、初山1〜2丁目、菅生1〜6丁目、犬蔵1〜3丁目、平1〜6丁目、五所塚1〜2丁目、南平台、白幡台1〜2丁目）

【東京都1区の港区・新宿区の一部】（P93参照）
港区（芝地区総合支所管内（芝5丁目、三田1〜3丁目）、麻布地区・赤坂地区・高輪地区総合支所管内、芝浦港南地区総合支所管内（芝浦4丁目、海岸3丁目（4番から13番まで、20番、21番及び31番から33番まで）、港南1〜5丁目、台場1〜2丁目）、新宿区（本庁管内、四谷・箪笥町・榎町・若松町・大久保・戸塚特別出張所管内、落合第一特別出張所管内（下落合1〜4丁目、中落合2丁目、高田馬場1〜3丁目、柏木・角筈特別出張所管内）

【東京都2区の港区（1区に属しない区域）、台東区の一部】（P93参照）
港区（芝地区総合支所管内（芝1〜4丁目、海岸1丁目、東新橋1〜2丁目、新橋1〜6丁目、西新橋1〜3丁目、浜松町1〜2丁目、芝大門1〜2丁目、芝公園1〜4丁目、虎ノ門1〜5丁目、愛宕1〜2丁目）、芝浦港南地区総合支所管内（芝浦1〜3丁目、海岸2丁目、海岸3丁目（1番から3番まで、14番から19番まで及び22番から30番まで）））、台東区（台東1〜4丁目、柳橋1〜2丁目、浅草橋1〜5丁目、鳥越1〜2丁目、蔵前1〜4丁目、小島1〜2丁目、三筋1〜2丁目、秋葉原、上野1〜7丁目、上野1丁目、元浅草1〜4丁目、寿1〜4丁目、駒形1〜2丁目、北上野1〜2丁目、下谷1丁目、下谷2丁目（1番から12番まで、13番6号から13番13号まで及び16番から23番まで）、下谷3丁目、根岸1〜5丁目、入谷1丁目（4番から8番まで、15番から29番から31番まで）、入谷2丁目（34番から39番まで）、竜泉1〜3丁目、西浅草1丁目、雷門1〜2丁目、浅草1丁目、浅草2丁目（1番から12番まで及び28番から35番まで）、花川戸1〜2丁目、千束2丁目（33番から36番まで）、日本堤2丁目（36番から39番まで）、三ノ輪1〜2丁目、池之端1〜4丁目、上野公園、上野桜木1〜2丁目、谷中1〜7丁目）

【東京都3区の品川区・大田区の一部】（P93参照）
品川区（品川第一・品川第二地域センター管内、大崎第一地域センター管内（東五反田1〜3丁目、西五反田1丁目、西五反田2丁目（1番から21番まで）、西五反田8丁目（1番から4番13号まで、5番、6番10号から21号まで、7番及び8番）、小山台1丁目、小山1丁目、荏原1丁目）、大崎第二地域センター管内（西五反田6丁目及び西五反田7丁目に属する区域を除く。）、大井第一・大井第二・大井第三地域センター管内、荏原第一・荏原第二・荏原第三・荏原第四・荏原第五・八潮地域センター管内）、大田区（嶺町・田園調布特別出張所管内、鵜の木特別出張所管内（鵜の木2丁目及び鵜の木3丁目に属する区域に限る。）、久が原特別出張所管内（千鳥1丁目及び池上7丁目に属する区域を除く。）、雪谷・千束特別出張所管内）

【東京都4区の大田区（3区に属しない区域）】（P94参照）
大森東・大森西・入新井・馬込・池上・新井宿特別出張所管内、鵜の木特別出張所管内（鵜の木2丁目及び鵜の木3丁目に属する区域を除く。）、久が原特別出張所管内（千鳥1丁目及び池上3丁目に属する区域に限る。）、糀谷・羽田・六郷・矢口・蒲田西・蒲田東特別出張所管内

【東京都5区の目黒区・世田谷区の一部】（P94参照）
目黒区（上目黒2丁目（47番から49番まで）、上目黒4丁目、中目黒5丁目、目黒4丁目（2番から5番まで、12番から26番まで）、下目黒4丁目（21番から23番まで）、下目黒5丁目（8番から37番まで）、下目黒6丁目、中町1〜2丁目、五本木1〜3丁目、祐天寺1〜2丁目、中央町1〜2丁目、目黒本町1〜6丁目、原町1〜2丁目、洗足1〜2丁目、南1〜3丁目、碑文谷1〜6丁目、鷹番1〜3丁目、平町1〜2丁目、大岡山1〜2丁目、緑が丘1〜3丁目、自由が丘1〜3丁目、中根1〜2丁目、柿の木坂1〜3丁目、八雲1〜5丁目、東が丘1〜2丁目）、世田谷区（下馬、太子堂・下馬・上馬・代沢・奥沢・九品仏・等々力・下馬・用賀・深沢まちづくりセンター管内）

【東京都6区の世田谷区（5区に属しない区域）】（P94参照）
若林・上町・経堂・梅丘・新代田・北沢・松原・松沢・祖師谷・成城・船橋・喜多見・砧・上北沢・上祖師谷・烏山まちづくりセンター管内

【東京都7区の品川区（3区に属しない区域）、目黒区（5区に属しない区域）、中野区の一部】（P94参照）

171

品川区（大崎第一地域センター管内（上大崎1〜4丁目、東五反田4〜5丁目、西五反田2丁目（1番から21番までを除く。）、西五反田3〜7丁目、西五反田5丁目1番から3番まで））、大崎第二地域センター管内（西五反田6丁目及び西五反田7丁目に属する区域に限る。））、**目黒区**（駒場1〜4丁目、青葉台1〜4丁目、東山1〜3丁目、大橋1〜2丁目、上目黒1丁目、上目黒2丁目（1番から46番まで）、上目黒3丁目、上目黒5丁目、中目黒1〜4丁目、三田1〜2丁目、目黒1〜3丁目、目黒4丁目（6番から11番まで）、下目黒1〜3丁目、下目黒4丁目（1番から20番まで）、下目黒5丁目（1番から7番まで））、**中野区**（南台1〜5丁目、弥生町1〜6丁目、本町1〜6丁目、中央1〜5丁目、東中野1丁目、中野1〜4丁目、中野5丁目（10番から68番まで）、新井2〜3丁目、野方1丁目、野方2丁目（1番から31番まで及び41番から62番まで））

井草1〜5丁目、上井草1〜4丁目、下井草1〜5丁目、善福寺1〜4丁目、桃井1〜4丁目、西荻北1〜5丁目、上荻1〜4丁目、清水1〜3丁目、本天沼1〜3丁目、天沼1〜3丁目、阿佐谷北1〜6丁目、阿佐谷南1〜3丁目、高円寺北1〜4丁目、高円寺南1〜5丁目、和泉1〜4丁目、堀ノ内1〜3丁目、松ノ木1〜3丁目、大宮1〜2丁目、梅里1〜2丁目、久我山1〜5丁目、高井戸西1〜3丁目、上高井戸1〜3丁目、永福1〜4丁目、浜田山1〜4丁目、下高井戸1〜5丁目、高井戸東1〜4丁目、成田東1〜5丁目、成田西1〜4丁目、荻窪1〜5丁目、南荻窪1〜4丁目、西荻南1〜4丁目、松庵1〜3丁目、宮前1〜5丁目

豊玉2丁目、豊玉中1〜4丁目、豊玉南1〜3丁目、豊玉北3〜6丁目、中村1〜3丁目、中村南1〜3丁目、中村北1〜4丁目、練馬1〜4丁目、貫井1〜5丁目、春日町1〜6丁目、高松1〜6丁目、田柄町3丁目（14番から30番までを除く。）、田柄5丁目（21番から28番までを除く。）、光が丘2〜7丁目、旭町1〜3丁目、谷原1〜6丁目、三原台1〜3丁目、石神井町1〜8丁目、石神井台1〜8丁目、下石神井1〜6丁目、東大泉1〜7丁目、西大泉町、西大泉1〜6丁目、南大泉1〜6丁目、大泉町1〜6丁目、大泉学園町1〜9丁目、関町北1〜5丁目、関町南1〜4丁目、上石神井南町、立野町、上石神井1〜4丁目、関町東1〜2丁目

新宿区（落合第一特別出張所管内（上落合1〜2丁目、中落合1丁目、中落合3〜4丁目、中井2丁目）、落合第二特別出張所管内）、**中野区**（東中野3丁目、中野5丁目（1番から9番まで）、中野6丁目、上高田1〜5丁目、新井1丁目（36番から43番まで）、新井4〜5丁目、沼袋1〜4丁目、松が丘1〜2丁目、江原町1〜3丁目、江古田1〜4丁目、丸山1〜2丁目、野方2丁目（32番から40番まで の63番から69番まで）、野方3〜6丁目、大和町1〜4丁目、白鷺1〜3丁目、鷺宮1〜6丁目、上鷺宮1〜5丁目）、**豊島区**（本庁管内（東池袋1〜5丁目、南池袋1〜4丁目、西池袋1〜4丁目、池袋1〜4丁目、池袋本町1〜4丁目、上池袋1〜4丁目、雑司が谷1〜3丁目、高田1〜3丁目、目白1〜4丁目）、東部区民事務所管内（南大塚3丁目及び東池袋5丁目に属する区域に限る。）、西部区民事務所管内）

本庁管内（板橋1〜4丁目、加賀1〜2丁目、大山東町、大山金井町、熊野町、中丸町、南町、稲荷台、仲宿、氷川町、栄町、大山町、大山西町、幸町、中板橋、仲町、弥生町、大和町、双葉町、富士見町、大谷口上町、大谷口北町、大谷口1〜2丁目、向原1〜3丁目、小茂根1〜5丁目、常盤台1〜4丁目、南常盤台1〜2丁目、東新町1〜2丁目、上板橋1〜3丁目、清水町、蓮沼町、泉町、宮本町、志村1〜3丁目、坂下1〜3丁目、東坂下1〜2丁目、小豆沢1〜4丁目、西台1〜4丁目、中台1〜3丁目、若木1〜3丁目、蓮根1〜3丁目、相生町、前野町1〜6丁目、三園2丁目、東山町、成増町、桜川1〜3丁目、成増1〜5丁目、新河岸3丁目）、赤塚支所管内

豊島区（本庁管内（東巣鴨1丁目、北大塚3丁目、上池袋5丁目）、東部区民事務所管内（南大塚3丁目及び東池袋5丁目に属する区域を除く。））、**板橋区**（本庁内（新河岸1〜2丁目、舟渡1〜4丁目））、**足立区**（入谷1〜9丁目、入谷町、扇2丁目、扇3丁目、加賀1〜2丁目、江北1〜7丁目、皿沼1〜3丁目、鹿浜1〜8丁目、新田1〜3丁目、椿1〜2丁目、舎人1〜6丁目、舎人公園、舎人町、堀之内1〜2丁目、宮城1〜2丁目、谷在家2〜3丁目）

青井1〜6丁目、足立1〜4丁目、綾瀬1〜7丁目、伊興1〜5丁目、伊興本町1〜2丁目、梅島1〜3丁目、梅田1〜8丁目、大谷田1〜5丁目、加平1〜3丁目、北加平町、栗原1〜4丁目、弘道1〜2丁目、古千谷1〜2丁目、古千谷本町1〜4丁目、佐野1〜2丁目、島根1〜4丁目、神明1〜3丁目、神明南1〜2丁目、関原1〜3丁目、千住1〜5丁目、千住曙町、千住旭町、千住大川町、千住河原町、千住寿町、千住桜木1〜2丁目、千住関屋町、千住龍田町、千住中居町、千住仲町、千住橋戸町、千住緑町1〜3丁目、千住宮元町、千住元町、千住柳町、竹の塚1〜7丁目、辰沼1〜2丁目、中央本町1〜5丁目、東和1〜5丁目、中川1〜5丁目、西綾瀬1〜4丁目、西新井1〜7丁目、西新井栄町1〜3丁目、西伊興1〜4丁目、西伊興町、西加平1〜2丁目、西竹の塚1〜2丁目、西保木間1〜4丁目、花畑1〜8丁目、西綾瀬1〜4丁目、東伊興1〜4丁目、東保木間1〜2丁目、東六月町、一ツ家1〜4丁目、日ノ出町、保木間1〜5丁目、保塚町、南花畑1〜5丁目、六木1〜2丁目、谷在家1丁目、谷中1〜5丁目、柳原1〜2丁目、六月1〜3丁目、六町1〜4丁目、扇1丁目、扇3丁目、興野1〜2丁目、西新井栄町3丁目、西新井本町1〜5丁目

東上野6丁目、下谷2丁目（13番1号から5番5号まで、13番14号から13番24号まで、14番、15番及び24番）、入谷1丁目（1番から3番まで、9番から14番まで、

21番から28番まで、32番及び33番）、入谷2丁目（1番から33番まで）、松が谷1〜4丁目、西浅草2〜3丁目、浅草7丁目（13番から27番まで）、浅草3〜7丁目、千束1丁目、千束2丁目（1番から32番まで）、千束3〜4丁目、今戸1〜2丁目、東浅草1〜2丁目、橋場1〜2丁目、清川1〜2丁目、松葉1丁目、日本堤2丁目（1番から35番まで）

【東京都16区の江戸川区の一部】（P97参照）

本庁管内（中央1〜4丁目、松島1〜4丁目、松江1〜7丁目、東小松川1〜4丁目、西小松川町、大杉1〜5丁目、西一之江1〜4丁目、春江町4丁目、一之江1〜8丁目、西瑞江4丁目、江戸川1丁目、松本1〜2丁目）、小松川・葛西・東部・鹿骨事務所管内

【東京都21区の多摩市・稲城市の一部】（P98参照）

多摩市（関戸、関戸1〜4丁目、関戸5丁目（1番から8番まで及び13番から31番まで）、連光寺、連光寺1〜6丁目、東寺方1丁目、一ノ宮、一ノ宮1〜4丁目、聖ヶ丘1丁目（1番から24番まで、35番及び44番）、聖ヶ丘2〜5丁目）、**稲城市**（坂浜、平尾、平尾1〜3丁目、長峰1〜3丁目、若葉台1〜4丁目）

【東京都22区の稲城市（21区に属しない区域）】（P98参照）

矢野口、東長沼、大丸、百村、押立、向陽台1〜6丁目

【東京都23区の稲城市（21区に属しない区域）】（P98参照）

関戸5丁目（1番から8番まで及び13番から31番までを除く。）、関戸6丁目、貝取、乙丸、和田、百草、落川、東寺方、桜ヶ丘1〜4丁目、聖ヶ丘1丁目（1番から24番まで、35番及び44番を除く。）、馬引沢1〜2丁目、山王下、中沢、唐木田、諏訪1〜6丁目、永山1〜7丁目、貝取1〜5丁目、豊ヶ丘1〜6丁目、落合1〜6丁目、鶴牧1〜6丁目、南野1〜3丁目、東寺方1丁目、和田3丁目、愛宕1〜4丁目

【東京都24区の八王子市（21区に属しない区域）】（P99参照）

横山町、八日町、八幡町、八木町、追分町、千人町1〜3丁目、日吉町、元本郷町1〜4丁目、平岡町、本郷町、大横町、本町、元横山町1〜3丁目、田町、新町、明神町1〜4丁目、子安町1〜4丁目、東町、旭町、三崎町、中町、寺町、寺町、上野町、天神町、南新町、小門町、台町1〜4丁目、中野町、晩町1〜3丁目、中野山王1〜3丁目、中野上町1〜5丁目、大和田町1〜7丁目、富士見町、緑町、清川町、東浅川町、初沢町、高尾町、南浅川町、西浅川町、裏高尾町、甘里町、下柚木、下柚木2〜3丁目、上柚木、上柚木2〜3丁目、南大沢、南陽台1〜3丁目、堀之内、堀之内2〜3丁目、鹿島、松が谷、鑓水、鑓水2丁目、南大沢1〜5丁目、松木、別所1〜2丁目、並木町、散田町1〜5丁目、山田町、めじろ台1〜4丁目、長房町、城山手1〜2丁目、狭間町、椚田町、館町、寺田町、大船町、大楽寺町、上壱分方町、諏訪町、四谷町、叶谷町、泉町、横川町、弐分方町、川口町、上川町、大自然、楢原町、美山町、尾崎町、左入町、滝山町1〜2丁目、梅坪町、谷野町、みつい台1〜2丁目、丹木町1〜3丁目、加住町1〜2丁目、宮下町、戸吹町、高月町、小比企町、片倉町、西片倉1〜3丁目、宇津貫町、みなみ野1〜5丁目、絹ヶ丘1〜3丁目、高倉町、石川町、宇津木町、平町、小宮町、久保山町1〜2丁目、大谷町、丸山町

【新潟県1区の新潟市北区・東区・中央区・江南区・南区・西区の一部】（P103参照）

北区（本庁管内（細山に属する区域に限る。）、北出張所管内（すみれ野4丁目に属する区域を除く。））、**東区**（本庁管内、石山出張所管内（亀田中島4丁目に属する区域を除く。））、**中央区**（本庁管内、東出張所管内、南出張所管内（鵜ノ子及び亀田早通に属する区域を除く。））、**江南区**（本庁管内（天野、天野1〜3丁目、栗山、姥ヶ山、江口、大淵、祖父興野、嘉木、嘉瀬、上和田、北山、久蔵興野、蔵岡、酒屋町、笹山、三王地、鐘木、須頃、曽根、楚川、曽野木1〜2丁目、太右エ門新田、俵柳、直り山、長潟、中野山、鵜ノ子に属する区域を除く。）、西山、花ノ牧、平賀、細山、舞潟、松山、丸潟新田、丸山、丸山ノ内善之丞組、茗荷谷、二ツ、両川1〜2丁目、割野、割町）、**南区**（本庁管内（天野に属する区域に限る。））、**西区**（本庁管内、西出張所管内（四ツ郷屋及び升潟新田に属する区域を除く。）、黒埼出張所管内

【新潟県2区の長岡市の一部】（P104参照）

本庁管内（西津町に属する区域のうち、平成17年3月31日において三島郡越路町の区域であった区域を除く。）、越路・三島・小国・和島・寺泊・与板支所管内

【新潟県3区の新潟市北区の一部】（P104参照）

本庁管内（細山、小杉、十二前及び横越に属する区域を除く。）、北出張所管内（すみれ野4丁目に属する区域に限る。

【新潟県4区の新潟市北区・東区・中央区・江南区・南区の一部、長岡市の一部】（P104参照）

新潟市（北区（第1区及び第3区に属しない区域）、**東区**（第1区に属しない区域）、**中央区**（第1区に属しない区域）、**江南区**（第1区に属しない区域）、**南区**（第1区及び第2区に属しない区域）、**長岡市**（中之島支所管内（押切川原町に属する区域を除く。）のうち、平成17年3月31日において長岡市の区域であった区域を除く。）、栃尾支所管内

【富山県1区の富山市の一部】（P105参照）

相生町、相木町1〜3丁目、青柳、青柳新、赤江町、赤田、秋ヶ島、秋吉、秋吉新町、悪王寺、曙町、朝日、旭町、安住町、愛宕町1〜2丁目、荒川、荒川1〜5丁目、荒川新町、荒町、新屋、有沢、有沢新町、粟島町1〜3丁目、安養寺、安養坊、飯野、池多、石金1〜3丁目、石倉町、石坂、石坂新、石坂東町、石田、石屋、泉町1〜2丁目、磯部町1〜4丁目、一番町、一本木、稲荷園町、稲荷町1〜4丁目、稲荷元町1〜3丁目、犬島1〜5丁目、犬島新町1〜2丁目、今泉、今泉西部金屋、今市、今木町、岩瀬赤田町、岩瀬天池町、岩瀬入船町、岩瀬船placeholder町、岩瀬梅本町、岩瀬御座町、岩瀬表町、岩瀬古志町、岩瀬諏訪町、岩瀬高畠町、岩瀬天神町、岩瀬禰宜町、岩瀬白山町、岩瀬文化町、岩瀬前田町、

173

岩瀬松原町、岩瀬港町、牛島新町、牛島町、牛島本町1～2丁目、打出、打出新、内幸町、梅沢町1～3丁目、上野、上野寿町、上野新、上野新町、永楽町、越前町、江本、荏原新町、蛯町、追分茶屋、大井、大泉、大泉北町、大泉中町、大泉東町1～2丁目、大泉本町1～2丁目、大泉町1～3丁目、大江干、大江干新町、大島1～4丁目、太田、太田口通り1～3丁目、於保多町、太田南町、大塚、大塚北、大塚西、大塚東、大塚南、大手町、大場、大町、大宮町、奥井町、奥田寿町、奥田新町、奥田双葉町、奥田本町、奥田町、押上、音羽町1～2丁目、雄山町、海岸通、開発、掛尾栄町、掛尾町、鹿島町1～2丁目、金代、金屋、金山新、金山新北、金山新桜ヶ丘、金山新中、金山新西、金山新東、金山新南、上赤江、上赤江町1～2丁目、上飯野、上飯野新町1～5丁目、上今町、上熊野、上栄、上庄町、上新保、上千俵町、上布目、上袋、上冨居、上冨居1～3丁目、上冨居新町、上堀南町、上本町、上八日町、願海寺、北押川、北新町1～2丁目、北代、北代新、北代中部、北代東部、北代北部、北二ツ屋、木場町、経田、経堂、経堂1～4丁目、経堂新町、経力、金泉寺、銀嶺町、久郷、草島、楠木、窪新町、窪本町、公文名、栗山、呉羽野田、呉羽町、呉羽町北、呉羽町西、黒崎、黒瀬、黒瀬北町1～2丁目、小泉町、興人町、高来、古志町1～6丁目、小島町、小杉、五艘、小中、小西、五番町、五福、五本榎、駒見、才覚寺、境野新、栄新町、栄町1～3丁目、坂下新、桜木町、桜谷みどり町1～2丁目、桜橋通り、桜町1～2丁目、山王町、三熊、三番町、七軒町、芝園町1～3丁目、島田、清水中町、清水町1～9丁目、清水元町、下赤江、下赤江町1～2丁目、下飯野、下奥井1～2丁目、下熊野、下新北町、下新西町、下新日曹町、下新本町、下新町、下野、下野新、下冨居、下冨居1～2丁目、下堀、城川原1～3丁目、庄高田、城北町、城村、城村新町、白銀町、新金代1～2丁目、新川原町、新桜町、新庄北町、新庄銀座1～3丁目、新庄本町1～3丁目、新庄町、新庄町1～4丁目、新総曲輪、新千原崎、神通本町1～2丁目、神通町1～3丁目、新富町1～2丁目、新根塚町1～3丁目、新冨居、新保、新名、杉瀬、杉谷、砂町、住友町、住吉、住吉町1～2丁目、諏訪川原1～3丁目、清風町、関、千石町1～6丁目、千成町、千俵町、総曲輪1～4丁目、惣在寺、双代町、高木、高木西、高木東、高木南、高島、高園町、高田、高畠町1～2丁目、高屋敷、宝町1～2丁目、田刈屋、館出町1～2丁目、辰尾、辰巳町1～2丁目、田中町1～5丁目、田尻、田尻西、田尻東、田尻南、田畑、珠泉西町、珠泉東町、手屋、手屋1～3丁目、太郎丸、太郎丸西町1～2丁目、太郎丸本町1～4丁目、千歳町1～3丁目、千原崎、千原崎1～2丁目、茶屋町、中央通り1～3丁目、中間島、中間島1～2丁目、千代田町、塚原、月岡新、月岡西緑町、月岡東緑町1～4丁目、月岡町1～7丁目、月見町1～7丁目、堤町通り1～2丁目、つばめ野1～3丁目、鶴ヶ丘町、寺島、寺町、寺町けや木台、天正寺、土居原町、問屋町1～3丁目、道正、任海、常盤台、常盤町、栃谷、利波、富岡町、友杉、豊丘町、豊川町、豊島町、豊城新町、豊城町、豊田、豊田本町1～4丁目、豊田町1～2丁目、豊若町1～3丁目、永久町、中市、中市1～2丁目、長江、長江1～5丁目、長江新町1～4丁目、長江東町1～3丁目、長江本町、長柄町1～3丁目、中老田、長岡、長岡新、中沖、中川原、中川原新町、中川原台1～2丁目、中島1～5丁目、中田、中田1～3丁目、中布目、中野新、中野新町1～2丁目、中冨居、中冨居新町、中屋、流杉、鍋田、南央町、西四十物町、西荒屋、西大泉、西押川、西金屋、西公文名、西公文名町、西山王町、西新庄、西町、西田地方町1～3丁目、西長江1～4丁目、西長江本町、西中野本町、西中野町1～2丁目、西野新、西番、西宮町、西二俣、西宮、蜷川、布市、布市新町、布瀬本町、布瀬町、布瀬町1～2丁目、布瀬町南1～3丁目、布目、布目北、布目西、根塚町1～4丁目、野口、野口南部、野口北部、野田、野中、野中新、野々上、野町、萩原、蓮町1～6丁目、旅籠町、畑中、八川、八人町、八ヶ山、八町、八町北、八町中、八町西、八町東、八町南、花園町1～4丁目、花木、羽根、浜黒崎、林崎、針日、針原中、針原中町、晴海台、東石金町、東岩瀬町、東岩瀬村、東老田、東田地方町1～2丁目、東富山寿町1～3丁目、東中野町1～3丁目、東流杉、東町1～3丁目、日方江、久方町、日之出町、日俣、百塚、鵯島、ひよどり南台、平榎、平岡、開、開ヶ丘、平吹町、福居、冨居栄町、不二越本町1～2丁目、不二越町、藤木、藤木新、藤木新町、藤の木園町、藤の木台1～3丁目、二口町1～5丁目、二俣、二俣新町、舟橋今町、舟橋北町、舟橋南町、古鍛冶町、古川、古沢、古寺、文京町1～3丁目、別名、星井町1～3丁目、堀、堀川小泉町、堀川小泉町1～2丁目、堀川本郷、堀川町、堀端町、本郷、本郷島、本郷新、本郷西部、本郷中部、本郷東部、本郷北部、本郷町、本町、本丸、牧田、町新、町袋、町村、町村1～2丁目、松浦町、松木、松木新、松若町、丸の内1～3丁目、三上、水落、水橋池田舘、水橋池田町、水橋石政、水橋石割、水橋伊勢屋、水橋伊勢領、水橋市江、水橋市田袋、水橋入江、水橋魚躬、水橋大町、水橋沖、水橋肘崎、水橋開発、水橋開発町、水橋鏡田、水橋堅田、水橋金尾、水橋金尾新、水橋金広、水橋上桜木、水橋上砂子坂、水橋川原町、水橋北馬場、水橋狐塚、水橋小池、水橋恋塚、水橋小出、水橋五郎丸、水橋桜木、水橋佐野竹、水橋山王町、水橋下段、水橋柴草、水橋清水堂、水橋下砂子坂、水橋下砂子坂新、水橋常願寺、水橋小路、水橋上条新町、水橋新保、水橋新堀、水橋専光寺、水橋大正、水橋高月、水橋高寺、水橋高堂、水橋舘町、水橋田伏、水橋辻ヶ堂、水橋中馬場、水橋中町、水橋中村、水橋中村町、水橋入部町、水橋畠等、水橋番頭名、水橋平榎、水橋平塚、水橋二杉、水橋二ッ屋、水橋曲淵、水橋町、水橋町袋、水橋的場、水橋柳寺、緑町1～2丁目、湊入船町、南金屋、南栗山、南新町、南田町1～2丁目、南中田、宮尾、宮条、宮園町、宮成、宮成新、宮保、宮町、向新庄、向新庄町1～8丁目、向川原町、室町通り1～2丁目、明輪町、元町1～2丁目、桃井町1～2丁目、森、森1～5丁目、森住町、森田、森若町、安田町、安野屋町1～3丁目、柳町1～4丁目、八幡、山岸、山室、山室荒屋、山室荒屋新町、山本、山本新、弥生町1～2丁目、八日町、四方、四方荒屋、四方一番町、四方恵比須町、四方北窪、四方新、四方新出町、四方神明町、四方田町、四方西岩瀬、四方二番町、四方野割町、四方港町、横内、横越、吉岡、吉倉、吉作、四ツ葉町、米田、米田すずかけ台1～3丁目、米田町1～3丁目、若竹町1～6丁目

【長野県1区の長野市の一部】（P107参照）

本庁管内、篠ノ井・松代・若穂・川中島・更北・七二会・信更・古里・柳原・浅川・大豆島・朝陽・若槻・長沼・安茂里・小田切・芋井・芹田・古牧・三輪・吉田支所管内

【静岡県1区の静岡市葵区・駿河区・清水区の一部】（P112参照）

葵区（本庁管内（瀬名川3丁目（5番25号及び5番50号から5番59号まで）に属する区域を除く。）、井川支所管内）、**駿河区**（本庁管内（谷田に属する区域のうち、平成15年3月31日において清水市の区域であつた区域を除く。）、長田支所管内）、**清水区**（本庁管内（楠（694番地1及び694番地3）に属する区域に限る。））

【静岡県3区の浜松市天竜区の一部】（P113参照）

春野町領家、春野町堀之内、春野町胡桃平、春野町和泉平、春野町砂川、春野町大時、春野町長蔵寺、春野町石打松下、春野町田黒、春野町筏戸大上、春野町五和、春野町越木平、春野町田河内、春野町牧野、春野町花島、春野町杉、春野町川上、春野町宮川、春野町気田、春野町豊岡、春野町石切、春野町小俣京丸

【静岡県7区の浜松市中区・南区の一部】（P114参照）

中区（西丘町及び花川町に属する区域に限る）、**南区**（高塚町、増楽町、若林町及び東若林町に属する区域に限る）

【愛知県6区の瀬戸市の一部】（P116参照）

川平町、本郷町（10番から1048番まで）、十軒町、鹿乗町、内田町1～2丁目、北みずの坂1～3丁目

【愛知県9区の一宮市本庁管内】（P116参照）

起、開明、上祖父江、北今、小信中島、三条、玉野、冨田、西五城、西中野、西中野番外、西萩原、蓮池、東五城、東加賀野井、明地、祐久、篭屋1～5丁目

【兵庫県5区の川西市の一部】（P132参照）

平野（字カキヲジ原）、西畦野（字丸山及び字東通りを除く。）、一庫、国崎、黒川、横路、大和東1～5丁目、大和西1～5丁目、美山台1～3丁目、丸山台1～3丁目、見野1～3丁目、東畦野、東畦野1～6丁目、東畦野山手1～2丁目、長尾町、西畦野1～2丁目、山原、山原1～2丁目、緑が丘1～2丁目、山下町、山下、笹部1～3丁目、笹部、下財町、一庫1～3丁目

【兵庫県6区の川西市（5区に属しない区域）】（P133参照）

中央町、小花1～2丁目、小戸1～3丁目、美園町、絹延町、出在家町、丸の内町、滝山町、鴬の森町、萩原1～3丁目、火打1～2丁目、松が丘町、霞ケ丘1～2丁目、日高町、栄町、花屋敷山手町、花屋敷1～2丁目、寺畑1～2丁目、栄根1～2丁目、南花屋敷1～4丁目、加茂1～6丁目、下加茂1～2丁目、久代1～6丁目、東久代1～2丁目、萩原台東1～2丁目、萩原台西1～3丁目、鴬が丘、新田1～3丁目、新田、平野1～3丁目、多田桜木1～2丁目、東多田1～3丁目、鼓が滝1～3丁目、矢問1～3丁目、矢問東町、西多田1～2丁目、錦松台、多田院1～2丁目、多田院多田所町、多田院西1～2丁目、満願寺町、満願寺、平野（字カキヲジ原を除く。）、東多田、西多田、多田院、石道、虫生、赤松、柳谷、芋生、若宮、緑台1～7丁目、向陽台1～3丁目、水明台1～4丁目、清和台東1～5丁目、清和台西1～5丁目、湯山台1～2丁目、鴬台1～2丁目、けやき坂1～5丁目、南野坂1～2丁目、西畔野（字丸山及び字東通り）、清流台

【兵庫県11区の姫路市の一部】（P134参照）

相野、青山、青山1～6丁目、青山北1～3丁目、青山西1～5丁目、青山南1～4丁目、朝日町、阿保、網干区（網干浜、大江島、大江島寺前町、大江島古川町、興浜、垣内北町、垣内中町、垣内西町、垣内東町、垣内本町、垣内南町、北新在家、坂出、坂上、新在家、田井、高田、津市場、浜田、福井、宮内、余子浜、和久）、嵐山町、飯田、飯田1～3丁目、生野町、石倉、市川台1～3丁目、市川橋通1～2丁目、市之郷、市之郷町1～4丁目、伊伝居、威徳寺町、井ノ口、今宿、岩端町、魚町、打越、梅ケ枝町、梅ケ谷町、駅前町、太市中、大塩町、大塩町汐咲1～3丁目、大塩町宮前、大津区（恵美酒町1～2丁目、大津町1～4丁目、勘兵衛町1～5丁目、北天満町、吉美、新町1～2丁目、天神町1～2丁目、天満、長松、西土井、平松、真砂町）、大野町、岡田、岡町、奥山、鍵町、柿山伏、鍛冶町、片田町、刀出、刀出栄立町、勝原区（朝日谷、大谷、勝原町、勝山町、熊見、下太田、宮田、山戸、丁）、金屋町、兼田、上大野1～7丁目、上片町、上手野、神屋町、神屋町1～6丁目、亀井町、亀山、亀山1～2丁目、川西、川西台、神田町1～4丁目、北今宿1～3丁目、北新在家1～3丁目、北原、北平野1～6丁目、北平野奥垣内、北平野台町、北平野南の町、北八代1～2丁目、北夢前台1～2丁目、木場、木場十八反町、木場前中町、木場前七反町、京口町、京町1～3丁目、楠町、久保町、栗山町、車崎1～3丁目、景福寺前、国府寺町、五軒邸1～4丁目、小姓町、琴岡町、古二階町、河間町、呉服町、米屋町、小利木町、五郎右衛門邸、紺屋町、西庄、材木町、幸町、堺町、坂田町、坂元町、定元町、三左衛門堀西の町、三左衛門堀東の町、三条町1～2丁目、塩町、飾磨区（英賀、英賀春日町1～2丁目、英賀清水町1～3丁目、英賀西町1～3丁目、英賀東町1～2丁目、英賀保駅前町、英賀宮台、英賀宮町1～2丁目、阿成、阿成植木、阿成鹿古、阿成下垣内、阿成中垣内、阿成渡場、今在家、今在家2～7丁目、今在家北1～3丁目、入船町、恵美酒、大浜、粕谷新町、構、構1～5丁目、鎌倉町、上野田1～6丁目、亀山、加茂、加茂北、加茂東、加茂南、御幸、栄町、三和町、思案橋、清水、清水1～3丁目、下野田1～4丁目、城南町1～3丁目、須加、高町、高町1～2丁目、蓼野町、玉地、玉地1丁目、付城、付城1～2丁目、天神、都倉1～3丁目、中島、中島1～3丁目、中野田1～4丁目、中浜町1～3丁目、西浜町1～3丁目、野田町、東堀、富士見ケ丘町、細江、堀川町、宮、三宅1～3丁目、妻鹿、妻鹿東海町、妻鹿常盤町、妻鹿日田町、矢倉町1～2丁目、山崎、山崎台、若宮町）、飾西、飾西台、飾東町大釜、飾東町大釜新、飾東町小原、飾東町小原新、飾東町唐端新、飾東町北野、飾東町北山、飾東町清住、飾東町佐良和、飾東町塩崎、飾東町志吹、飾東町庄、飾東町豊国、飾東町八重畑、飾東町山崎、飾東町夕陽ケ丘、四郷町明田、四郷町上鈴、四郷町坂元、四郷町中鈴、四郷町東阿保、四郷町本郷、四郷町見野、四郷町山脇、東雲町1～6丁目、忍町、実法寺、下手野1～6丁目、下寺町、十二所前町、庄田、城東町、城東町京口台、城東町五軒屋、城東町清水、城東町竹之門、城東町中河原、城東町野田、城東町毘沙門、城北新町1～3丁目、城北本町、書写、書写台1～3丁目、白国、白国1～5丁目、白浜町、白浜町宇佐崎北1～3丁目、白浜町宇佐崎中1～3丁目、白浜町宇佐崎南1～2丁目、白浜町神田1～2丁目、白浜町寺家1～2丁目、

白浜町灘浜、白銀町、城見台1〜4丁目、城見町、新在家、新在家1〜4丁目、新在家中の町、新在家本町1〜6丁目、神和町、菅生台、総社本町、大黒壱丁町、大寿台1〜2丁目、大善町、田井台、高岡新在家、高尾町、鷹匠町、竹田町、龍野町1〜6丁目、立町、田寺1〜8丁目、田寺東1〜4丁目、田寺山手町、玉手、玉手1〜4丁目、地内町、中地、中地南町、町南、町坪、町坪南町、千代田町、辻井1〜9丁目、辻が花町、土山東の町、手柄、手柄1〜2丁目、天神町、東郷町、同心町、豆腐町、砥堀、苫編、苫編南1〜2丁目、豊沢町、豊富町甲丘1〜3丁目、豊富町豊富、豊富町御蔭、名古山町、南条、南条1〜3丁目、二階町、西今宿1〜8丁目、西駅前町、西新在家1〜3丁目、西新町、西大寺台、西二階町、西延末、西八代町、西夢前台1〜3丁目、西脇、仁豊野、農人町、南畝町、南畝町1丁目、野里、野里慈恩寺前町、野里月正寺町、野里上野町、野里寺町、野里東同心町、野里東町、野里堀留町、野里大利町、延末、延末1丁目、白鳥台1丁目、博労町、橋之町、花影町1〜3丁目、花田町一本松、花田町小川、花田町加納原田、花田町上原田、花田町高木、花田町勅旨、林田町大堤、林田町奥佐見、林田町上伊勢、林田町上構、林田町口佐見、林田町久保、林田町下伊勢、林田町下構、林田町新町、林田町中構、林田町中山下、林田町林田、林田町林谷、林田町松山、林田町六九谷、林田町八幡、林田町山田、東今宿1〜4丁目、東駅前町、東辻井1〜4丁目、東延末、東延末1〜5丁目、東山、東夢前台1〜3丁目、平野町、広畑区（吾妻町1〜3丁目、大町1〜3丁目、蒲田、蒲田1〜5丁目、北河原町、北野町1〜2丁目、京見町、小坂、小松町1〜4丁目、才、清水町1〜3丁目、末広町、末広町1〜3丁目、正門通1〜4丁目、高浜町1〜4丁目、鶴町1〜2丁目、長町1〜2丁目、西蒲田、西夢前台4〜8丁目、則直、早瀬町1〜3丁目、広畑1〜3丁目、東新町、本町4丁目、別所、本町1〜6丁目、夢前町1〜4丁目、広峰1〜2丁目、広嶺山、福居町、福沢町、福中町、福本町、藤ケ台、双葉町、船丘町、船橋町1〜2丁目、別所町家具町、別所町北宿、別所町小林、別所町佐土、別所町佐土1〜3丁目、別所町佐土新、別所町別所、別所町別所1〜5丁目、北条、北条梅原町、北条1丁目、北条宮の東、良町、北条宮の東、保城、坊主町、峰南町、本町、増位新町1〜2丁目、増位本町1〜2丁目、の形町福泊、の形町形、丸尾町、御国野町国分寺、御国野町御着、御国野町西御着、御国野町深志野、神子岡前1〜4丁目、御立北1〜4丁目、御立中1〜5丁目、御立東1〜6丁目、御立東1〜6丁目、御立西1〜5丁目、南、今宿、南駅前町、南車崎1〜2丁目、南新在家、南町、南八代町、宮上町1〜2丁目、宮西町1〜4丁目、睦町、元塩町、元町、八木、八木町、八代、八代東光寺町、八代本町1〜2丁目、八代緑ケ丘町、八代宮前町、安田1〜4丁目、柳町、山田町北山田、山田町南山田、山田町西山田、山田町牧野、山田町夢前台、山田町山田、山畑新田、山吹1〜2丁目、吉田町、米田町、余部区（上川原、上余部、余部、六角、若葉町1〜2丁目））

【岡山県1区の岡山市北区・南区の一部、吉備中央町本庁管内】（P143参照）

岡山市（北区（本庁管内（祇園、後楽園、中原及び牟佐に属する区域を除く。）、御津・建部支所管内。**南区**（青江6丁目、あけぼの町、泉田、泉田1〜5丁目、内尾、浦安西町、浦安南町、大福、海岸通1〜2丁目、古新田、市場1〜2丁目、下中野、新福1〜2丁目、新保、洲崎1〜3丁目、妹尾、妹尾崎、曽根、立川町、築港栄町、築港新町1〜2丁目、築港ひかり町、築港緑町1〜3丁目、築港元町、千鳥町、当新田、富浜町、豊成1〜3丁目、豊浜町、中畦、並木町1〜2丁目、南輝1〜3丁目、西市、西畦、浜野1〜4丁目、平福1〜2丁目、福島1〜4丁目、福田、福富西1〜2丁目、福富東1〜2丁目、福成1〜3丁目、福浜西町、福浜西町、福浜町、藤田、秀金1〜3丁目、松浜町、万倍、箕島、三浜町1〜2丁目、山田、米倉、若葉町）、**吉備中央町**（広面、上加茂、下加茂、美原、加茂市場、高谷、竹荘、竹部、上田東、細田、三納谷、上田西、円城、案田、高富、神瀬、船津、小森）

【岡山県3区の真庭市】（P144参照）

本庁管内、蒜山・落合・勝山・美甘・湯原振興局管内

【山口県1区の周南市の一部】（P146参照）

本庁管内、新南陽・鹿野総合支所管内、熊毛・鼓海・久米・菊川・夜市・戸田・湯野・大津島・向道・長穂・須々万・中須・須金支所管内

【香川県1区の高松市の一部】（P151参照）

本庁管内、勝賀総合センター管内、山田支所管内、鶴尾・太田・木太・古高松・屋島・前田・川添・林・三谷・仏生山・一宮・多肥・川岡・円座・檀紙・女木・男木出張所管内

【愛媛県1区の松山市の一部】（P151参照）

本庁管内、桑原・道後・味生・生石・垣生・三津浜・久枝・潮見・和気・堀江・余土・興居島・久米・湯山・伊台・五明・小野支所管内、浮穴支所管内（北井門2丁目に属する区域に限る。）、石井支所管内

【高知県1区の高知市の一部】（P152参照）

上町1〜5丁目、木下、水通町、通町、唐人町、与力町、鷹匠町1〜2丁目、本町1〜5丁目、升形、帯屋町1〜2丁目、追手筋1〜2丁目、廿代町、永国寺町、丸ノ内1〜2丁目、中の島、九反田、葉鉛場町、農人町、城見町、堺町、南はりまや町1〜2丁目、弘化台、桜井町1〜2丁目、はりまや町1〜3丁目、宝永町、弥生町、丸池町、小倉町、東雲町、与力町、神田、稲荷町、若松町、高知、杉井流、北金田、南金田、札場、南御座、北御座、南川添、北川添、北久保、南久保、海老ノ丸、中宝永町、東宝永町、二葉町、入明町、洞ケ島町、寿町、中水道、幸町、伊勢崎町、相模町、吉田町、愛宕町1〜4丁目、大川筋1〜2丁目、梅ノ辻、相生町、江陽町、北本町1〜4丁目、新本町1〜2丁目、昭和町、和泉町、塩田町1〜4丁目、栄田町1〜3丁目、井口町、平和町、三ノ丸、宝前町、西町、大膳町、山ノ端町、桜馬場、城北町、北八反町、宝町、小津町、越前町1〜2丁目、新屋敷1〜2丁目、八反町1〜2丁目、東城山町、城山町、東石立町、石立町、玉水町、縄手町、鏡川町、下島町、旭町1〜3丁目、赤石町、中須賀町、旭駅前町、元町、南元町、旭上町、水源町、本宮町、上本

宮町、大谷、岩ケ淵、鳥越、塚ノ原、西塚ノ原、長尾山町、旭天神町、佐々木町、北端町、山手町、横内、口細山、尾立、蓮台、福井町、福井町、福井東町、池、仁井田、種崎、十津1〜6丁目、吸江、五台山、屋頭、高須、葛島1〜4丁目、高須新町1〜3丁目、高須砂地、高須新木、高須1〜3丁目、高須東町、高須西町、高須絶海、高須大谷、高須大島、布師田、一宮、薊野、重倉、久礼野、薊野西町1〜3丁目、薊野北町1〜7丁目、薊野東町、薊野中町、薊野南町、一宮西町1〜4丁目、一宮しなね1〜2丁目、一宮南町1〜2丁目、一宮中町1〜3丁目、一宮徳谷、愛宕山、前里、東秦泉寺、中秦泉寺、三園町、西秦泉寺、北秦泉寺、宇津野、三谷、七ツ淵、加賀野井1〜2丁目、愛宕山南町、秦南町1〜2丁目、東久万、中久万、西久万、潮見台1〜3丁目、万々、中万々、南万々、柴巻、円行寺、一ツ橋町1〜2丁目、みづき1〜3丁目、みづき山、大津甲、大津乙、介良甲、介良乙、介良丙、介良、潮見台1〜3丁目、鏡大河内、鏡小浜、鏡大利、鏡今井、鏡草峰、鏡白岩、鏡狩山、鏡吉原、鏡的渕、鏡去坂、鏡竹奈路、鏡敷ノ山、鏡柿ノ又、鏡横矢、鏡増原、鏡島山、鏡梅ノ木、鏡小山、土佐山菖蒲、土佐山西川、土佐山梶谷、土佐山、土佐山高川、土佐山桑尾、土佐山都網、土佐山弘瀬、土佐山中切

【福岡県2区の福岡市南区・城南区の一部】 （P155参照）

南区（那の川1丁目、那の川2丁目（1番から4番まで）、大楠1〜3丁目、清水1〜4丁目、玉川町、塩原1〜4丁目、大橋団地、大橋1〜4丁目、高木1〜3丁目、五十川1〜2丁目、井尻1〜5丁目、折立町、横手1〜4丁目、横手南町、皿山1〜4丁目、中尾1〜3丁目、日佐1〜2丁目、日佐4〜5丁目、向新町1〜2丁目、高宮1〜5丁目、多賀1〜2丁目、宮竹1〜2丁目、筑紫丘1〜2丁目、野間1〜4丁目、若久団地、若久1〜6丁目、三宅1〜3丁目、南大橋1〜2丁目、和田1〜4丁目、野多目1〜3丁目、野多目4丁目（1番から3番まで、18番号1から18番14号まで、18番61号から18番82号まで及び19番から30番まで）、野多目5丁目、老司1丁目（1番1号から1番17号まで、1番29号から1番48号まで、2番から4番まで、5番18号から5番36号まで、6番及び7番69号から7番28号まで）、市崎1〜2丁目、大池1〜2丁目、平和1〜2丁目、平和4丁目、寺塚1〜2丁目、柳河内1〜2丁目、皿山1〜4丁目、中尾1〜3丁目、花畑1〜4丁目、屋形原1〜5丁目、鶴田4丁目（1番1号から1番8号まで、1番44号から1番47号まで、3番5号から3番38号まで及び3番38号から3番54号まで）、長丘1〜5丁目、長住1〜7丁目、西長住1〜3丁目、大字桧原、桧原1〜7丁目、大平寺1〜2丁目、大字柏原、柏原1丁目（1番から25番まで及び27番から55番まで）、柏原3〜7丁目）、**城南区**（鳥飼4〜7丁目、別府団地、別府1〜7丁目、城西団地、荒江団地、荒江1丁目、飯倉1丁目、飯倉1〜6丁目、茶山1〜6丁目、金山団地、七隈1〜2丁目、七隈3丁目（1番から5番まで、8番24号、8番31号から8番44号まで、15番6から19番まで、20番17号から20番24号まで及び20番25号から20番67号まで）、松山1〜2丁目、友丘1〜6丁目、友泉亭、長尾1〜5丁目、樋井川1〜7丁目、宝台団地、堤団地、堤1〜2丁目、東油山1〜6丁目、大字東油山、大字片江、片江1〜5丁目、南片江1〜6丁目、西片江1〜2丁目、神松寺1〜3丁目）

【福岡県3区の福岡市城南区（2区に属しない区域）】 （P155参照）

七隈3丁目（6番、7番、8番1号から8番23号まで、8番25号から8番30号まで、8番45号、8番46号、9番から14番まで、20番5号から20番24号まで及び21番から23番まで）、七隈4〜8丁目、干隈1〜2丁目、梅林1〜5丁目、大字梅林

【福岡県5区の福岡市南区（2区に属しない区域）】 （P156参照）

日佐3丁目、警弥郷1〜3丁目、柳瀬1〜2丁目、弥永1〜5丁目、弥永団地、野多目4丁目（14番から17番まで、18番15号から18番60号まで、31番及び32番）、野多目6丁目、老司1丁目（1番18号から1番28号まで、1番37号から5番53号まで、7番1号から7番8号まで、7番29号から5番39号まで及び8番から35番まで）、老司2〜5丁目、鶴田1〜3丁目、鶴田4丁目（1番9号から1番43号まで、2番、3番1号から3番4号まで、3番25号から3番37号まで、3番55号から3番60号まで及び4番から54番まで）、柏原1丁目（26番）、柏原2丁目

【大分県1区の大分市の一部】 （P160参照）

本庁管内、鶴崎・大南支所管内、稙田支所管内（大字廻栖野（618番地から747番地まで、830番地から832番地まで、833番地1、833番地3から836番地3まで、838番地1から838番地2まで、841番地、1587番地、1591番地から1618番地まで及び1620番地）に属する区域を除く。）、大在・坂ノ市・明野支所管内

【常任委員会】

内閣委員（40）
（自22）（立7）（維教4）（公3）
（共1）（国1）（有1）（れ1）

長 星野剛士 自
理 上野賢一郎 自
理 高木啓 自
理 冨樫博之 自
理 中山展宏 自
理 太栄志 立
理 森田俊和 立
理 堀場幸子 維教
理 庄子賢一 公
青山周平 自
井上貴博 自
泉田裕彦 自
大西英男 自
大野敬太郎 自
神田潤一 自
小森卓郎 自
鈴木英敬 自
土田慎 自
鳩山二郎 自
平沼正二郎 自
牧島かれん 自
本田太郎 自
中川郁子 自
井原巧 自
石原宏高 自
金子俊平 自
坂井学 自
寺田稔 自
中西健治 自
西野太亮 自
根本幸典 自
長坂康正 自
古川直季 自
保岡宏武 自
おおつき紅葉 立
本庄知史 立
逢坂誠二 立
中谷一馬 立
山崎誠 立
山岸一生 立
阿部司 維教
金村龍那 維教
住吉寛紀 維教
河西宏一 公
福重隆浩 公
塩川鉄也 共
浅野哲 国
緒方林太郎 有
大石あきこ れ

総務委員（40）
（自22）（立8）（維教4）（公3）
（共1）（国1）（無1）

長 古屋範子 公
理 斎藤洋明 自
理 藤原崇 自
理 所嘉德 自
理 中川貴元 自
理 田所嘉德 自
理 田中良生 自

法務委員（35）
（自20）（立7）（維教4）
（公3）（共1）

長 武部新 自
理 田所嘉德 自
理 熊田裕通 自
理 笹川博義 自
理 中野英幸 自
理 牧原秀樹 自
理 道下大樹 立
理 米山隆一 立
理 池下卓 維教
五十嵐清 自
東国幹 自
稲田朋美 自
今枝宗一郎 自
新垣邦男 立
鎌田さゆり 立

（長）＝委員長・会長、（理）＝理事、（幹）＝幹事、議員氏名の右は会派名

財務金融委員（40）
(自22)（立9)（維教4) (公3)（共1)（無1)

長	津島 淳	自
理	井上 貴博	自
理	金子 俊平	自
理	神田 潤一	自
理	稲富 修二	立
理	櫻井 周	立
理	伊東 信久	維教
理	中川 康洋	公
	石井 拓	自
	大野 敬太郎	自
	大塚 拓	自
	神田 潤一	自
	鈴木 隼人	自
	田中 英之	自
	中西 健治	自
	中山 展宏	自
	藤原 崇	自
	古川 禎久	自
	宮下 一郎	自
	山田 美樹	自
	若林 健太	自
	山本 左近	自
	江田 憲司	立
	階 猛	立
	末松 義規	立
	下条 みつ	立
	野間 健	立
	馬場 雄基	立
	藤巻 健太	維教
	沢田 良	維教
	掘場 幸子	維教
	中川 宏昌	公
	平林 晃	公
	田村 貴昭	共
	吉田 豊史	無

(以下、財務金融委員 続き)

髙橋 アルフィヤ、道下 大樹、米山 隆一、野田 佳彦、住吉 寛紀、英利 アルフィヤ、奥野 信亮、斎藤 洋明、高村 正大、谷川 とむ、野中 厚、藤丸 敏、見山 …、川原 …、根本 幸典、野口 …、口 …、原口 一博、林 幹雄、田畑 裕明、利 …、鎌田 さゆり、寺田 学、山 …、阿部 弘樹、斎藤 アレックス、美延 映夫、日下 正喜、平林 晃

外務委員（30）
(自17)（立5)（維教4) (公2)（共1)（有1)

長	勝俣 孝明	自
理	城内 実	自
理	鈴木 貴子	自
理	中川 郁子	自
理	藤井 比早之	自
理	源馬 謙太郎	立
理	青柳 陽一郎	立
理	和田 有一朗	維教
理	竹内 譲	公
上	小田原 潔	自
	黄川田 仁志	自
	高木 啓	自
	島尻 安伊子	自
	武井 俊輔	自
	西銘 恒三郎	自
	深澤 陽一	自
	穂坂 泰	自
	宮路 拓馬	自
	小熊 慎司	立
	松原 仁	立
	鈴木 敦	国
	徳永 久志	有
	金城 泰邦	公
	穀田 恵二	共
	吉田 とも代	維教
	塩川 鉄也	…

文部科学委員（40）
(自23)（立8)（維教4) (公3)（共1)（国1)

長	田野瀬 太道	自
理	寺田 稔	自
理	村井 英樹	自
理	中村 裕之	自
理	山本 左近	自
理	小林 茂樹	自
理	中 …	自
理	永 …	立
理	山 …	維教
理	坂本 祐之輔	立
理	牧 義夫	立
理	金村 龍那	維教

[理] 浮島智子 公
青山周平 自
井出庸生 自
上杉謙太郎 自
尾身朝子 自
勝目康 自
木村次郎 自
岸信千世 自
小林茂樹 自
柴山昌彦 自
鈴木貴子 自
根本幸典 自
船田元 自
古川直季 自
三谷英弘 自
宮内秀樹 自
山口晋 自
山本左近 自
義家弘介 自
青山大人 立
菊田真紀子 立
下条みつ 立
吉川元 立
吉田はるみ 立
笠浩史 立
早坂敦 維教
堀場幸子 維教
前原誠司 維教
平林晃 公
鰐淵洋子 公
宮本岳志 共
西岡秀子 国

厚生労働委員(45)

(自25)(立10)(維教4)
(公3)(共1)(国1)(有1)

[長] **新谷正義** 自
[理] 大岡敏孝 自
[理] 大串正樹 自
[理] 橋本岳 自
[理] 三谷英弘 自
[理] 井坂信彦 立
[理] 中島克仁 立
[理] 遠藤良太 維教
[理] 伊佐進一 公
秋葉賢也 自
畦元将吾 自
上田英俊 自
勝目康 自
金子容三 自
川崎ひでと 自
塩崎彰久 自
鈴木英敬 自
田所嘉徳 自
田畑裕明 自
田村憲久 自
高階恵美子 自
中谷真一 自
仁木博文 自
堀内詔子 自
本田太郎 自
三ッ林裕巳 自
柳本顕 自
山本左近 自
吉田真次 自
阿部知子 立
大西健介 立
堤かなめ 立
西村智奈美 立
山井和則 立
柚木道義 立
吉田統彦 立
早稲田ゆき 立
足立康史 維教
一谷勇一郎 維教
岬麻紀 維教
福重隆浩 公
吉田久美子 公
宮本徹 共
田中健 国
福島伸享 有

農林水産委員(40)

(自22)(立9)(維教3)
(公3)(共1)(国1)(有1)

[長] **野中厚** 自
[理] 伊東良孝 自
[理] 小島敏文 自
[理] 古川康 自
[理] 山口壯 自
[理] 近藤和也 立
[理] 野間健 立
[理] 池畑浩太朗 維教
[理] 角田秀穂 公
東国幹 自
五十嵐清 自
上田英俊 自
江藤拓 自
加藤竜祥 自
神田憲次 自
小寺裕雄 自
髙鳥修一 自
橘慶一郎 自
中川郁子 自
西野太亮 自
細田健一 自
堀井学 自
宮下一郎 自
保岡宏武 自
簗和生 自
山口晋 自
梅谷守 立

鈴木　義弘　国

国土交通委員(45)

(自25)(立9)(維教4)(公3)
(共1)(国1)(有1)(れ1)

役	氏名	党
長	長坂　康正	自
理	あかま　二郎	自
理	泉田　裕彦	自
理	小林　茂樹	自
理	小島　敏文	自
理	佐々木　紀	自
理	小里　泰弘	自
理	小宮山　泰子	立
理	城井　崇	立
理	伊藤　渉	公
	三ッ林　裕巳	自
	石橋　林太郎	自
	大西　英男	自
	金子　恭之	自
	菅家　一郎	自
	國場　幸之助	自
	小島　敏文	自
	高木　啓	自
	土井　亨	自
	中川　郁子	自
	中村　裕之	自
	西田　昭二	自
	鳩山　二郎	自
	深澤　陽一	自
	古川　康	自
	三谷　英弘	自
	宮内　秀樹	自
	簗　和生	自
	枝野　幸男	立
	神津　たけし	立
	小宮山　泰子	立
	福田　昭夫	立
	馬場　雄基	立
	赤木　正幸	維教
	漆間　譲司	維教
	高橋　英明	維教
	伊東　信久	維教
	日下　正喜	公
	髙橋　千鶴子	共
	古川　元久	国
	福島　伸享	有
	たがや　亮	れ

環境委員(30)

(自17)(立7)(維教4)(公2)

役	氏名	党
長	務台　俊介	自
理	畦元　将吾	自
理	伊藤　忠彦	自

（国土交通委員つづき）

美延　映夫	維教
裕　士彦	維教
史　創郎	公
稲津　久	公
古川　元久	国
金子　恵美	立
神谷　裕	立
川内　博史	立
田辺　貴勝	維教
渡辺　勇	—
掘井　健	—
稲　正	共
山田　貴	—
長　慎	有
北　圭	—

経済産業委員(40)

(自23)(立8)(維教4)(公3)(共1)(国1)

役	氏名	党
長	岡田　克也	公
理	小松　裕	自
理	本　洋	自
理	林　幹雄	自
理	三鷹　隼人	自
理	木下　貴達	自
理	成之　平司	立
理	岡島　一正	自
理	野原　正巳	自
	井原　巧	自
	岡　優子	自
	藤丸　敏	自
	田光　拓	自
	木内　竜	自
	樫山　憲	自
	田川　淳	自
	井上　孝	自
	内清　芳	自
	際田　祥	自
	田林　博	自
	島合　次	自
	山徳　貴	自
	嶋村　司	立
	崎野　健	立
	秀明　弘	自
	皇太　之	自
	大敦　夫	立
	真弘　一	自
	義彦　学	自
	健要樹	自
	貴郎一	立
	展輔郎	維教
	和正	維教
	浩泰弘	公
	剛亮	共
	宣	—

維　治平　紀雄　賢
維　義良　寛一　政
教
公　浅岩　住北　側嶺
共　川谷　吉
　　赤北

国家基本政策委員(30)
(自18)(立6)(維教3)
(公1)(共1)(国1)

長　根本　匠　自
　　子之　英一　武　朗　宏　一　充　也　三　四　自
理　金子　佐藤　平　御法川　後藤　笠　藤井　井上　渕上　山田　村　海　羽　梶　金田　渡　丹西　葉浜　茂森　鷲泉　岡中　長徳　馬志　玉
　　恭　勉　信　祐浩文啓太　生　山　田　村　羽田　金田　渡　丹西　葉浜　茂森　鷲泉　岡中　長徳　馬志　玉
党　自自立立維教公自自自立自立自立維教公自自自立自立自立維教公共国
　　英克喜　久伸和　雄一郎　昭夫　志　位一　玉

予算委員(50)
(自28)(立11)(維教4)
(公4)(共1)(国1)

長　小野寺　五典　自
　　野賢勝　信岳則司道生孝也　自
理　上加島牧奥山漆佐井伊　子郎子郎一　自自自立立維教公共国
　　尻藤橋野間藤出東　安伊れ一譲英庸達　和敬　総　かん　んん
　　伊井藤　自自立維教公自自自立立維教公自自自立

安全保障委員(30)
(自16)(立7)(維教4)
(公2)(共1)

長　小泉　進次郎　自
　　田根丸徳辺川塚田見田谷島本垣葉井原良
　　志康隆敏嗣彦周健和　宏聡昌徳拓脉裕太元久志尚明男み豪邦光なつみ
理　黄川田　川曽宮藤若重渡斎中江大杉武中長細松松和新玄酒篠屋
　　中曽根　丸德辺藤川渡塚田見田谷島本垣葉井原
　　仁康隆敏嗣彦周健和アレックス宏聡昌徳拓脉裕太元久志尚明男みなつ豪博邦光一つみ朝
党　自自自立立維公自自自立立維アレックス自自自立立維公自自自立立維公自自立

自自自自自立立立立維維公れ無無

中西健治・野田聖子・田野瀬太道・田畑裕明・田所嘉徳・村井英樹・稲田朋美・一川介・一郎こ・一周雄・夫元・一人・訓太・一樹・郎一里・亮利・隆
萩生田光一・福田達夫・松本剛明・三反園訓・反町・村上誠一郎・森山裕・山口・吉川・青柳・大串・櫻井・手塚・谷田川・浦野・遠藤・佐藤・庄子・櫛渕・秋本・池畑
康聖光達博誠英ともひろ正陽ま
本野柳原井塚川野藤藤子渕本田
谷村田田田野園上

議院運営委員（25）

(自14)(立6)(維教2)
(公1)(共1)(国1)

- 長　山口俊一
- 理　橘慶一郎
- 理　谷川とむ
- 理　丹羽秀樹
- 理　武藤容治
- 理　鷲尾英一郎
- 理　青柳陽一郎
- 理　後藤祐一
- 理　遠藤敬
- 理　井野俊郎

自自自自自自立立立立立維維維公共国

一一樹治郎一敬一生郎郎巳馬司輔郎基也哲
慶真秀容英陽祐恵庸俊正次太賢謙雄はる鉄
木三宮源吉中塩浅　本ッ山伊

決算行政監視委員（40）

(自21)(立8)(維教3)
(公3)(れ2)(無2)(欠1)

- 長　小里泰弘
- 理　小林鷹之
- 理　川崎ひでと
- 理　淳史
- 理　也明

立自自自自立自立自自維公自自自立自自自自自自

明之治司彦巳浩磨明信文毅文
史英貴信一和隆鐵利將博
林中西下坂谷本重崎藤倉村木橋
中山井中杉福江遠小高棚

懲罰委員(20)
(自10)(立7)(維教1)(公1)(欠1)

(長)	立	中川正春
(理)	自	奥野信亮
(理)	自	林幹雄
(理)	自	武部新
(理)	自	吉野正芳
(理)	自	逢坂
	自	甘利明
	自	菅家一郎
	維	二階俊博
	自	丹羽秀樹
	立	葉梨康弘
	立	鷲尾英一郎
	公	安住淳
		小沢
		大串博志
		菅
		高木

【特別委員会】

災害対策特別委員(35)
(自20)(立7)(維教3)(公3)(共1)(国1)

(長)	自	後藤茂之
(理)	自	金子俊平
(理)	自	坂井学
(理)	自	笹川博義
(理)	自	宮路拓馬
(理)	立	菊田真紀子
(理)	立	渡辺創
(理)	維教	堀井学
(理)	公	日下正喜
(理)	共	東国幹
(理)	国	石川
	自	江田
	自	金子
	自	金城
	自	国定勇人
	自	杉田水脈
	自	髙橋
	自	藤丸敏
	自	松本
	自	篠原豪
	自	山本
	自	若林健太
	自	渡辺
	自	小宮山
	立	神津たけし

（前委員会からの続き）
- 渡辺周　立
- 池下卓　維教
- 鈴木敦　維教
- 中川宏昌　公
- 笠井亮　共

沖縄及び北方問題に関する特別委員（25）
（自14）（立5）（維教3）（公2）（共1）

- ◯長　佐藤公治　立
- ◯理　伊東良孝　自
- ◯理　島尻安伊子　自
- ◯理　鈴木貴子　自
- ◯理　西銘恒三郎　自
- ◯理　神谷裕　公
- ◯理　高橋英明　維教
- ◯理　金城泰邦　公
- 　　東国幹　自
- 　　井上貴博　自
- 　　鈴木隼人　自
- 　　武井俊輔　自
- 　　中谷真一　自
- 　　宮内秀樹　自
- 　　山口晋　自
- 　　和田義明　自
- 　　新垣邦男　立
- 　　松木けんこう　立
- 　　奥下剛光　維教
- 　　藤巻健太　維教
- 　　赤嶺政賢　共

北朝鮮による拉致問題等に関する特別委員（25）
（自14）（立5）（維教3）（公2）（共1）

- ◯長　小熊慎司　立
- ◯理　熊田裕通　自
- ◯理　高木啓　自
- ◯理　司通明　自
- ◯理　下村博文　自
- ◯理　西村明宏　自
- ◯理　和田有一朗　維教
- 　　田村憲久　自
- 　　北条智奈　自
- 　　山崎正恭　自
- 　　出畑実　自
- 　　藤森... 自
- 　　木田... 自
- 　　鳥田... 自
- 　　山本左近　自
- 　　佐々木紀　自
- 　　櫻井周　立
- 　　杉田水脈　自
- 　　高山... 自
- 　　山岸一生　立
- 　　近藤... 弘

消費者問題に関する特別委員（35）
（自20）（立7）（維教3）（公3）（共1）（国1）

- ◯長　秋葉賢也　自
- ◯理　小倉將信　自
- ◯理　武内俊輔　自
- ◯理　中山展宏　自
- ◯理　青山周平　自
- ◯理　大西英男　自
- ◯理　堀内詔子　自
- ◯理　大野敬太郎　自
- 　　吉田... 自
- 　　井林辰憲　自
- 　　勝目康　自
- 　　岸信千世　自
- 　　金村アルフィヤ　自
- 　　鈴木英敬　自
- 　　高木宏壽　自
- 　　中曽根康隆　自
- 　　永岡桂子　自
- 　　船田元　自
- 　　松本尚　自
- 　　三ッ林裕巳　自
- 　　石原宏高　自
- 　　大河原まさこ　立
- 　　大山... 立
- 　　岬麻紀　維教
- 　　日... 立
- 　　鰐淵洋子　公

東日本大震災復興特別委員（40）
（自22）（立8）（維教4）（公3）（共1）（国1）（有1）

- ◯長　髙階恵美子　自
- ◯理　小林鷹之　自
- ◯理　寺林... 自
- ◯理　坂井学　自
- ◯理　井... 久　自

自 郎
自 郎　次
自 紀司亭　卓　村森木井根川田清部坂　木小佐鈴土中古細宗阿逢菅田野
自 幸康一二人要　淳　嶋間部本内野井野　逢菅田野阿空竹中笠浅
自 健喜譲昌亮哲　一　健皇知誠直　弘誠洋

地域活性化・こども政策・デジタル社会形成に関する特別委員(35)
(自20)(立7)(維教3)(公3)(共1)(国1)

㊟長 谷
㊟理
公
一 治 明 ん 雄 一 弘
井 小 中 島 本 岡 谷 西 村 杉 田 寺
上 林 中 牧 藤 一 河 今 上 黄 小 橋
小 田 牧 岡 藤 川 田 井 川 本 田 丸 井 岡 本 井 本 谷 田 稲
土 中 橋 福 藤 堀 柳 城 坂 中 福 早
信 史 英 か あ 隆 勇 雅 仁 裕 慶 と
郎 弘 志 雄 郎 む 慎 亨 子 岳 夫 敏 学 武 顕 崇 輔 馬 夫 き
太 一 郎 と
郁 達 宏
祐 一 昭 ゆ

原子力問題調査特別委員(35)
(自20)(立7)(維教3)(公3)(共1)(国1)

㊟長 平
㊟理 泉
㊟理 大
田 西 村 藤 野 崎 野 林 元 村 田 渡 岡 田
中 武 伴 山 小 平 畦 今 上 江 大 神
将　明 彦
裕 英 裕 男 之 治 豊 誠 輔 晃 吾 弘 俊 徳 孝 次
容　泰
将 雅 英 聡 敏 憲

（右欄党派記号）自 自 自 自 自 自 自 立 立 立 維教 公 公 共 国 有

㊟委員会

國重徹〔公〕　赤嶺政賢〔共〕　玉木雄一郎〔国〕　北神圭朗〔有〕

【情報監視審査会】

情報監視審査会委員(8)
(自4)(立2)(維教1)(公1)

- （長）岩屋　毅　〔自〕
- 伊藤　達也　〔自〕
- 藤村　　　　〔自〕
- 田村　　　　〔自〕
- 葉梨　康弘　〔立〕
- 伊藤　俊輔　〔立〕
- 山　　　宏　〔維教〕
- 大口　善徳　〔公〕

【政治倫理審査会】

政治倫理審査会委員(25)
(自14)(立6)(維教2)
(公2)(共1)

- （長）田中　和徳　〔自〕
- 武藤　容治　〔自〕
- 丹羽　秀樹　〔自〕
- 羽生田　　　〔自〕
- 鷲尾　英一郎〔自〕
- 稲富　　　　〔自〕
- 富田　　　　〔自〕
- 水出　　　　〔自〕
- 原　　　　　〔自〕
- 野　　　　　〔自〕
- 井　　　　　〔自〕
- 石中　　　　〔自〕
- 葉本　　　　〔自〕
- 宮山　　　　〔自〕
- 枝　　　　　〔立〕
- 亀　　　　　〔立〕
- 牧　　　　　〔立〕
- 笠　　　　　〔立〕
- 岩　　　　　〔立〕
- 河西　　　　〔立〕
- 田　　　　　〔維教〕
- 　　　　　　〔維教〕
- 　　　　　　〔公〕
- 　　　　　　〔公〕
- 　　　　　　〔共〕

赤木　正幸　〔維教〕
伊東　信久　〔維教〕
伊佐　進一　〔公〕
浮島　智子　〔公〕
高橋　千鶴子〔共〕
田中　健　　〔国〕

【憲法審査会】

憲法審査会委員(50)
(自27)(立11)(維教5)
(共4)(公1)(国1)(有1)

- （長）森　英介　〔自〕
- 加藤　勝信　〔自〕
- 小林　鷹之　〔自〕
- 寺田　稔　　〔自〕
- 中谷　元　　〔自〕
- 船田　元　　〔自〕
- 逢沢　一郎　〔自〕
- 新藤　義孝　〔自〕
- 下村　博文　〔自〕
- 井野　俊郎　〔自〕
- 井出　庸生　〔自〕
- 伊藤　達也　〔自〕
- 石破　茂　　〔自〕
- 稲田　朋美　〔自〕
- 越智　隆雄　〔自〕
- 大塚　拓　　〔自〕
- 城内　実　　〔自〕
- 黄川田　仁志〔自〕
- 熊田　裕通　〔自〕
- 中川　貴元　〔自〕
- 長島　昭久　〔自〕
- 古川　禎久　〔自〕
- 細田　健一　〔自〕
- 三谷　英弘　〔自〕
- 山田　賢司　〔自〕
- 山下　貴司　〔自〕
- 山本　ともひろ〔自〕
- 大島　　　　〔立〕
- 奥野　総一郎〔立〕
- 城井　崇　　〔立〕
- 近藤　昭一　〔立〕
- 階　　猛　　〔立〕
- 篠原　豪　　〔立〕
- 牧　　義夫　〔立〕
- 吉田　はるみ〔立〕
- 青柳　仁士　〔立〕
- 岩谷　良平　〔立〕
- 小野　泰輔　〔維教〕
- 三木　圭恵　〔維教〕
- 大河原　　　〔共〕

会派名の表記は下記の通り。
自＝自由民主党・無所属の会
立＝立憲民主党・無所属
維教＝日本維新の会・教育無償化
　　　を実現する会
公＝公明党
共＝日本共産党
国＝国民民主党・無所属クラブ
有＝有志の会
れ＝れいわ新選組
無＝無所属
欠＝欠員

2005年以降の主な政党の変遷 (数字は年月)

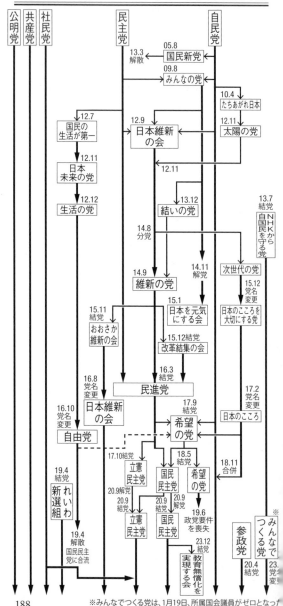

公明党
共産党
社民党
民主党
自民党

05.8 国民新党

13.3 解散

09.8 みんなの党

10.4 たちあがれ日本

12.7 国民の生活が第一

12.9 日本維新の会

12.11 太陽の党

12.11 日本未来の党

12.11

12.12 生活の党

13.12 結いの党

13.7 結党 NHKから国民を守る党

14.8 分党

14.11 解党

14.9 維新の党

14.11 次世代の党

15.12 党名変更 日本のこころを大切にする党

15.1 日本を元気にする会

15.11 結党 おおさか維新の会

15.12 結党 改革結集の会

16.3 結党 民進党

16.8 党名変更 日本維新の会

16.10 党名変更 自由党

17.2 党名変更 日本のこころ

17.9 結党 希望の党

17.10 結党 立憲民主党

18.5 国民民主党

希望の党

18.11 合併

19.4 結党 れいわ新選組

19.4 解散 国民民主党に合流

20.9解党 立憲民主党

20.9 結党 国民民主党

20.9 解党 政党要件を喪失

19.6 政党要件を喪失

23.12 結党 教育無償化を実現する会

参政党

20.4 結党

※みんなでつくる党

23. 党名変更

188

※みんなでつくる党は、1月19日、所属国会議員がゼロとなっ

参 議 院

● 凡例 　記載内容は原則として令和6年7月1日現在。

選挙区　　定　数

第25回選挙得票数・得票率　　第26回選挙得票数・得票率
　（令和元年7月21日）　　　　　（令和4年7月10日）

得票数の左の▽印は繰り上げ当選者の資格を持つ法定得票数獲得者。

ふり がな	党派＊（会派）選挙年 当選回数 出身地　　　　　生年月日 勤続年数（うち㊙年数）(初当選年)
氏　　名	
略　　歴	［現職はゴシック。但し大臣・副大臣・ 政務官、委員会及び党役職のみ。］

〒　地元　住所　　　　　　☎
〒　東京　住所　　　　　　☎

●編集要領

○ 住所に宿舎とあるのは議員宿舎、会館とあるのは議員会館。
○ 党派名、自民党の派閥名（[　]で表示）を略称で表記した。

自 …自由民主党	**れ** …れいわ新選組	［麻］…麻生派
立 …立憲民主党	**社** …社会民主党	［無］…無派閥
公 …公明党	**参** …参政党	（　）内は会派名
維 …日本維新の会	**教** …教育無償化を	● 立憲…立憲民主・社民
共 …日本共産党	実現する会	● 国民…国民民主・新緑風会
国 …国民民主党	**無** …無所属	● 沖縄…沖縄の風
		● N党…NHKから国民を守る党

○ 常任委員会

内閣委員会……………………**内閣委**	国土交通委員会……………………**国交委**
総務委員会……………………**総務委**	環境委員会……………………………**環境委**
法務委員会……………………**法務委**	国家基本政策委員会……………**国家基本委**
外交防衛委員会………………**外交防衛委**	予算委員会……………………………**予算委**
財政金融委員会………………**財金委**	決算委員会……………………………**決算委**
文教科学委員会………………**文科委**	行政監視委員会……………………**行政監視委**
厚生労働委員会………………**厚労委**	議院運営委員会……………………**議運委**
農林水産委員会………………**農水委**	懲罰委員会……………………………**懲罰委**
経済産業委員会………………**経産委**	

○ 特別委員会

災害対策特別委員会 ……………………………………………………**災害特委**
政府開発援助等及び沖縄・北方問題に関する特別委員会 ……**ODA・沖北特委**
政治改革に関する特別委員会 ……………………………………**政治改革特委**
北朝鮮による拉致問題等に関する特別委員会 ………………………**拉致特委**
地方創生及びデジタル社会の形成等に関する特別委員会 ……**地方・デジ特委**
消費者問題に関する特別委員会 …………………………………**消費者特委**
東日本大震災復興特別委員会 ……………………………………**復興特委**

○ 調査会・審査会

外交・安全保障に関する調査会 …………………………………**外交・安保調**
国民生活・経済及び地方に関する調査会 ……………………**国民生活調**
資源エネルギー・持続可能社会に関する調査会 ………………**資源エネ調**
憲法審査会 ……………………………………………………………**憲法審**
情報監視審査会 ………………………………………………………**情報監視審**
政治倫理審査会 ………………………………………………………**政倫審**

※所属の委員会名は、6月24日現在の委員部資料及び議員への取材に基づいて掲
　載しています。
※勤続年数・年齢は令和6年8月末現在
＊新…当選1回の議員。前…当選2回以上で、選出される選挙時点で参議院議員で
　あった議員。元…当選2回以上で、選出される選挙時点では、参議院議員で
　なかった議員、または当選2回以上で、繰上補欠もしくは、補欠選挙により選
　出された議員。

参議院議員・秘書名一覧

議員名	党派(会派)	選挙区／選挙年	政策秘書名／第1秘書名／第2秘書名	号室	直通／FAX	略歴頁
あ あだちとしゆき 足立敏之	自[無]	比例④	竹本睦二／島田俊友／中山麻友	501	6550-0501／6551-0501	227
あだちまさし 阿達雅志	自[無]	比例④	土屋達之介／長岐平紀／安西直	309	6550-0309／6551-0309	228
あおきあい 青木愛	立	比例④	———	507	6550-0507／6551-0507	231
あおきかずひこ 青木一彦	自[無]	鳥取・島根④	武戸崇哉／吉青哲弘／佐々木行	814	6550-0814／3502-8825	261
あおしまけんた 青島健太	維	比例④	有働正美／剱持益叔／高橋之	405	6550-0405／6551-0405	230
あおやましげはる 青山繁晴	自[無]	比例④	三浦麻未／中村香奈枝／入間川和美	1215	3581-3111(代)	226
あかいけまさあき 赤池誠章	自[無]	比例元	中島朱美／松岡俊一	524	6550-0524／6551-0524	216
あかまつけん 赤松健	自[無]	比例④	広野文治／日高周／梨紗	423	6550-0423／6551-0423	226
あきのこうぞう 秋野公造	公	福岡④	中條壽信／前田康裕／明石洋子	711	6550-0711／6551-0711	265
い あさおけいいちろう 浅尾慶一郎	自[麻]	神奈川④	東海林大雄／三谷智祐／長谷有	601	6550-0601／6551-0601	249
あさだひとし 浅田均	維	大阪④	熊谷知志／平岡紀政／坪坂	621	6550-0621／6551-0621	258
あさひけんたろう 朝日健太郎	自[無]	東京④	桑門真哉／代内淳紀／宮	620	6550-0620／6551-0620	247
あずまとおる 東徹	維	大阪元	吉高則宏／成野隆龍／柊哉	510	6550-0510／6551-0510	257
ありむらはるこ 有村治子	自[麻]	比例元	髙部弘光子／渡中桃／田恵三	1015	6550-1015／6551-1015	215
い いのうえさとし 井上哲士	共	比例④	児玉彦光司／広浦真修／藤	321	6550-0321／6551-0321	221
いのうえよしゆき 井上義行	自[無]	比例④	佐梅善洋徳史／帖地恭雅	920	6550-0920／6551-0920	228
いとうがく 伊藤岳	共	埼玉元	石岡介也／川磯拓恵／磯ヶ谷理恵	609	6550-0609／6551-0609	243
いとうたかえ 伊藤孝江	公	兵庫④	本園孝薫／谷田晃朋／武一久	1014	6550-1014／6551-1014	259
いとうたかえ 伊藤孝恵	国	愛知④	中川浩一司／永井陽平	1008	6550-1008／6551-1008	255

※内線電話番号は、5＋室番号（3～9階は5のあとに0を入れる）

参議員・秘書

議員名	党派（会派）	選挙区選挙年	政策秘書名 第1秘書名 第2秘書名	号室	直通 FAX	略歴頁
いは よういち 伊波洋一 （沖縄）	無	沖縄	末廣　哲介 伊波　俊介 高江洲満子	519	6550-0519 6551-0519	269
いく いな あき こ 生稲晃子	自 [無]	東京④	伊藤　慎一 永瀬祐見子 後藤　大介	904	6550-0904 6551-0904	247
いし い あきら 石井　章	維	比例④		1204	6550-1204 6551-1204	229
いし い じゅんいち 石井準一	自 [無]	千葉④	森崎　大輔 東野田公光 山田　俊男	506	6550-0506 5512-2606	244
いし い ひろ お 石井浩郎	自 [無]	秋田④	黒川茂敦雄子 畑澤　淳一 千葉　浩	713	6550-0713 6551-0713	240
いし い まさ ひろ 石井正弘	自 [無]	岡山元	近藤　儀道 大淵善一代 石田真佐代	1214	6550-1214 6551-1214	261
いし い みつ こ 石井苗子	維	比例④	橋本　範子 森本　卓矢	1115	6550-1115 6551-1115	229
いしがきのりこ 石垣のりこ	立	宮城元	青木まり子	813	6550-0813 6551-0813	239
いし かわ たい が 石川大我	立	比例④	榎本　順一 浜原健一伍亜 飛鳥斗	1113	6550-1113 6551-1113	218
いし かわ ひろ たか 石川博崇	公	大阪④	櫻井久美子 青木正伸 本浦正志	616	6550-0616 6551-0616	258
いし だ まさ ひろ 石田昌宏	自 [無]	比例元	五反分正彦 大田京子 橋本祥太朗	1101	6550-1101 6551-1101	215
いし ばし みち ひろ 石橋通宏	立	比例④	渡辺卓也 鈴木良知子 伊藤　学	523	6550-0523 6551-0523	231
いそ ざき よし ひこ 磯﨑仁彦	自 [無]	香川④	冨田久寿雄也 後藤　康弘 竹内　宏	624	6550-0624 6551-0624	264
いそ ざき てつ じ 礒﨑哲史	国	比例④	長谷康人	1210	6550-1210 6551-1210	221
いの ぐち くに こ 猪口邦子	自 [麻]	千葉④		1105	6550-1105 6551-1105	245
いの せ なお き 猪瀬直樹	維	比例④	樋澤　悟彦 中嶋徳彦 龍田かおり	513	6550-0513 6551-0513	229
いまい えり こ 今井絵理子	自 [麻]	比例④	柳澤浩美 吉川夏貴也 川﨑多津也	315	6550-0315 6551-0315	228
いわ ぶち とも 岩渕　友	共	比例④	安部由美子 阿部　了 小島あずみ	1002	6550-1002 6551-1002	233
いわ もと つよ ひと 岩本剛人	自 [無]	北海道元	荒木真一子 小林三奈子 原　雅	205	6550-0205 6551-0205	237
うえ だ いさむ 上田　勇	公	比例④	嶋林秀一行也 時田　能 大井源也	1212	6550-1212 6551-1212	232

議員名	党派(会派)	選挙区／選挙年	政策秘書名／第1秘書名／第2秘書名	号室	直通／FAX	略歴頁
上田清司（うえだきよし）	無	埼玉④	池田麻里／西澤理恵	618	6550-0618／6551-0618	244
上野通子（うえのみちこ）	自[無]	栃木④	齋藤淳夫／根本龍夫／横田地美佳	918	6550-0918／6551-0918	242
臼井正一（うすいしょういち）	自[無]	千葉④	江熊富美代／大森裕祐／鹿嶋志介	909	6550-0909／6551-0909	245
打越さく良（うちこしさくら）	立	新潟④	山田希望／相墨武人／石田佳	901	6550-0901／6551-0901	249
梅村聡（うめむらさとし）	維	比例元	北野大地／———	326	6550-0326／6551-0326	220
梅村みずほ（うめむら）	維	大阪元	浅田淳志／松嶋東一／大嶋公一	1004	6550-1004／6551-1004	257
江島潔（えじまきよし）	自[無]	山口④	三浦善一郎／根亮晃／亀永誉見	1103	6550-1103／6551-1103	263
衛藤晟一（えとうせいいち）	自[無]	比例元	北村賢一／柴佳史／清水剛	1216	6550-1216／6551-1216	216
小沢雅仁（おざわまさひと）	立	比例元	加藤陽子／秋野健太郎	1119	6550-1119／6551-1119	217
小沼巧（おぬまたくみ）	立	茨城元	西恵美子／四倉茂	1012	6550-1012／6551-1012	241
小野田紀美（おのだきみ）	自[無]	岡山元	山口栄利香／石原千絵	318	6550-0318／6551-0318	261
尾辻秀久（おつじひでひさ）	無	鹿児島元	松尾有嗣	515	6550-0515／3595-1127	268
越智俊之（おちとしゆき）	自[無]	比例④	皆川洋平／一瀬晃一朗／張富栄偉	821	6550-0821／5512-5121	229
大家敏志（おおいえさとし）	自[麻]	福岡④	石田麻子／伊佐隆泰／柴田敏夫	518	6550-0518／6551-0518	265
大島九州男（おおしまくすお）	れ	比例④繰		714	6550-0714／6551-0714	233
大塚耕平（おおつかこうへい）	無[国民]	愛知元	河本安子／岩﨑孝史／川越崇	1121	6550-1121／6551-1121	254
大椿ゆうこ（おおつばき）	社	比例元繰	野崎哲／西山慧吾／小野寺葉月	906	6550-0906／6551-0906	222
大野泰正（おおのやすただ）	無	岐阜元	岩井佳子／田中雅斗／高木まゆみ	503	6550-0503／6551-0503	252
太田房江（おおたふさえ）	自[無]	大阪元	郷千鶴子／川端威臣／片山哲生	308	6550-0308／6551-0308	257
岡田直樹（おかだなおき）	自[無]	石川④	丹後智浩／下大学／大畠央三	807	6550-0807／6551-0807	250

参 議員・秘書

う・え・お

※内線電話番号は、5＋室番号（3～9階は5のあとに0を入れる）

議　員　名	党派 (会派)	選挙区 選挙年	政策秘書名 第１秘書名 第２秘書名	号室	直通 FAX	略歴 頁
おく むら まさ よし **奥村政佳**	立	比例^元繰	鈴　木　敬　行 中田かすみ 小　泉　陽　菜	914	6550-0914 6551-0914	218
おと きた しゅん **音喜多　駿**	維	東京④	小　林　優　輔 下　濱　あやこ 下　山　達　人	612	6550-0612 6551-0612	246
おに き まこと **鬼木　誠**	立	比例④	鳥　越　保　浩 三　木みどり	511	6550-0511 6551-0511	230
か だ ひろ ゆき **加田裕之**	自 [無]	兵庫③	福　田　聖　也 藤　本　哲　也 宇都宮祥一郎	819	6550-0819 6551-0819	259
か とう あき よし **加藤明良**	自 [無]	茨城④	大　塚　典　子 前　田　拓　哉 雨　澤　陸　希	414	6550-0414 6551-0414	241
か だ ゆき こ **嘉田由紀子**	教	滋賀③	安　部　秀　行 五月女彩子 田　　　代　直	815	6550-0815 6551-0815	256
かじ はら だい すけ **梶原大介**	自 [無]	比例④	吉　澤　昌　樹 泉　　　栄　恵 宍　戸　麻里子	201	6550-0201 6551-0201	226
かた やま **片山さつき**	自 [無]	比例④	源　平　尚　人 山　下　英　二 山　崎　規　恵	420	6550-0420 6551-0420	227
かた やま だい すけ **片山大介**	維	兵庫③	三　井　敏　弘 近　藤　純　和	721	6550-0721 6551-0721	259
かつ べ けん じ **勝部賢志**	立	北海道^元	田　中　信　彦 片　桐　眞　眞 花　田　雅　和	608	6550-0608 6551-0608	237
かね こ みち ひと **金子道仁**	維	比例④	宮　米　宗　冬 山　内　宏　明	1013	6550-1013 6551-1013	230
かみ や そう へい **神谷宗幣**	参	比例④	上　原千可子 高　岩　勝　人 和　田　美　士	520	6550-0520 6551-0520	234
かみ や まさ ゆき **神谷政幸**	自 [麻]	比例④	楽　原　　　健 五十嵐哲也 内　田　美　和	1218	6550-1218 6551-1218	228
かみ とも こ **紙　智子**	共	比例④	田　共　生　実 小　松　正　英	710	6550-0710 6551-0710	221
かわ い たか のり **川合孝典**	国	比例④	平　澤　幸　子 海　保　順　一	1223	6550-1223 6551-1223	233
かわ だ りゅうへい **川田龍平**	立	比例④	稲　葉　治　久 小　室　靖　浩	508	6550-0508 6551-0508	218
かわ の よし ひろ **河野義博**	公	比例④	新　保　正　則 矢　野　久　枝 芝　田　博　子	720	6550-0720 6551-0720	219
き むら えい こ **木村英子**	れ	比例^元	入　野田智也 堤　　　昌　昌	314	6550-0314 6551-0314	222
きら よし こ **吉良よし子**	共	東京^元	加　菊　昭　宏 菊　田　佳　介 恒　川　京　子	509	6550-0509 6551-0509	246
きし ま き こ **岸　真紀子**	立	比例^元	岸野ミチル 米　田　由美子 森　木　亮　太	611	6550-0611 6551-0611	217

議員名	党派(会派)	選挙区選挙年	政策秘書名第1秘書名第2秘書名	号室	直通FAX	略歴頁
北村経夫 きた むら つね お	自[無]	山口元補	菅 渡 田 誠志 田 部 仁志 黒 坂 仁	1109	6550-1109 6551-1109	262
く 串田誠一 くし だ せいいち	維	比例④	大 塚 莉 沙 新 山 美 香	1203	6550-1203 6551-1203	230
窪田哲也 くぼ た てつ や	公	比例④	細 田 千鶴子 仮 屋 雄 一	202	6550-0202 6551-0202	232
熊谷裕人 くま がい ひろ と	立	埼玉	上 原 広 野 口 浩	1217	6550-1217 6551-1217	243
倉林明子 くらばやしあき こ	共	京都元	増 田 優 子 佐 藤 萌 海	1021	6550-1021 6551-1021	256
こ こやり隆史 たかし	自[無]	滋賀元	増 田 綾 子 田 村 敏 一 田中里佳子	716	6550-0716 6551-0716	256
小池 晃 こいけ あきら	共	比例④	丸 井 龍 平 吉 井 芳 明 槐 島 志 香	1208	6550-1208 6551-1208	220
小西洋之 こ にし ひろ ゆき	立	千葉④	千 葉 章 鈴 木 宏 明 小 野 寺 章	915	6550-0915 6551-0915	245
小林一大 こ ばやしかず ひろ	自[無]	新潟④	橋 本 美奈子 向 井 崇 浩	416	6550-0416 6551-0416	249
古賀千景 こ が ち かげ	立	比例④	前 川 浩 司 坂 上 貴 子	409	6550-0409 6551-0409	230
古賀友一郎 こ がゆういちろう	自[無]	長崎元	高 田 久美子 葉 山 史 織 坂 爪 ひとみ	1206	6550-1206 6551-1206	266
古賀之士 こ が ゆき ひと	立	福岡④	川 口 良 治 片 山 治 浩 西 田 久 美	1108	6550-1108 6551-1108	265
古庄玄知 こ しょうはる とも	自[無]	大分④	原 川 敬 一 川 口 純 男 古庄はる子	907	6550-0907 6551-0907	267
上月良祐 こう づきりょうすけ	自[無]	茨城元	岸 田 礼 子 平 島 剛 幸 瀧 幸	704	6550-0704 6551-0704	241
さ 佐々木さやか ささき	公	神奈川元	長 岡 光 明 古 屋 伸 一 高 木 和 明	514	6550-0514 6551-0514	248
佐藤 啓 さ とう けい	自[無]	奈良④	榎 本 政 子 寺 内 清 有 岩 本 智	708	6550-0708 6551-0708	260
佐藤信秋 さ とうのぶ あき	自[無]	比例元	玉 村 貴 安 田 和 博 富 山 明 彦	722	6550-0722 6551-0722	215
佐藤正久 さ とう まさ ひさ	自[無]	比例元	橋 谷 田 洋 介 野 口 マ キ	705	6550-0705 6551-0705	215
齊藤健一郎 さいとうけんいちろう	無(N党)	比例④繰	渡 辺 久 子 本 間 文 穂 丸 山 美 高	304	6550-0304 6551-0304	234
斎藤嘉隆 さい とう よし たか	立	愛知④	石 田 敏 高 市 川 晶 幸 若 松 善 幸	707	6550-0707 6551-0707	255

※内線電話番号は、5＋室番号（3〜9階は5のあとに0を入れる）

議員名	党派(会派)	選挙区選挙年	政策第1秘書名 / 第2秘書名 / 秘書名	号室	直通 FAX	略歴頁
酒井庸行（さかいやすゆき）	自[無]	愛知	忽那薫二子 / 鈴木秀純 / 歌川	723	6550-0723 / 6551-0723	254
櫻井充（さくらいみつる）	自[無]	宮城④	庄司央和 / 菅原正幸 / 尾形子	512	6550-0512 / 6551-0512	239
里見隆治（さとみりゅうじ）	公	愛知④	黒田泰広 / 山下高明 / 長尾稔	301	6550-0301 / 6551-0301	254
山東昭子（さんとうあきこ）	自[麻]	比例元	勝島岳人 / 俣田好隆 / 岡谷政春	310	6550-0310 / 6551-0310	216
清水貴之（しみずたかゆき）	維	兵庫④	上杉真子 / 濱真こ / 小福西弥ろ	404	6550-0404 / 6551-0404	258
清水真人（しみずまさと）	自[無]	群馬④	三留哲郎 / 佐藤始 / 神田彩	923	6550-0923 / 6551-0923	242
自見はなこ（じみ）	自[無]	比例④	讃岐浩士 / 佐藤裕之 / 大畑美	504	6550-0504 / 6551-0504	227
塩田博昭（しおたひろあき）	公	比例元	橋本正博 / 菊地淑康 / 尾形彦	1117	6550-1117 / 6551-1117	219
塩村あやか（しおむら）	立	東京元	石井茂 / 丸子知奈美	706	6550-0706 / 6551-0706	246
柴愼一（しばしんいち）	立	比例④	高木智章 / 加藤久美子	1009	6550-1009 / 6551-1009	231
柴田巧（しばたくみ）	維	比例元	吉岡彩乃 / 富田道康 / 牧毅	816	6550-0816 / 6551-0816	220
島村大（しまむらだい）		神奈川元	（令和5年8月30日死去）			248
下野六太（しものろくた）	公	福岡元	奈良文麿 / 須成松明 / 野川清貫	913	6550-0913 / 6551-0913	265
白坂亜紀（しらさかあき）	自[無]	大分元補	神川輝浩 / 大塚信久 / 園久美綾	419	6550-0419 / 6551-0419	267
進藤金日子（しんどうかねひこ）	自[無]	比例④	豊田輝久 / 知花正博 / 佐々木理恵	719	6550-0719 / 6551-0719	228
榛葉賀津也（しんばかづや）	国	静岡元	堀田厚志 / 池田由佳 / 林高玲	1011	6550-1011 / 6551-0026	253
末松信介（すえまつしんすけ）	自[無]	兵庫④	荒金美保 / 根松健真治 / 中末帆	905	6550-0905 / 5512-2616	259
杉久武（すぎひさたけ）	公	大阪元	小川神輝高 / 久神保司 / 井崎光城	615	6550-0615 / 6551-0615	257
杉尾秀哉（すぎおひでや）	立	長野④	山根弘吉 / 小林睦秀 / 原直樹	724	6550-0724 / 6551-0724	252
鈴木宗男（すずきむねお）	無	比例元	赤松真次 / 飯居和翔 / 堀美	1219	6550-1219 / 6551-1219	220

議員名	党派(会派)	選挙区選挙年	政策第1秘書名第2秘書名	号室	直通 FAX	略歴頁
せ 世耕弘成 せ こう ひろ しげ	無	和歌山③	佐藤司治 福井康周 花田基	1017	6550-1017 6551-1017	260
関口昌一 せき ぐち まさ かず	自[無]	埼玉④	多田政恵 関口弘太 齋藤亮	1104	6550-1104 6551-1104	244
た 田島麻衣子 た じま ま い こ	立	愛知元	藤田真信 河合由弘 廣田直美	410	6550-0410 6551-0410	254
田中昌史 た なか まさ し	自[無]	比例元繰	上野裕子 内藤貴司	505	6550-0505 6551-0505	217
田名部匡代 た な ぶ まさ よ	立	青森④	大谷佳子 八田歳博 中村春希	1106	6550-1106 6551-1106	238
田村智子 た むら とも こ	共	比例④	岩藤智彦 寺下美 関恵美子	908	6550-0908 6551-0908	232
田村まみ た むら	国	比例元	─────	910	6550-0910 6551-0910	221
高木かおり たか ぎ	維	大阪④	近藤晶久 石田航一	306	6550-0306 6551-0306	258
高木真理 たか ぎ ま り	立	埼玉④	森千代子 細川千恵子 浅沼祐輝	317	6550-0317 6551-0317	244
高橋克法 たか はし かつ のり	自[麻]	栃木④	網野辰男 阿久津伸之 市村綾子	324	6550-0324 6551-0324	242
高橋はるみ たかはし	自[無]	北海道元	斎藤伸志 小西崇 三上聖静	303	6550-0303 6551-0303	237
高橋光男 たか はし みつ お	公	兵庫④	深草知行 青木勇人 中間和住	614	6550-0614 6551-0614	259
髙良鉄美 たか ら てつ み	無(沖縄)	沖縄元	新澤有紀 知念祐	712	6550-0712 6551-0712	269
滝沢求 たき さわ もとめ	自[麻]	青森元	平岡久宣文 野月法文 細谷真理子	522	6550-0522 6551-0522	238
滝波宏文 たき なみ ひろ ふみ	自[無]	福井元	磯村圭一 前畑正治 橋本純子	307	6550-0307 6551-0307	251
竹内真二 たけ うち しん じ	公	比例④	金甲守正 半田拓巳 中村純一	801	6550-0801 6551-0801	231
竹詰仁 たけ づめ ひとし	国	比例④	小池上徹 井塚越深美	406	6550-0406 6551-0406	233
竹谷とし子 たけ や と し こ	公	東京④	池田奈保美 松下秋子 萩野谷明子	517	6550-0517 6551-0517	247
武見敬三 たけ み けい ぞう	自[麻]	東京元	牧野能治 畠山恵美子 安藤拓海	413	6550-0413 6206-1502	246
谷合正明 たに あい まさ あき	公	比例④	木倉谷靖 田村智 尾上健太	922	6550-0922 6551-0922	232

※内線電話番号は、5＋室番号（3～9階は5のあとに0を入れる）

	議員名	党派(会派)	選挙区選挙年	政策秘書 第1秘書 第2秘書名	号室	直通 FAX	略歴頁
つ	柘植芳文（つげよしふみ）	自[無]	比例元	辰巳知宏／依水梨／野真裕	1114	6550-1114 6551-1114	214
	辻元清美（つじもときよみ）	立	比例④	長谷川哲也／辻元一之／岩崎雅子	613	6550-0613 6551-0613	230
	鶴保庸介（つるほようすけ）	自[無]	和歌山④	山本一明／小川哲志	313	6550-0313 6551-0313	260
て	寺田　静（てらたしずか）	無	秋田④	反田麻理／桑原愛子／荒木裕美	204	6550-0204 6551-0204	240
	天畠大輔（てんばただいすけ）	れ	比例④	中島浩／黒田宗／篠田矢恵	316	6550-0316 6551-0316	233
と	堂故　茂（どうこしげる）	自[無]	富山④	深津登宏／亀谷忠由／関口由加	1003	6550-1003 6551-1003	250
	堂込麻紀子（どうごみまきこ）	無	茨城④	荒木有子／岡田光誠／黒田	607	6550-0607 6551-0607	242
	徳永エリ（とくながエリ）	立	北海道④	岡内隆博／矢野信彦／水見祥子	701	6550-0701 6551-0701	238
	友納理緒（とものうりお）	自[無]	比例④	池田達郎／星井孝之／セイク千亜紀	1116	6550-1116 6551-1116	227
	豊田俊郎（とよだとしろう）	自[麻]	千葉④	木村慎一也／松崎和瑛右／鶴岡	1213	6550-1213 6551-1213	245
な	ながえ孝子（ながえたかこ）	無	愛媛元	林弘樹／福田剛／藤田一成	709	6550-0709 6551-0709	264
	中条きよし（なかじょうきよし）	維	比例④	進藤慶子／園田弘幸／畠中和昭	805	6550-0805 6551-0805	229
	中曽根弘文（なかそねひろふみ）	自[無]	群馬④	上望勝哉／屋月美樹／米岡輝和	1224	6550-1224 3592-2424	243
	中田　宏（なかだひろし）	自[無]	比例繰	中田敬二	1102	6550-1102 6551-1102	217
	中西祐介（なかにしゆうすけ）	自[麻]	徳島・高知④	平岡英士／喜多村旬	622	6550-0622 6551-0622	263
	永井　学（ながいまなぶ）	自[無]	山梨④	玉木武彦／折山俊樹／内藤裕太郎	516	6550-0516 6551-0516	251
	長浜博行（ながはまひろゆき）	無	千葉④	鈴木浩暘／大滝奈央／山田由美子	606	6550-0606 6551-0606	245
	長峯　誠（ながみねまこと）	自[無]	宮崎④	早川健一郎／持永隆大也／栗山真	802	6550-0802 6551-0802	268
に	仁比聡平（にひそうへい）	共	比例④	加藤紀男／園山あゆみ／韮澤彰	408	6550-0408 6551-0408	232
	新妻秀規（にいづまひでき）	公	比例元	萱原信英子／松浦美喜／樋上輝夫	1112	6550-1112 6551-1112	219

参議員・秘書

つ・て・と・な・に

議　員　名	党派(会派)	選挙区選挙年	政策秘書名第1秘書名第2秘書名	号室	直通FAX	略歴頁
にし だ しょうじ 西田昌司	自[無]	京都元	安藤　高士 柿本大輔 新村　崇	1110	6550-1110 3502-8897	256
にし だ まこと 西田実仁	公	埼玉④	吉田　正男 関谷富士昭 大間　博	1005	6550-1005 6551-1005	244
の がみこうたろう 野上浩太郎	自[無]	富山④	野村　宏隆 小林靖也 白川　智	1010	6550-1010 6551-1010	250
の だ くによし 野田国義	立	福岡元	大林　人也 谷　卓明 久利　勝	323	6550-0323 6551-0323	265
の むら てつろう 野村哲郎	自[無]	鹿児島⑤	留盛　義一 奥畑敦代 碇田雅	1120	6550-1120 6551-1120	268
は た じ ろう 羽田次郎	立	長野補	辻　郎保 甲子志夫 山横倉秀朝継	818	6550-0818 6551-0818	252
はにゅうだ たかし 羽生田俊	自[無]	比例元	安部和之 津坂光子 白鳥貴	319	6550-0319 6551-0319	216
は が みち や 芳賀道也	無(国民)	山形元	戸次貴彦 菅井洋男 関美喜	917	6550-0917 6551-0917	240
は せ がわ がく 長谷川岳	自[無]	北海道④	前島英希 牛間由美子 森越也正	619	6550-0619 6550-0055	237
は せ がわひではる 長谷川英晴	自[無]	比例④	坪根輝彦 藤澤信行子 渡辺明	1020	6550-1020 6551-1020	226
ば ば せいし 馬場成志	自[無]	熊本元	吉　章 登津暢太 柴田啓介耕	1016	6550-1016 6551-1016	267
はし もと せい こ 橋本聖子	自[無]	比例元	宮内榮子 藤原清美 甲斐将裕	803	6550-0803 6551-0803	215
はまぐち まこと 浜口誠	国	比例④	石　慶子 綿上香織 井	1022	6550-1022 6551-1022	233
はま だ さとし 浜田聡	無(N党)	比例元繰	坂本雅彦 末永香梨 黒木優平	403	6550-0403 6551-0403	222
はま の よしふみ 浜野喜史	国	比例元	下橋佑治 小林和未 居垣勇人	521	6550-0521 6551-0521	221
ひ が なつみ 比嘉奈津美	自[無]	比例元繰	岡田英 石川登夢	1221	6550-1221 6551-1221	217
ひら き だいさく 平木大作	公	比例元	田大作 麻中賢一子 遠藤彰	422	6550-0422 6551-0422	219
ひらやまさちこ 平山佐知子	無	静岡④	細川貴光 宮崎隆司 篠原倫太郎	822	6550-0822 6551-0822	253
ひろせ めぐみ 広瀬めぐみ	自[麻]	岩手④		418	6550-0418 6551-0418	239
ひろ た はじめ 広田一	無	徳島・高知元補	二瓶真樹子 野村公紀 青木光男	421	6550-0421 6551-0421	263

※内線電話番号は、5＋室番号（3〜9階は5のあとに0を入れる）

議員名	党派(会派)	選挙区/選挙年	政策第1秘書名／第2秘書名／秘書名	号室	直通／FAX	略歴頁
ふ 福岡資麿（ふくおか たかまろ）	自[無]	佐賀④	岩永幸雄／吉澤勇一／相晃二	919	6550-0919／6551-0919	266
福島みずほ（ふくしま）	社	比例④	石川顕／櫛田佳代／鍋野哲	1111	6550-1111／6551-1111	234
福山哲郎（ふくやま てつろう）	立	京都④	正木幸一	808	6550-0808／6551-0808	257
藤井一博（ふじい かずひろ）	自[無]	比例④	伊勢暁子／浅井政輝／上杉和	605	6550-0605／6551-0605	226
藤川政人（ふじかわ まさひと）	自[麻]	愛知④	松本由紀子／藤原勝祐／小林太	717	6550-0717／6550-0057	254
藤木眞也（ふじき しんや）	自[無]	比例④	池上知子／富永健一	1006	6550-1006／6551-1006	227
藤巻健史（ふじまき たけし）	維	比例④繰（元繰）	藤川賢哉／生鍋修司／古川秀雄	1122	6550-1122／6551-1122	220
舟山康江（ふなやま やすえ）	国	山形④	中田兼司／伊藤一洋／齊田秀昭	810	6550-0810／6551-0810	240
舩後靖彦（ふなご やすひこ）	れ	比例④（元）	岡田扶哲／時田備律／田林憲典	302	6550-0302／6551-0302	222
船橋利実（ふなはし としみつ）	自[麻]	北海道④	戸田玄子／三浦祐典／田橋真	424	6550-0424／6551-0424	238
古川俊治（ふるかわ としはる）	自[無]	埼玉（元）	森本義久／池上利聡／高橋典	718	6550-0718／6551-0718	243
ほ 星北斗（ほし ほくと）	自[無]	福島④	漆畑／星神裕／佑希枝	322	6550-0322／6551-0322	241
堀井巌（ほりい いわお）	自[無]	奈良④	平田勝紀／米田憲司／吉浦悠亮	417	6550-0417／6551-0417	260
本田顕子（ほんだ あきこ）	自[無]	比例④（元）	関野秀／我妻理子／人	1001	6550-1001／6551-1001	216
ま 舞立昇治（まいたち しょうじ）	自[無]	鳥取・島根（元）	中園めぐみ／浅井威早／ノ森厚苗	603	6550-0603／6551-0603	261
牧野たかお（まきの）	自[無]	静岡④	渡辺恵親／鷲見正行／土屋男美	812	6550-0812／6551-0812	253
牧山ひろえ（まきやま）	立	神奈川④	平澤和也／柴田明良／渡辺真也	1007	6550-1007／6551-1007	248
松川るい（まつかわ）	自[無]	大阪④	清藤秋弘／水本美佳／本山真美	407	6550-0407／6551-0407	258
松沢成文（まつざわ しげふみ）	維	神奈川④	千葉修平／神山友輔／杉田卓	903	6550-0903／6551-0903	248
松下新平（まつした しんぺい）	自[無]	宮崎④	児玉勝己／出浦浩克／松哉	824	6550-0824／6551-0824	268

議　員　名	党派 (会派)	選挙区 選挙年	政策秘書名 第1秘書名 第2秘書名	号室	直通 FAX	略歴頁
まつ の あけ み **松野明美**	維	比例④	金　光　雅　美 西　村　仁　美	912	6550-0912 6551-0912	229
まつ むら よし ふみ **松村祥史**	自 [無]	熊本④	古　賀　正　秋 畑　山　晃　嗣 小　野　晃	1023	6550-1023 6551-1023	267
まつ やま まさ じ **松山政司**	自 [無]	福岡元	中　島　基　彰 佐々木久之 松　本　　麗	1124	6550-1124 6551-1124	264
まる かわ たま よ **丸川珠代**	自 [無]	東京元	三　浦　基　孝 山　浦　孝　勇 三　山　坂　輝	902	6550-0902 6551-0902	246
み うら のぶ ひろ **三浦信祐**	公	神奈川④	山本大三郎 浪川　健太 薗　部　卓　広	804	6550-0804 6551-0804	249
み うら やすし **三浦　靖**	自 [無]	比例元	小　林　一　広 長　尾　山　志 森　山　真　吉	811	6550-0811 6551-0811	214
み かみ **三上えり**	無 (立憲)	広島元	石　橋　鉄　也 槙　埜　秀　樹 川　海　栄	320	6550-0320 6551-0320	262
み はら じゅん こ **三原じゅん子**	自 [無]	神奈川④	宮　崎　達　也 関　根　千　里 武　　佐	823	6550-0823 6551-0823	248
み やけ しん ご **三宅伸吾**	自 [無]	香川元	須　山　義　正	604	6550-0604 6551-0604	263
みず おか しゅんいち **水岡俊一**	立	比例元	平　野　和　子 藤　野　花　葉 濱　野　彦　丸	305	6550-0305 6551-0305	217
みず の もと こ **水野素子**	立	神奈川④*	東　使　義　浩 西　塔　謙　志 岡　野　めぐみ	1209	6550-1209 6551-1209	249
みや ぐち はる こ **宮口治子**	立	広島再	江　田　洋　一 山　田　洋　満 井　上　信	206	6550-0206 6551-0206	262
みや ざき まさ お **宮崎雅夫**	自 [無]	比例元	木　村　　充 坪　田　昇　三 大　竹　晃　子	610	6550-0610 6551-0610	216
みや ざき まさる **宮崎　勝**	公	比例④繰	廣　木　光　夫 青　井　正　美 坪　井　正一朗	1118	6550-1118 6551-1118	232
みや ざわ よう いち **宮沢洋一**	自 [無]	広島④	小　川　修　一 髙　島　淳　子 有　本　悦　子	820	6550-0820 6551-0820	262
みや もと しゅう じ **宮本周司**	自 [無]	石川元補	中　村　大　紀 破　嶋　友　恵 南　野　祥　惠	1018	6550-1018 6551-1018	250
むら た きょうこ **村田享子**	立	比例④	井　出　智　江 田　中　美　宏 田　代　宏　大	1222	6550-1222 6551-1222	231
もり まさこ **森　まさこ**	自 [無]	福島元	工　藤　誠　一 吉　田　佳　代 小　池　康　之	924	6550-0924 6551-0924	241
もり もと しん じ **森本真治**	立	広島元	八木橋美千代 宮　寛　二 古　田　直　則	311	6550-0311 6551-0311	262
もり や たかし **森屋　隆**	立	比例元	大　澤　祥　文 森　勝　介 古城戸美奈	1211	6550-1211 6551-1211	218

み

む

も

※内線電話番号は、5＋室番号（3～9階は5のあとに0を入れる）

＊水野素子議員の任期は令和7年まで。

200

議員名	党派(会派)	選挙区 選挙年	政策第1秘書 第2秘書 秘書名 秘書名	号室	直通 FAX	略歴頁
もりや ひろし **森屋 宏**	自[無]	山梨	漆原大介 小泉文彦 髙橋賢治	502	6550-0502 6551-0502	251
や やくら かつお **矢倉 克夫**	公	埼玉	中居俊夫 久富礼子	401	6550-0401 6551-0401	243
やすえ のぶお **安江 伸夫**	公	愛知①	大﨑順一樹 髙橋直樹 鐘ヶ江義之	312	6550-0312 6551-0312	254
やながせ ひろふみ **柳ヶ瀬裕文**	維	比例	姉石洋一志 吉岡美智子	703	6550-0703 6551-0703	220
やまぐち なつお **山口那津男**	公	東京①	山下千秋 出口俊夫 大川満里	806	6550-0806 6551-0806	246
やまざき まさあき **山崎 正昭**	自[無]	福井	石松 山岸 山本 秀成 樹代美	1201	6550-1201 6551-1201	251
やました ゆうへい **山下 雄平**	自[無]	佐賀	永水石浩視 水中谷秀茂	916	6550-0916 6551-0916	266
やました よしき **山下 芳生**	共	比例	中村哲也 中島敬介	1123	6550-1123 6551-1123	221
やまぞえ たく **山添 拓**	共	東京④	阿戸知則 佐藤祐実 折原知知	817	6550-0817 6551-0817	247
やまだ たろう **山田 太郎**	自[無]	比例	小山井一沙 荒井寺直子 小寺	623	6550-0623 6551-0623	214
やまだ としお **山田 俊男**	自[無]	比例	村瀬弘美司 西野下純宏 木	809	6550-0809 6551-0809	215
やまだ ひろし **山田 宏**	自[無]	比例	新良薫之司 大島康晴 太田	1205	6550-1205 6551-1205	227
やまたに えりこ **山谷えり子**	自[無]	比例	速水美智子 福元亮次 渡辺智彦	1107	6550-1107 6551-1107	228
やまもと かなえ **山本 香苗**	公	比例④	小谷恵美子 吹田幸広 中村一美	1024	6550-1024 6551-1024	218
やまもと けいすけ **山本 啓介**	自[無]	長崎④	太田晴章 前田浩秀 吉田安	1202	6550-1202 6551-1202	266
やまもとさちこ **山本佐知子**	自[無]	三重④	——— ———	203	6550-0203 6551-0203	255
やま もとじゅんぞう **山本 順三**	自[無]	愛媛④	能登祐克子 高岡直宏 近藤華菜子	1019	6550-1019 6551-1019	264
やま もと たろう **山本 太郎**	れ	東京④	——— ———	602	6550-0602 6551-0602	247
やま もと ひろし **山本 博司**	公	比例	梅津秀宣 鈴木彰久 髙井	911	6550-0911 6551-0911	219
よこ さわたか のり **横沢 高徳**	立	岩手①	平居野一里 上顕亜 山丸山	702	6550-0702 6551-0702	239

参議員・秘書

も・や・よ

議　員　名	党派(会派)	選挙区選挙年	政策秘書名第1秘書名第2秘書名	号室	直通FAX	略歴頁
横山信一 よこやま しん いち	公	比例④	八木橋広宣 小田 秀路 吉井　透	402	6550-0402 6551-0402	231
吉井 章 よし い あきら	自 [無]	京都④	木本 和宜 堀　憲人	921	6550-0921 6551-0921	256
吉川沙織 よし かわ さ おり	立	比例元	浅野英之 狩野恵理	617	6550-0617 6551-0617	218
吉川ゆうみ よしかわ	自 [無]	三重元	岸田直樹 菊池知和 水谷亜妃	412	6550-0412 6551-0412	255
れ 蓮 舫 れん ほう		東京④	（令和6年6月20日失職）			247
わ 和田政宗 わ だ まさ むね	自 [無]	比例元	浜崎 博 髙田彌純 安藤　純	1220	6550-1220 6551-1220	214
若林洋平 わかばやしよう へい	自 [無]	静岡④	佐々木俊夫 勝亦好美 髙橋靖銘	715	6550-0715 6551-0715	253
若松謙維 わか まつ かね しげ	公	比例元	恩田祐将 佐藤大明 柳沼作美	1207	6550-1207 6551-1207	219
渡辺猛之 わた なべ たけ ゆき	自 [無]	岐阜④	長谷川英樹 大東由幸 榊原美穂	325	6550-0325 6551-0325	252

よ・れ・わ

参議院議員会館案内図

参議院議員会館 2 階

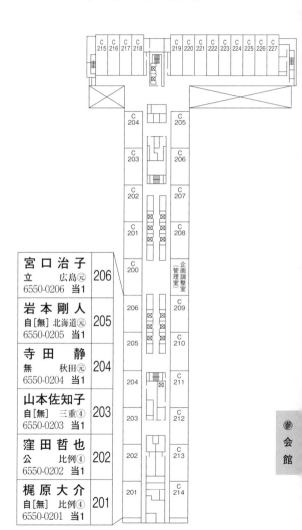

宮口治子 立　　広島㊀ 6550-0206　当1	206	C 200
岩本剛人 自[無]北海道㊀ 6550-0205　当1	205	206 205
寺田　静 無　　秋田㊀ 6550-0204　当1	204	204
山本佐知子 自[無]　三重④ 6550-0203　当1	203	203
窪田哲也 公　　比例④ 6550-0202　当1	202	202
梶原大介 自[無]　比例④ 6550-0201　当1	201	201

C 215　C 216　C 217　C 218　C 219　C 220　C 221　C 222　C 223　C 224　C 225　C 226　C 227

C 204　C 205
C 203　C 206
C 202　C 207
C 201　C 208
企画調整室
(管理室)
C 209
C 210
C 211
C 212
C 213
C 214

参　会館

国会議事堂側

梅村　聡 維　　　比例元　326 6550-0326 当2			

渡辺猛之 自[無]　岐阜④ 6550-0325 当3	325		

安江伸夫 公　　　愛知元 6550-0312 当1	312	喫煙室	313	鶴保庸介 自[無]　和歌山④ 6550-0313 当5

森本真治 立　　　広島元 6550-0311 当2	311	WC (男)	WC (女)	314	木村英子 れ　　　比例元 6550-0314 当1

山東昭子 自[麻]　比例元 6550-0310 当8	310		315	今井絵理子 自[麻]　比例元 6550-0315 当2

阿達雅志 自[無]　比例④ 6550-0309 当3	309	EV ホール	316	天畠大輔 れ　　　比例元 6550-0316 当1

太田房江 自[無]　大阪元 6550-0308 当2	308		317	高木真理 立　　　埼玉元 6550-0317 当1

滝波宏文 自[無]　福井元 6550-0307 当2	307		318	小野田紀美 自[無]　岡山④ 6550-0318 当2

高木かおり 維　　　大阪④ 6550-0306 当2	306	EV ホール	319	羽生田　俊 自[無]　比例元 6550-0319 当2

水岡俊一 立　　　比例元 6550-0305 当3	305		320	三上えり 無(立憲) 広島④ 6550-0320 当1

齊藤健一郎 無(N党) 比例④ 6550-0304 繰当1	304	EV室	321	井上哲士 共　　　比例元 6550-0321 当4

高橋はるみ 自[無]　北海道元 6550-0303 当1	303		322	星　北斗 自[無]　福島元 6550-0322 当1

舩後靖彦 れ　　　比例元 6550-0302 当1	302	WC (男)	WC (女)	323	野田国義 立　　　福岡元 6550-0323 当2

里見隆治 公　　　愛知④ 6550-0301 当2	301		324	高橋克法 自[麻]　栃木元 6550-0324 当2

参　会館

国会議事堂側

参議院議員会館 4 階

吉川ゆうみ 自[無] 三重㋐ 6550-0412 当2	412	喫煙室	413	武見敬三 自[麻] 東京㋐ 6550-0413 当5
	411	WC (男) WC (女)	414	加藤明良 自[無] 茨城④ 6550-0414 当1
田島麻衣子 立 愛知㋐ 6550-0410 当1	410		415	
古賀千景 立 比例④ 6550-0409 当1	409	EV ホール	416	小林一大 自[無] 新潟④ 6550-0416 当1
仁比聡平 共 比例④ 6550-0408 当3	408		417	堀井 巌 自[無] 奈良㋐ 6550-0417 当2
松川るい 自[無] 大阪④ 6550-0407 当2	407		418	広瀬めぐみ 自[麻] 岩手④ 6550-0418 当1
竹詰 仁 国 比例④ 6550-0406 当1	406	EV ホール	419	白坂亜紀 自[無]大分㋐補 6550-0419 当1
青島健太 維 比例④ 6550-0405 当1	405		420	片山さつき 自[無] 比例④ 6550-0420 当3
清水貴之 維 兵庫㋐ 6550-0404 当2	404	EV	421	広田 一 無 徳島・高知㋐ 6550-0421 補当3
浜田 聡 無(N党) 比例㋐ 6550-0403 当1	403		422	平木大作 公 比例④ 6550-0422 当2
横山信一 公 比例④ 6550-0402 当3	402	WC WC (男) (女)	423	赤松 健 自[無] 比例④ 6550-0423 当1
矢倉克夫 公 埼玉㋐ 6550-0401 当2	401		424	船橋利実 自[麻]北海道④ 6550-0424 当1

㊈ 会館

国会議事堂側

205

参議院議員会館 5 階

左列	室番号	中央	室番号	右列
櫻井 充 自[無] 宮城④ 6550-0512 当5	512	喫煙室	513	猪瀬直樹 維 比例④ 6550-0513 当1
鬼木 誠 立 比例④ 6550-0511 当1	511	WC(男) WC(女)	514	佐々木さやか 公 神奈川元 6550-0514 当2
東 徹 維 大阪元 6550-0510 当2	510		515	尾辻秀久 無 鹿児島元 6550-0515 当6
吉良よし子 共 東京元 6550-0509 当2	509	EV ホール	516	永井 学 自[無] 山梨元 6550-0516 当1
川田龍平 立 比例元 6550-0508 当3	508		517	竹谷とし子 公 東京④ 6550-0517 当3
青木 愛 立 比例④ 6550-0507 当3	507		518	大家敏志 自[麻] 福岡④ 6550-0518 当3
石井準一 自[無] 千葉元 6550-0506 当3	506	EV ホール	519	伊波洋一 無(沖縄) 沖縄④ 6550-0519 当2
田中昌史 自[無] 比例元 6550-0505 繰当1	505		520	神谷宗幣 参(無所属)比例④ 6550-0520 当1
自見はなこ 自[無] 比例④ 6550-0504 当2	504	EV	521	浜野喜史 国 比例元 6550-0521 当2
大野泰正 無 岐阜元 6550-0503 当2	503		522	滝沢 求 自[麻] 青森元 6550-0522 当2
森屋 宏 自[無] 山梨元 6550-0502 当2	502	WC(男) WC(女)	523	石橋通宏 立 比例④ 6550-0523 当3
足立敏之 自[無] 比例④ 6550-0501 当2	501		524	赤池誠章 自[無] 比例元 6550-0524 当2

参 会 館

国会議事堂側

参議院議員会館6階

音喜多　駿 維　　東京⑪ 6550-0612　当1	612	喫煙室	613	辻元清美 立　　比例④ 6550-0613　当1
岸　真紀子 立　　比例⑪ 6550-0611　当1	611	WC(男) WC(女)	614	高橋光男 公　　兵庫⑪ 6550-0614　当1
宮崎雅夫 自[無]　比例⑪ 6550-0610　当1	610		615	杉　久武 公　　大阪⑪ 6550-0615　当2
伊藤　岳 共　　埼玉⑪ 6550-0609　当1	609	EVホール	616	石川博崇 公　　大阪④ 6550-0616　当3
勝部賢志 立　　北海道⑪ 6550-0608　当1	608		617	吉川沙織 立　　比例⑪ 6550-0617　当3
堂込麻紀子 無　　茨城④ 6550-0607　当1	607		618	上田清司 無　　埼玉④ 6550-0618　当2
長浜博行 無　　千葉⑪ 6550-0606　当3	606	EVホール	619	長谷川　岳 自[無]北海道④ 6550-0619　当3
藤井一博 自[無]　比例④ 6550-0605　当1	605		620	朝日健太郎 自[無]　東京④ 6550-0620　当2
三宅伸吾 自[無]　香川⑪ 6550-0604　当2	604	EV	621	浅田　均 維　　大阪④ 6550-0621　当2
舞立昇治 自[無]鳥取・島根⑪ 6550-0603　当2	603		622	中西祐介 自[麻]徳島・高知⑪ 6550-0622　当3
山本太郎 れ　　東京④ 6550-0602　当2	602	WC(男) WC(女)	623	山田太郎 自[無]　比例④ 6550-0623　当2
浅尾慶一郎 自[麻]神奈川④ 6550-0601　当3	601		624	磯﨑仁彦 自[無]　香川④ 6550-0624　当3

国会議事堂側

参会館

参議院議員会館 7 階

髙良鉄美 無(沖縄) 沖縄元 6550-0712 当1	712	喫煙室	713	石井浩郎 自[無] 秋田④ 6550-0713 当3	
秋野公造 公 福岡④ 6550-0711 当3	711	WC WC (男)(女)	714	大島九州男 れ 比例④ 6550-0714 繰当3	
紙 智子 共 比例元 6550-0710 当4	710		715	若林洋平 自[無] 静岡④ 6550-0715 当1	
ながえ孝子 無 愛媛元 6550-0709 当1	709	EV ホール	716	こやり隆史 自[無] 滋賀④ 6550-0716 当2	
佐藤 啓 自[無] 奈良④ 6550-0708 当2	708		717	藤川政人 自[麻] 愛知④ 6550-0717 当3	
斎藤嘉隆 立 愛知④ 6550-0707 当3	707		718	古川俊治 自[無] 埼玉④ 6550-0718 当3	
塩村あやか 立 東京元 6550-0706 当1	706	EV ホール	719	進藤金日子 自[無] 比例④ 6550-0719 当2	
佐藤正久 自[無] 比例元 6550-0705 当3	705		720	河野義博 公 比例元 6550-0720 当2	
上月良祐 自[無] 茨城元 6550-0704 当2	704	EV	721	片山大介 維 兵庫④ 6550-0721 当2	
柳ヶ瀬裕文 維 比例元 6550-0703 当1	703		722	佐藤信秋 自[無] 比例元 6550-0722 当3	
横沢高徳 立 岩手元 6550-0702 当1	702	WC WC (男)(女)	723	酒井庸行 自[無] 愛知元 6550-0723 当2	
徳永エリ 立 北海道④ 6550-0701 当3	701		724	杉尾秀哉 立 長野元 6550-0724 当2	

国会議事堂側

参
会
館

参議院議員会館 8 階

牧野たかお 自[無] 静岡⑰ 6550-0812 当3	812	喫煙室	813	石垣のりこ 立 宮城⑰ 6550-0813 当1
三浦 靖 自[無] 比例⑰ 6550-0811 当1	811	WC WC (男) (女)	814	青木一彦 自[無] 鳥取・島根④ 6550-0814 当3
舟山康江 国 山形④ 6550-0810 当3	810		815	嘉田由紀子 教 滋賀⑰ 6550-0815 当1
山田俊男 自[無] 比例⑰ 6550-0809 当3	809	EV ホール	816	柴田 巧 維 比例⑰ 6550-0816 当2
福山哲郎 立 京都④ 6550-0808 当5	808		817	山添 拓 共 東京④ 6550-0817 当2
岡田直樹 自[無] 石川④ 6550-0807 当4	807		818	羽田次郎 立 長野⑰ 6550-0818 当1
山口那津男 公 東京⑰ 6550-0806 当4	806	EV ホール	819	加田裕之 自[無] 兵庫⑰ 6550-0819 当1
中条きよし 維 比例④ 6550-0805 当1	805		820	宮沢洋一 自[無] 広島④ 6550-0820 当3
三浦信祐 公 神奈川④ 6550-0804 当2	804	EV	821	越智俊之 自[無] 比例④ 6550-0821 当1
橋本聖子 自[無] 比例⑰ 6550-0803 当5	803		822	平山佐知子 無 静岡④ 6550-0822 当2
長峯 誠 自[無] 宮崎⑰ 6550-0802 当2	802	WC WC (男) (女)	823	三原じゅん子 自[無] 神奈川④ 6550-0823 当3
竹内真二 公 比例④ 6550-0801 当2	801		824	松下新平 自[無] 宮崎④ 6550-0824 当4

参
会
館

国会議事堂側

209

参議院議員会館９階

議員	室	室	議員
松野明美 維 比例④ 6550-0912 当1	912	913	下野六太 公 福岡[元] 6550-0913 当1
山本博司 公 比例[元] 6550-0911 当3	911	914	奥村政佳 立 比例[元] 6550-0914 繰当1
田村まみ 国 比例[元] 6550-0910 当1	910	915	小西洋之 立 千葉④ 6550-0915 当3
臼井正一 自[無] 千葉④ 6550-0909 当1	909	916	山下雄平 自[無] 佐賀[元] 6550-0916 当2
田村智子 共 比例④ 6550-0908 当3	908	917	芳賀道也 無(国民) 山形[元] 6550-0917 当1
古庄玄知 自[無] 大分④ 6550-0907 当1	907	918	上野通子 自[無] 栃木④ 6550-0918 当3
大椿ゆうこ 社 比例[元] 6550-0906 繰当1	906	919	福岡資麿 自[無] 佐賀④ 6550-0919 当3
末松信介 自[無] 兵庫④ 6550-0905 当4	905	920	井上義行 自[無] 比例④ 6550-0920 当2
生稲晃子 自[無] 東京④ 6550-0904 当1	904	921	吉井　章 自[無] 京都④ 6550-0921 当1
松沢成文 維 神奈川④ 6550-0903 当3	903	922	谷合正明 公 比例④ 6550-0922 当4
丸川珠代 自[無] 東京[元] 6550-0902 当3	902	923	清水真人 自[無] 群馬[元] 6550-0923 当1
打越さく良 立 新潟[元] 6550-0901 当1	901	924	森　まさこ 自[無] 福島[元] 6550-0924 当3

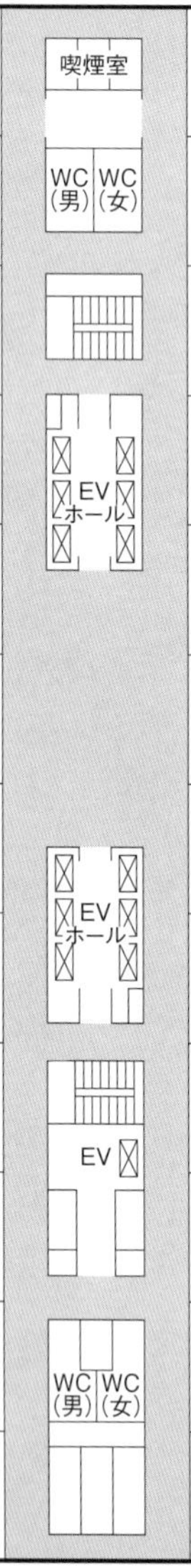
喫煙室
WC(男)
WC(女)
EV ホール
EV ホール
EV
WC(男)
WC(女)

国会議事堂側

[参] 会館

参議院議員会館 10 階

左側	室番号	中央	室番号	右側
小沼　巧 立　茨城元 6550-1012　当1	1012	喫煙室	1013	金子道仁 維　比例④ 6550-1013　当1
榛葉賀津也 国　静岡元 6550-1011　当4	1011	WC（男）WC（女）	1014	伊藤孝江 公　兵庫④ 6550-1014　当2
野上浩太郎 自[無]　富山④ 6550-1010　当4	1010	階段	1015	有村治子 自[麻]　比例元 6550-1015　当4
柴　愼一 立　比例④ 6550-1009　当1	1009	EV ホール	1016	馬場成志 自[無]　熊本元 6550-1016　当2
伊藤孝恵 国　愛知④ 6550-1008　当2	1008		1017	世耕弘成 無　和歌山元 6550-1017　当5
牧山ひろえ 立　神奈川元 6550-1007　当3	1007		1018	宮本周司 自[無]石川元補 6550-1018　当3
藤木眞也 自[無]　比例④ 6550-1006　当2	1006	EV ホール	1019	山本順三 自[無]　愛媛④ 6550-1019　当4
西田実仁 公　埼玉④ 6550-1005　当4	1005		1020	長谷川英晴 自[無]　比例④ 6550-1020　当1
梅村みずほ 維　大阪元 6550-1004　当1	1004	階段 EV	1021	倉林明子 共　京都元 6550-1021　当2
堂故　茂 自[無]　富山元 6550-1003　当2	1003		1022	浜口　誠 国　比例④ 6550-1022　当2
岩渕　友 共　比例④ 6550-1002　当2	1002	WC（男）WC（女）	1023	松村祥史 自[無]　熊本④ 6550-1023　当4
本田顕子 自[無]　比例元 6550-1001　当1	1001		1024	山本香苗 公　比例元 6550-1024　当4

参　会館

国会議事堂側

参議院議員会館 11 階

左列	室番号	中央	室番号	右列
新妻秀規 公　比例㊇ 6550-1112　当2	1112	喫煙室	1113	石川大我 立　比例㊇ 6550-1113　当1
福島みずほ 社　比例④ 6550-1111　当5	1111	WC（男）WC（女）	1114	柘植芳文 自[無]　比例㊇ 6550-1114　当2
西田昌司 自[無]　京都㊇ 6550-1110　当3	1110	階段	1115	石井苗子 維　比例④ 6550-1115　当2
北村経夫 自[無]山口㊇補 6550-1109　当3	1109	EVホール	1116	友納理緒 自[無]　比例㊇ 6550-1116　当1
古賀之士 立　福岡④ 6550-1108　当2	1108		1117	塩田博昭 公　比例㊇ 6550-1117　当1
山谷えり子 自[無]　比例④ 6550-1107　当4	1107		1118	宮崎勝 公　比例④繰 6550-1118　当2
田名部匡代 立　青森④ 6550-1106　当2	1106	EVホール	1119	小沢雅仁 立　比例㊇ 6550-1119　当1
猪口邦子 自[麻]　千葉④ 6550-1105　当3	1105		1120	野村哲郎 自[無]鹿児島④ 6550-1120　当4
関口昌一 自[無]　埼玉④ 6550-1104　当5	1104	階段　EV	1121	大塚耕平 無(国民)愛知㊇ 6550-1121　当4
江島潔 自[無]　山口④ 6550-1103　当3	1103		1122	藤巻健史 維　比例㊇繰 6550-1122　当1
中田宏 自[無]　比例㊇ 6550-1102　繰1	1102	WC（男）WC（女）	1123	山下芳生 共　比例㊇ 6550-1123　当4
石田昌宏 自[無]　比例㊇ 6550-1101　当2	1101		1124	松山政司 自[無]　福岡㊇ 6550-1124　当4

国会議事堂側

212

参議院議員会館 12 階

左側	部屋番号	中央	部屋番号	右側
上田 勇 公　　比例④ 6550-1212　当1	1212	喫煙室	1213	豊田俊郎 自[麻]　千葉元 6550-1213　当2
森屋 隆 立　　比例元 6550-1211　当1	1211	WC(男) WC(女)	1214	石井正弘 自[無]　岡山元 6550-1214　当2
礒﨑哲史 国　　比例元 6550-1210　当2	1210		1215	青山繁晴 自[無]　比例④ 3581-3111(代)　当2
水野素子 立　　神奈川④ 6550-1209　当1	1209	EV ホール	1216	衛藤晟一 自[無]　比例元 6550-1216　当3
小池 晃 共　　比例元 6550-1208　当4	1208		1217	熊谷裕人 立　　埼玉元 6550-1217　当1
若松謙維 公　　比例元 6550-1207　当2	1207		1218	神谷政幸 自[麻]　比例④ 6550-1218　当1
古賀友一郎 自[無]　長崎元 6550-1206　当2	1206	EV ホール	1219	鈴木宗男 無　　比例元 6550-1219　当1
山田 宏 自[無]　比例元 6550-1205　当2	1205		1220	和田政宗 自[無]　比例元 6550-1220　当2
石井 章 維　　比例④ 6550-1204　当2	1204	EV	1221	比嘉奈津美 自[無]　比例元 6550-1221　当1
串田誠一 維　　比例④ 6550-1203　当1	1203		1222	村田享子 立　　比例④ 6550-1222　当1
山本啓介 自[無]　長崎④ 6550-1202　当1	1202	WC(男) WC(女)	1223	川合孝典 国　　比例④ 6550-1223　当3
山崎正昭 自[無]　福井④ 6550-1201　当6	1201		1224	中曽根弘文 自[無]　群馬④ 6550-1224　当7

参 会館

国会議事堂側

議　長	尾辻秀久 （おつじ　ひでひさ）	秘書	末原　朋実 大澤　　敦	☎3581-1481
副議長	長浜博行 （ながはま　ひろゆき）	秘書	副島　　浩 外川　裕之	☎3586-6741

勤続年数は**令和6年8月末現在**です。

参議院比例代表

第25回選挙
（令和元年7月21日施行／令和7年7月28日満了）

三浦　靖（み うら　やすし）　自 新 ［無］ R1 当1（初/令元）※

島根県大田市　S48・4・9
勤7年（衆1年10ヵ月）

厚生労働大臣政務官、総務大臣政務官、衆議院議員、大田市議、衆議院議員秘書、神奈川大／51歳

〒690-0873　島根県松江市内中原町140-2 ☎0852(61)2828
〒100-8962　千代田区永田町2-1-1、会館 ☎03(6550)0811

柘植芳文（つ げ　よしふみ）　自 前 ［無］ R1 当2

岐阜県　S20・10・11
勤11年3ヵ月（初/平25）

外務副大臣、総務副大臣、党政務調査会副会長、総務委筆頭理事、内閣委員長、環境委員長、愛知大／78歳

〒100-8962　千代田区永田町2-1-1、会館 ☎03(6550)1114

山田太郎（やま だ　たろう）　自 元 ［無］ R1 当2

東京都　S42・5・12
勤8年10ヵ月（初/平24）

財金理事、文科兼復興政務官、デジタル兼内閣府政務官、党デジ本事務局次長代理、党こどもDX小委員長、党コンテンツ小委事務局長、上場企業社長、東工大特任教授、東大非常勤講師、慶大経、早大院／57歳

〒100-8962　千代田区永田町2-1-1、会館 ☎03(6550)0623

和田政宗（わ だ　まさむね）　自 前 ［無］ R1 当2

東京都　S49・10・14
勤11年3ヵ月（初/平25）

法務委筆頭理、決算委、復興特委理、党広報副本部長、党新聞局長、元国土交通大臣政務官兼内閣府大臣政務官、慶大／49歳

〒980-0011　仙台市青葉区上杉1-5-13 3-B ☎022(263)3005
〒102-0083　千代田区麴町4-7、宿舎

※平29衆院初当選

さ とう まさ ひさ
佐藤 正久　自 前［無］　RI 当3
福島県　S35・10・23
勤17年4ヵ月　（初/平19）

外防委理、参国対委員長代行、国防議連事務局長、元外務副大臣・防衛政務官、元自衛官・イラク先遣隊長、防衛大／63歳

〒162-0845　新宿区市谷本村町3-20新盛堂ビル4F　☎03(5206)7668
〒100-8962　千代田区永田町2-1-1、会館　☎03(6550)0705

さ とう のぶ あき
佐藤 信秋　自 前［無］　RI 当3
新潟県　S22・11・8
勤17年4ヵ月　（初/平19）

決算委員長、党地方行政調査会長、党国土強靭化推進本部本部長代行、元国交事務次官、技監、道路局長、京大院／76歳

〒951-8062　新潟市中央区西堀前通11番町1645-4　☎025(226)7686
〒100-8962　千代田区永田町2-1-1、会館　☎03(6550)0722

はし もと せい こ
橋本 聖子　自 前［無］　RI 当5
北海道　S39・10・5
勤29年6ヵ月　（初/平7）

文科委、行監委、元東京オリンピック・パラリンピック担当大臣、自民党参院議員会長、外務副大臣、北開総括政務次官、駒苫高／59歳

〒060-0001　札幌市中央区北1条西5丁目2番
　　　　　　札幌興銀ビル6F　☎011(222)7275
〒100-8962　千代田区永田町2-1-1、会館　☎03(6550)0803

やま だ とし お
山田 俊男　自 前［無］　RI 当3
富山県小矢部市　S21・11・29
勤17年4ヵ月　（初/平19）

農水委、予算委、党総務会副会長、都市農業対策委員長、党人事局長、ODA特委員長、農水委員長、全国農協中央会専務理事、早大政経／77歳

〒932-0836　富山県小矢部市埴生352-2　☎0766(67)8882
〒100-8962　千代田区永田町2-1-1、会館　☎03(6550)0809

あり むら はる こ
有村 治子　自 前［麻］　RI 当4
滋賀県　S45・9・21
勤23年6ヵ月　（初/平13）

情報監視審査会会長、予算委、外防委、資源エネ調委、党両院議員総会長、裁判官弾劾裁判長、女性活躍担当大臣、米SIT大院修士／53歳

〒100-8962　千代田区永田町2-1-1、会館　☎03(6550)1015

いし だ まさ ひろ
石田 昌宏　自 前［無］　RI 当2
奈良県大和郡山市　S42・5・20
勤11年3ヵ月　（初/平25）

予算委、参院国対副委員長、女性局次長、厚労委員長、党副幹事長、党財務金融副部会長、日本看護連盟幹事長、東大応援部／57歳

〒100-8962　千代田区永田町2-1-1、会館　☎03(6550)1101

本田顕子
ほんだ あきこ

自新［無］　RI 当1
熊本県熊本市　S46・9・29
勤5年2ヵ月（初／令元）

文部科学大臣政務官兼復興大臣政務官、厚生労働大臣政務官兼内閣府大臣政務官、党副幹事長、日本薬剤師会・連盟顧問、星薬科大学／52歳

〒860-0072　熊本市西区花園7-12-16　☎096(325)4470
〒100-8962　千代田区永田町2-1-1、会館　☎03(6550)1001

衛藤晟一
えとう せいいち

自前［無］RI 当3(初/平19)※1
大分県大分市　S22・10・1
勤29年7ヵ月（衆12年3ヵ月）

党障害児者問題調査会長、一億総活躍・少子化対策担当大臣、元内閣総理大臣補佐官、厚労副大臣、大分大／76歳

〒870-0042　大分市豊町1-2-6　☎097(534)2015
〒100-8962　千代田区永田町2-1-1、会館　☎03(6550)1216

羽生田俊
はにゅうだ たかし

自前［無］　RI 当2
群馬県　S23・3・28
勤11年3ヵ月（初／平25）

党厚労部会長代理、厚労委、復興特委理、党政策審議会副会長、労働関係団体委員長、前厚労副大臣、元厚労委員長、元日本医師会副会長、医師、東京医科大学／76歳

〒371-0022　前橋市千代田町2-10-13　☎027(289)8680
〒100-8962　千代田区永田町2-1-1、会館　☎03(6550)0319

宮崎雅夫
みやざき まさお

自新［無］　RI 当1
兵庫県神戸市　S38・12・3
勤5年2ヵ月（初／令元）

予算委理、農水委、災害特委、政治改革特委、参党政審副会長、党農林副部会長、党水産総合調査会副会長、元農水省地域整備課長、神戸大学農学部／60歳

〒100-8962　千代田区永田町2-1-1、会館　☎03(6550)0610

山東昭子
さんとう あきこ

自前［麻］　RI 当8
東京都　S17・5・11
勤42年11ヵ月（初／昭49）

法務委、党食育調査会長、前参議院議長、前党党紀委員長、元参議院副議長・科技庁長官・環境政務次官、文化学院／82歳

〒100-8962　千代田区永田町2-1-1、会館　☎03(6550)0310

赤池誠章
あか いけ まさ あき

自前［無］RI 当2(初/平25)※2
山梨県甲府市　S36・7・19
勤15年2ヵ月（衆3年11ヵ月）

文科委、党政調副会長、内閣府副大臣、党文科部会長3期、文科委員長、文科大臣政務官、衆議院議員、明治大学／63歳

〒400-0032　山梨県甲府市中央1-1-11-2F　☎055(237)5523

㊙略歴

※1 平2衆院初当選　※2 平17衆院初当選

ひがなつみ
比嘉奈津美　自 新［無］　RI 繰当1

沖縄県沖縄市　S33・10・3
勤7年9ヵ月（衆4年10ヵ月）（初/令3）※1

厚労委員長、消費者特委、環境大臣政務官、衆議院議員2期、歯科医師、福岡歯科大／65歳

〒904-0004　沖縄市中央1-18-6-101　☎098（938）0070
〒100-0094　千代田区紀尾井町1-15、宿舎

なか だ　ひろし
中 田　宏　自 新［無］　RI 繰当1

神奈川県横浜市　S39・9・20
勤13年3ヵ月（衆10年10ヵ月）（初/令4）※2

党環境部会長、経産委理、衆議院議員4期、横浜市長2期、松下政経塾、青山学院大経済学部／59歳

〒222-0033　横浜市港北区新横浜2-14-14　新弘ビル7階　☎045（548）4488

た なか まさ し
田 中 昌 史　自 新［無］　RI 繰当1

北海道札幌市　S40・10・11
勤1年8ヵ月　（初/令5）

予算委、法務委、憲法審委、消費者特委、国民生活調委、党厚生関係団体副委員、日本理学療法士協会政策参与、日本理学療法士連盟顧問、理学療法士、北翔大院修／58歳

〒100-8962　千代田区永田町2-1-1、会館　☎03（6550）0505

きし　まき こ
岸 真紀子　立 新　RI 当1

北海道岩見沢市　S51・3・24
勤5年2ヵ月　（初/令元）

総務委、決算委、地方・デジ特委理、党参幹事長代理、党参比例第13総支部長、自治労特別中央執行委員、岩見沢緑陵高／48歳

〒100-8962　千代田区永田町2-1-1、会館　☎03（6550）0611

みず おか しゅん いち
水 岡 俊 一　立 元　RI 当3

兵庫県豊岡市　S31・6・13
勤17年4ヵ月　（初/平16）

環境委、懲罰委、党参議院議員会長、内閣総理大臣補佐官、内閣委員長、兵庫県教組役員、中学校教員、奈良教育大／68歳

〒102-0083　千代田区麹町4-7、宿舎

お ざわ まさ ひと
小 沢 雅 仁　立 新　RI 当1

山梨県甲府市　S40・8・13
勤5年2ヵ月　（初/令元）

総務委理、議運委、消費者特委、憲法審委、日本郵政グループ労働組合中央副執行委員長、山梨県立甲府西高／59歳

〒102-0083　千代田区麹町4-7、宿舎

比例代表

参

略歴

吉川沙織 よし かわ さ おり
立 前　　　　　Ri 当3
徳島県　S51・10・9
勤17年4ヵ月　（初/平19）

議運委筆頭理事、**総務委**、経産委員長、NTT元社員、同志社大院（博士前期）修了、京大院（博士後期）在学／47歳

〒100-8962　千代田区永田町2-1-1、会館　☎03(6550)0617

森屋　隆 もり や　たかし
立 新　　　　　Ri 当1
東京都　S42・6・28
勤5年2ヵ月　（初/令元）

国交委理、政治改革特委、国民生活調委、私鉄総連交通対策局長、西東京バス（株）、都立多摩工業高校／57歳

〒100-8962　千代田区永田町2-1-1、会館　☎03(6550)1211

川田龍平 かわ だ りゅう へい
立 前　　　　　Ri 当3
東京都　S51・1・12
勤17年4ヵ月　（初/平19）

行政監視委員長、環境委、拉致特委、党両院議員総会長、薬害エイズ訴訟原告、岩手医科大学客員教授、東経大／48歳

〒100-8962　千代田区永田町2-1-1、会館　☎03(6550)0508

石川大我 いし かわ たい が
立 新　　　　　Ri 当1
東京都豊島区　S49・7・3
勤5年2ヵ月　（初/令元）

法務委、消費者特委理、憲法審委、NPO法人代表理事、早大大学院修了／50歳

〒100-8962　千代田区永田町2-1-1、会館　☎03(6550)1113

奥村政佳 おく むら まさ よし
立 新　　　　　Ri 繰当1
大阪府大阪市　S53・3・30
勤4ヵ月　（初/令6）

文科委、党代表補佐、党青年局幹事、保育士、大学講師、気象予報士、防災士、歌手、筑波大、横浜国大院／46歳

〒100-8962　千代田区永田町2-1-1、会館　☎03(6550)0914

山本香苗 やま もと か なえ
公 前　　　　　Ri 当4
広島県　S46・5・14
勤23年5ヵ月　（初/平13）

厚労委、地方・デジ特委、党中央幹事、参議院副会長、関西方面副本部長、大阪府本部代表代行、元厚労副大臣、元総務委員長、外務省、京大／53歳

〒590-0957　堺市堺区中之町西1-1-10 堀ビル501号室　☎072(225)0102
〒100-8962　千代田区永田町2-1-1、会館　☎03(6550)1024

比例代表

参 略歴

218

やま もと ひろ し
山本博司 公前　RI 当3

愛媛県八幡浜市　S29・12・9
勤17年4ヵ月　（初／平19）

総務委理、党中央幹事、党中央規律副委員長、厚生労働副大臣兼内閣府副大臣、総務委員長、財務大臣政務官、日本IBM、慶大／69歳

〒760-0080　香川県高松市木太町607-1
　　　　　　クリエイト木太201
〒152-0022　目黒区柿の木坂3-11-15　☎087(868)3607
　　　　　　　　　　　　　　　　☎03(3418)9838

わか まつ かね しげ
若松謙維 公前　RI 当2(初/平25)※

福島県石川町　S30・8・5
勤21年8ヵ月（衆10年5ヵ月）

党中央幹事・機関紙推進委員長、財金委理、決算委、資源エネ調委、復興特委、元復興副大臣、元総務副大臣、公認会計士、税理士、行政書士、防災士、中央大／69歳

〒960-8107　福島県福島市浜田町4-16
　　　　　　富士ビル1F2号　☎024(572)5567

かわ の よし ひろ
河野義博 公前　RI 当2

福岡県　S52・12・1
勤11年3ヵ月（初／平25）

予算委理、国交委、ODA・沖北特委、資源エネ調理、党中央幹事、農水大臣政務官、丸紅、東京三菱銀行、慶大経済／46歳

〒810-0045　福岡市中央区草香江1-4-34
　　　　　　エーデル大濠202　☎092(753)6491

にい づま ひで き
新妻秀規 公前　RI 当2

埼玉県越谷市　S45・7・22
勤11年3ヵ月（初／平25）

総務委員長、拉致特委、外交・安保調委、党国際局長、愛知県本部副代表、元復興副大臣、元文部科学・内閣府・復興政務官、東大院（工学系研究科）／54歳

〒460-0008　名古屋市中区栄1-14-15
　　　　　　RSビル203号室　☎052(253)5085
〒102-0094　千代田区紀尾井町1-15、宿舎　☎03(6550)1112

ひら き だい さく
平木大作 公前　RI 当2

長野県　S49・10・16
勤11年3ヵ月（初／平25）

復興副大臣、党千葉県本部代表、党広報委員長、経産・内閣府・復興大臣政務官、東大法、スペイン・イエセ・ビジネススクール経営学修士／49歳

〒273-0011　船橋市湊町1-7-4 B号室　☎047(404)3202
〒100-8962　千代田区永田町2-1-1、会館　☎03(6550)0422

しお た ひろ あき
塩田博昭 公新　RI 当1

徳島県阿波市　S37・1・19
勤5年2ヵ月　（初／令元）

党中央幹事、東京都本部副代表、秋田・山梨県本部顧問、国交委理、議運委、消費者特委、憲法審委、元党政調事務局長、秋田大／62歳

〒154-0004　世田谷区太子堂2-14-20-205　☎03(6805)3946
〒100-8962　千代田区永田町2-1-1、会館　☎03(6550)1117

比例代表

略歴

すずき むねお
鈴木宗男　無新　[R1] 当1(初/令元)※1
北海道足寄町　S23・1・31
勤30年2ヵ月(衆25年)

法務委、前懲罰委員長、元国務大臣、元外務委員長、元沖縄北方特別委員長、衆議院議員8期、拓殖大／76歳

〒060-0061　札幌市中央区南1条西5丁目17-2
プレジデント松井ビル1205　☎011(251)5351

うめむら さとし
梅村　聡　維元　[R1] 当2
大阪府　S50・2・13
勤11年3ヵ月　(初/平19)

厚労委、決算委理、政治改革特委、党政調副会長、党コロナ対策本部長、元厚労政務官、医師、大阪大学医学部／49歳

〒532-0011　大阪市淀川区西中島4-6-29
第3ユヤマビル3-B　☎06(6886)2000
〒100-8962　千代田区永田町2-1-1、会館 ☎03(6550)0326

しばた たくみ
柴田　巧　維元　[R1] 当2
富山県　S35・12・11
勤11年3ヵ月　(初/平22)

内閣委、議運委理、憲法審委、党参院国対委員長、富山県議、衆議院議員秘書、早大院／63歳

〒932-0113　富山県小矢部市岩武1051　☎0766(61)1315

やながせ ひろふみ
柳ヶ瀬裕文　維新　[R1] 当1
東京都大田区　S49・11・8
勤5年2ヵ月　(初/令元)

財金委、行政監視委理、拉致特委、党総務会長、東京都議会議員(3期)、大田区議会議員、議員秘書・会社員、早大／49歳

〒146-0083　東京都大田区千鳥3-11-19
第2桜ビル3F　☎03(6459)8706
〒100-8962　千代田区永田町2-1-1、会館 ☎03(6550)0703

ふじまき たけし
藤巻健史　維元　[R1] 繰当2
東京都　S25・6・3
勤6年9ヵ月　(初/平25)

元財政金融委、モルガン銀行日本における代表者兼東京支店長、一橋大講師(非常勤)、早大商学研究科講師(非常勤)、ノースウエスタン大院、一橋大／74歳

〒100-8962　千代田区永田町2-1-1、会館　☎03(6550)1122

こいけ あきら
小池　晃　共前　[R1] 当4
東京都　S35・6・9
勤23年5ヵ月　(初/平10)

党書記局長、財金委、国家基本委理、党政策委員長、東北大医／64歳

〒151-0053　渋谷区代々木1-44-11-1F　☎03(5304)5639

比例代表

[参] 略歴

※1 昭58衆院初当選　※2 平15衆院初当選

山下芳生（やました よしき）　共前　Ｒ１　当4
香川県　S35・2・27
勤23年5ヵ月　（初/平7）

党筆頭副委員長、環境委理、政治改革特委、政倫審委、党書記局長、鳥取大／64歳

〒537-0025　大阪市東成区中道1-10-10 102号　☎06(6975)9111
〒100-8962　千代田区永田町2-1-1、会館　☎03(6550)1123

井上哲士（いのうえ さとし）　共前　Ｒ１　当4
京都府　S33・5・5
勤23年5ヵ月　（初/平13）

党参院幹事長・国対委員、党幹部会委員、内閣委、懲罰委、政治改革特委、拉致特委、「赤旗」記者、京大／66歳

〒604-0092　京都市中京区丸太町角大炊町186　☎075(231)5198
〒102-0083　千代田区麹町4-7、宿舎

紙　智子（かみ ともこ）　共前　Ｒ１　当4
北海道　S30・1・13
勤23年5ヵ月　（初/平13）

党常任幹部会委員、党農林・漁民局長、農水委、ODA・沖北特委、復興特委、民青同盟副委員長、国会議員団総会会長、北海道女短大／69歳

〒065-0012　札幌市東区北12条東2丁目3-2　☎011(750)6677
〒102-0083　千代田区麹町4-7、宿舎　☎03(3237)0804

田村まみ（た むら まみ）　国新　Ｒ１　当1
広島県広島市　S51・4・23
勤5年2ヵ月　（初/令元）

厚労委、予算委、消費者特委、UAゼンセン、イオン労働組合、イオンリテール（株）、同志社大／48歳

〒100-8962　千代田区永田町2-1-1、会館　☎03(6550)0910

礒﨑哲史（いそざき てつじ）　国前　Ｒ１　当2(初/平25)
東京都世田谷区　S44・4・7
勤11年2ヵ月　（初/平25）

経産委、憲法審委、党副代表、参国対委員長、広報局長、東京都連会長、元日産自動車（株）、東京電機大工学部／55歳

〒100-8962　千代田区永田町2-1-1、会館　☎03(6550)1210

浜野喜史（はま の よし ふみ）　国前　Ｒ１　当2
兵庫県高砂市　S35・12・21
勤11年3ヵ月　（初/平25）

議運委理、環境委、党選挙対策委員長、労働組合役員、神戸大／63歳

〒102-0083　千代田区麹町4-7、宿舎

比例代表

参

略歴

<ruby>舩<rt>ふな</rt></ruby> <ruby>後<rt>ご</rt></ruby> <ruby>靖<rt>やす</rt></ruby> <ruby>彦<rt>ひこ</rt></ruby>　れ新　　　RI 当1

岐阜県岐阜市加納御車町 S32・10・4
勤5年2ヵ月　（初／令元）

文科委、拉致特委、（株）アース顧問、酒田時計貿易（株）、拓殖大学政経学部卒業／66歳

〒102-0083　千代田区麹町4-7、宿舎

<ruby>木<rt>き</rt></ruby> <ruby>村<rt>むら</rt></ruby> <ruby>英<rt>えい</rt></ruby> <ruby>子<rt>こ</rt></ruby>　れ新　　　RI 当1

神奈川県横浜市 S40・5・11
勤5年2ヵ月　（初／令元）

国交委、国家基本委、国民生活調委、自立ステーションつばさ事務局長、神奈川県立平塚養護学校高等部／59歳

〒100-8962　千代田区永田町2-1-1、会館　☎03(6550)0314

<ruby>大椿<rt>おおつばき</rt></ruby>ゆうこ　社新　　　RI 繰当1

岡山県高梁市 S48・8・14
勤1年5ヵ月　（初／令5）

厚労委、党全国連合副党首、障害者支援コーディネーター、労組専従役員、社会福祉士、精神保健福祉士、保育士、四国学院大学社会学部／51歳

〒567-0816　茨木市永代町5-116 ソシオ I -1階
　　　　　　　　　　　　　　　　　☎072(648)7846
〒100-8962　千代田区永田町2-1-1、会館 ☎03(6550)0906

<ruby>浜<rt>はま</rt></ruby> <ruby>田<rt>だ</rt></ruby>　<ruby>聡<rt>さとし</rt></ruby>　無新（N党）　RI 繰当1

京都府京都市 S52・5・11
勤4年11ヵ月　（初／令元）

党幹事長兼政調会長、総務委、日本医学放射線学会放射線科専門医、東大教育学部、同大学院修士課程、京大医学部医学科／47歳

〒710-0056　倉敷市鶴形1-5-33-1001　☎03(6550)0403
〒102-0094　千代田区紀尾井町-15、宿舎　☎03(3264)1351

参議院比例代表（第25回選挙・令和元年7月21日施行）

全国有権者数	105,886,064人	全国投票者数　51,666,697人
男　〃	51,180,755人	男　〃　25,288,059人
女　〃	54,705,309人	女　〃　26,378,638人
		有効投票数　50,072,352票

党別当選者数・党別個人別得票数・党別得票率
（※小数点以下の得票数は按分票です）

自 民 党　　19人　17,712,373.119票　35.37%

政党名得票　12,712,515.344　　個人名得票　4,999,857.775

	氏名		得票		氏名		得票
当	三木　亨	現	特定枠	当	赤池　誠章	現	131,727.208
	（令5.1.13辞職）			繰	比嘉奈津美	新	114,596
当	三浦　靖	新	特定枠		（令3.10.20繰上）		
当	柘植　芳文	現	600,189.903	繰	中田　宏	新	112,581.303
当	山田　太郎	元	540,077.960		（令4.4.14繰上）		
当	和田　政宗	現	288,080	繰	田中　昌史	新	100,005.187
当	佐藤　正久	現	237,432.095		（令5.1.17繰上）		
当	佐藤　信秋	現	232,548.956		尾立　源幸	元	92,882
当	橋本　聖子	現	225,617		木村　義雄	現	92,419.856
当	山田　俊男	現	217,619.597		井上　義行	元	87,946.669
当	有村　治子	現	206,221		（令4.7.10当選）		
当	宮本　周司	現	202,122		小川　眞史	新	85,266.022
	（令4.4.7失職）				山本　左近	新	78,236.224
当	石田　昌宏	現	189,893		（令3.10.31衆院選当選）		
当	北村　経夫	現	178,210		角田　充由	新	75,241.505
	（令3.10.7失職）				丸山　和也	現	58,587
当	本田　顕子	新	159,596.151		糸川　正晃	新	36,311.527
当	衛藤　晟一	現	154,578		熊田　篤嗣	新	29,961
当	羽生田　俊	現	152,807.948		水口　尚人	新	24,504.222
当	宮崎　雅夫	新	137,502		森本　勝也	新	23,450.657
当	山東　昭子	現	133,645.785				

立憲民主党　　8人　7,917,720.945票　15.81%

政党名得票　6,697,707.000　　個人名得票　1,220,013.945

	氏名		得票		氏名		得票
当	岸　真紀子	新	157,849		若林　智子	新	31,683.757
当	水岡　俊一	元	148,309		おしどりマコ	新	29,072
当	小沢　雅仁	新	144,751		藤田　幸久	現	28,919.215
当	吉川　沙織	現	143,472		斉藤　里恵	新	23,002
当	森屋　隆	新	104,339.413		佐藤　香	新	20,200.177
当	川田　龍平	現	94,702		中村　起子	新	13,422.369
当	石川　大我	新	73,799		今泉　真緒	新	11,991
当	須藤　元気	新	73,787		小俣　一平	新	10,140
	（令6.4.16失職）				白沢　みき	新	9,483.260
繰	市井紗耶香	新	50,415.298		真野　哲	新	9,008.343
	（令6.4.25繰上、4.26辞職）				塩見　俊次	新	5,115
繰	奥村　政佳	新	32,024		深貝　亨	新	4,529.113
	（令6.5.10繰上）						

比例代表

公明党　　7人　6,536,336.451票　13.05%

政党名得票　4,283,918.000　　個人名得票　2,252,418.451

当	山本	香苗	現	594,288.947	西田	義光	新	3,986
当	山本	博司	現	471,759.555	藤井	伸城	新	3,249
当	若松	謙維	現	342,356	竹島	正人	新	3,106
当	河野	義博	現	328,659	角田 健一郎	新	2,924.278
当	新妻	秀規	現	281,832	坂本	道広	新	2,438
当	平木	大作	現	183,869	村中	克也	新	2,163.335
当	塩田	博昭	新	15,178	塩崎	剛	新	1,996.336
	高橋	次郎	新	7,577	国分	隆作	新	1,623
	奈良	直記	新	5,413			

日本維新の会　　5人　4,907,844.388票　9.80%

政党名得票　4,218,454.000　　個人名得票　689,390.388

当	鈴木	宗男	新	220,742.675	山口	和之	現	42,231.776
当	室井	邦彦	現	87,188	串田	久子	新	32,296
	（令6.1.3死去）				桑原久美子	新	20,721
当	梅村	聡	元	58,269.522	奥田	真理	新	20,478
当	柴田	巧	元	53,938	森口あゆみ	新	19,333.904
当	柳ヶ瀬裕文	新	53,086	空本	誠喜	新	12,772
繰	藤巻	健史	現	51,619.511	（令3.10.31衆院議員に当選）
	（令6.1.18繰上）				荒木	大樹	新	8,577
					岩渕美智子	新	8,137

共産党　　4人　4,483,411.183票　8.95%

政党名得票　4,051,700.000　　個人名得票　431,711.183

当	小池	晃	現	158,621	伊藤理智子	新	3,079.612
当	山下	芳生	現	48,932.480	有坂ちひろ	新	2,787.721
当	井上	哲士	現	42,982.440	田辺	健一	新	2,677
当	紙	智子	現	34,696.013	青山	了介	新	2,600.721
	仁比	聡平	現	33,360	松崎	真琴	新	2,581
	（令4.7.10当選）				大野	聖美	新	2,170.469
	山本	訓子	新	32,816.665	島袋	恵祐	新	2,162
	椎葉	寿幸	新	16,728.218	伊藤	達也	新	2,152.164
	梅村早江子	新	15,357.129	小久保剛志	新	1,200.134
	山本千代子	新	7,573.462	下奥	奈歩	新	936
	舩山	由美	新	5,364	沼上	徳光	新	647
	佐藤ちひろ	新	4,199.426	住寄	聡美	新	582.529
	原	純子	新	3,671	鎌野	祥二	新	419
	藤本	友里	新	3,414			

国民民主党　　3人　3,481,078.400票　6.95%

政党名得票　2,174,706.000　　個人名得票　1,306,372.400

当	田村	麻美	新	260,324	円	より子	元	24,709
当	礒崎	哲史	現	258,507	姫井由美子	新	21,006
当	浜野	喜史	現	256,928.785	小山田経子	新	8,306
	石上	俊雄	現	192,586.679	鈴木	覚	新	5,923.855
	田中	久弥	新	143,492.942	酒井	亮介	新	4,379.272
	大島九州男	現	87,740	中沢	健	新	4,058
	（令5.1.17れいわで繰上）			藤川	武人	新	2,472
	山下	容子	現	35,938.867			

れいわ新選組　　2人　2,280,252.750票　4.55%

政党名得票　1,226,412.714　　個人名得票　1,053,840.036

当	舩後	靖彦	新	特定枠	大西	恒樹	新	19,842
当	木村	英子	新	特定枠	安冨	歩	新	8,632.076
	山本	太郎	現	991,756.597	渡辺	照子	新	5,073.675
	（令4.7.10当選）				辻村	千尋	新	4,070.549
	蓮池	透	新	20,557.200	三井	義文	新	3,907.939

参　略歴

社 民 党　　1人　1,046,011.520票　2.09%

政党名得票　761,207.000　個人名得票　284,804.520

当	吉田　忠智 元	149,287			矢野　敦子 新		21,391
	（令5.3.30辞職）				（離党）		
	仲村　未央 新	98,681.520	繰	大椿　裕子 新		15,445	
	（離党）				（令5.4.6繰上）		

NHKから国民を守る党　1人　　987,885.326票　1.97%

政党名得票　841,224.000　個人名得票　146,661.326

当	立花　孝志 新	130,233.367		岡本　介伸 新	4,269
	（令元.10.10退職）			熊丸　英治 新	2,850
繰	浜田　聡 新	9,308.959			
	（令元.10.21繰上）				

. . . .

その他の政党の得票総数・得票率等は下記のとおりです。
（当選者はいません。個人名得票の内訳は省略しました）

安楽死制度を考える会　　得票総数　269,052.000票（0.54%）
政党名得票　233,441.000　個人名得票　35,611.000

幸福実現党　　得票総数　202,278.772票（0.40%）
政党名得票　158,954.000　個人名得票　43,324.772

オリーブの木　　得票総数　167,897.997票（0.34%）
政党名得票　136,873.000　個人名得票　31,024.997

労働の解放をめざす労働者党　　得票総数　80,054.927票（0.16%）
政党名得票　57,891.999　個人名得票　22,163.928

第26回選挙

（令和4年7月10日施行／令和10年7月25日満了）

藤井 一博（ふじい かずひろ）　自新［無］　R4 当1
鳥取県　S52・12・23
勤2年2ヵ月　（初／令4）

総務委理、行監委、政治改革特委理、資源エネ調理、党青年局長代理、女性局・新聞局次長、医師、鳥取県議会議員、鳥取大／46歳

〒682-0023　鳥取県倉吉市山根572-4
サンクピエスビル2F201号室 ☎0858（26）6081
〒100-8982　千代田区永田町2-1-1、会館 ☎03（6550）0605

梶原 大介（かじはら だいすけ）　自新［無］　R4 当1
高知県香南市　S48・10・29
勤2年2ヵ月　（初／令4）

環境委、議運委、復興特委理、災害特委、憲法審委、党国土・建設関係団体副委員長、高知県連幹事長、県議、参院秘書、高知高専／50歳

〒780-0861　高知県升形2-1 升形ビル2F ☎088（803）9600

赤松 健（あかまつ けん）　自新［無］　R4 当1
愛知県名古屋市　S43・7・5
勤2年2ヵ月　（初／令4）

文科委理、決算委、消費者特委、外交・安保調委、漫画家、（公社）日本漫画家協会常務理事、（株）Jコミックテラス取締役、中央大／56歳

〒100-8962　千代田区永田町2-1-1、会館 ☎03（6550）0423

長谷川 英晴（はせがわ ひではる）　自新［無］　R4 当1
千葉県いすみ市　S34・5・7
勤2年2ヵ月　（初／令4）

環境委理、予算委、地方・デジ特委、国民生活調委、全国郵便局長会顧問、千葉県山田郵便局長、全国郵便局長会副会長、東北大／65歳

〒100-8962　千代田区永田町2-1-1、会館 ☎03（6550）1020

青山 繁晴（あおやま しげはる）　自前［無］　R4 当2
兵庫県神戸市　S27・7・25
勤8年3ヵ月　（初／平28）

経産委理事、ODA・沖北特委、憲法審委、党経産部会長代理、（株）独立総合研究所社長、共同通信社、早大／72歳

〒100-8962　千代田区永田町2-1-1、会館

かたやま
片山さつき

自前［無］R4 当3(初/平22)※1
埼玉県　S34・5・9
勤18年3ヵ月（衆3年11ヵ月）

厚労委、行監委理、憲法審幹事、政倫審、党金融調査会長、党政調会長代理、元国務大臣（地方創生・規制改革・女性活躍）、衆院議員、財務省主計官、東大法／65歳

〒432-8069　浜松市中央区志都呂1-32-15　☎053(581)7151
〒100-8962　千代田区永田町2-1-1、会館　☎03(6550)0420

あ だ としゆき
足立敏之

自前［無］R4 当2
京都府福知山市　S29・5・20
勤8年3ヵ月　（初/平28）

財政金融委員長、国土交通省元技監、元水管理・国土保全局長、京大大学院修了／70歳

〒100-8962　千代田区永田町2-1-1、会館　☎03(6550)0501

じ み
自見はなこ

自前［無］R4 当2
福岡県北九州市　S51・2・15
勤8年3ヵ月　（初/平28）

内閣府特命担当大臣、前内閣府大臣政務官、元自民党女性局長、元厚生労働大臣政務官、筑波大・東海大医／48歳

〒802-0077　北九州市小倉北区馬借2-7-28-2F　☎093(513)0875
〒100-8962　千代田区永田町2-1-1、会館　☎03(6550)0504

ふじ き しん や
藤木眞也

自前［無］R4 当2
熊本県　S42・2・25
勤8年3ヵ月　（初/平28）

党農林部会長代理、議運委理、参党副幹事長、農水政務官、JAかみましき組合長、JA全青協会長、農業生産法人社長、熊本農高／57歳

〒861-3101　熊本県上益城郡嘉島町大字鯰2792　☎096(282)8856
〒100-8962　千代田区永田町2-1-1、会館　☎03(6550)1006

やま だ ひろし
山田　宏

自前［無］R4 当2(初/平28)※2
東京都八王子市　S33・1・8
勤13年6ヵ月（衆5年3ヵ月）

厚労委、党副幹事長、防衛大臣政務官、衆院議員2期、杉並区長3期、東京都議2期、松下政経塾第2期生、京大／66歳

〒102-0093　千代田区平河町2-16-5-602
〒100-8962　千代田区永田町2-1-1、会館　☎03(6550)1205

とも のう り お
友納理緒

自新［無］R4 当1
東京都世田谷　S55・11・18
勤2年2ヵ月　（初/令4）

厚労委、議運委、地方・デジ特委、国民生活調委、看護師、弁護士、元日本看護協会参与、早大院法務研究科、東京医科歯科大院修士／43歳

〒100-8962　千代田区永田町2-1-1、会館　☎03(6550)1116

※1 平17衆院初当選　※2 平5衆院初当選

やまたに えり こ
山谷えり子
自前［無］　R4 当4(初/平16)※
福井県　S25・9・19
勤23年10ヵ月(衆3年5ヵ月)

内閣委、拉致特委長、倫選特委長、国家公安委員長・拉致問題担当大臣、参党政審会長、首相補佐官、サンケイリビング編集長、聖心女子大／73歳

〒100-8962　千代田区永田町2-1-1、会館　☎03(6550)1107

いの うえ よし ゆき
井上義行
自元［無］　R4 当2
神奈川県小田原市　S38・3・12
勤8年2ヵ月　(初/平25)

総務委理、行監委、ODA・沖北特委、第一次安倍内閣総理大臣秘書官、日大経済学部(通信)／61歳

〒250-0011　小田原市栄町1-14-48
　　　　　ジャンボーナックビル706　☎0465(20)8357

しん どう かね ひ こ
進藤金日子
自前［無］　R4 当2
秋田県協和町(現大仙市)　S38・7・7
勤8年2ヵ月　(初/平28)

財務大臣政務官、党農林部会長代理、党水産調査会副会長、元農水省中山間地域振興課長、全国水土里ネット会長会議顧問、岩手大／61歳

〒100-8962　千代田区永田町2-1-1、会館　☎03(6550)0719

いま い え り こ
今井絵理子
自前［麻］　R4 当2
沖縄県那覇市　S58・9・22
勤8年2ヵ月　(初/平28)

文科委理、ODA・沖北特委理、決算委、参党国対副委員長、元内閣府大臣政務官、歌手、八雲学園高校／40歳

〒900-0014　那覇市松尾1-21-59 1F　☎098(975)9216
〒100-8962　千代田区永田町2-1-1、会館　☎03(6550)0315

あ だち まさ し
阿達雅志
自前［無］　R4 当3
京都府　S34・9・27
勤9年11ヵ月(初/平26繰)

内閣委員長、災害特委、外交防衛委員長、総理補佐官、国交政務官、党外交部会長、NY州弁護士、住友商事、東大法／64歳

〒100-8962　千代田区永田町2-1-1、会館　☎03(6550)0309

かみ や まさ ゆき
神谷政幸
自新［麻］　R4 当1
愛知県豊橋市　S54・1・6
勤2年2ヵ月　(初/令4)

厚労委、議運委、消費者特委理、資源エネ調委、党青年局次長、党厚生関係団体委副委員長、党広報戦略局次長、薬剤師、福山大薬学部／45歳

〒100-8962　千代田区永田町2-1-1、会館　☎03(6550)1218

おち　とし　ゆき
越智俊之　自新［無］　　　R4 当1
広島県江田島市　S53・3・9
勤2年2ヵ月　（初/令4）

経産委、決算委理、全国商工会連合会顧問、三興建設(株)専務取締役、全国商工会青年部連合会第22代会長、法政大／46歳

〒730-0051　広島市中区大手町3-3-27 1F　☎082(545)5500
〒100-8962　千代田区永田町2-1-1、会館　☎03(6550)0821

いし　い　　あきら
石井　章　維前　　　R4 当2(初/平28)※
茨城県取手市　S32・5・6
勤11年7ヵ月〔衆3年4ヵ月〕

消費者特委長、経産委、元衆議院議員、社会福祉法人理事長、専修大法学部／67歳

〒300-1513　茨城県取手市片町296　☎0297(83)8900
〒100-8962　千代田区永田町2-1-1、会館　☎03(6550)1204

いし　い　みつ　こ
石井苗子　維前　　　R4 当2
東京都　S29・2・25
勤8年3ヵ月　（初/令4）

外交防衛委理、決算委、震災復興特委理、保健師、看護師、女優、民放キャスター、心療内科勤務、聖路加大・東大院／70歳

〒100-8962　千代田区永田町2-1-1、会館　☎03(6550)1115
〒102-0083　千代田区麹町4-7、宿舎

まつ　の　あけ　み
松野明美　維新　　　R4 当1
熊本県　S43・4・27
勤2年2ヵ月　（初/令4）

農水委、予算委、災害特委、党代表付、党政調副会長、元オリンピック選手、元熊本市議、元熊本県議、県立鹿本高校／56歳

〒861-0113　熊本市北区植木町伊知坊410-3　☎096(273)6377
〒100-8962　千代田区永田町2-1-1、会館　☎03(6550)0912

なかじょう
中条きよし　維新　　　R4 当1
岐阜県岐阜市　S21・3・4
勤2年2ヵ月　（初/令4）

文科委、拉致特委、国民生活調理、党代表付、歌手、俳優、岐阜東高中退／78歳

〒100-8962　千代田区永田町2-1-1、会館　☎03(6550)0805

いの　せ　なお　き
猪瀬直樹　維新　　　R4 当1
長野県長野市　S21・11・20
勤2年2ヵ月　（初/令4）

厚労委、憲法審委、ODA・沖北特委、党参議院幹事長、作家、元東京都知事、副知事、道路公団民営化委、信州大、明大院／77歳

〒100-8962　千代田区永田町2-1-1、会館　☎03(6550)0513

比例代表

参 略歴

金子　道仁（かねこ みちひと）　維新　神奈川県横浜市　S45・2・20　勤2年2ヵ月　R4 当1（初/令4）

予算委理、文科委、外交・安保調委、党代表付、党政調副会長、キリスト教会牧師、社会福祉法人理事長、外務省、東大法／54歳

〒666-0251　兵庫県川辺郡猪名川町若葉1-137-22
〒102-0083　千代田区麹町4-7、宿舎　☎072(767)6004

串田　誠一（くしだ せいいち）　維新　東京都大田区　S33・6・20　勤6年3ヵ月（衆4年1ヵ月）(初/令4)※1　R4 当1

環境委理、決算委、外交・安保調理、情報監視審委、党政調副会長、前衆議院議員、弁護士、法政大学／66歳

〒231-0012　横浜市中区相生町2-27
　　　　　　宇田川ビル3F
〒100-8962　千代田区永田町2-1-1、会館　☎045(212)3327
　　　　　　☎03(6550)1203

青島　健太（あおしま けんた）　維新　新潟県新潟市　S33・4・7　勤2年2ヵ月　R4 当1（初/令4）

国交委理、議運委、資源エネ調理、党代表付、党国対副委員長、元プロ野球選手、スポーツライター、慶大／66歳

〒340-0023　埼玉県草加市谷塚町952
　　　　　　関マンション104号
〒100-8962　千代田区永田町2-1-1、会館　☎048(954)6641
　　　　　　☎03(6550)0405

辻元　清美（つじもと きよみ）　立新　奈良県　S35・4・28　勤23年11ヵ月（衆21年9ヵ月）(初/令4)※2　R4 当1

党代表代行、憲法審筆頭幹事、予算委、経産委、党副代表、衆予算委筆頭理事、党国対委員長、首相補佐官、国交副大臣、早大／64歳

〒100-8962　千代田区永田町2-1-1、会館　☎03(6550)0613

鬼木　誠（おにき まこと）　立新　福岡県筑紫野市　S38・12・7　勤2年2ヵ月　R4 当1（初/令4）

内閣委、行監委理、復興特委、資源エネ調委、自治労本部書記長、福岡県県職員労働組合委員長、福岡県職員、福岡県立筑紫高校／60歳

〒102-0083　千代田区麹町4-7、宿舎

古賀　千景（こが ちかげ）　立新　福岡県久留米市　S41・11・25　勤2年2ヵ月　R4 当1（初/令4）

文科委、決算委、復興特委、憲法審委、党参議院比例第16総支部長、日教組特別中央執行委員、小学校教諭、熊本大／57歳

〒100-8962　千代田区永田町2-1-1、会館　☎03(6550)0409

比例代表

参 略歴

※1 平29衆院初当選　※2 平8衆院初当選

しば　しん　いち
柴　愼一
立新　　　　　　R4 当1
神奈川県　S39・9・14
勤2年2ヵ月　（初/令4）

財金委、行監委、震災復興特委、国民生活調委、元JP労組中央副執行委員長、柿生高校／59歳

〒100-8962　千代田区永田町2-1-1、会館　☎03(6550)1009

むら　た　きょうこ
村田享子
立新　　　　　　R4 当1
鹿児島県鹿児島市　S58・5・16
勤2年2ヵ月　（初/令4）

決算委、経産委、消費者特委、基幹労連職員、参院議員秘書、東大／41歳

〒100-8962　千代田区永田町2-1-1、会館　☎03(6550)1222

あお　き　　　あい
青木　愛
立前　　　R4 当3(初/平19)※
東京都　S40・8・18
勤17年7ヵ月（衆7年2ヵ月）

国土交通委員長、元行政監視委員長、元復興特委員長、保育士、千葉大院修了、高野山大院修了／59歳

〒114-0021　北区岸町1-2-9　☎03(5948)5038
〒100-8962　千代田区永田町2-1-1、会館　☎03(6550)0507

いし　ばし　みち　ひろ
石橋通宏
立前　　　　　　R4 当3
島根県　S40・7・1
勤14年4ヵ月　（初/平22）

党参院国会対策委員長代理、予算委筆頭理事、厚労委、厚労委、情報労連、元ILO専門官、米アラバマ大院、中大法／59歳

〒100-8962　千代田区永田町2-1-1、会館　☎03(6550)0523

たけ　うち　しん　じ
竹内眞二
公前　　　　　　R4 当2
東京都　S39・3・19
勤7年　（初/平29繰）

災害特委長、財金委、行監委、国民生活調委、党遊説局長、団体局次長、公明新聞編集局次長、早大／60歳

〒102-0094　千代田区紀尾井町1-15、宿舎

よこ　やま　しん　いち
横山信一
公前　　　　　　R4 当3
北海道　S34・7・21
勤14年4ヵ月　（初/平22）

党北海道本部代表代行、党東北方面副本部長、党復興・防災部会長、農水大臣政務官、復興副大臣、法務委員長、北大院／65歳

〒060-0001　札幌市中央区北1条西19丁目緒方ビル3F　☎011(688)6222
〒102-0083　千代田区麹町4-7、宿舎

※平15衆院初当選

たに あい まさ あき
谷合正明 公前　埼玉県　S48・4・27
勤20年5ヵ月　（初/平16）
R4　当4

党幹事長代理・参議事長・広報委員長・中国
方面本部長・岡山県本部代表、政治改革特
委理、農水副大臣、NGO職員、京大院／51歳

〒702-8031　岡山市南区福富西1-20-48
　　　　　　クボタビル5F　☎086(262)3611
〒102-0094　千代田区紀尾井町1-15、宿舎

くぼ た てつ や
窪田哲也 公新　愛媛県　S40・11・2
勤2年2ヵ月　（初/令4）
R4　当1

党参国対副委員長、党団体局次長、党沖縄21世紀
委員会事務局次長、内閣委、議運委、ODA・沖北特
委理、元公明新聞九州支局長、明治大／58歳

〒890-0052　鹿児島市上之園町25-36
　　　　　　光健ボイスビル306号室　☎099(296)8920
〒100-8962　千代田区永田町2-1-1、会館　☎03(6550)0202

うえ だ いさむ
上田　勇 公新　神奈川県横浜市　S33・8・5
勤23年2ヵ月（衆21年）(初/令4)※
R4　当1

党政調会長代理、外交防衛委理、衆院議
員7期、財務副大臣、法務総括次官、農水
省、東大、米コーネル大学大学院／66歳

〒430-0917　浜松市中央区常盤町139-18　☎053(523)7977

みや ざき まさる
宮崎　勝 公元　埼玉県　S33・3・18
勤8年　（初/平28）
R4　繰当2

内閣委員、予算委、災害特委理、党埼玉県本
部副代表、党税調事務局次長、元環境大臣政
務官、元公明新聞編集局長、埼玉大／66歳

〒330-0063　さいたま市浦和区高砂3-7-4 2F
〒102-0083　千代田区麹町4-7、宿舎

た むら とも こ
田村智子 共前　長野県小諸市　S40・7・4
勤14年4ヵ月　（初/平22）
R4　当3

党委員長、国交委、国家基本委、元政策
委員長、元党東京都委員長、参議院議
員秘書、早大第一文学部／59歳

〒151-0053　渋谷区代々木1-44-11　☎03(5304)5639
〒100-8962　千代田区永田町2-1-1、会館　☎03(6550)0908

に ひ そう へい
仁比聡平 共元　福岡県北九州市　S38・10・16
勤14年4ヵ月　（初/平16）
R4　当3

法務委、災害特委、憲法審委、党参院国
対副委員長、党中央委員、弁護士、京大
法／60歳

〒810-0022　福岡市中央区薬院3-13-12-3F　☎092(526)1933
〒102-0083　千代田区麹町4-7、宿舎

※平5衆院初当選

いわ ぶち とも
岩 渕 友

共前　　　R4 当2
福島県喜多方市　S51・10・3
勤8年3ヵ月　（初/平28）

党幹部会委員、党国会対策副委員長、経産委、復興特委、外交・安保調理、議運委理、日本民主青年同盟福島県委員長、福島大/47歳

〒960-0112　福島県南矢野目字谷地65-3　☎024(555)0550
〒100-8962　千代田区永田町2-1-1、☎03(6550)1002

たけ づめ ひと し
竹 詰 仁

国新　　　R4 当1
東京都　S44・2・6
勤2年2ヵ月　（初/令4）

内閣委、決算委、復興特委、東電労組中央執行委員長、全国電力総連副会長、在タイ日本大使館一等書記官、慶大経/55歳

〒100-8962　千代田区永田町2-1-1、会館　☎03(6550)0406

はま ぐち まこと
浜 口 誠

国前　　　R4 当2
三重県松阪市　S40・5・18
勤8年3ヵ月　（初/平28）

国交委、ODA・沖北特委、外交・安保調理、情監審委、党政調会長、役員室長、自動車総連顧問、トヨタ自動車、筑波大/59歳

〒100-8962　千代田区永田町2-1-1、会館　☎03(6550)1022

かわ い たか のり
川 合 孝 典

国前　　　R4 当3
京都府京都市　S39・1・29
勤14年4ヵ月　（初/平19）

法務理、行政監視委、拉致特委、党幹事長代行、党拉致問題対策本部長、UAゼンセン政治顧問、立命館大法学部/60歳

〒152-0004　目黒区鷹番3-4-5(自宅)

てん ばた だい すけ
天 畠 大 輔

れ新　　　R4 当1
広島県呉市　S56・12・29
勤2年2ヵ月　（初/令4）

厚労委、重度障がい者支援団体代表理事、ルーテル大、立命館大院(博士)/42歳

〒100-8962　千代田区永田町2-1-1、会館　☎03(6550)0316

おおしまく す お
大 島 九 州 男

れ元　　　R4 繰当3
福岡県直方市　S36・6・11
勤13年10ヵ月　（初/平19）

内閣委、行監委、災害特委、内閣委員長、予算委理、民主党副幹事長、直方市議3期、全国学習塾協会常任理事、日大法学部/63歳

〒902-0062　沖縄県那覇市松川2-16-1
〒100-8962　千代田区永田町2-1-1、会館　☎03(6550)0714

比例代表

参略歴

233

参新　　　　　　　　R4 当1
神谷宗幣（かみや そうへい）　福井県　S52・10・12
勤2年2ヵ月　（初・令4）

財金委、参政党代表、会社役員、吹田市議、関西大法科大学院／46歳

〒920-0967　金沢市菊川2-24-3　☎076(255)0177
〒102-0083　千代田区麹町4-7、宿舎

社前　　　　　　　　R4 当5
福島みずほ（ふくしま）　宮崎県　S30・12・24
勤26年6ヵ月　（初・平10）

党首、法務委、予算委、憲法審委、地方・デジ特委、前副党首、消費者庁・男女共同参画・少子化・食品安全担当大臣、弁護士、東大／68歳

〒100-8962　千代田区永田町2-1-1、会館　☎03(6550)1111

無新(N党)　　　　　R4 繰当1
齊藤健一郎（さいとう けんいちろう）　兵庫県尼崎市　S55・12・25
勤1年6ヵ月　（初・令5）

総務委、震災復興特委、NHKから国民を守る党党首、(一社)EXPEDITION STYLE理事、奈良産業大学法学部／43歳

〒660-0892　尼崎市東難波町1-1-1-1412
〒102-0083　千代田区麹町4-7、宿舎

参議院比例代表（第26回選挙・令和4年7月10日施行）

全国有権者数	105,019,203人	全国投票者数	54,655,446人
男　〃	50,740,309人	男　〃	26,517,077人
女　〃	54,278,894人	女　〃	28,138,369人
		有効投票数	53,027,260票

党別当選者数・党別個人別得票数・党別得票率
（※小数点以下の得票数は按分票です）

自民党　18人　18,256,245.412票　34.43%

政党名得票　13,713,427.488　　個人名得票　4,542,817.924

	氏名		得票		氏名		得票
	藤井　一博	新	特定枠	当	越智　俊之	新	118,710.034
	梶原　大介	新	特定枠		小川　克巳	現	118,222.945
当	赤松　健	新	528,053		木村　義雄	元	113,873.825
当	長谷川英晴	新	414,371.020		宇都　隆史	現	101,840.710
当	山田　繁晴	現	373,786		園田　修光	現	93,380
当	片山さつき	現	298,091.510		水落　敏栄	現	82,920
当	足立　敏之	現	247,755.055		藤末　健三	元	74,972
当	自見　英子	現	213,369		岩城　光英	元	63,714
当	藤木　真也	現	187,740.202		河村　建一	新	59,007.679
当	橋本　聖子	現	171,871.715		吉岡伸太郎	新	55,804
当	友納　理緒	新	174,335		英利アルフィヤ	新	54,646
当	山谷えり子	現	172,640.169		尾立　源幸	元	24,576
当	井上　義行	現	165,062.175		向山　淳	新	20,638
当	進藤金日子	現	150,759		有里　真穂	新	18,561
当	今井絵理子	現	148,630.162		高原　朗子	新	17,542.622
当	阿達　雅志	現	138,994.642		遠藤奈央子	新	7,762
当	神谷　政幸	新	127,188.459				

比例代表

㊥略歴

234

日本維新の会　8人　7,845,995.352票　14.80%

政党名得票　7,086,854.000　個人名得票　759,141.352

当	石井　章	現	123,279.274		松浦　大悟	元	20,222
当	石井　苗子	現	74,118.112		飯田　哲史	新	19,522
当	松野　明美	新	55,608		井上　一徳	元	18,370.158
当	中条きよし	新	47,420		山口　和之	元	18,175.008
当	猪瀬　直樹	新	44,211.978		石田　隆史	新	17,408.867
当	金子　道仁	新	36,944		西川　鎮央	新	16,722
当	串田　誠一	新	35,842		中川　健一	新	14,986.577
当	青島　健太	新	33,553		水ノ上成彰	新	11,701
	上野　蛍	新	29,095		木内　孝胤	新	11,313
	神谷　ゆり	新	27,215.249		小林　悟	新	9,370
	後藤　斎	新	24,874.182		西郷隆太郎	新	8,637
	森口あゆみ	新	23,664.322		八田　盛茂	新	8,346
	岸口　実	新	22,399		中村　悠基	新	6,143.625

立憲民主党　7人　6,771,945.011票　12.77%

政党名得票　5,204,394.497　個人名得票　1,567,550.514

当	辻元　清美	新	428,859.769		堀越　啓仁	新	39,631
当	鬼木　誠	新	171,619.697		栗下　善行	新	39,555
当	古賀　千景	新	144,344		はたともこ	元	18,208.635
当	柴　慎一	新	127,382.292		要　友紀子	新	17,529
当	村田　享子	新	125,340.850		森永　美樹	新	10,055
当	青木　愛	現	123,742		河野　麻美	新	7,941
当	石橋　通宏	現	111,703		沢邑　啓子	新	7,602
	白　真勲	現	84,242		木村　正弘	新	7,101.466
	石川　雅俊	新	48,702.805		田中　勝一	新	4,503
	有田　芳生	現	46,715		菅原　美香	新	2,773

公明党　6人　6,181,431.937票　11.66%

政党名得票　4,048,585.000　個人名得票　2,132,846.937

当	竹内　真二	現	437,228		水島　春香	新	9,058
当	横山　信一	現	415,178.606		河合　綾	新	5,417.599
当	谷合　正明	現	351,413		中嶋　健二	新	2,786
当	窪田　哲也	新	349,359.320		塩野　正貴	新	1,717
当	熊野　正士	現	269,048		深沢　淳	新	1,212
	（令4.9.30辞職）				伊大知孝一	新	797
当	上田　勇	新	268,403		奈良　直記	新	738.014
繰	宮崎　勝	現	9,695		淀屋　伸雄	新	730
	（令4.10.6繰上）				光延　康治	新	426
	中北　京子	新	9,640.398				

共産党　3人　3,618,342.792票　6.82%

政党名得票　3,321,097.000　個人名得票　297,245.792

当	田村　智子	現	112,132.341		渡辺喜代子	新	2,199
当	仁比　聡平	元	36,098.530		上里　清美	新	2,141.184
当	岩渕　友	現	35,392		花木　則彰	新	1,488
	大門実紀史	現	31,570		片岡　朗	新	1,453
	武田　良介	現	23,370.641		高橋真生子	新	1,416.760
	山本　訓子	新	11,736.820		赤田　勝紀	新	1,258
	小山　早紀	新	6,618		冨田　直樹	新	1,164.007
	今村あゆみ	新	5,768.646		西沢　博	新	968.268
	片山　和子	新	4,646.951		細野　真理	新	872
	佐々木とし子	新	4,635		堀川　朗子	新	736.367
	吉田　恭子	新	4,174.277		深田　秀美	新	583
	西田佐枝子	新	3,674		来田　時子	新	495
	丸本由美子	新	2,654				

国民民主党　3人　3,159,625.890票　5.96%

政党名得票　2,234,837.672　　個人名得票　924,788.218

当	竹詰	仁	新	238,956.023		上松	正和	新	20,790
当	浜口	誠	現	234,744.965		樽井	良和	元	16,373.229
当	川合	孝典	現	211,783.997		城戸	佳織	新	16,078
	矢田	稚子	現	159,929.004		河辺	佳朗	新	3,822
	山下	容子	新	22,311					

れいわ新選組　2人　2,319,156.016票　4.37%

政党名得票　2,074,146.801　　個人名得票　245,009.215

当	天畠	大輔	新	特定枠		辻	恵	新	18,393
当	水道橋博士		新	117,794		蓮池	透	新	17,684
						依田	花蓮	新	14,821
繰	大島九州男		元	28,123		高井	崇志	新	13,326.841
	(令5.1.17繰上)					金	泰泳	新	13,041
	長谷川羽衣子			21,826.374					

（天畠 令5.1.16辞職）

参 政 党　1人　1,768,385.409票　3.33%

政党名得票　1,370,215.000　　個人名得票　398,170.409

当	神谷	宗幣	新	159,433.516		吉野	敏明	新	25,463
	武田	邦彦	新	128,257.022		赤尾	由美	新	11,344
	松田	学		73,672.871					

社 民 党　1人　1,258,501.715票　2.37%

政党名得票　963,899.000　　個人名得票　294,602.715

当	福島	瑞穂	現	216,984		大椿	裕子	新	10,390
	宮城	一郎	新	22,309		秋葉	忠利	新	6,623
	岡崎	彩子	新	17,466		久保	孝喜	新	4,518
	山口わか子		新	13,793.548		村田	峻一	新	2,519.167

ＮＨＫ党　1人　1,253,872.467票　2.36%

政党名得票　834,995.000　　個人名得票　418,877.467

当	東谷	義和	新	287,714.767		久保田	学	新	17,947.257
	(令5.3.15除名)					西村	斉	新	6,564.622
	山本	太郎	新	53,351.732		添田	真也	新	4,555.701
	(離党)					高橋	理洋	新	2,905.258
	黒川	敦彦	新	22,595		上妻	敬二	新	817
	(離党)								
繰	斉藤健一郎		新	22,426.130					
	(令5.3.23繰上)								

....

その他の政党の得票総数・得票率等は下記のとおりです。
(当選者はいません。個人名得票の内訳は省略しました)

ごぼうの党　　得票総数　193,724.387票(0.37%)
政党名得票　184,285.075　　個人名得票　9,439.312

幸福実現党　　得票総数　148,020.000票(0.28%)
政党名得票　129,662.000　　個人名得票　18,358.000

日本第一党　　得票総数　109,045.614票(0.21%)
政党名得票　76,912.000　　個人名得票　32,133.614

新党くにもり　　得票総数　77,861.000票(0.15%)
政党名得票　61,907.000　　個人名得票　15,954.000

維新政党・新風　　得票総数　65,107.000票(0.12%)
政党名得票　56,949.000　　個人名得票　8,158.000

比例代表

参 略歴

第25回選挙
（令和元年7月21日施行／令和7年7月28日満了）

第26回選挙
（令和4年7月10日施行／令和10年7月25日満了）

北海道	6人

令和4年選挙得票数

当	595,033	長谷川 岳	自現	(25.5)
当	455,057	徳永 エリ	立現	(19.5)
当	447,232	船橋 利実	自新	(19.1)
▽	422,392	石川 知裕	立新	(18.1)
▽	163,252	畠山 和也	共新	(7.0)
	91,127	臼木 秀剛	国新	(3.9)
	75,299	大村小太郎	参新	(3.2)
	23,039	藤森 忠行	N新	(1.0)
	18,831	石井 良恵	N新	(0.8)
	18,760	浜田 智	N新	(0.8)
	16,006	沢田 英一	諸新	(0.7)
	11,625	森山 佳則	諸新	(0.5)

令和元年選挙得票数

当	828,220	高橋はるみ	自新	(34.4)
当	523,737	勝部 賢志	立新	(21.7)
当	454,285	岩本 剛人	自新	(18.8)
▽	265,862	畠山 和也	共新	(11.0)
▽	227,174	原谷 那美	国新	(9.4)
	63,308	山本 貴平	諸新	(2.6)

以下は P269 に掲載

たかはし
高橋はるみ　　自 新［無］　　RI 当1
富山県富山市　S29・1・6
勤5年2ヵ月　（初／令元）

党女性局長、決算委、ODA・沖北特委、内閣委、資源エネ調委、北海道知事（4期）、北海道経済産業局長、一橋大学経済学部／70歳

〒060-0042　札幌市中央区大通西10丁目
　　　　　　　南大通ビル4F　　☎011(200)8066

かつ べ けん じ
勝 部 賢 志　　立 新　　RI 当1
北海道千歳市　S34・9・6
勤5年2ヵ月　（初／令元）

議運委理、財金委、ODA・沖北特委、党副幹事長、道議会副議長、道議会議員、小学校教員、北海道教育大札幌分校／64歳

〒060-0042　札幌市中央区大通西5丁目8番
　　　　　　　昭和ビル5F　　☎011(596)7339
〒100-8962　千代田区永田町2-1-1、会館☎03(6550)0608

いわ もと つよ ひと
岩 本 剛 人　　自 新［無］　　RI 当1
北海道札幌市　S39・10・19
勤5年2ヵ月　（初／令元）

参議院自民党副幹事長、総務委筆頭理事、災害特委筆頭理事、外交・安保筆頭理事、道議(5期)、防衛政務官、淑徳大社会福祉学科／59歳

〒060-0041　札幌市中央区大通東2丁目3-1
　　　　　　　第36桂和ビル7F　　☎011(211)8185
〒100-8962　千代田区永田町2-1-1、会館☎03(6550)0205

は せ がわ　がく
長 谷 川　岳　　自 前［無］　　R4 当3
愛知県　S46・2・16
勤14年4ヵ月　（初／平22）

国交委、総務副大臣、総務大臣政務官、財政金融委員長、農林水産委員長、法務部会長、水産部会長、北大／53歳

〒060-0004　札幌市中央区北4条西4丁目
　　　　　　　ニュー札幌ビル7F　　☎011(223)7708
〒100-8962　千代田区永田町2-1-1、会館☎03(6550)0619

立 前　　　　　R4 当3
徳永エリ
（とく なが）
北海道札幌市　S37・1・1
勤14年4ヵ月（初／平22）

決算委理、農水委、ODA・沖北特委、参議院政審会長（党政調会長代理）、TVリポーター、法大中退／62歳

〒060-0042　札幌市中央区大通西5-8
昭和ビル9F　☎011(218)2133
〒100-8962　千代田区永田町2-1-1、会館 ☎03(6550)0701

自 新［麻］R4 当1(初/令4)※1
船橋利実
（ふな はし とし みつ）
北海道北見市　S35・11・20
勤8年3ヵ月（衆6年1ヵ月）

総務大臣政務官、総務委、国家基本委、資源エネ調委、衆議院2期、財務大臣政務官、北海道議、北見市議、北海商科大学大学院商学研究科修了／63歳

〒060-0042　札幌市中央区大通西8丁目2-32
ダイヤモンドビル　☎011(272)0171
〒100-8962　千代田区永田町2-1-1、会館 ☎03(6550)0424

青森県　2人

令和元年選挙得票数				令和4年選挙得票数			
当	239,757	滝沢　求	自現(51.5)	当	277,009	田名部匡代	立現(53.5)
▽	206,582	小田切 達	立新(44.4)	▽	216,265	斉藤直飛人	自新(41.7)
	19,310	小山日奈子	諸新(4.1)		13,607	中条栄太郎	参新(2.6)
					11,335	佐々木 晃	N新(2.2)

自 前［麻］R1 当2
滝沢　求
（たき さわ　もとめ）
青森県　S33・10・11
勤11年3ヵ月（初／平25）

環境副大臣兼内閣府副大臣、復興特委、環境委員長、党環境部会長、副幹事長、国交・環境部会長代理、外務大臣政務官、中大法／65歳

〒031-0057　八戸市上徒士町15-1　☎0178(45)5858
〒100-8962　千代田区永田町2-1-1、会館 ☎03(6550)0522

立 前　　　　　R4 当2(初/平28)※2
田名部匡代
（た な ぶ まさ よ）
青森県八戸市　S44・7・10
勤15年10ヵ月（衆7年7ヵ月）

農水委、国家基本委、国民生活調理、党参院幹事長、党幹事長代理、元農水政務官、衆議員秘書、玉川学園女子短大／55歳

〒031-0088　八戸市岩泉町4-7　☎0178(44)1414
〒100-8962　千代田区永田町2-1-1、会館

岩手県　2人

令和元年選挙得票数				令和4年選挙得票数			
当	288,239	横沢 高徳	無現(49.0)	当	264,422	広瀬めぐみ	自新(47.2)
▽	272,733	平野 達男	自現(46.3)	▽	242,174	木戸口英司	立現(43.2)
	27,658	梶谷 秀一	諸新(4.7)		26,960	白鳥 顕志	参新(4.8)
					13,637	大越 裕子	無新(2.4)
					13,352	松田 隆嗣	N新(2.4)

※1 平24衆院初当選　　※2 平15衆院初当選

よこ さわ たか のり　　　　　立新　　　Ｒ1　当1
横沢　高徳　岩手県矢巾町　S47・3・6
勤5年2ヵ月　（初／令元）

震災復興特委理、農水委理、議運委、モトクロ
ス選手、バンクーバー・パラリンピックアル
ペンスキー日本代表、盛岡工業高校／52歳

〒020-0022　盛岡市大通3-1-24
第三菱和ビル5F　　　☎019(625)6601

ひろ せ　　　　　　　　　　　自新［麻］　Ｒ4　当1
広瀬めぐみ　岩手県　S41・6・27
勤2年2ヵ月　（初／令4）

内閣委理、予算委、震災復興特委理、弁
護士、上智大学外国語学部英文科／58
歳

〒020-0024　盛岡市薬園1-11-4
樋下建設ビル3F　　　☎019(681)6686

宮城県　　2人

令和元年選挙得票数				令和4年選挙得票数		
当	474,692	石垣のり子	立新(48.6)	当	472,963	桜井　充	自現(51.9)
▽	465,194	愛知　治郎	自現(47.7)	▽	271,455	小畑　仁子	立新(29.8)
	36,321	三宅　紀昭	諸新(3.7)		91,924	平井みどり	維新(10.1)
					52,938	ローレンス綾子	参新(5.8)
					21,286	中江　友哉	N新(2.3)

いし がき　　　　　　　　　　立新　　　Ｒ1　当1
石垣のりこ　宮城県仙台市　S49・8・1
勤5年2ヵ月　（初／令元）

内閣委理、予算委、復興特委、ラジオ局
アナウンサー、宮城県第二女子高等学
校、宮城教育大学／50歳

〒980-0014　仙台市青葉区本町3丁目5-21
アーカス本町ビル1F　☎022(355)9737
〒102-0083　千代田区麹町4-7、宿舎

さくら い　　　みつる　　　　自前［無］　Ｒ4　当5
櫻井　充　宮城県仙台市　S31・5・12
勤26年6ヵ月　（初／平10）

予算委員長、復興特委、財金委、党財務
金融部会長、厚労副大臣、財務副大臣、
医学博士、東北大院／68歳

〒980-0811　仙台市青葉区一番町1-1-30
南町通有楽館ビル2F　☎022(723)4077
〒102-0083　千代田区麹町4-7、宿舎

秋田県　　2人

令和元年選挙得票数				令和4年選挙得票数		
当	242,286	寺田　静	無新(50.5)	当	194,949	石井　浩郎	自現(42.7)
▽	221,219	中泉　松司	自現(46.1)	▽	162,889	村岡　敏英	無新(35.6)
	16,683	石岡　隆治	諸新(3.5)		62,415	佐々百合子	無新(13.7)
					19,983	藤本　友里	共新(4.4)
					10,329	伊東万美子	参新(2.3)
					6,368	本田　幸久	N新(1.4)

岩手・宮城・秋田

㊣
略
歴

寺田　静 <ruby>寺<rt>てら</rt></ruby><ruby>田<rt>た</rt></ruby>　<ruby>静<rt>しずか</rt></ruby>　無 新　R1 当1
秋田県横手市　S50・3・23
勤5年2ヵ月　(初/令元)

農水委、元議員秘書、早大／49歳

〒010-1424　秋田市御野場1-1-9　☎018(853)9226

<ruby>石<rt>いし</rt></ruby><ruby>井<rt>い</rt></ruby><ruby>浩<rt>ひろ</rt></ruby><ruby>郎<rt>お</rt></ruby>　自 前［無］　R4 当3
秋田県八郎潟町　S39・6・21
勤14年4ヵ月　(初/平22)

決算委筆頭理、国交委、政治改革特委理、復興
特委理、党国対筆頭副委員長、国交・内閣府・
復興副大臣、党幹事長、早大中退／60歳

〒010-0951　秋田市山王3-1-15　☎018(883)1711
〒100-8962　千代田区永田町2-1-1、会館　☎03(6550)0713

山形県　　2人

	令和元年選挙得票数				令和4年選挙得票数	
当	279,709	芳賀　道也	無新(50.2)	当	269,494	舟山　康江	国現(49.0)
▽	263,185	大沼　瑞穂	自現(47.3)	▽	242,433	大内　理加	自新(44.0)
	13,800	小野沢健士	諸新(2.5)		19,767	石川　渉	共新(3.6)
					11,481	黒木　明	参新(2.1)
					7,217	小泉　明	N新(1.3)

<ruby>芳<rt>は</rt></ruby><ruby>賀<rt>が</rt></ruby><ruby>道<rt>みち</rt></ruby><ruby>也<rt>や</rt></ruby>　無 新(国民)　R1 当1
山形県　S33・3・2
勤5年2ヵ月　(初/令元)

総務委、決算委、災害特委、キャスター、
アナウンサー、日本大学文理学部／66
歳

〒990-0825　山形市城北町1-24-15 2A　☎023(676)5115
〒100-8962　千代田区永田町2-1-1、会館　☎03(6550)0917

<ruby>舟<rt>ふな</rt></ruby><ruby>山<rt>やま</rt></ruby><ruby>康<rt>やす</rt></ruby><ruby>江<rt>え</rt></ruby>　国 前　R4 当3
埼玉県　S41・5・26
勤14年4ヵ月　(初/平19)

党参議院議員会長、農水委理、消費者特
委員長、元党政調会長、元農水大臣政務
官、農水省職員、北海道大／58歳

〒990-0039　山形市香澄町3-2-1
　　　　　　山交ビル8F　☎023(627)2780
〒102-0083　千代田区麹町4-7、宿舎

福島県　　2人

	令和元年選挙得票数				令和4年選挙得票数	
当	445,547	森　雅子	自現(54.1)	当	419,701	星　北斗	自新(51.6)
▽	345,001	水野さち子	無新(41.9)	▽	320,151	小野寺彰子	無新(39.3)
	33,326	田山　雅仁	諸新(4.0)		30,913	佐藤　早苗	無新(3.8)
					23,027	窪山紗和子	参新(2.8)
					19,829	皆川真紀子	N新(2.4)

森　まさこ
もり

自前［無］　　R1 当3
福島県いわき市　S39・8・22
勤17年4ヵ月　（初/平19）

法務委、内閣総理大臣補佐官、法務大臣、国務大臣、環境・行政監視委員長、党法務部会長、弁護士、東北大／60歳

〒970-8026　いわき市平五色町1-103　☎0246(21)3700
〒100-8962　千代田区永田町2-1-1、会館　☎03(6550)0924

星　北斗
ほし　ほくと

自新［無］　　R4 当1
福島県郡山市　S39・3・18
勤2年2ヵ月　（初/令4）

厚労委理事、行監委、復興特委、国民生活調委、(公財)星総合病院理事長、福島県医師会参与、旧厚生省医系技官、東邦大学医学部／60歳

〒963-8071　郡山市富久山町久保田字久保田227-1　☎024(953)4711
〒100-8962　千代田区永田町2-1-1、会館　☎03(6550)0322

茨城県　　4人

令和元年選挙得票数				令和4年選挙得票数			
当	507,260	上月　良祐	自現(47.9)	当	544,187	加藤　明良	自新(49.9)
当	237,614	小沼　巧	立新(22.4)	▽	197,292	堂込麻紀子	無新(18.1)
▽	129,151	大内久美子	共新(12.2)	▽	159,017	佐々木里加	維新(14.6)
▽	125,542	海野　徹	維新(11.9)	▽	105,735	大内久美子	共新(9.7)
	58,978	田中　健	諸新(5.6)		48,582	菊池　政也	参新(4.5)
					16,966	村田　大地	N新(1.6)
					14,724	丹羽　茂之	N新(1.3)
					4,866	仲村渠哲勝	無新(0.4)

上月　良祐
こう　づき　りょう　すけ

自前［無］　　R1 当2
兵庫県神戸市　S37・12・26
勤11年3ヵ月　（初/平25）

経産副大臣兼内閣府副大臣、党副幹事長、農水委員長、農林水産大臣政務官、元総務省、茨城県副知事、東大法／61歳

〒310-0063　水戸市五軒町1-3-4-301　☎029(291)7231

小沼　巧
お　ぬま　たくみ

立新　　R1 当1
茨城県鉾田市　S60・12・21
勤5年2ヵ月　（初/令元）

政治改革特委筆頭理事、予算委、国交委、党政調副会長、ボストンコンサルティング、経産省、タフツ大院、早大／38歳

〒310-0851　水戸市千波町1150-1　石川ビル105　☎029(350)1815
〒100-8962　千代田区永田町2-1-1、会館　☎03(6550)1012

加藤　明良
か　とう　あき　よし

自新［無］　　R4 当1
茨城県水戸市　S43・2・7
勤2年2ヵ月　（初/令4）

内閣委、予算委理、災害特委理、憲法審委、党女性局次長、党農林水産関係団体委副委員長、茨城県議3期、専修大／56歳

〒310-0817　水戸市柳町2-7-10　☎029(306)7778

どうごみまきこ
堂込麻紀子　無新　R4　当1
茨城県阿見町　S50・9・16
勤2年2ヵ月　（初／令4）

財金委、連合茨城執行委員、UAゼンセン、イオンリテールワーカーズユニオン、流通経済大／48歳

〒310-0022　水戸市梅香2-1-39
茨城県労働福祉会館3階　☎029(306)6444
〒100-8962　千代田区永田町2-1-1、会館　☎03(6550)0607

栃木県　2人

令和元年選挙得票数

当	373,099	高橋　克法	自現	(53.5)
▽	285,681	加藤　千穂	立新	(41.0)
	38,508	町田　紀光	諸新	(5.5)

令和4年選挙得票数

当	414,456	上野　通子	自現	(56.2)
▽	127,628	板倉　京	立新	(17.3)
	100,529	大久保裕美	維新	(13.6)
	44,310	岡村　恵子	共新	(6.0)
	30,864	大隈　広郷	参新	(4.2)
	19,090	高橋真佐子	N新	(2.6)

たかはしかつのり
高橋克法　自前［麻］　R1　当2
栃木県　S32・12・7
勤11年3ヵ月　（初／平25）

文教科学委員長、参党国対筆頭副委員長、議運委理事、国交政務官、予算委理事、高根沢町長、栃木県議、参院議員秘書、明大／66歳

〒329-1232　栃木県塩谷郡高根沢町光陽台1-1-2　☎028(675)6500
〒100-8962　千代田区永田町2-1-1、会館　☎03(6550)0324

うえのみちこ
上野通子　自前［無］　R4　当3
栃木県宇都宮市　S33・4・21
勤14年4ヵ月　（初／平22）

文教科学委、党政調会長代理、内閣総理大臣補佐官、文科副大臣、文科委員長、党女性局長、栃木県議、共立女子大／66歳

〒320-0034　宇都宮市泉町6-22　☎028(627)8801
〒100-8962　千代田区永田町2-1-1、会館　☎03(6550)0918

群馬県　2人

令和元年選挙得票数

当	400,369	清水　真人	自新	(53.9)
▽	286,651	斎藤　敦子	立新	(38.6)
	55,209	前田みか子	諸新	(7.4)

令和4年選挙得票数

当	476,017	中曽根弘文	自現	(63.8)
▽	138,429	白井　桂子	無新	(18.6)
	69,490	高橋　保	共新	(9.3)
	39,523	新倉　哲郎	参新	(5.3)
	22,276	小島　糾史	N新	(3.0)

しみずまさと
清水真人　自新［無］　R1　当1
群馬県高崎市　S50・2・26
勤5年2ヵ月　（初／令元）

参党国対副委員長、議運委理、国土交通政務官、参党副幹事長、群馬県議2期、高崎市議2期、明治学院大／49歳

〒371-0805　前橋市南町2-38-4
AMビル1F　☎027(212)9366
〒100-8962　千代田区永田町2-1-1、会館　☎03(6550)0923

なか そ ね ひろ ふみ
中曽根弘文

自前[無] R4 当7
群馬県前橋市 S20・11・28
勤38年8ヵ月 （初/昭61）

憲法審査会長、外防委、党総務、予算委長、党参院議員会長、外務大臣、文相、科技長官、慶大／78歳

〒371-0801 前橋市文京町1-1-14 ☎027(221)1133
〒100-8962 千代田区永田町2-1-1、会館 ☎03(6550)1224

埼玉県　8人

（令和元・4年選挙で定数各1増）

令和元年選挙得票数				
当	786,479	古川	俊治	自現 (28.2)
当	536,338	熊谷	裕人	立現 (19.3)
当	532,302	矢倉	克夫	公現 (19.1)
当	359,297	伊藤	岳	共新 (12.9)
▽	244,399	宍戸	千絵	国新 (8.8)
▽	204,075	沢田	良	維新 (7.3)

以下はP269に掲載

令和4年選挙得票数				
当	727,232	関口	昌一	自現 (24.1)
当	501,820	上田	清司	無現 (16.6)
当	476,642	西田	実仁	公現 (15.8)
当	444,567	高木	真理	立新 (14.7)
	324,476	加来	武宣	維新 (10.7)
	236,899	梅村	早江子	維新 (7.8)
	121,769	西	美友加	れ新 (4.0)
	89,693	城戸	佳織	参新 (3.0)
	22,613	高橋	易資	無新 (0.7)

以下はP269に掲載

ふる かわ とし はる
古川俊治

自前[無] R1 当3
埼玉県 S38・1・14
勤17年4ヵ月 （初/平19）

地方・デジ特委員長、財金委、医師、弁護士、慶大教授、博士(医学)、慶大医・文・法卒、オックスフォード大院修／61歳

〒330-0063 さいたま市浦和区高砂3-12-24
小峰ビル3F ☎048(788)8887

くま がい ひろ と
熊谷裕人

立新 R1 当1
埼玉県さいたま市 S37・3・23
勤5年2ヵ月 （初/令元）

財金委理、政治改革特委、憲法審委、党参院国対委員長代理、党埼玉県連合代表代行、さいたま市議、国会議員政策担当秘書、中央大／62歳

〒330-0841 さいたま市大宮区東町2-289-2 ☎048(640)5977

や くら かつ お
矢倉克夫

公前 R1 当2
神奈川県横浜市 S50・1・11
勤11年3ヵ月 （初/平25）

財務副大臣、党青年委員会顧問、埼玉県本部副代表、財金委、政治改革特委、弁護士、元経済産業省参事官補佐、東大／49歳

〒330-0053 さいたま市浦和区前地1-9-15-202
〒100-8962 千代田区永田町2-1-1、会館 ☎03(6550)0401

い とう がく
伊藤岳

共新 R1 当1
埼玉県 S35・3・6
勤5年2ヵ月 （初/令元）

総務委、予算委、地方・デジ特委、党中央委員、文教大学人間科学部卒／64歳

〒330-0835 さいたま市大宮区北袋町1-171-1 ☎048(658)5551
〒102-0083 千代田区麹町4-7、宿舎

※選挙区別の当日有権者数・投票者数・投票率は271頁

群馬・埼玉

㊙略歴

せき ぐち まさ かず
関口昌一
自前[無] 　R4　当5
埼玉県　S28・6・4
勤21年3ヵ月（初/平15補）

党参院議員会長、環境委、懲罰委、党国対委員長、地方創生特委員長、総務副大臣兼内閣府副大臣、外務政務官、城西歯大／71歳

〒369-1412　埼玉県秩父郡皆野町皆野2391-9　☎0494(62)3535
〒102-0083　千代田区麹町4-7、宿舎　☎03(3237)0341

うえ だ きよ し
上田清司
無前 　R4　当1(初/令元)※
福岡県福岡市　S23・5・15
勤15年3ヵ月（衆10年3ヵ月）

厚労委、国家基本委員長、埼玉県知事4期、全国知事会会長、衆議院議員3期、建設省建設大学校非常勤講師、早大院／76歳

〒100-8962　千代田区永田町2-1-1、会館　☎03(6550)0618

にし だ まこと
西田実仁
公前 　R4　当4
東京都旧田無市　S37・8・27
勤20年5ヵ月　（初/平16）

総務委、憲法審幹事、党参議院会長、税調会長、選対委員長、埼玉県本部代表、経済週刊誌副編集長、慶大経／62歳

〒330-0063　さいたま市浦和区高砂3-7-4 2F
〒102-0094　千代田区紀尾井町1-15、宿舎

たか ぎ ま り
高木真理
立新 　R4　当1
栃木県　S42・8・12
勤2年2ヵ月（初/令4）

厚労委、地方・デジ特委、外交・安保調委、党県連副代表、さいたま市議、埼玉県議、衆院議員秘書、東大／57歳

〒331-0812　さいたま市北区宮原町3-364-1　☎048(654)2559

千葉県	6人

令和元年選挙得票数			
当当	698,993	石井　準一	自現(30.5)
当当	661,224	長浜　博行	立現(28.9)
当	436,182	豊田　俊郎	自現(19.1)
▽	359,854	浅野　史子	共新(15.7)
	89,941	平塚　正幸	諸新(3.9)
	42,643	門田　正則	諸新(1.9)

令和4年選挙得票数			
当	656,952	臼井　正一	自現(25.9)
当	587,809	猪口　邦子	自現(23.1)
▽	473,175	小西　洋之	立現(18.6)
▽	251,416	佐野　正人	維新(9.9)
▽	194,475	斉藤　和子	共新(7.7)
	161,648	礒部　裕和	国新(6.4)
	86,147	椎名　亮太	参新(3.4)
	28,295	中村　典子	N新(1.1)
以下はP269に掲載			

いし い じゅんいち
石井準一
自前[無] 　R1　当3
千葉県　S32・11・23
勤17年4ヵ月　（初/平19）

参党国会対策委員長、議運委員長、憲法審会長、予算委員長、国交委員長、党幹事長代理、党選対委員長代理、党国対委員長代行、県議3期、県立長生高／66歳

〒297-0035　茂原市下永吉964-2　☎0475(25)2311
〒100-8962　千代田区永田町2-1-1、会館　☎03(6550)0506

※平5衆院初当選

長浜博行 （ながはま ひろゆき）　無前　R1　当3(初/平19)※1
東京都　S33・10・20
勤27年9ヵ月（衆10年5ヵ月）

参議院副議長、元環境大臣、内閣官房副長官、厚労副大臣、環境委員長、国交委員長、衆院4期、松下政経塾、早大政経／65歳

〒277-0021　柏市中央町5-21-705　☎04(7166)8333
〒100-8962　千代田区永田町2-1-1、会館　☎03(6550)0606

豊田俊郎 （とよだ としろう）　自前［麻］　R1　当2
千葉県　S27・8・21
勤11年3ヵ月（初/平25）

政治改革特委員長、党副幹事長、国土交通副大臣、内閣府大臣政務官、千葉県議、八千代市長、中央工学校／72歳

〒276-0046　八千代市大和田新田310　☎047(480)7777
〒100-8962　千代田区永田町2-1-1、会館　☎03(6550)1213

臼井正一 （うすい しょういち）　自新［無］　R4　当1
千葉県習志野市　S50・1・8
勤2年2ヵ月　（初/令4）

文科委、予算委理、ODA・沖北特委理、憲法審幹事、政治改革特委、千葉県議5期、(公財)千葉県肢体不自由児協会理事長、株式会社オリエンタルランド、日本大学／49歳

〒261-0004　千葉市美浜区高洲1-9-7-2　☎043(244)0033

猪口邦子 （いのぐち くにこ）　自前［麻］　R4　当3(初/平22)※2
千葉県　S27・5・3
勤18年3ヵ月（衆3年1ヵ月）

外交・安保調査会長、予算委、外防委、党領土に関する特委長、上智大名誉教授、元少子化・男女共同参画大臣、ジュネーブ軍縮大使、エール大博士号（Ph.D.）／72歳

〒260-0027　千葉市中央区新田町14-5　☎043(307)9001
大野ビル101
〒100-8962　千代田区永田町2-1-1、会館　☎03(6550)1105

小西洋之 （こにし ひろゆき）　立前　R4　当3
徳島県　S47・1・28
勤14年4ヵ月　（初/平22）

外防委筆頭理、憲法審委、弾劾裁判所裁判員、党外務・安保副部会長、総務省・経産課長補佐、徳島大医、東大、コロンビア大院修、東大医療人材講座／52歳

〒260-0012　千葉市中央区本町2-2-6　☎043(441)3011
パークサイド小柴102
〒100-8962　千代田区永田町2-1-1、会館　☎03(6550)0915

東京都		12人		
令和元年選挙得票数				
当	1,143,458	丸川　珠代	自現	(19.9)
当	815,445	山口那津男	公現	(14.2)
当	706,532	吉良　佳子	共現	(12.3)
当	688,234	塩村　文夏	立新	(12.0)
当	526,575	音喜多　駿	維新	(9.2)
当	525,302	武見　敬三	自現	(9.1)
▽	496,347	山岸　一生	立新	(8.6)

	令和4年選挙得票数			
当	922,793	朝日健太郎	自現	(14.7)
当	742,968	竹谷とし子	公現	(11.8)
当	685,224	山添　拓	共現	(10.9)
当	670,339	蓮　舫	立現	(10.6)
当	619,792	生稲　晃子	自新	(9.9)
当	565,925	山本　太郎	れ元	(9.0)
▽	530,361	海老沢由紀	維新	(8.4)
▽	372,064	松尾　明弘	立新	(5.9)
▽	322,904	乙武　洋匡	諸新	(5.1)
▽	284,629	荒木　千陽	諸新	(4.5)

以下は P269 に掲載

千葉・東京

参略歴

※1 平5衆院初当選　　※2 平17衆院初当選

245

丸川珠代　まる かわ たま よ

自前［無］　RI 当3
兵庫県　S46・1・19
勤17年4ヵ月 （初／平19）

党都連会長代行、経産委、元東京オリパラ大臣、元広報本部長、前参拉致特委員、元環境大臣、厚労委員長、党厚労部会長、厚労政務官、元テレ朝アナ、東大／53歳

〒160-0004　新宿区四谷1-9-3
　　　　　　新盛ビル4F B室　　☎03（3350）9504

山口那津男　やまぐち な つ お

公前　RI 当4(初/平13)※
茨城県　S27・7・12
勤30年1ヵ月（衆6年8ヵ月）

党代表、外防委、国家基本委、党政務調査会長、参行政監視委員長、予算委理事、防衛政務次官、弁護士、東大／72歳

〒100-8962　千代田区永田町2-1-1、会館　☎03（6550）0806

吉良よし子　き ら　　　こ

共前　RI 当2
高知県高知市　S57・9・14
勤11年3ヵ月 （初／平25）

文教科学委、決算委、党常任幹部会委員、子どもの権利委員会責任者、早大第一文学部／41歳

〒151-0053　渋谷区代々木1-44-11　　☎03（5302）6511

塩村あやか　しおむら

立新　RI 当1
広島県　S53・7・6
勤5年2ヵ月 （初／令元）

内閣委、ODA・沖北特委、外交・安保調委野筆頭理、党青年局長代理、国際局副局長、東京都議、放送作家、共立女子短大／46歳

〒154-0017　世田谷区世田谷4-18-3-202
〒100-8962　千代田区永田町2-1-1、会館　☎03（6550）0706

音喜多　駿　おと き た　しゅん

維新　RI 当1
東京都北区　S58・9・21
勤5年2ヵ月 （初／令元）

党政調会長、東京維新の会幹事長、総務委、行監委理事、ODA・沖北特委、元東京都議、早大／40歳

〒160-0022　新宿区新宿1-10-2 文芸社別館1階　☎03（6550）0612
〒100-8962　千代田区永田町2-1-1、会館　☎03（6550）0612

武見敬三　たけ み けい ぞう

自前［麻］　RI 当5
東京都　S26・11・5
勤24年1ヵ月 （初／平7）

厚生労働大臣、参院党政審会長、厚労副大臣、外務政務次官、ハーバード公衆衛生大学院研究員、慶大院／72歳

〒100-8962　千代田区永田町2-1-1、会館　☎03（6550）0413

㊙ 略歴

※平2衆院初当選

朝日健太郎（あさひけんたろう）

自 前［無］　R4 当2
熊本県　S50・9・19
勤8年3ヵ月　（初/平28）

環境大臣政務官、環境委、ODA・沖北特委、外交・安保調委、国土交通大臣政務官、法政大、早大院/48歳

〒100-8962　千代田区永田町2-1-1、会館　☎03(6550)0620

竹谷とし子（たけやとしこ）

公 前　R4 当3
北海道　S44・9・30
勤14年4ヵ月　（初/平22）

参公明国対委員長、党女性委員長、党総本部副代表、法務委長、総務委長、復興副大臣、財務政務官、公認会計士、創価大/54歳

〒100-8962　千代田区永田町2-1-1、会館　☎03(6550)0517

山添 拓（やまぞえたく）

共 前　R4 当2
京都府京都市　S59・11・20
勤8年3ヵ月　（初/平28）

予算委、外交防衛委、憲法審幹事、党常任幹部会委員、党政策委員長、弁護士、東大法、早大院/39歳

〒151-0053　渋谷区代々木1-44-11　☎03(5302)6511
〒102-0094　千代田区紀尾井町1-15、宿舎

蓮　舫（れん　ほう）　無所属

失　職（令和6年6月20日）

※公職選挙法の規定により次の参議院選挙まで補欠選挙は行われない

生稲晃子（いくいなあきこ）

自 新［無］　R4 当1
東京都小金井市　S43・4・28
勤2年2ヵ月　（初/令4）

厚労委、議運委、消費者特委、外交・安保調委、参党国対委、党女性局次長、党ネットメディア局次長、恵泉女学園短大/56歳

〒100-8962　千代田区永田町2-1-1、会館　☎03(6550)0904

山本太郎（やまもとたろう）

れ 元　R4 当2
兵庫県宝塚市　S49・11・24
勤8年10ヵ月(衆7ヵ月)（初/平25）※

れいわ新選組代表、環境委、予算委、震災復興特委、憲法審、箕面自由学園高等学校中退/49歳

〒100-8962　千代田区永田町2-1-1、会館　☎03(6550)0602

※令3衆院初当選

令和元年選挙得票数

当	917,058	島村　　大	自現	(25.2)
当	742,658	牧山　弘恵	立現	(20.4)
当	615,417	佐々木さやか	公現	(16.9)
当	575,884	松沢　成文	維現	(15.8)
▽	422,603	浅賀　由香	共新	(11.6)
▽	126,672	乃木　涼介	国新	(3.5)

以下は P269 に掲載

令和4年選挙得票数

当	807,300	三原じゅん子	自現	(19.7)
当	605,248	松沢　成文	維元	(14.8)
当	547,028	三浦　信祐	公現	(13.4)
当	544,597	浅尾慶一郎	自現	(13.3)
当	394,303	水野　素子	立新	(9.6)
▽	354,456	浅賀　由香	共新	(8.7)
▽	253,234	深作ヘスス	維新	(6.2)
▽	210,016	寺崎　雄介	立新	(5.1)

以下は P270 に掲載

島村　　大 自民
しま　むら　　だい

死　去（令和5年8月30日）

※公職選挙法の規定により補選は行われない

牧山ひろえ 立前　R1 当3
まきやま　　　　　　　　東京都　S39・9・29
勤17年4ヵ月（初/平19）

法務委理、党ネクスト法務大臣、党参議院議員会長代行、米国弁護士、TBSディレクター、ICU、トーマス・クーリー法科大学院/59歳

〒231-0012　横浜市中区相生町1-7
　　　　　　和同ビル403号　☎045(226)2393

佐々木さやか 公前　R1 当2
さ さ き　　　　　　　青森県八戸市　S56・1・18
勤11年3ヵ月（初/平25）

法務委、資源エネ調委、党女性委女性局長、党青年委副委長、議運委理、党参国対筆頭副委長、災害特委、文科政務官、弁護士、税理士、創価大、同法科大学院修了/43歳

〒231-0002　横浜市中区海岸通4-22
　　　　　　関内カサハラビル3F　☎045(319)4945
〒100-8962　千代田区永田町2-1-1、会館☎03(6550)0514

三原じゅん子 自前［無］　R4 当3
み はら　　　こ　　　　東京都　S39・9・13
勤14年4ヵ月（初/平22）

環境委員長、ODA・沖北特委、内閣府大臣補佐官、厚生労働副大臣、党女性局長、厚労委員長、女優/59歳

〒231-0013　横浜市中区住吉町5-64-1
　　　　　　VELUTINA馬車道704　☎045(228)9520
〒100-8962　千代田区永田町2-1-1、会館☎03(6550)0823

松沢成文 維元　R4 当3(初/平25)※
まつ ざわ しげ ふみ　神奈川県川崎市　S33・4・2
勤20年3ヵ月（衆9年10ヵ月）

懲罰委員長、外防委、聖マリアンナ医科大客員教授、神奈川大法学部非常勤講師、松下政経塾、慶大/66歳

〒231-0048　横浜市中区蓬莱町2-4-5
　　　　　　関内DOMONビル6階　☎045(594)6991

※平5衆院初当選

三浦信祐
み うら のぶ ひろ

公前　　　R4　当2
宮城県仙台市　S50・3・5
勤8年3ヵ月　（初/平28）

議運理事、経産委、党青年局長、党安全保障部会長、党神奈川県本部代表、博士（工学）、千葉工大／49歳

〒231-0033　横浜市中区長者町5-48-2
　　　　　　トローチャンビル303　☎045(341)3751
〒100-8962　千代田区永田町2-1-1、会館☎03(6550)0804

浅尾慶一郎
あさ お けい いちろう

自元［麻］　　R4　当3
東京都　S39・2・11
勤21年7ヵ月（衆8年2ヵ月）（初/平10）※1

議院運営委員長、経産委、参政策審議会長代理、政調会長代理、参財金委員長、銀行員、東大、スタンフォード院修了／60歳

〒247-0036　鎌倉市大船1-23-11
　　　　　　松岡ビル5F　☎0467(47)5682

水野素子
みず の もと こ

立新　　R4※2　当1
埼玉県久喜市　S45・4・9
勤2年2ヵ月　（初/令4）

外交防衛委、予算委、ODA・沖北特委、外交・安保調委、JAXA、東大・慶大非常勤講師、中小企業診断士、東大法、蘭ライデン大国際法修士／54歳

〒231-0014　横浜市中区常盤町3-21-501　☎050(8883)8488

新潟県　2人

令和元年選挙得票数					令和4年選挙得票数			
当	521,717	打越さく良	無新（50.5)		当	517,581	小林　一大	自新（51.0)
▽	479,050	塚田　一郎	自現（46.4)		▽	448,651	森　　裕子	立現（44.2)
	32,628	小島　糾史	諸新（ 3.2)			32,500	遠藤　弘樹	参新（ 3.2)
						17,098	越智　寛之	N新（ 1.7)

打越さく良
うち こし　　ら

立新　　R1　当1
北海道旭川市　S43・1・6
勤5年2ヵ月　（初/令元）

厚労委理、拉致特委、憲法審委、弁護士、東大大学院教育学研究科博士課程中途退学／56歳

〒950-0916　新潟市中央区米山2-5-8米山プラザビル201　☎025(250)5915
〒100-8962　千代田区永田町2-1-1、会館　☎03(6550)0901

小林一大
こ ばやし かず ひろ

自新［無］　　R4　当1
新潟県新潟市　S48・6・12
勤2年2ヵ月　（初/令4）

経産委、予算委理、拉致特委、憲法審幹事、新潟県議、党新潟県連政調会長、普談寺副住職、東京海上日動火災保険(株)、東大／51歳

〒950-0941　新潟市中央区女池5-9-19
　　　　　　Charites1-2　☎025(383)6696
〒100-8962　千代田区永田町2-1-1、会館☎03(6550)0416

※1 平21衆院初当選　　※2 任期は令和7年まで

神奈川・新潟

参略歴

富山県　2人

令和元年選挙得票数		
当	270,000	堂故　茂　自現（66.7）
	134,625	西尾　政英　国新（33.3）

令和4年選挙得票数		
当	302,951	野上浩太郎　自現（68.8）
	43,177	京谷　公友　維新（9.8）
	40,735	山　登志浩　立新（9.2）
	26,493	坂本　洋史　共新（6.0）
	20,970	海老　克昌　参新（4.8）
	6,209	小関　真二　N新（1.4）

どう こ　しげる
堂故　茂

自前［無］　R1　当2
富山県氷見市　S27・8・7
勤11年3ヵ月（初／平25）

国土交通・内閣府・復興副大臣、国交委、復興特委、国民生活調委、文科政務官、農水委長、秘書、県議、市長、慶大／72歳

〒930-0095　富山市舟橋南町3-15
　　　　　　県自由民主会館4F　☎076（432）1217
〒100-8962　千代田区永田町2-1-1、会館　☎03（6550）1003

の がみこう た ろう
野上浩太郎

自前［無］　R4　当4
富山県富山市　S42・5・20
勤20年5ヵ月（初／平13）

財金委、参党国会対策委員長、農林水産大臣、内閣官房副長官、国交副大臣、財務政務官、文教科学委員、三井不動産、県議、慶大／57歳

〒939-8272　富山市太郎丸本町3-1-12　☎076（491）7500

石川県　2人

令和元年選挙得票数		
当	288,040	山田　修路　自現（67.2）
▽	140,279	田辺　徹　国新（32.8）

令和4年選挙得票数		
当	274,253	岡田　直樹　自現（64.5）
▽	83,766	小山田経子　立新（19.7）
	23,119	西村　祐士　共新（5.4）
	21,567	先沖　仁志　参新（5.1）
	12,120	山田　信一　N新（2.9）
	10,188	針原　崇志　諸新（2.4）

令和3年12月24日　山田修路議員 辞職 補選（令和4.4.24）

当	189,503	宮本　周司　自現（68.4）
	59,906	小山田経子　立新（21.6）
	18,158	西村　祐士　共新（6.6）
	9,430	斉藤健一郎　N新（3.4）

みや　もと　しゅう じ
宮本周司

自前［無］　R1　補当3
石川県能美市　S46・3・27
勤11年4ヵ月（初／平25）

国交委、予算委、財金委員長、財務大臣政務官、参党国対副委員長、経済産業大臣政務官、全国商工会連合会顧問、東経大／53歳

〒920-8203　石川県金沢市鞍月3-127　☎076（256）5623
〒100-8962　千代田区永田町2-1-1、会館　☎03（6550）1018

おか　だ　なお き
岡田直樹

自前［無］　R4　当4
石川県金沢市　S37・6・9
勤20年5ヵ月（初／平16）

参党幹事長代行、内閣府特命担当大臣、参党国対委員長、内閣官房副長官、財務副大臣、国交委員長、国交大臣政務官、県議、北國新聞記者・論説委、東大／62歳

〒920-8203　金沢市鞍月4-115
　　　　　　金沢ジーサイドビル4F　☎076（255）1931
〒102-0094　千代田区紀尾井町1-15、宿舎

参略歴

令和元年選挙得票数

当　195,515　滝波　宏文　自現（66.1）
▽　77,377　山田　和雄　共新（26.2）
　　22,719　嶋谷　昌美　諸新（ 7.7）

令和4年選挙得票数

当　135,762　山崎　正昭　自現（39.7）
▽　122,389　斉木　武志　無新（35.8）
　　31,228　笹岡　一彦　無新（ 9.1）
　　26,042　砂畑まみ恵　参新（ 7.6）
　　17,044　山田　和雄　共新（ 5.0）
　　9,203　ダニエル益資　N新（ 2.7）

たき　なみ　ひろ　ふみ　　　　自前［無］　　R1 当2
滝波宏文
福井県　S46・10・20
勤11年3ヵ月　（初/平25）

農林水産委員長、原子力規制特委幹事長、党科技イノベーション調査会事務局長、経産政務官、党水産部会長、財務省広報室長、早大院博士、シカゴ大院修士、東大法/52歳

〒910-0854　福井市御幸4-20-18
　　　　　　オノダニビル御幸5F　☎0776(28)2815
〒100-8962　千代田区永田町2-1-1、会館☎03(6550)0307

やま　ざき　まさ　あき　　　　自前［無］　　R4 当6
山崎正昭
福井県大野市　S17・5・24
勤32年7ヵ月　（初/平4）

**法務委、参院議長、参院副議長、党参院幹事長、ODA特委員長、内閣官房副長官、議運委員長、大蔵政務次官、県議員、日大/82歳

〒912-0043　大野市国時町1205(自宅)　☎0779(65)3000
〒102-0083　千代田区麹町4-7、宿舎　☎03(5211)0248

令和元年選挙得票数

当　184,383　森屋　宏　自現（53.0）
▽　150,327　市来　伴子　無新（43.2）
　　13,344　猪野　恵司　諸新（ 3.8）

令和4年選挙得票数

当　183,073　永井　学　自新（48.9）
▽　163,740　宮沢　由佳　立現（43.8）
　　20,291　渡辺　知彦　参新（ 5.4）
　　7,006　黒木　一郎　N新（ 1.9）

もり　や　　　ひろし　　　　自前［無］　　R1 当2
森屋　宏
山梨県　S32・7・21
勤11年3ヵ月　（初/平25）

内閣官房副長官、内閣委、党県連会長、内閣委員長、総務大臣政務官、県議会議長、北海道教育大、山梨学院大院/67歳

〒400-0031　山梨県甲府市丸の内1-17-18
　　　　　　東山ビル2F　☎055(298)6357
〒102-0083　千代田区麹町4-7、宿舎

なが　い　　　まなぶ　　　　自新［無］　　R4 当1
永井　学
山梨県甲府市　S49・5・7
勤2年2ヵ月　（初/令4）

国土交通委、拉致特委、党運輸交通関係団体副委員長、FM富士記者、旅行会社役員、県議、議員秘書、国学院大学法学部/50歳

〒400-0034　甲府市宝2-27-5
〒102-0083　千代田区麹町4-7、宿舎　☎055(267)6626

長野県　2人

はた　じろう　**立新**　R1 補当1
羽田次郎
東京　S44・9・7
勤3年5ヵ月　（初/令3）

農水委、決算委、災害特理、党政調会長補佐、会社社長、衆議院議員秘書、米ウェイクフォレスト大学留学／54歳

〒386-0014　上田市材木町1-1-13　☎0268(22)0321
〒102-0094　千代田区紀尾井町1-15、宿舎

すぎ　お　ひで　や　**立前**　R4 当2
杉尾秀哉
兵庫県明石市　S32・9・30
勤8年3ヵ月　（初/平28）

内閣委、予算委理、災害特委、党NC内閣府担当大臣、元TBSテレビキャスター、東大文／66歳

〒380-0936　長野市中御所岡田102-28　☎026(236)1517
〒100-8962　千代田区永田町2-1-1、会館　☎03(6550)0724

岐阜県　2人

おお　の　やす　ただ　**無前**　R1 当2
大野泰正
岐阜県　S34・5・31
勤11年3ヵ月　（初/平25）

財金委、内閣委員長、予算委理、自民党副幹事長、国交委筆理、元国土交通大臣政務官、県議、全日空(株)、慶大法／65歳

〒501-6244　羽島市竹鼻町丸の内3-25-1　☎058(391)0273
〒100-8962　千代田区永田町2-1-1、会館　☎03(6550)0503

わた　なべ　たけ　ゆき　**自前[無]**　R4 当3
渡辺猛之
岐阜県　S43・4・18
勤14年4ヵ月　（初/平22）

議運委筆頭理事、経産委、国土交通副大臣兼内閣府副大臣兼復興副大臣、元県議、名古屋大経／56歳

〒505-0027　美濃加茂市本郷町6-11-12　☎0574(23)1511
〒100-8962　千代田区永田町2-1-1、会館　☎03(6550)0325

静岡県　4人

自前［無］　　R1　当3
静岡県島田市　S34・1・1
まき の
牧野たかお
勤17年4ヵ月　（初／平19）

総務委、党幹事長代理、国交副大臣、外務政務官、議運筆頭理事、県議3期、民放記者、早大／65歳

〒422-8056　静岡県駿河区津島町11-25
　　　　　　山形ビル1F　　☎054(285)9777

国前　　R1　当4
静岡県　S42・4・25
しん ば か づ や
榛葉賀津也
勤23年5ヵ月　（初／平13）

党幹事長、外交防衛委、外務副大臣、防衛副大臣、党参国対委員長、内閣委員、外防委員、議運筆頭理事、予算委員、米オタパイン大／57歳

〒436-0022　掛川市上張862-1 FGKビル　☎0537(62)3355
〒100-8962　千代田区永田町2-1-1、会館　☎03(6550)1011

自新［無］　　R4　当1
茨城県　S46・12・24
わか ばやし よう へい
若林　洋平
勤2年2ヵ月　（初／令4）

予算委、外交防衛委理、ODA・沖北特委理、参党国対委員、御殿場市長、医療法人事務長、御殿場JC副理事長、埼玉大理学部／52歳

〒422-8065　静岡県駿河区宮本町1-9　☎054(272)1137

無前　　R4　当2
静岡県　S46・1・3
ひらやま さ ち こ
平山佐知子
勤8年3ヵ月　（初／平28）

経産委、フリーアナウンサー、元NHK静岡放送局キャスター、日本福祉大学女子短大部／53歳

〒422-8061　静岡市駿河区森下町1-23　☎054(287)5511
〒100-8962　千代田区永田町2-1-1、会館　☎03(6550)0822

愛知県　8人

酒井庸行
さかい　やすゆき

自前［無］　R1　当2
愛知県刈谷市　S27・2・14
勤11年3ヵ月（初/平25）

内閣委理事、経産副大臣兼内閣府副大臣、財金委員長、内閣委員長、党政調副会長、内閣府大臣政務官、愛知県議、刈谷市議、日大芸術学部／72歳

〒448-0003　刈谷市一ツ木町8-11-14　☎0566(25)3071
〒102-0083　千代田区麹町4-7、宿舎

大塚耕平
おおつか　こうへい

無前（国民）　R1　当4
愛知県　S34・10・5
勤23年5ヵ月（初/平13）

財政金融委、早大総合研究機構客員上席研究員、早大商議員、藤田医大客員教授、元厚労・内閣府副大臣、日銀、早大院／64歳

〒464-0841　名古屋市千種区覚王山通9-19
　　　　　　覚王山プラザ2F　☎052(757)1955
〒100-8962　千代田区永田町2-1-1、会館　☎03(6550)1121

田島麻衣子
たじままいこ

立新　R1　当1
東京都大田区　S51・12・20
勤5年2ヵ月（初/令元）

環境委理、ODA・沖北特理、党副幹事長、党県連副代表、国連世界食糧計画（WFP）、英オックスフォード大院／47歳

〒461-0003　名古屋市東区筒井3-26-10
　　　　　　リムファースト5F　☎052(937)0151
〒100-8962　千代田区永田町2-1-1、会館　☎03(6550)0410

安江伸夫
やすえ　のぶお

公新　R1　当1
愛知県　S62・6・26
勤5年2ヵ月（初/令元）

文部科学大臣政務官、党青年委員会副委員長、党県本部副代表、弁護士、防災士、創価大法科大学院／37歳

〒462-0044　名古屋市北区元志賀町1-68-1
　　　　　　ヴェルドミール志賀　☎052(908)3955
〒100-8962　千代田区永田町2-1-1、会館　☎03(6550)0312

藤川政人
ふじかわ　まさひと

自前［麻］　R4　当3
愛知県丹羽郡　S35・7・8
勤14年4ヵ月（初/平22）

ODA・沖北特委長、総務委、財務副大臣、総務政務官、財金委員長、予算委筆頭理事、党愛知県連会長、県議、南山大／64歳

〒451-0042　名古屋市西区那古野2-23-21
　　　　　　デラ・ドーラ6C　☎052(485)8361
〒102-0094　千代田区紀尾井町1-15、宿舎

里見隆治
さとみ　りゅうじ

公前　R4　当2
京都府　S42・10・17
勤8年3ヵ月（初/平28）

経産委、決算委、政治改革特委、憲法審、党経産部会長代理、厚労部会長、愛知県本部代表、経済産業大臣政務官、東大／56歳

〒451-0031　名古屋市西区城西1-9-5
　　　　　　寺島ビル1F　☎052(522)1666
〒100-8962　千代田区永田町2-1-1、会館　☎03(6550)0301

斎藤 嘉隆 <ruby>斎<rt>さい</rt></ruby><ruby>藤<rt>とう</rt></ruby> <ruby>嘉<rt>よし</rt></ruby><ruby>隆<rt>たか</rt></ruby>

立前　R4 当3
愛知県　S38・2・18
勤14年4ヵ月　（初/平22）

文科委、国家基本委、党参院国対委員長、党県連代表代行、国土交通委員長、経産委員長、環境委員長、連合愛知副会長、愛教組委員長、愛知教育大/61歳

〒454-0976　名古屋市中川区服部3-507　☎052(439)0550
〒100-8962　千代田区永田町2-1-1、会館　☎03(6550)0707

伊藤 孝恵 <ruby>い<rt></rt></ruby><ruby>藤<rt>とう</rt></ruby> <ruby>孝<rt>たか</rt></ruby><ruby>恵<rt>え</rt></ruby>

国前　R4 当2
愛知県犬山市　S50・6・30
勤8年3ヵ月　（初/平28）

文科委理、予算委、地方・デジ特委、党選対委員長代理、組織委員長、金城学院大非常勤講師、テレビ大阪、リクルート、金城学院大/49歳

〒456-0002　名古屋市熱田区金山町1-5-3　　☎052(683)1101
　　　　　　　トーワ金山ビル7F
〒100-8962　千代田区永田町2-1-1、会館　☎03(6550)1008

三重県　2人

令和元年選挙得票数				令和4年選挙得票数			
当	379,339	吉川　有美	自現(50.3)	当	403,630	山本佐知子	自新(53.4)
▽	334,353	芳野　正英	無新(44.3)		278,508	芳野　正英	無新(36.9)
	40,906	門田　節代	諸新(5.4)		51,069	堀江　珠恵	参新(6.8)
					22,128	門田　節代	N新(2.9)

吉川ゆうみ <ruby>よし<rt></rt></ruby><ruby>かわ<rt></rt></ruby>ゆうみ

自前[無]　R1 当2
三重県桑名市　S48・9・4
勤11年3ヵ月　（初/平25）

自民党副幹事長、外務大臣政務官、経産大臣政務官、文科委員長、党女性局長、三井住友銀行、東京農工大院/50歳

〒510-0821　四日市市久保田2-8-1-103　☎059(356)8060
〒100-8962　千代田区永田町2-1-1、会館　☎03(6550)0412

山本佐知子 <ruby>やま<rt></rt></ruby><ruby>もと<rt></rt></ruby><ruby>さ<rt></rt></ruby><ruby>ち<rt></rt></ruby><ruby>こ<rt></rt></ruby>

自新[無]　R4 当1
三重県桑名市　S42・10・24
勤2年2ヵ月　（初/令4）

国交委、議運委、三重県議、旅行会社員、住友銀行、神戸大学法学部、米オハイオ大学院修士/56歳

〒511-0836　三重県桑名市江場554　☎0594(86)7200
〒100-8962　千代田区永田町2-1-1、会館　☎03(6550)0203

滋賀県　2人

令和元年選挙得票数				令和4年選挙得票数			
当	291,072	嘉田由紀子	無新(49.4)	当	315,249	小鑓　隆史	自現(51.6)
▽	277,165	二之湯武史	自現(47.0)	▽	190,700	田島　一成	無新(31.2)
	21,358	服部　修	諸新(3.6)		51,742	石堂　淳士	共新(8.5)
					35,839	片岡　真	参新(5.9)
					16,980	田野上勇人	N新(2.8)

※選挙区別の当日有権者数・投票者数・投票率は271頁

嘉田由紀子 かだゆきこ

教新　R1 当1

埼玉県本庄市　S25・5・18
勤5年2ヵ月　（初／令元）

国交委、災害特委、環境社会学者、滋賀県知事、びわこ成蹊スポーツ大学長、博士（農学）、京大／74歳

〒520-0044　滋賀県大津市京町2-4-23　☎077(509)7206
〒102-0083　千代田区麹町4-7、宿舎

こやり隆史 たかし

自前［無］　R4 当2

滋賀県大津市　S41・9・9
勤8年3ヵ月　（初／平28）

国交政務官、国交委、国家基本委、外交・安保調委、厚労政務官、経産省職員、京大院、インペリアルカレッジ大学院／57歳

〒520-0043　滋賀県大津市中央3-2-1
　セザール大津森田ビル7F　☎077(523)5048
〒102-0094　千代田区紀尾井町1-15、宿舎

京都府　4人

令和元年選挙得票数			令和4年選挙得票数		
当	421,731	西田　昌司	自現(44.2)	当	293,071	吉井　章	自新(28.2)

令和元年選挙得票数
当　421,731　西田　昌司　自現(44.2)
当　246,436　倉林　明子　共現(25.8)
▽　232,354　増原　裕子　立新(24.4)
　　37,353　山田　彰久　諸新(3.9)
　　16,057　三上　　隆　諸新(1.7)

令和4年選挙得票数
当　293,071　吉井　　章　自新(28.2)
当　275,140　福山　哲郎　立現(26.5)
▽　257,852　楠井　祐子　維新(24.8)
　　130,260　武山　彩子　共新(12.5)
　　 40,500　安達　悠司　参新(3.9)
　　 21,614　橋本　久美　諸新(2.1)
　　　8,946　星野　達也　N新(0.9)
　　　7,181　近江　政彦　N新(0.7)
　　　5,414　平井　基之　諸新(0.5)

西田昌司 にしだしょうじ

自前［無］　R1 当3

京都府　S33・9・19
勤17年4ヵ月　（初／平19）

党政調財政政策検討本部長、税調幹事、与党新幹線PT北陸新幹線整備検討委員長、京都府連会長、税理士、京都府議、滋賀大／65歳

〒601-8031　京都市南区烏丸通り十条上ル西側　☎075(661)6100
〒102-0083　千代田区麹町4-7、宿舎

倉林明子 くらばやしあきこ

共前　R1 当2

福島県　S35・12・3
勤11年3ヵ月　（初／平25）

厚労委、行監委理、消費者特委、党副委員長、ジェンダー平等委員会責任者、看護師、京都府議、京都市議、京都市立看護短大／63歳

〒604-0092　京都市中京区丸太町新町角大炊町186　☎075(231)5198

吉井　章 よしいあきら

自新［無］　R4 当1

京都府京都市　S42・1・2
勤2年2ヵ月　（初／令4）

国交委理、議運委、拉致特委理、憲法審幹事、参院国対委、党女性局次長、京都市会議員(4期)、衆院議員秘書、京都産業大学中退／57歳

〒600-8177　京都市下京区大坂町391　第10長谷ビル6階
〒100-8962　千代田区永田町2-1-1、会館　☎03(6550)0921

福山哲郎 ふくやまてつろう

立前　R4　当5
東京都　S37・1・19
勤26年6ヵ月　（初／平10）

国民生活調査会長、外交防衛委、党幹事長、内閣官房副長官、外務副大臣、外防委員、環境委長、松下政経塾、大和証券、京大院／62歳

〒602-0873　京都市上京区河原町通丸太町下ル伊勢屋町406
マツヲビル1F　☎075(213)0988
〒100-8962　千代田区永田町2-1-1、会館　☎03(6550)0808

大阪府　8人

令和元年選挙得票数				
当	729,818	梅村 みずほ	維新	(20.9)
当	660,128	東 徹	維現	(18.9)
当	591,664	杉 久武	公現	(16.9)
当	559,709	太田 房江	自現	(16.0)
▽	381,854	辰巳孝太郎	共現	(10.9)
▽	356,177	亀石 倫子	立新	(10.2)

以下は P270 に掲載

令和4年選挙得票数				
当	862,736	高木佳保里	維現	(23.1)
当	725,243	松川 るい	自現	(19.4)
当	598,021	浅田 均	維現	(16.0)
当	586,940	石川 博崇	公現	(15.7)
▽	337,467	辰巳孝太郎	共元	(9.0)
▽	197,975	石田 敏高	立新	(5.3)
▽	110,767	八幡 愛	れ新	(3.0)
	103,052	大谷由里子	国新	(2.8)
	97,426	油谷聖一郎	参新	(2.6)

以下は P270 に掲載

梅村みずほ うめむら

維新　R1　当1
愛知県名古屋市　S53・9・10
勤5年2ヵ月　（初／令元）

環境委、復興特委、資源エネ調委、フリーアナウンサー、立命館大／45歳

〒532-0011　大阪市淀川区西中島5-1-4
モジュール新大阪1002号室　☎06(6379)3183
〒102-0094　千代田区紀尾井町1-15、宿舎

東　徹 あずま　とおる

維前　R1　当2
大阪府大阪市住之江区　S41・9・16
勤11年3ヵ月　（初／平25）

経産委理、維新拉致対策本部長、大阪府議3期、社会福祉士、福祉専門学校副学科長、東洋大院修士課程修了／57歳

〒559-0012　大阪市住之江区東加賀屋4-5-19　☎06(6681)0350
〒100-8962　千代田区永田町2-1-1、会館　☎03(6550)0510

杉　久武 すぎ　ひさたけ

公前　R1　当2
大阪府大阪市　S51・1・4
勤11年3ヵ月　（初／平25）

党税調事務局長、法務委員、予算委員、議運委理、財務方政務官、公認会計士、米国公認会計士、税理士、創価大／48歳

〒543-0033　大阪市天王寺区堂ヶ芝1-9-2-3B　☎06(6773)0234
〒102-0083　千代田区麹町4-7、宿舎

太田房江 おおた　ふさえ

自前［無］　R1　当2
広島県　S26・6・26
勤11年3ヵ月　（初／平25）

党内閣第一部会長、経産副大臣兼内閣府副大臣、参文科委員、党女性局長、厚労政務官、大阪府知事、通産省大臣官房審議官、岡山県副知事、通産省、東大／73歳

〒541-0046　大阪市中央区平野町2-5-14
FUKUビル三休橋502号室　☎06(4862)4822
〒102-0094　千代田区紀尾井町1-15、宿舎　☎03(3264)1351

京都・大阪

参略歴

※選挙区別の当日有権者数・投票者数・投票率は271頁

257

維 前   R4 当2

<ruby>高木<rt>たか ぎ</rt></ruby> かおり

大阪府堺市　S47・10・10
勤8年3ヵ月　（初／平28）

総務委、政治改革特委、国民生活調委、党代表補
佐、党政調副会長、総務部会長、ダイバーシティ
推進局長、元堺市議2期、京都女子大／51歳

〒593-8311　堺市西区上439-8　☎072(349)3295
〒100-8962　千代田区永田町2-1-1、会館　☎03(6550)0306

自 前［無］   R4 当2

<ruby>松川<rt>まつ かわ</rt></ruby> るい

奈良県　S46・2・26
勤8年3ヵ月　（初／平28）

外交防衛委、党副幹事長、党大阪関西万博
推進本部事務局長、党国防会長代理、防
衛大臣政務官、外務省、東大法／53歳

〒571-0030　門真市末広町8-13-6階　☎06(6908)6677
〒100-8962　千代田区永田町2-1-1、会館　☎03(6550)0407

維 前   R4 当2

<ruby>浅田<rt>あさ だ</rt></ruby> <ruby>均<rt>ひとし</rt></ruby>

大阪府大阪市　S25・12・29
勤8年3ヵ月　（初／平28）

国家基本委員長、財金委、憲法審委、日本
維新の会参議院会長、大阪府議、OECD日
本政府代表、スタンフォード大院／73歳

〒536-0005　大阪市城東区中央1-13-13-218　☎06(6933)2300
〒102-0094　千代田区紀尾井町1-15、宿舎

公 前   R4 当3

<ruby>石川<rt>いし かわ</rt></ruby> <ruby>博崇<rt>ひろ たか</rt></ruby>

大阪府　S48・9・12
勤14年4ヵ月　（初／平22）

拉致特委理、法務委、情報監視審委、党中
央幹事、市民活動委員長、党政審会長、
法務委員長、外務省職員、創価大／50歳

〒534-0027　大阪市都島区中野町4-4-2　☎06(6357)1458
〒102-0083　千代田区麹町4-7、宿舎

兵庫県　　6人

令和元年選挙得票数				令和4年選挙得票数			
当	573,427	清水	貴之	維現 (26.1)	当	652,384	片山	大介	維現 (28.3)
当	503,790	高橋	光男	公新 (22.9)	当	562,853	末松	信介	自現 (24.5)
当	466,161	加田	裕之	自新 (21.2)	当	454,962	伊藤	孝江	公現 (19.8)
▽	434,846	安田	真理	立新 (19.8)		260,496	相崎佐和子	立新 (11.3)
	166,183	金田	峰生	共新 (7.6)		150,040	小村	潤	共新 (6.5)
	54,152	原	博義	諸新 (2.5)		88,231	西村しのぶ	参新 (3.8)
						33,870	黒田	秀高	諸新 (1.5)
						27,057	山崎	藍子	N新 (1.2)
					以下は P270 に掲載			

維 前   R1 当2

<ruby>清水<rt>し みず</rt></ruby> <ruby>貴之<rt>たか ゆき</rt></ruby>

福岡県筑紫野市　S49・6・29
勤11年3ヵ月　（初／平25）

法務委、予算委、ODA・沖北特委理、朝
日放送アナウンサー、早大、関西学院大
学大学院修士／50歳

〒660-0892　尼崎市東難波町5-7-17　☎06(6482)7577
〒102-0094　千代田区紀尾井町1-15、宿舎

たか はし みつ お　　公新　　　　　　RI 当1
高橋 光男　兵庫県宝塚市　S52・2・15
　　　　　　　勤5年2ヵ月　（初/令元）

農林水産大臣政務官、農水委、復興特委、党
青年委副委員長、同学生局長代理、兵庫県本
部副代表、元外務省職員、中央大学法／47歳

〒650-0015　神戸市中央区多聞通3-3-16-1102 ☎078(367)6755
〒100-8962　千代田区永田町2-1-1、会館　☎03(6550)0614

か だ ひろ ゆき　　自新[無]　　　　RI 当1
加田 裕之　兵庫県神戸市　S45・6・8
　　　　　　　勤5年2ヵ月　（初/令元）

環境委、行監委、災害特委、参党国対副
委員長、法務大臣政務官、兵庫県議会副
議長、兵庫県議(4期)、甲南大／54歳

〒650-0001　神戸市中央区加納町2-4-10-603 ☎078(262)1666
〒100-8962　千代田区永田町2-1-1、会館　☎03(6550)0819

かた やま だい すけ　　維前　　　　　R4 当2
片山 大介　岡山県　S41・10・6
　　　　　　　勤8年3ヵ月　（初/平28）

内閣委、地方・デジ特委、憲法審幹事、党国会議員団政調会
長代理、参議院政策審議会長、兵庫維新の会代表、NHK記
者、慶大理工学部、早大院公共経営研究科修了／57歳

〒650-0022　神戸市中央区元町通3-17-8
　　　　　　TOWA神戸元町ビル202号室　☎078(332)4224

すえ まつ しん すけ　　自前[無]　　　R4 当4
末松 信介　兵庫県　S30・12・17
　　　　　　　勤20年5ヵ月　（初/平16）

文科委、予算委員長、文部科学大臣、参党国対委
員長、議運委員長、国土交通・内閣府・復興副大
臣、財務政務官、県議、全日空(株)、関学大／68歳

〒655-0044　神戸市垂水区舞子坂3-15-9　☎078(783)8682
〒102-0094　千代田区紀尾井町1-15、宿舎

い とう たか え　　公前　　　　　　R4 当2
伊藤 孝江　兵庫県尼崎市　S43・1・13
　　　　　　　勤8年3ヵ月　（初/平28）

党女性委員会副委員長、党兵庫県本部
副代表、弁護士、税理士、関西大／56歳

〒650-0015　神戸市中央区多聞通3-3-16
　　　　　　甲南第1ビル812号室　☎078(599)6619
〒102-0083　千代田区麹町4-7、宿舎

兵庫・奈良

奈良県　2人

令和元年選挙得票数		令和4年選挙得票数	
当　301,201	堀井　巌　自現(55.3)	当　256,139	佐藤　啓　自現(41.7)
▽　219,244	西田 一美　無新(40.2)	180,124	中川　崇　維新(29.3)
24,660	田中 孝子　諸新(4.5)	98,757	猪奥 美里　立新(16.1)
		42,609	北野伊津子　共新(6.9)
		28,919	中村 麻美　参新(4.7)
		8,161	冨田 哲之　N新(1.3)

参略歴

堀井　巌（ほりい　いわお）

自 前［無］　R1　当2

奈良県橿原市　S40・10・22
勤11年3ヵ月（初/平25）

参党副幹事長、予算委、総務委、外務副大臣、党外
交部会長、外務政務官、総務省、SF領事、内閣官房
副長官秘書官、岡山県総務部長、東大／58歳

〒630-8114　奈良市芝辻町1-2-27乾ビル2F　☎0742(30)3838
〒100-8962　千代田区永田町2-1-1、会館　☎03(6550)0417

佐藤　啓（さとう　けい）

自 前［無］　R4　当2

奈良県奈良市　S54・4・7
勤8年3ヵ月（初/平28）

予算委、農水委理、参党国対副委員長、財務大
臣政務官、党税調幹事、経産兼内閣府兼復興
大臣政務官、首相官邸、総務省、東大／45歳

〒630-8012　奈良市二条大路南1-2-7
　　　　　　松岡ビル301
〒100-8962　千代田区永田町2-1-1、会館　☎03(6550)0708

和歌山県　2人

令和元年選挙得票数					令和4年選挙得票数				
当	295,608	世耕	弘成	自現（73.8）	当	283,965	鶴保	庸介	自現（72.1）
▽	105,081	藤井	幹雄	無新（26.2）		57,522	前	久	共新（14.6）
						22,967	加藤	充也	参新（ 5.8）
						15,420	遠西	愛美	N新（ 3.9）
						14,200	谷口	尚大	諸新（ 3.6）

世耕　弘成（せこう　ひろしげ）

無 前　R1　当5

大阪府　S37・11・9
勤26年2ヵ月（初/平10補）

環境委、参自民党幹事長、経済産業大臣、官房
副長官、参党政審会長、党政調会長代理、参党
国対委長代理、総理補佐官、NTT、早大／61歳

〒640-8232　和歌山市南汀丁22 汀ビル2F　☎073(427)1515
〒100-8962　千代田区永田町2-1-1、会館　☎03(6550)1017

鶴保　庸介（つるほ　ようすけ）

自 前［無］　R4　当5

大阪府大阪市　S42・2・5
勤26年6ヵ月（初/平10）

党観光立国調査会長、二地域居住会長、国
交委、国際経済調査会、沖北大臣、党参政審会
長、議運・決算・厚労各委員長、東大法／57歳

〒640-8341　和歌山市黒田107-1-503　☎073(472)3311
〒100-8962　千代田区永田町2-1-1、会館　☎03(6550)0313

鳥取県・島根県　2人

令和元年選挙得票数					令和4年選挙得票数				
当	328,394	舞立	昇治	自現（62.3）	当	326,750	青木	一彦	自現（62.5）
▽	167,329	中林	佳子	無新（31.7）		118,063	村上泰二朗		立新（22.6）
	31,770	黒瀬	信明	諸新（ 6.0）		37,723	福住	英行	共新（ 7.2）
						26,718	前田	敬孝	参新（ 5.1）
						13,517	黒瀬	信明	N新（ 2.6）

舞立昇治 （まいたちしょうじ）

自前 [無] R1 当2

鳥取県日吉津村 S50・8・13
勤11年3ヵ月 （初/平25）

農林水産大臣政務官、農水委、党副幹事長、水産部会長、過疎対策特委幹事、内閣府政務官、総務省、東大／49歳

〒683-0067 米子市東町177 東町ビル1F ☎0859(37)5016
〒100-8962 千代田区永田町2-1-1、会館 ☎03(6550)0603

青木一彦 （あおきかずひこ）

自前 [無] R4 当3

島根県 S36・3・25
勤14年4ヵ月 （初/平22）

参党筆頭副幹事長・党副幹事長、国交理事、ODA・沖北特委理事、議運委、予算委筆頭理事、国交副大臣、水産部会長代理、早大／63歳

〒690-0873 松江市内中原町140-2 ☎0852(22)0111
〒100-8962 千代田区永田町2-1-1、会館 ☎03(6550)0814

岡山県　　2人

令和元年選挙得票数			
当	415,968	石井　正弘	自現(59.5)
▽	248,990	原田　謙介	立新(35.6)
	33,872	越智　寛之	諸新(4.8)

令和4年選挙得票数			
当	392,553	小野田紀美	自現(54.7)
▽	211,419	黒田　晋	無新(29.5)
	59,481	住寄　聡美	共新(8.3)
	37,281	高野由里子	参新(5.2)
	16,441	山本　貴平	N新(2.3)

石井正弘 （いしいまさひろ）

自前 [無] R1 当2

岡山県岡山市 S20・11・29
勤11年3ヵ月 （初/平25）

文科委理、党政調副・参政審副・税調幹事、経産兼内閣府副大臣、党国交部会長代理、内閣委員長、岡山県知事4期、建設省大臣官房審議官、東大法／78歳

〒700-0824 岡山市北区内山下1-9-15 ☎086(233)6600
〒100-8962 千代田区永田町2-1-1、会館 ☎03(6550)1214

小野田紀美 （おのだきみ）

自前 [無] R4 当2

岡山県 S57・12・7
勤8年3ヵ月 （初/平28）

外交防衛委員長、党副幹事長、参党副幹事長、法務部会長代理、防衛大臣政務官、法務大臣政務官、都北区議、CD・ゲーム制作会社、拓殖大／41歳

〒700-0927 岡山市北区西古松2-2-27 ☎086(243)8000
〒100-8962 千代田区永田町2-1-1、会館 ☎03(6550)0318

広島県　　4人

令和元年選挙得票数			
当	329,792	森本　真治	無現(32.3)
当	295,871	河井　案里	自新(29.0)
▽	270,183	溝手　顕正	自現(26.5)
以下は P270 に掲載			

令和3年2月3日河井あんり議員辞職再選挙（令和3.4.25）
当	370,860	宮口　治子	諸新(48.4)
	336,924	西田　英範	自新(43.9)
以下は P270 に掲載			

令和4年選挙得票数			
当	530,375	宮沢　洋一	自現(50.3)
当	259,363	三上　絵里	無新(24.6)
	114,442	森川　央	維新(10.9)
	58,461	中村　孝江	共新(5.5)
	52,969	浅井　千晴	参新(5.0)
	11,087	渡辺　敏光	N新(1.1)
	7,335	玉田　憲勲	無新(0.7)
	7,149	野村　昌央	無新(0.7)
	6,717	産原　稔文	無新(0.6)
	5,846	猪飼　規之	N新(0.6)

参略歴

※選挙区別の当日有権者数・投票者数・投票率は271頁

立前 　　RI 当2

森本真治
もり もと しん じ

広島県広島市　S48・5・2
勤11年3ヵ月（初／平25）

経済産業委員長、国家基本委、災害特委、党組織委員長、党国民運動局長、広島市議3期、弁護士秘書、松下政経塾、同志社大学文／51歳

〒739-1732　広島市安佐北区落合南1-3-12　☎082(840)0801

立新 　　RI 再当1

宮口治子
みや ぐち はる こ

広島県福山市　S51・3・5
勤3年5ヵ月（初／令3）

文科委理、政治改革特委、資源エネ調理、元TV局キャスター、フリーアナウンサー、声楽家、ヘルプマーク普及団体代表、大阪音大／48歳

〒720-0032　福山市三吉町南1-7-17　☎084(926)4878
〒100-8962　千代田区永田町2-1-1、会館　☎03(6550)0206

自前［無］ RL4 当3(初／平22)※

宮沢洋一
みや ざわ よう いち

広島県福山市　S25・4・21
勤23年6ヵ月（衆9年2ヵ月）

資源エネ調査会長、財金委、党税調会長、党総務、経済産業大臣、党政調会長代理、内閣府副大臣、元首相首席秘書官、大蔵省企画官、東大法／74歳

〒730-0017　広島市中区鉄砲町8-24
にしたやビル401号　☎082(511)5541
〒100-8962　千代田区永田町2-1-1、会館　☎03(6550)0820

無新（立憲） R4 当1

三上えり
み かみ

広島県　S45・6・11
勤2年2ヵ月（初／令4）

国交委、行監委、拉致特委、外交・安保調委、TSSテレビ新広島アナウンサー、米サザンセミナリーカレッジ／54歳

〒732-0816　広島市南区比治山本町3-22　大保ビル201
☎082(250)8811
〒100-8962　千代田区永田町2-1-1、会館　☎03(6550)0320

山口県　　2人

令和元年選挙得票数		令和4年選挙得票数		
当　374,686　林　芳正　自現 (70.0)		327,153　江島　潔　自現 (63.0)		
以下は P270 に掲載		61,853　秋山　賢治　立新 (11.9)		
令和3年8月16日　林芳正議員辞職		53,990　大内　一也　国新 (10.4)		
補選（令和3年10月24日）		32,390　吉田　達彦　共新 (6.2)		
当　307,894　北村　経夫　自現 (75.6)		20,441　大石　健一　参新 (3.9)		
92,532　河合　喜代　共新 (22.7)		15,410　佐々木信夫　無新 (3.0)		
6,809　へずまりゅう　N新 (1.7)		8,298　二矢川珠紀　N新 (1.6)		

自前［無］ RI 補当3

北村経夫
きた むら つね お

山口県田布施町　S30・1・5
勤11年4ヵ月（初／平25）

党財務金融部会長、拉致議連事務局長、経産大臣政務官、参外防委員長、党副幹事長、中央大、ペンシルベニア大院／69歳

〒753-0064　山口市神田町5-11　☎083(928)8071
〒100-8962　千代田区永田町2-1-1、会館　☎03(6550)1109

江島 潔（えじま きよし）　自前［無］　R4　当3
山口県下関市　S32・4・2
勤11年7ヵ月（初/平25補）

党副幹事長、国交委、ODA・沖北特委、元経済産業（兼）内閣府副大臣、農水委員長、党水産部会長、国交政務官、下関市長、東大院／67歳

〒754-0002　山口県下郡下郷2912-3　☎083(976)4318
〒102-0083　千代田区麹町4-7、宿舎

広田 一（ひろた はじめ）　無元　R1　補当3（初/平16）※
高知県土佐清水市　S43・10・10
勤17年2ヵ月（衆4年1ヵ月）

総務委、防衛大臣政務官、参議院国土交通委員長、衆議院議員1期、高知県議2期、（株）コクド、早大／55歳

〒770-8008　徳島市西新浜町1-1-19
　ハミングVILLAGE 106号室　☎088(624)8648
〒781-8001　高知市土居町9-8　☎088(821)7411

中西祐介（なか にし ゆう すけ）　自前［麻］　R4　当3
徳島県　S54・7・12
勤14年4ヵ月（初/平22）

予算委員筆頭理事、参党国対副委員長、総務副大臣、財政金融委員長、党水産部会長、党青年局長代理、財務大臣政務官、銀行員、松下政経塾、慶大法／45歳

〒770-8056　徳島市問屋町31　☎088(655)8852
〒100-8962　千代田区永田町2-1-1、会館　☎03(6550)0622

三宅伸吾（み やけ しん ご）　自前［無］　R1　当2
香川県さぬき市　S36・11・24
勤11年3ヵ月（初/平25）

防衛大臣政務官兼内閣府大臣政務官、外防委、ODA・沖北特委、外務大臣政務官、党環境部会長、日本経済新聞社記者、編集委員、東大大学院／62歳

〒760-0080　高松市木太町2343-4
　木下産業ビル2F　☎087(802)3845

※平29衆院初当選

磯﨑 仁彦（いそざき よしひこ）　自前［無］　[R4] 当3

香川県　S32・9・8
勤14年4ヵ月（初/平22）

内閣委理、参党国対委員長代理、内閣官房副長官、党政調会長代理、経産副大臣兼内閣府副大臣、環境委員長、東大法／66歳

〒760-0068　高松市松島町1-13-14
　　　　　　九十九ビル4F　　☎087（834）6301
〒102-0094　千代田区紀尾井町1-15、宿舎

愛媛県　2人

令和元年選挙得票数			
当	335,425	永江　孝子	無新（56.0）
▽	248,616	らくさぶろう	自新（41.5）
	14,943	椋本　薫	諸新（2.5）

令和4年選挙得票数			
当	318,846	山本　順三	自現（59.0）
	173,229	高見　知佳	無新（32.1）
	27,912	八木　邦靖	参新（5.2）
	12,724	吉原　弘訓	N新（2.4）
	7,350	松木　崇	諸新（1.4）

ながえ孝子（たかこ）　無新　[R1] 当1（初/令元）※

愛媛県　S35・6・15
勤8年6ヵ月（衆3年4ヵ月）

環境委、衆議院議員1期、南海放送アナウンサー、神戸大学法学部／64歳

〒790-0802　松山市喜与町1-5-4　　☎089（941）8007

山本 順三（やまもと じゅんぞう）　自前［無］　[R4] 当4

愛媛県今治市　S29・10・27
勤20年5ヵ月（初/平16）

参議院副議長、予算委員長、国家公安委員長、内閣府特命担当大臣、議運委員長、党県連会長、国交・内閣府・復興副大臣、幹事長代理、決算委員長、国交政務官、県議、早大／69歳

〒794-0005　今治市大新田町2-2-50　　☎0898（31）7800
〒102-0094　千代田区紀尾井町1-15、宿舎

福岡県　6人

令和元年選挙得票数			
当	583,351	松山　政司	自現（33.2）
当	401,495	下野　六太	公新（22.8）
当	365,634	野田　国義	立現（20.8）
▽	171,436	河野　祥子	共新（9.8）
▽	143,955	春田久美子	国新（8.2）
	46,362	川口　尚宏	諸新（2.6）

以下は P270 に掲載

令和4年選挙得票数			
当	586,217	大家　敏志	自現（29.2）
当	438,876	古賀　之士	立現（21.9）
当	348,700	秋野　公造	公現（17.4）
▽	158,772	龍野真由美	維新（7.9）
	133,900	大田　京子	国新（6.7）
	98,746	真島　省三	共新（4.9）
	82,333	奥田美和代	れ新（4.1）
	72,263	野中しんすけ	参新（3.6）

以下は P270 に掲載

松山 政司（まつやま まさじ）　自前［無］　[R1] 当4

福岡県福岡市　S34・1・20
勤23年5ヵ月（初/平13）

参党幹事長、財金委、国家基本委筆頭理、弾劾裁判長、党外国人特委長、国務大臣、議運委長、党政審会長、党国対委長、外務副大臣、経産政務官、日本JC会頭、明大商／65歳

〒810-0001　福岡市中央区天神3-8-20-1F
　　　　　　　　　　　　　　　　☎092（725）7739
〒100-8962　千代田区永田町2-1-1、会館　☎03（6550）1124

※平21衆院初当選

しも の ろく た　　公新　　R1 当1
下 野 六 太
福岡県北九州市八幡西区　S39・5・1
勤5年2ヵ月　（初/令元）

文科委、党文部科学部会長代理、中学校
保健体育科教諭、国立福岡教育大学大
学院修士課程／60歳

〒812-0873 福岡市博多区西春町3-2-21
　　　　　 島田ビル2F　☎092(558)8910
〒100-8962 千代田区永田町2-1-1、会館 ☎03(6550)0913

の だ くに よし　　立前　　R1 当2(初/平25)※
野 田 国 義
福岡県　S33・6・3
勤14年7ヵ月（衆3年4ヵ月）

復興特委員長、総務委、行政監視委員
長、衆院議員、八女市長(4期)、日大法／
66歳

〒834-0031 福岡県八女市本町2-81　☎0943(24)4630
〒102-0094 千代田区紀尾井町1-15、宿舎

おお いえ さと し　　自前[麻]　　R4 当3
大 家 敏 志
福岡県　S42・7・17
勤14年4ヵ月　（初/平22）

財金委、財務副大臣、議運筆頭理事、財
金委員長、財務大臣政務官、予算理事、
県議、北九州大／57歳

〒805-0019 北九州市八幡東区中央3-8-24 ☎093(681)5500
〒100-8962 千代田区永田町2-1-1、会館 ☎03(6550)0518

こ が ゆき ひと　　立前　　R4 当2
古 賀 之 士
福岡県久留米市　S34・4・9
勤8年3ヵ月　（初/平28）

経産委筆頭理事、行政監視委、ODA・沖北
特委、前震災復興特委長、国交委長、FBS
福岡放送キャスター、明治大政経／65歳

〒814-0015 福岡市早良区室見5-13-21
　　　　　 アローズ室見駅前201号　☎092(833)2288
〒102-0094 千代田区紀尾井町1-15、宿舎

あき の こう ぞう　　公前　　R4 当3
秋 野 公 造
兵庫県　S42・7・11
勤14年4ヵ月　（初/平22）

党中央幹事、党政調副会長、党九州方面
本部長、財務副大臣、環境・内閣府大臣
政務官、厚労省、医師、長崎大医／57歳

〒804-0066 北九州市戸畑区初音町6-7
　　　　　 中西ビル201　☎093(873)7550
〒102-0083 千代田区麹町4-7、宿舎

佐賀県　2人

令和元年選挙得票数		
当	186,209	山下　雄平　自現(61.6)
▽	115,843	犬塚　直史　国元(38.4)

令和4年選挙得票数		
当	218,425	福岡　資麿　自現(65.2)
▽	78,802	小野　司　立新(23.5)
	18,008	稲葉　継男　参新(5.4)
	13,442	上村　泰蔵　共新(4.0)
	6,383	真喜志雄一　N新(1.9)

※平21衆院初当選

山下雄平
やま した ゆう へい

自前［無］ R1 当2

佐賀県唐津市 S54・8・27
勤11年3ヵ月（初/平25）

党水産部会長、参党副幹事長、農林水産委員
長、党新聞出版局長、内閣府大臣政務官、日本
経済新聞社記者、時事通信社記者、慶大/45歳

〒840-0801 佐賀市駅前中央3-6-11　☎0952(37)8290
〒102-0083 千代田区麹町4-7、宿舎　☎03(3237)0341

福岡資麿
ふく おか たか まろ

自前［無］ R4 当3（初/平22）※

佐賀県 S48・5・9
勤18年3ヵ月（衆3年11ヵ月）

党政審会長、厚労委理、懲罰委、議運委員
長、党厚労部会長、内閣府副大臣、党政調・
総務会長代理、衆院議員、慶大法/51歳

〒840-0826 佐賀市白山1-4-18　☎0952(20)0111
〒100-8962 千代田区永田町2-1-1、会館　☎03(6550)0919

長崎県　2人

	令和元年選挙得票数			令和4年選挙得票数	
当	258,109	古賀友一郎	自現(51.5)	当	261,554	山本 啓介	自新(50.1)
▽	224,022	白川 鮎美	国新(44.7)	▽	152,473	白川 鮎美	立新(29.2)
	19,240	神谷幸太郎	諸新(3.8)		53,715	山田 真美	維新(10.3)
					26,281	安江 綾子	共新(5.0)
					21,363	尾方 綾子	参新(4.1)
					6,969	大熊 和人	N新(1.3)

古賀友一郎
こ が ゆういちろう

自前［無］ R1 当2

長崎県諫早市 S42・11・2
勤11年3ヵ月（初/平25）

内閣府大臣政務官、内閣委筆頭理、消費者特
委、党政調副会長、総務大臣政務官兼内閣府大臣
政務官、長崎市副市長、総務省室長、東大法/56歳

〒850-0033 長崎市万才町2-7松本ビル301　☎095(832)6061
〒102-0083 千代田区麹町4-7、宿舎

山本啓介
やま もと けい すけ

自新［無］ R4 当1

長崎県壱岐市 S50・6・21
勤2年2ヵ月（初/令4）

農林水産委理、議運委、党長崎県連幹事
長、長崎県議会議員、衆議院議員秘書、
皇學館大學文学部/49歳

〒850-0033 長崎市万才町7-1 TBM長崎ビル10階
　☎095(818)6588

熊本県　2人

	令和元年選挙得票数			令和4年選挙得票数	
当	379,223	馬場 成志	自現(56.4)	当	426,623	松村 祥史	自現(62.2)
▽	262,664	阿部 広美	無新(39.1)	▽	149,780	出口慎太郎	立新(21.8)
	30,539	最勝寺辰也	諸新(4.5)		78,101	高井 千絵	参新(11.4)
					31,734	本間 明子	N新(4.6)

※平17衆院初当選

自前[無]　　　R1 当2

馬場 成志（ば ば せい し）

熊本県熊本市 S39・11・30
勤11年3ヵ月（初/平25）

総務副大臣、元外防委員、厚労大臣政務官、議運委理、予算委理、熊本県議会議長、市議、県立熊工／59歳

〒861-8045 熊本市東区小山6-2-20　☎096(388)8855
〒102-0083 千代田区麹町4-7、宿舎

自前[無]　　　R4 当4

松村 祥史（まつ むら よし ふみ）

熊本県 S39・4・22
勤20年5ヵ月（初/平16）

国家公安委員長、内閣府防災担当大臣、経産委、議運委員長、経済産業副大臣、全国商工会顧問、専修大／60歳

〒862-0950 熊本市中央区水前寺6-41-5
　千代田レジデンス県庁южно101 ☎096(384)4423
〒100-8962 千代田区永田町2-1-1、会館 ☎03(6550)1023

大分県　　2人

令和元年選挙得票数			
当	236,153	安達 澄	無新(49.6)
▽	219,498	礒崎 陽輔	自現(46.1)
	20,909	牧原 慶一郎	諸新(4.4)

令和5年3月10日安達澄議員辞職
補選（令和5年4月23日）

| 当 | 196,122 | 白坂 亜紀 | 自新(50.0) |
| ▽ | 195,781 | 吉田 忠智 | 立前(50.0) |

令和4年選挙得票数			
当	228,417	古庄 玄知	自新(46.6)
▽	183,258	足立 信也	国現(37.4)
	35,705	山下 魁	共新(7.3)
	21,723	重松 雄子	参新(4.4)
	10,770	二宮 大造	N新(2.2)
	10,512	小手川裕市	無新(2.1)

自新[無]　　　R1 補当1

白坂 亜紀（しら さか あ き）

大分県 S41・7・20
勤1年5ヵ月（初/令5）

財金委理、行政監視委、政治改革特委、復興特委、国民生活調委、会社役員、早大（一文）／58歳

〒870-0036 大分市寿町5-24 カーサP4 101
　　　　☎097(533)8585

自新[無]　　　R4 当1

古庄 玄知（こ しょう はる とも）

大分県国東市 S32・12・23
勤2年2ヵ月（初/令4）

法務委理、憲法審委、議運委、災害特委、元大分県弁護士会会長、元大分県暴力追放運動推進センター理事長、早大法／66歳

〒870-0047 大分市中島西3-2-26 大分弁護士ビル2F
　　　　☎097(540)6255
〒100-8962 千代田区永田町2-1-1、会館 ☎03(6550)0907

宮崎県　　2人

令和元年選挙得票数			
当	241,492	長峯 誠	自現(64.4)
▽	110,782	園生 裕造	立新(29.5)
	23,002	河野 一郎	諸新(6.1)

令和4年選挙得票数			
当	200,565	松下 新平	自現(48.0)
▽	150,911	黒田 奈々	立新(36.1)
	30,162	黒木 章光	国新(7.2)
	15,670	今村 幸史	参新(3.8)
	12,260	白江 好友	共新(2.9)
	8,255	森 大地	N新(2.0)

※選挙区別の当日有権者数・投票者数・投票率は271頁

長峯　誠　なが　みね　まこと　**自前**［無］　R1 当2
宮崎県都城市　S44・8・2
勤11年3ヵ月　(初/平25)

経産委筆頭理、予算委、党参国対副委員長、
経産政務官、党水産部会長、外防委員長、財
務政務官、都城市長、県議、早大政経／55歳

〒880-0805 宮崎市橘通東1-8-11 3F　☎0985(27)7677
〒100-8962 千代田区永田町2-1-1、会館　☎03(6550)0802

松下新平　まつ　した　しん　ぺい　**自前**［無］　R4 当4
宮崎県宮崎市(旧高岡町)　S41・8・18
勤20年5ヵ月　(初/平16)

拉致特委員長、党総務会長代理、党スポーツ立国調会長、財
金・外交・総務部会長、総務兼内閣府副大臣、国交政務官、政
倫審会長、倫選特・ODA特・災害特委員、県議、法大／58歳

〒880-0813 宮崎市丸島町5-18　平和ビル丸島1F　☎0985(61)1501
〒102-0083 千代田区麹町4-7、宿舎

鹿児島県　　2人

令和元年選挙得票数				令和4年選挙得票数			
当	290,844	尾辻　秀久	自現(47.4)	当	291,169	野村　哲郎	自現(46.0)
▽	211,301	合原　千尋	無新(34.4)	▽	185,055	柳　誠子	立新(29.2)
▽	112,063	前田　終止	無新(18.2)		93,372	西郷　歩美	無新(14.8)
					47,479	昇　拓真	参新(7.5)
					15,770	草尾　敦	N新(2.5)

尾辻秀久　お　つじ　ひで　ひさ　**無前**　R1 当6
鹿児島県　S15・10・2
勤35年7ヵ月　(初/平1)

参議院議長、自民党両院議員総会長、元参議院
副議長、党参院議員会長、予算委員長、厚労大
臣、財務副大臣、県議、防大、東大中退／83歳

〒890-0064 鹿児島市鴨池新町6-5-603　☎099(214)3754

野村哲郎　の　むら　てつ　ろう　**自前**［無］　R4 当4
鹿児島県霧島市　S18・11・20
勤20年5ヵ月　(初/平16)

参院政倫審会長、元農林水産大臣、前参議員副会長、決算委員
長、党農林部会長、党政調会長代理、農水委長、参議運庶務小委
長、農水政務官、鹿児島県農協中央会常務、ラ・サール高／80歳

〒890-0064 鹿児島市鴨池新町6-5-404　☎099(206)7557
〒100-8962 千代田区永田町2-1-1、会館　☎03(6550)1120

沖縄県　　2人

令和元年選挙得票数				令和4年選挙得票数			
当	298,831	高良　鉄美	無新(53.6)	当	274,235	伊波　洋一	無現(46.9)
▽	234,928	安里　繁信	自新(42.1)	▽	271,347	古謝　玄太	自新(46.4)
	12,382	玉利　朝輝	無新(2.2)		22,585	河野　禎史	参新(3.9)
	11,662	磯山　秀夫	諸新(2.1)		11,034	山本　圭	N新(1.9)
					5,644	金城　竜郎	諸新(1.0)

髙良鉄美
たから てつみ

無新（沖縄）　R1　当1
沖縄県那覇市　S29・1・15
勤5年2ヵ月　（初／令元）

外防委、ODA・沖北特委、琉球大学名誉教授、琉球大学法科大学院院長、琉球大法文学部教授、九州大大学院博士課程／70歳

〒903-0803　沖縄県那覇市首里平良町1-18-102☎098(885)7171
〒100-8962　千代田区永田町2-1-1、会館　☎03(6550)0712

伊波洋一
い は よう いち

無前（沖縄）　R4　当2
沖縄県宜野湾市　S27・1・4
勤8年3ヵ月　（初／平28）

外交防衛委、行政監視委、外交・安保調委、政治改革特委、宜野湾市長、沖縄県議、宜野湾市職員、琉球大／72歳

〒901-2203　沖縄県宜野湾市野嵩2-1-8-101　☎098(892)7734
〒100-8962　千代田区永田町2-1-1、会館　☎03(6550)0519

参議院議員選挙得票数（続き）

第25回選挙（令和元年）

北海道（P237 より）
23,785	中村	治	諸新	(1.0)
13,724	森山	佳則	諸新	(0.6)
10,108	岩瀬	清次	無新	(0.4)

埼玉県（P243 より）
80,741	佐藤恵理子		諸新	(2.9)
21,153	鮫島	良司	諸新	(0.8)
19,515	小島	一郎	諸新	(0.7)

東京都（P245 より）
▽	214,438	野原	善正	諸新	(3.7)
▽	186,667	水野	素子	国新	(3.2)
	129,628	大橋	昌信	諸新	(2.3)
	91,194	野原	陳平	無元	(1.6)
	86,355	朝倉	玲子	社新	(1.5)
	34,121	七海ひろこ		諸新	(0.6)
	26,958	佐藤	均	諸新	(0.5)
	23,582	横山	昌弘	諸新	(0.4)
	18,123	溝口	晃一	無新	(0.3)
	15,475	森	純	無新	(0.3)
	9,686	関口	安弘	無新	(0.2)
	9,562	西野	貞吉	無新	(0.2)
	3,586	大塚紀久雄		諸新	(0.1)

神奈川県（P248 より）
79,208	林	大祐	諸新	(2.2)
61,709	相原	倫子	諸新	(1.7)
22,057	森下	正勝	無新	(0.6)
21,755	壹岐	愛子	諸新	(0.6)
21,598	加藤	友行	諸新	(0.6)
17,170	榎本	太志	無新	(0.5)
11,185	渋谷	貢	無新	(0.3)
8,514	圷	孝行	諸新	(0.2)

愛知県（P253 より）
43,756	平山	良平	社新	(1.5)
32,142	石井	均	無新	(1.1)
25,219	牛田	宏幸	無新	(0.9)
17,905	古川	均	諸新	(0.6)
16,425	橋本	勉	諸新	(0.6)

第26回選挙（令和4年）

埼玉県（P243 より）
18,194	河合	悠祐	N新	(0.6)
15,389	埼	侑子	N新	(0.5)
13,966	小林	宏	N新	(0.5)
12,279	宮川	直輝	N新	(0.4)
8,588	堀切	笹美	N新	(0.3)
7,178	池	高生	N新	(0.2)

千葉県（P244 より）
22,834	七海ひろこ		諸新	(0.9)
18,791	宇田	桜子	N新	(0.7)
18,329	梓	まり	N新	(0.7)
17,511	渡辺	晋宏	N新	(0.7)
13,016	須田	良	諸新	(0.5)
10,922	記内	恵	N新	(0.4)

東京都（P245 より）
137,692	河西	泉緒	参新	(2.2)
59,365	服部	良一	社新	(0.9)
53,032	松田	美樹	N新	(0.8)
50,661	斎木	陽平	N新	(0.8)
46,641	香西	克治	諸新	(0.7)
27,110	田村	真菜	無新	(0.4)
25,209	及川	幸久	諸新	(0.4)
22,306	河野	憲二	諸新	(0.4)
20,758	安藤	裕	諸新	(0.3)
19,287	込山	洋	N新	(0.3)
19,100	後藤	輝樹	諸新	(0.3)
17,020	菅原	深雪	N新	(0.3)
14,845	青山	雅幸	諸新	(0.2)
13,431	長谷川洋平		N新	(0.2)
10,150	猪野	恵司	N新	(0.2)
9,658	セッタケンジ		諸新	(0.1)
7,417	中村	高志	無新	(0.1)
7,203	中川	智晴	無新	(0.1)
5,408	込山	純	諸新	(0.1)
3,559	内藤	久遠	無新	(0.1)
3,370	油井	史正	N新	(0.1)
3,283	小畑	治彦	諸新	(0.1)
3,043	中村	之菊	諸新	(0.0)
1,913	桑島	康文	諸新	(0.0)

第25回選挙（令和元年）

大阪府（P257 より）

129,587	にしゃんた	国新	(3.7)
43,667	尾崎　全紀	諸新	(1.2)
14,732	浜田　健	諸新	(0.4)
11,203	数森　圭吾	諸新	(0.3)
9,314	足立美生代	諸新	(0.3)
7,252	佐々木一郎	諸新	(0.2)

広島県（P261 より）

70,886	高見　篤己	共新	(6.9)
26,454	加陽　輝実	諸新	(2.6)
15,253	玉田　憲勲	無新	(1.5)
12,327	泉　安政	諸新	(1.2)

広島県再選挙（P261 より）

20,848	佐藤　周一	無新	(2.7)
16,114	山本　貴平	N新	(2.1)
13,363	大山　宏	無新	(1.7)
8,806	玉田　憲勲	無新	(1.1)

山口県（P262 より）

▽	118,491	大内　一也	国新	(22.1)
	24,131	河井美和子	諸新	(4.5)
	18,177	竹本　秀之	無新	(3.4)

福岡県（P264 より）

15,511	本藤　昭子	諸新	(0.9)
15,380	江夏　正敏	諸新	(0.9)
14,586	浜武　振一	諸新	(0.8)

第26回選挙（令和4年）

神奈川県（P248 より）

120,471	藤村　晃子	参新	(2.9)
49,787	内海　洋一	社新	(1.2)
25,784	重黒木優平	N新	(0.6)
24,389	秋田　恵	無新	(0.6)
22,043	グリスタン・エズズ	諸新	(0.5)
19,920	橋本　博幸	諸新	(0.5)
19,867	針谷　大輔	諸新	(0.5)
19,155	藤沢あゆみ	無新	(0.5)
17,609	飯田富和子	N新	(0.4)
13,904	首藤　信彦	諸新	(0.3)
11,623	小野塚清仁	N新	(0.3)
11,073	壹岐　愛子	諸新	(0.3)
10,268	久保田　京	諸新	(0.3)
8,099	萩山あゆみ	諸新	(0.2)

愛知県（P253 より）

36,370	山下　俊輔	無新	(1.2)
27,497	末永友香梨	N新	(0.9)
21,629	山下　健次	N新	(0.7)
16,359	平岡真奈美	N新	(0.5)
12,459	曽我　周作	N新	(0.4)
9,841	斎藤　幸成	N新	(0.3)
8,071	伝　三樹雄	諸新	(0.3)

大阪府（P257 より）

37,088	西谷　久美	諸新	(1.0)
21,663	吉田　宏之	N新	(0.6)
13,234	西脇　京子	N新	(0.4)
11,220	丸吉　孝文	N新	(0.3)
9,138	本多　香織	諸新	(0.2)
8,111	数森　圭吾	諸新	(0.2)
7,254	高山純三朗	諸新	(0.2)
6,217	後藤　住弘	諸新	(0.2)
2,440	押越　清悦	諸新	(0.1)

兵庫県（P258 より）

25,113	木原功仁哉	無新	(1.1)
16,324	中曽千鶴子	N新	(0.7)
14,323	速水　肇	N新	(0.6)
8,989	稲垣　秀哉	N新	(0.3)
7,263	里村　英一	諸新	(0.3)

福岡県（P264 より）

30,190	福本　貴紀	社新	(1.5)
14,513	真島加央理	N新	(0.7)
9,309	熊丸　英治	N新	(0.5)
8,917	和田　昌子	N新	(0.4)
7,962	江夏　正敏	諸新	(0.4)
7,386	対馬　一誠	無新	(0.4)
4,908	先崎　玲	諸新	(0.2)
3,868	組坂　善昭	諸新	(0.2)

参議院議員選挙 選挙区別当日有権者数・投票者数・投票率

選挙区	第25回選挙（令和元年7月21日）			第26回選挙（令和4年7月10日）		
	当日有権者数	投票者数	投票率(％)	当日有権者数	投票者数	投票率(％)
北海道	4,569,237	2,456,307	53.76	4,465,577	2,410,392	53.98
青森県	1,109,105	476,241	42.94	1,073,060	531,101	49.49
岩手県	1,066,495	603,115	56.55	1,034,059	572,696	55.38
宮城県	1,942,518	993,990	51.17	1,921,486	937,723	48.80
秋田県	864,562	486,653	56.29	833,368	463,040	55.56
山形県	925,158	561,961	60.74	899,997	556,859	61.87
福島県	1,600,928	839,115	52.41	1,564,668	835,510	53.40
茨城県	2,431,531	1,094,580	45.02	2,409,541	1,137,768	47.22
栃木県	1,634,678	721,568	44.14	1,620,720	761,353	46.98
群馬県	1,630,505	785,514	48.18	1,608,605	780,048	48.49
埼玉県	6,121,021	2,845,047	46.48	6,146,072	3,088,514	50.25
千葉県	5,244,929	2,374,964	45.28	5,261,370	2,631,296	50.01
東京都	11,396,789	5,900,049	51.77	11,454,822	6,477,709	56.55
神奈川県	7,651,249	3,728,103	48.73	7,696,783	4,195,301	54.51
新潟県	1,919,522	1,061,606	55.31	1,866,525	1,032,469	55.32
富山県	891,171	417,762	46.88	875,460	449,734	51.37
石川県	952,304	447,560	47.00	941,362	436,850	46.41
福井県	646,976	308,201	47.64	635,127	351,323	55.32
山梨県	693,775	357,741	51.56	684,292	384,777	56.23
長野県	1,744,373	947,069	54.29	1,721,369	993,314	57.70
岐阜県	1,673,778	853,555	51.00	1,646,587	882,366	53.59
静岡県	3,074,712	1,551,423	50.46	3,037,295	1,608,958	52.97
愛知県	6,119,143	2,948,450	48.18	6,113,878	3,189,927	52.18
三重県	1,496,659	773,570	51.69	1,473,183	777,571	52.78
滋賀県	1,154,433	599,882	51.96	1,154,141	629,993	54.59
京都府	2,126,435	987,180	46.42	2,094,931	1,066,437	50.91
大阪府	7,311,131	3,555,053	48.63	7,299,848	3,828,471	52.45
兵庫県	4,603,272	2,237,085	48.60	4,558,268	2,352,776	51.62
奈良県	1,149,183	569,173	49.53	1,129,608	631,480	55.90
和歌山県	816,550	411,689	50.42	796,272	417,419	52.42
鳥取県・島根県	1,048,600	547,406	52.20	1,019,771	540,376	52.99
鳥取	474,342	237,076	49.98	463,109	226,580	48.93
島根	574,258	310,330	54.04	556,662	313,796	56.37
岡山県	1,587,953	715,907	45.08	1,562,505	737,981	47.23
広島県	2,346,879	1,048,374	44.67	2,313,406	1,082,510	46.79
山口県	1,162,563	550,186	47.32	1,132,957	539,213	47.59
徳島県・高知県	1,247,237	528,657	42.39	1,213,323	564,520	46.53
徳島	636,739	245,745	38.59	619,194	283,122	45.72
高知	610,498	282,912	46.34	594,129	281,398	47.36
香川県	825,466	373,999	45.31	808,630	398,021	49.22
愛媛県	1,161,978	608,817	52.39	1,135,046	554,056	48.81
福岡県	4,225,217	1,810,510	42.85	4,221,251	2,058,417	48.76
佐賀県	683,956	309,459	45.25	672,782	343,894	51.12
長崎県	1,137,066	516,939	45.46	1,107,592	539,595	48.72
熊本県	1,471,767	695,050	47.23	1,450,229	712,381	49.12
大分県	969,453	489,974	50.54	950,511	503,627	52.98
宮崎県	920,474	384,656	41.79	898,598	427,017	47.52
鹿児島県	1,371,428	627,480	45.75	1,337,184	650,267	48.63
沖縄県	1,163,784	570,305	49.00	1,177,144	595,192	50.56
合　計	105,886,063	51,671,922	48.80	105,019,203	54,660,242	52.05

参議院常任・特別委員一覧（令和6年6月24日現在）

【常任委員会】

内閣委員（22）

（自11）（立4）（公2）（維教2）
（国1）（共1）（れ1）

[長]	阿達　雅志	自
[理]	磯﨑　仁彦	自
[理]	酒井　庸行	自
[理]	広瀬　めぐみ	自
[理]	石垣　のりこ	立
[理]	宮崎　勝	公
	衛藤　晟一	自
	太田　房江	自
	加藤　明良	自
	古賀　友一郎	自
	高橋　はるみ	自
	森屋　宏	自
	山谷　えり子	自
	鬼木　誠	立
	塩村　あやか	立
	杉尾　秀哉	立
	窪田　哲也	公
	片山　大介	維教
	柴田　巧	維教
	竹詰　仁	国
	井上　哲士	共
	大島　九州男	れ

総務委員（25）

（自11）（立4）（公3）（維教2）
（国1）（共1）（N2）（無1）

[長]	新妻　秀規	公
[理]	井上　義行	自
[理]	岩本　剛人	自
[理]	藤井　一博	自
[理]	小沢　雅仁	立
[理]	山本　博司	公
	中西　祐介	自
	馬場　成志	自
	藤川　政人	自
	船橋　利実	自
	堀井　巌	自
	牧野　たかお	自
	松下　新平	自
	山本　順三	自
	岸　真紀子	立
	野田　国義	立
	吉川　沙織	立
	西田　実仁	公
	音喜多　駿	維教
	高木　かおり	維教
	芳賀　道也	国
	伊藤　岳	共
	齊藤　健一郎	N
	浜田　聡	N
	広田　一	無

法務委員（21）

（自9）（立3）（公3）（維教1）
（国1）（共1）（無3）

[長]	佐々木　さやか	公
[理]	古庄　玄知	自
[理]	和田　政宗	自
[理]	牧山　ひろえ	立
[理]	伊藤　孝江	公
[理]	川合　孝典	国
	岡田　直樹	自
	北村　経夫	自
	山東　昭子	自
	自見　はなこ	自
	田中　昌史	自
	森　まさこ	自
	山崎　正昭	自
	石川　大我	立
	福島　みずほ	立
	石川　博崇	公
	清水　貴之	維教
	仁比　聡平	共
	尾辻　秀久	無
	鈴木　宗男	無
	長浜　博行	無

外交防衛委員（21）

（自10）（立3）（公2）（維教2）
（国1）（共1）（沖2）

[長]	小野田　紀美	自
[理]	佐藤　正久	自
[理]	若林　洋平	自
[理]	小西　洋之	立
[理]	上田　勇	公
[理]	石井　苗子	維教
	有村　治子	自
	猪口　邦子	自
	柘植　芳文	自
	中曽根　弘文	自
	松川　るい	自
	三宅　伸吾	自
	吉川　ゆうみ	自
	福山　哲郎	立
	水野　素子	立
	山口　那津男	公
	松沢　成文	維教
	榛葉　賀津也	国
	山添　拓	共
	伊波　洋一	沖
	高良　鉄美	沖

[長]＝委員長・会長、[理]＝理事、[幹]＝幹事、議員氏名の右は会派名

財政金融委員(25)

(自12)(立3)(公3)(維教2)
(国1)(共1)(無3)

- [長] 足立　敏之 自
- [理] 白坂　亜紀 自
- [理] 西田　昌司 自
- [理] 山田　太郎 自
- [理] 熊谷　裕人 立
- [理] 若松　謙維 公
- 大家　敏志 自
- 櫻井　充 自
- 進藤　金日子 自
- 武見　敬三 自
- 野上　浩太郎 自
- 古川　俊治 自
- 松山　政司 自
- 宮沢　洋一 自
- 勝部　賢志 立
- 柴　愼一 立
- 竹内　真二 公
- 矢倉　克夫 公
- 浅田　均 維教
- 柳ヶ瀬　裕文 維教
- 大塚　耕平 国
- 小池　晃 共
- 大野　泰正 無
- 神谷　宗幣 無
- 堂込　麻紀子 無

文教科学委員(21)

(自10)(立4)(公2)(維教2)
(国1)(共1)(れ1)

- [長] 高橋　克法 自
- [理] 赤松　健 自
- [理] 石井　正弘 自
- [理] 今井　絵理子 自
- [理] 宮口　治子 立
- [理] 伊藤　孝恵 国
- 赤池　誠章 自
- 上野　通子 自
- 臼井　正一 自
- 末松　信介 自
- 橋本　聖子 自
- 本田　顕子 自
- 奥村　政佳 立
- 古賀　千景 立
- 斎藤　嘉隆 立
- 下野　六太 公
- 安江　伸夫 公
- 金子　道仁 維教
- 中条　きよし 維教
- 吉良　よし子 共
- 舩後　靖彦 れ

厚生労働委員(25)

(自11)(立4)(公3)(維教2)
(国1)(共1)(れ1)(無1)(欠1)

- [長] 比嘉　奈津美 自
- [理] 羽生田　俊 自
- [理] 福岡　資麿 自
- [理] 星　北斗 自
- [理] 打越　さく良 立
- [理] 秋野　公造 公
- 生稲　晃子 自
- 石田　昌宏 自
- 片山　さつき 自
- 神谷　政幸 自
- 友納　理緒 自
- 三浦　靖 自
- 山田　宏 自
- 石橋　通宏 立
- 大椿　ゆうこ 立
- 高木　真理 立
- 杉　久武 公
- 山本　香苗 公
- 猪瀬　直樹 維教
- 梅村　聡 維教
- 田村　まみ 国
- 倉林　明子 共
- 天畠　大輔 れ
- 上田　清司 無

農林水産委員(21)

(自10)(立4)(公2)(維教1)
(国1)(共1)(無1)(欠1)

- [長] 滝波　宏文 自
- [理] 佐藤　啓 自
- [理] 山下　雄平 自
- [理] 山本　啓介 自
- [理] 横沢　高徳 立
- [理] 舟山　康江 国
- 清水　真人 自
- 野村　哲郎 自
- 藤木　眞也 自
- 舞立　昇治 自
- 宮崎　雅夫 自
- 山田　俊男 自
- 田名部　匡代 立
- 徳永　エリ 立
- 羽田　次郎 立
- 高橋　光男 公
- 横山　信一 公
- 松野　明美 維教
- 紙　智子 共
- 寺田　静 無

経済産業委員(21)

(自10)(立4)(公2)(維教2)
(国1)(共1)(無1)

長	**森本真治**	立
理	青山繁晴	自
理	中田宏	自
理	長峯誠	自
理	古賀之士	立
理	東徹	維教
	浅尾慶一郎	自
	越智俊之	自
	小林一大	自
	上月良祐	自
	松村祥史	自
	丸川珠代	自
	渡辺猛之	自
	辻元清美	立
	村田享子	立
	里見隆治	公
	三浦信祐	公
	石井章	維教
	礒﨑哲史	国
	岩渕友	共
	平山佐知子	無

国土交通委員(25)

(自12)(立4)(公3)(維教3)
(国1)(共1)(れ1)

長	**青木愛**	立
理	青木一彦	自
理	吉井章	自
理	森屋隆	立
理	塩田博昭	公
理	青島健太	維教
	石井浩郎	自
	江島潔	自
	こやり隆史	自
	鶴保庸介	自
	堂故茂	自
	豊田俊郎	自
	永井学	自
	長谷川岳	自
	宮本周司	自
	山本佐知子	自
	小沼巧	立
	三上えり	立
	河野義博	公
	平木大作	公
	嘉田由紀子	維教
	藤巻健史	維教
	浜口誠	国
	田村智子	共
	木村英子	れ

環境委員(21)

(自9)(立3)(公2)(維教2)
(国1)(共1)(れ1)(無2)

長	**三原じゅん子**	自
理	梶原大介	自
理	長谷川英晴	自
理	田島麻衣子	立
理	串田誠一	維教
理	山下芳生	共
	朝日健太郎	自
	石井準一	自
	加田裕之	自
	佐藤信秋	自
	関口昌一	自
	滝沢求	自
	川田龍平	立
	水岡俊一	立
	竹谷とし子	公
	谷合正明	公
	梅村みずほ	維教
	浜野喜史	国
	山本太郎	れ
	世耕弘成	無
	ながえ孝子	無

国家基本政策委員(20)

(自9)(立3)(公2)(維教2)
(国1(共2)(れ1)

長	**浅田均**	維教
理	牧野たかお	自
理	松山政司	自
理	榛葉賀津也	国
理	小池晃	共
	こやり隆史	自
	古賀友一郎	自
	上月良祐	自
	滝沢求	自
	柘植芳文	自
	馬場成志	自
	船橋利実	自
	斎藤嘉隆	立
	田名部匡代	立
	森本真治	立
	谷合正明	公
	山口那津男	公
	片山大介	維教
	田村智子	共
	木村英子	れ

予算委員(45)

(自23)(立8)(公5)(維教4)
(国2)(共2)(れ1)

長	**櫻井充**	自
理	臼井正一	自
理	加藤明良	自
理	小林一大	自
理	中西祐介	自

委員会（続き）

自 自 自 立 立 立 公 公 公 維 維 国 国 共

司こ子　宗子景郎　子治司維　子一仁也子

昌ま政真千次享隆博謙苗誠　道よし

田　賀田見本松井田詰賀良

西森和岸古羽村里山若石串芳吉

田　賀田田見本松井田詰賀良

自 立 立 公 公 維 維 国 国 共 沖 N

夫宏哉博仁子宏子啓史宏誠晴み郎男宏み平こ巧理美子造江勝一徹之美恵み岳拓郎

雅通秀義道治昌邦　昌　英め　る周太俊　ゆ洋の　真清み素公孝　信　貴明孝ま　太

崎橋尾野村口藤中田峯川瀬井川本田田川林垣沼木元島野野藤崎山　水野藤村藤添本

宮石杉河金有石猪佐田中長長広堀松宮山山吉若石小辻福水秋伊宮横東清伊田伊山山

（理）（理）（理）（理）（理）（理）（理）（理）

行政監視委員（35）
（自17）（立7）（公4）（維教2）
（国1）（共1）（れ1）（沖1）（N1）

立 自 立 立 公 公 維 共 自 自 自 自 自 自 立 立 自 自 自 自 自 立 立 立 公 公 公 国 れ 沖 N

平 き 介 誠 武 駿 文 子 晴 彦 之 紀 俊 子 博 治 士 一 子 勇 二 子 典 男 一 聡

龍 さ 庸　久　裕明繁義正仁通　裕亜　聖一俊北雄えゆ之慎麻え　真と孝九洋

田 山保木　多瀬林山上﨑野島田坂本井川　下谷椿賀　島上内谷合島波田

川 片鶴鬼杉音柳倉青井石磯上江加白羽橋藤古星山山大古柴田三上竹川大伊浜

（長）川
（理）田
（理）龍
（理）平
（理）
（理）
（理）
（理）

決算委員（30）
（自15）（立5）（公4）
（維教3）（国2）（共1）

自 自 自 立 立 公 公 維 維 国 国 共 自 自 自 自 立 立 公 公 維 維 国 自 自 自 自 自 自 自

秋 野之学り太聡章健子人江行み郎

信 浩俊　エ六　誠　絵剛房庸は俊

藤 井智井永野村池松井本井橋田

佐 石越永徳下梅赤赤今岩太酒高豊

（長）佐
（理）藤
（理）信
（理）秋
（理）
（理）
（理）
（理）
（理）

議院運営委員(25)
(自13)(立5)(公3)
(維教2)(国1)(共1)

㊥	**浅尾　慶一郎**	自
㊫	清水　真人	自
㊫	藤木　眞也	自
㊫	渡辺　猛之	自
㊫	勝部　賢志	立
㊫	吉川　沙織	立
㊫	三浦　信祐	公
㊫	柴田　巧	維教
㊫	浜野　喜史	国
㊫	岩渕　友	共
	青木　一彦	自
	生稲　晃子	自
	梶原　大介	自
	神谷　政幸	自
	古庄　玄知	自
	友納　理緒	自
	山本　啓介	自
	山本　佐知子	自
	吉井　章	自
	小沢　雅仁	立
	牧山　ひろえ	立
	横沢　高徳	立
	窪田　哲也	公
	塩田　博昭	公
	青島　健太	維教

懲罰委員(10)
(自5)(立1)(公1)
(維教1)(国1)(共1)

㊥	**松沢　成文**	維教
	石井　準一	自
	岡田　直樹	自
	山東　昭子	自
	関口　昌一	自
	福岡　資麿	自
	水岡　俊一	立
	山本　香苗	公
	舟山　康江	国
	井上　哲士	共

【特別委員会】

災害対策特別委員(20)
(自10)(立3)(公2)
(維教2)(国1)(共1)(れ1)

㊥	**竹内　真二**	公
㊫	岩本　剛人	自
㊫	加藤　明良	自
㊫	羽田　次郎	立
㊫	宮崎　勝	公
	阿達　雅志	自
	加田　裕之	自
	梶原　大介	自
	古庄　玄知	自
	藤木　眞也	自
	堀井　巌	自
	宮崎　雅夫	自
	宮本　周司	自
	杉尾　秀哉	立
	森本　真治	立
	嘉田　由紀子	維教
	松野　明美	維教
	芳賀　道也	国
	仁比　聡平	共
	大島　九州男	れ

政府開発援助等及び沖縄・北方問題に関する特別委員(35)
(自17)(立6)(公4)(維教3)
(国2)(共1)(沖1)(N1)

㊥	**藤川　政人**	自
㊫	青木　一彦	自
㊫	今井　絵理子	自
㊫	臼井　正一	自
㊫	若林　洋平	自
㊫	田島　麻衣子	立
㊫	窪田　哲也	公
㊫	清水　貴之	維教
	青山　繁晴	自
	朝日　健太郎	自
	井上　義行	自
	江島　潔	自
	大家　敏志	自
	高橋　克法	自
	高橋　はるみ	自
	中西　祐介	自
	本田　顕子	自
	松山　政司	自
	三原　じゅん子	自
	三宅　伸吾	自
	勝部　賢志	立
	古賀　之士	立
	塩村　あやか	立
	徳永　エリ	立
	水野　素子	立
	秋野　公造	公
	河野　義博	公
	安江　伸夫	公
	猪瀬　直樹	維教
	音喜多　駿	維教
	浜口　誠	国
	舟山　康江	国
	紙　智子	共
	高良　鉄美	沖
	浜田　聡	N

公 維 教 国 共 れ

新妻秀規（公）　中条きよし（維）　柳ヶ瀬裕文（教）　川合孝典（国）　井上哲士（共）　舩後靖彦（れ）

政治改革に関する特別委員（35）

(自17)(立6)(公4)(維3)
(国1)(共2)(れ1)(N1)

（長）豊田俊郎
（理）石・佐藤・牧・小谷・高
青　赤　臼　加　清　白　宮　熊　小　森　里　矢　梅　浜　井　舩

田井・藤井・野沼・合木・木松・本井・藤水・坂納・崎下・木谷・西口・屋見・倉本・巻野

俊浩正一　たかお　おり

郎久博　お巧明　り彦健　人一良　幸人紀　介夫愛　人之子　隆治夫　司聡史　生彦一

自 自 自 自 自 立 公 維 教 自 自 自 自 自 立 立 立 公 公 公 維 教 国 共 共 れ 沖

北朝鮮による拉致問題等に関する特別委員（20）

(自10)(立3)(公2)(維教2)
(国1)(共1)(れ1)

（長）松
（理）下・水井・越川・池村・藤林・井田・谷田・上
清吉・打石・赤衛・北小・永山・山川三

新真　さく博　誠晟経一　え龍え

平人章良崇章一夫大学宏子平り

自 自 立 公 自 自 立 公 自 自 自 自 自 立 立 立

地方創生及びデジタル社会の形成等に関する特別委員（20）

(自10)(立3)(公3)
(国1)(共1)

（長）古
（理）磯・山岸・杉越・太
川崎本

俊仁佐真久房金庸理英啓真み
治彦子武之江子介晴介ほ
知紀　仁

智田藤保納川本木島田本　山藤
智友長山高福上山東片伊
勇苗徹恵岳
勇ず　香大孝　伊

自 自 自 自 公 自 自 自 自 自 立 立 立 公 公 公 維 維 教 国 共

消費者問題に関する特別委員（20）

(自10)(立4)(公2)
(維教2)(国1)(共1)

（長）石
（理）神中石伊・谷我・政大孝・川藤松・赤生上古田

章幸江健子
宏我子子郎
政大孝一津
晃通友昌奈周太雅ゆう享博成ま明

井稲賀野田嘉本田沢椿田沢村林
野賀奈周太雅ゆう享博成ま明
比宮山小大村塩松田倉

維 教 自 自 公 公 自 自 立 自 自 自 自 立 立 立 立 公 公 維 国 共

（承前）

自 民 連 N 沖 繊 公 立 立 立 公 立 自 自 自 自 自

子史学いここ理り子規仁二郎
通隆るまゆさう真素秀道洋一
野や井川椿木上野妻波藤
上こ永松森大高三水新金齊

国民生活・経済及び地方に関する調査会委員（25）

（自13）（立4）（公3）（維教2）
（国1）（共1）（れ1）

長 福山哲郎（立）

理 今井絵理子
理 清水真人
理 長谷川英晴
理 中条きよし
理 舟山康江

福山哲郎　子人誠代太し江拓紀史緒晴介宗平隆二祐子
井水峯部野条坂中添納川白田堂友長星山山和若森高
匡六き野条亜昌理英啓佐政洋真信か英
知一隆二祐子
本田林屋内浦木村三高木

自 自 自 自 自 立 立 立 公 繊 共 れ

資源エネルギー・持続可能社会に関する調査会委員（25）

（自12）（立4）（公4）
（維教3）（国1）（共1）

長 宮沢洋一（自）

理 北村経夫
理 広瀬めぐみ
理 藤井一博
理 宮本周司

宮沢洋一　一夫み博才博太史子
北村瀬井野島野良
広藤宮河青浜
経めぐ一治義喜
村一青浜吉
野良

自 自 自 自 自 立 立 立 公 公 繊 繊 繊 国 共

東日本大震災復興特別委員会（35）

（自17）（立6）（公4）（維教2）
（国2）（共2）（れ1）（N1）

長 野田国義（立）

理 石橋通宏
理 梶原大介
理 広瀬めぐみ
理 和田政宗
理 横山信一
理 横沢高徳
理 石井準一
理 江島潔
理 太田房江
理 櫻井充
理 白坂亜紀
理 滝波宏文
理 堂故茂
理 羽生田俊
理 橋本聖子
理 星北斗
理 三浦靖
理 宮沢洋一
理 森まさこ
理 山田太郎
理 石垣のりこ
理 鬼木誠
理 古賀千景
理 柴慎一
理 高木真理
理 平木大作
理 若松謙維
理 梅村聡
理 榛葉賀津也
理 竹詰仁
理 岩渕友
理 紙智子
理 山本太郎
理 齊藤健一郎

自 自 自 公 維教 自 自 自 自 自 立 立 立 公 公 維教 国 国 共 共 れ N

【調査会】

外交・安全保障に関する調査会委員（25）

（自12）（立5）（公2）（維教2）
（国1）（共1）（沖1）（N1）

長 猪口邦子（自）

理 岩本剛人
理 越智俊之
理 吉川ゆうみ
理 塩村あやか
理 宮崎勝
理 串田誠一
理 浜口誠
理 岩渕友
理 赤松健
理 朝日健太郎

猪口邦子　人之みか勝一誠友郎子太健晃生
岩越吉塩宮串浜岩赤朝
本智川村崎田口渕松日

自 自 自 自 自 立 公 繊 国 共 沖 N

参 委員会

（前委員会からの続き）

会派	氏名
公	塩田博昭
維教	浅田均
維教	猪瀬直樹
維教	柴田巧
国	礒﨑哲史
共	仁比聡平
れ	山本太郎
沖	髙良鉄美

【情報監視審査会】

情報監視審査会委員(8)
(自4)(立1)(公1)
(維教1)(国1)

会派	氏名	
自	有村治子	㊗
自	石田昌宏	
自	羽生田俊	
自	宮崎雅夫	
立	牧山ひろえ	
公	石川博崇	
維教	串田誠一	
国	浜口誠	

【政治倫理審査会】

政治倫理審査会委員(15)
(自8)(立2)(公2)
(維教1)(国1)(共1)

会派	氏名	
自	野村哲郎	㊗
自	佐藤正久	㊙㊗
自	牧野たかお	㊙㊗
自	青木一彦	
自	石井準一	
自	片山さつき	
自	福岡資麿	
自	山下雄平	
立	斎藤嘉隆	
立	水岡俊一	
公	谷合正明	
公	竹谷とし子	
維教	片山大介	
国	舟山康江	
共	山添拓	

会派名の表記は下記の通り。
自 ＝自由民主党
立 ＝立憲民主・社民
公 ＝公明党
維教 ＝日本維新の会・教育無償化を実現する会
国 ＝国民民主党・新緑風会
共 ＝日本共産党
れ ＝れいわ新選組
沖 ＝沖縄の風
N ＝NHKから国民を守る党
無 ＝各会派に属しない議員
欠 ＝欠員

【憲法審査会】

憲法審査会委員(45)
(自22)(立8)(公5)(維教4)
(国2)(共2)(れ1)(沖1)

会派	氏名	
自	中曽根弘文	㊗

（委員名は縦書きで多数連記。会派順に自民22名、立憲民主・社民8名、公明5名、維教4名、国民2名、共産2名、れいわ1名、沖縄の風1名が記載される。上掲の塩田博昭・浅田均・猪瀬直樹・柴田巧・礒﨑哲史・仁比聡平・山本太郎・髙良鉄美を含む。）

自由民主党
（昭和30年11月15日結成）

〒100-8910 千代田区永田町1-11-23
☎03-3581-6211

総　　　　裁	岸田文雄
副　総　裁	麻生太郎
幹　事　長	茂木敏充
幹事長代行	梶山弘志
幹事長代理	井上信治
同	稲田朋美
同	西銘恒三郎
同	木原誠二
同	牧野たかお
副幹事長	福田達夫(筆頭)、城内実、井上貴博、関芳弘、大岡敏孝、小倉將信、新谷正義、鈴木貴子、田所嘉徳、田中英之、堀内詔子、牧島かれん、山田美樹、島尻安伊子、畦元将吾、青木一彦、江島潔、吉川ゆうみ、山田宏、松川るい、岩本剛人
経理局長	山本有二
人事局長	山下雄平
情報調査局長	小林史明
国際局長	伊藤達也
財務委員長	渡辺博道
両院議員総会長	有村治子
衆議院議員総会長	船田元
党紀委員長	逢沢一郎
中央政治大学院長	遠藤利明
組織運動本部長	金子恭之
同本部長代理	古川禎久、山際大志郎、江島潔
団体総局長	古川禎久
法務・自治関係団体委員長	武井俊輔
財政・金融・証券関係団体委員長	
教育・文化・スポーツ関係団体委員長	井原巧
社会教育・宗教関係団体委員長	山田宏
厚生関係団体委員長	大串正樹
環境関係団体委員長	
労働関係団体委員長	羽生田俊
農林水産関係団体委員長	古川康
商工・中小企業関係団体委員長	中山展宏
運輸・交通関係団体委員長	江島潔
情報・通信関係団体委員長	斎藤洋明
国土・建設関係団体委員長	小林茂樹
安全保障関係団体委員長	黄川田仁志
生活安全関係団体委員長	中川郁子
NPO・NGO関係団体委員長	中山泰郎
地方組織・議員総局長	上田英俊
女性局長	高橋はるみ
青年局長	鈴木貴子
労政局長	森英介
遊説局長	三谷英弘
広報本部長	平井卓也
同本部長代理	平将明
広報戦略局長	小林史明
ネットメディア局長	牧島かれん
新聞出版局長	和田政宗
報道局長	平口洋
国会対策委員長	浜田靖一
委員長代理	西村明宏（委員長代行）、御法川信英
副委員長	丹羽秀樹(筆頭)、葉梨康弘、鷲尾英一郎、武藤容治、橘慶一郎、藤丸敏、大野敬太郎、中谷真一、井出庸生、井野俊郎、若林健太、宮路拓馬、佐藤正久、磯崎仁彦
総務会長	森山裕
会長代行	金田勝年
会長代理	寺田稔、松下新平
副会長	尾身朝子、大野敬太郎、古川俊治、山田俊男
総務	伊東良孝、石破茂、石原正敬、上田英俊、江渡聡徳、越智隆雄、大西英男、田中良生、中谷真一、平口洋、宮路拓馬、山口壯、石井浩郎、猪口邦子、中曽根弘文、宮沢洋一、山本順三
政務調査会長	渡海紀三朗

会長代行・副会長

会長代行	田村憲久
会長代理	柴山昌彦、若宮健嗣、片山さつき、上野通子
副会長	長島昭久、義家弘介、城内実、坂井学、松本洋平、鈴木馨祐、山下貴司、赤池誠章、石井正弘

部会長

内閣第一部会長	太田房江
〃部会長代理	中川郁子、山田宏
内閣第二部会長	冨樫博之
〃部会長代理	鳩山二郎、酒井庸行
国防部会長	黄川田仁志
〃部会長代理	松川るい
総務部会長	根本幸典
〃部会長代理	斎藤洋明
法務部会長	笹川博義
〃部会長代理	武井俊輔
外交部会長	藤井比早之
〃部会長代理	鈴木隼人、吉川ゆうみ
財務金融部会長	北村経夫
文部科学部会長	山田賢司
〃部会長代理	井原巧、和田政宗
厚生労働部会長	大串正樹
〃部会長代理	羽生田俊
農林部会長	細田健一
〃部会長代理	古川康、藤木眞也
水産部会長	山下雄平
〃部会長代理	中村裕之
経済産業部会長	宮内秀樹
〃部会長代理	中山展宏、青山繁晴
国土交通部会長	佐々木紀
〃部会長代理	小林茂樹、江島潔
環境部会長	中田宏

調査会長

税制調査会長	宮沢洋一
選挙制度調査会長	逢沢一郎
科学技術・イノベーション戦略調査会長	大野敬太郎
ITS推進・道路調査会長	金子恭之
治安・テロ対策調査会長	岩屋毅
沖縄振興調査会長	岡田直樹
消費者問題調査会長	船田元
障害児者問題調査会長	衛藤晟一
雇用問題調査会長	田村憲久
総合農林政策調査会長	江藤拓
水産総合調査会長	石破茂
金融調査会長	片山さつき
知的財産戦略調査会長	小林鷹之
中小企業・小規模事業者政策調査会長	伊藤達也
国際協力調査会長	牧島かれん
司法制度調査会長	古川禎久
スポーツ立国調査会長	松下新平
環境・温暖化対策調査会長	井上信治
住宅土地・都市政策調査会長	松島みどり
文化立国調査会長	永岡桂子
食育調査会長	山東昭子
観光立国調査会長	鶴保庸介
青少年健全育成推進調査会長	山本順三
外交調査会長	中曽根弘文
安全保障調査会長	小野寺五典
社会保障制度調査会長	加藤勝信
総合エネルギー戦略調査会長	梶山弘志
情報通信戦略調査会長	野田聖子
整備新幹線等鉄道調査会長	稲田朋美
競争政策調査会長	山際大志郎
地方行政調査会長	佐藤信秋
教育・人材力強化調査会長	柴山昌彦
物流調査会長	今村雅弘
水政策・国土保全調査会長	山本有二

特別委員長

過疎対策特別委員長	谷公一
外国人労働者等特別委員長	松山政司
たばこ特別委員長	江渡聡徳
捕鯨対策特別委員長	鶴保庸介
災害対策特別委員長	佐藤信秋
再犯防止推進特別委員長	渡辺博道
国際保健戦略特別委員長	羽生田俊
宇宙・海洋開発特別委員長	若宮健嗣
超電導リニア鉄道に関する特別委員長	古屋圭司
航空政策特別委員長	西村明宏
海運・造船対策特別委員長	石田真敏

都市公園緑地対策特別委員長　江﨑鐵磨
山村振興特別委員長　奥野信亮
離島・半島振興特別委員長　石原宏高
インフラシステム輸出総合戦略特別委員長　細野豪志
原子力規制に関する特別委員長　細野豪志
鳥獣被害対策特別委員長　武藤容治
奄美振興特別委員長　森山裕
クールジャパン戦略推進特別委員長　松山政司
領土に関する特別委員長　山口壮
北海道総合開発特別委員長　伊東良孝
交通安全対策特別委員長　田中和德
社会的事業推進特別委員長　橘慶一郎
所有者不明土地等に関する特別委員長　土井亨
女性活躍推進特別委員長　堀内詔子

特命委員長

郵政事業に関する特命委員長　森山裕
戦没者遺骨帰還に関する特命委員会長　福岡資麿
日本の名誉と信頼を確立するための特命委員長　有村治子
性的マイノリティに関する特命委員長　高階恵美子
安全保障と土地法制に関する特命委員長　北村経夫
医療情報政策・ゲノム医療推進特命委員長　古川俊治
日本Well-being計画推進特命委員長　上野通子
孤独・孤立対策特命委員長　小倉將信
2027横浜国際園芸博覧会（花博）推進特命委員長　坂井学
PFI推進特命委員長　上野賢一郎
令和の教育人材確保に関する特命委員長　渡海紀三朗
防衛関係費の財源検討に関する特命委員長　渡海紀三朗
差別問題に関する特命委員長　山口壮
「日本電信電話株式会社等に関する法律」の在り方に関する特命委員長　甘利明

本部長・PT座長

財政政策検討本部長　西田昌司
経済安全保障推進本部長　甘利明
デジタル社会推進本部長　平井卓也
自由で開かれたインド太平洋戦略本部長　麻生太郎
社会機能移転分散型国づくり推進本部長　古屋圭司
「子ども・若者」輝く未来創造本部長　後藤茂之
日・グローバルサウス連携本部長　小林鷹之
デジタル行財政改革推進本部長　渡海紀三朗
地方創生実行統合本部長　山口俊一
有明海・八代海再生PT座長　金子恭之
終末期医療に関する検討PT座長　橘慶一郎
子どもの元気！農村漁村で育てPT座長　橘慶一郎
二輪車問題対策PT座長　三原じゅん子
国民歯科保健医療実現PT座長　古屋圭司

女性の生涯の健康に関するPT座長　高階恵美子
佐渡島の金山世界遺産登録実現PT座長　橘慶一郎
選挙対策委員長　小渕優子

〔参議院自由民主党〕

参議院議員会長　関口昌一
副会長　山本順三
参議院幹事長　松山政司
幹事長代行　岡田直樹
幹事長代理　牧野たかお
副幹事長　青木一彦、江島潔、堀井巌、吉川ゆうみ、山下雄平、山田宏、藤木眞也、松川るい、岩本剛人
参議院政策審議会長　福岡資麿
会長代理　片山さつき、上野通子
副会長　赤池誠章、石井正弘、羽生田俊、山田太郎、宮崎雅夫
参議院国会対策委員長　石井準一
委員長代行　佐藤正久
委員長代理　磯崎仁彦
副委員長　石井浩郎、中西祐介、石田昌宏、長峯誠、佐藤啓、今井絵理子、加田裕之、清水真人
会計　江島潔

特別機関

行政改革推進本部長　棚橋泰文
北朝鮮による拉致問題解決促進本部長　加藤勝信
党改革実行本部長　茂木敏充
憲法改正実現本部長　古屋圭司
東日本大震災復興加速化本部長　根本匠
北朝鮮核実験・ミサイル問題対策本部長　江渡聡徳
国土強靱化推進本部長　二階俊博
2025年大阪・関西万博推進本部長　二階俊博
TPP・EU・日米TAG等経済協定対策本部長　森山裕
新しい資本主義実行本部長　岸田文雄
財政健全化推進本部長　古川禎久
ウクライナ・中東情勢に関する対策本部長　茂木敏充
GX実行本部長　萩生田光一
安定的な皇位継承の確保に関する本部長　麻生太郎
令和6年能登半島地震対策本部長　森山裕
政治刷新本部長　岸田文雄

立憲民主党

立憲民主党 立 **憲 民 主 党**
（令和2年9月15日結成）

〒100-0014 千代田区永田町1-11-1
三宅坂ビル ☎03-3595-9988

最 高 顧 問	菅 　 直 人
同	野 田 佳 彦
代 　 　 表	泉 　 健 太
代 表 代 行	辻 元 清 美
同	西 村 智奈美
同	逢 坂 誠 二
幹 事 長	岡 田 克 也
幹 事 長 代 理	手 塚 仁 雄
同	田名部 匡 代
総務局長／副幹事長	山 岡 達 丸
財務局長／副幹事長	稲 富 修 二
青年局長／副幹事長	伊 藤 俊 輔
災害・緊急事態局長／副　幹　事　長	森 山 浩 行
国際局長／副幹事長	源 馬 謙太郎
人材局長／副幹事長	荒 井 　 優
副幹事長(政治改革担当)	落 合 貴 之
副 幹 事 長	石川香織、本庄
知史、勝部賢志、田島麻衣子	
国民運動局長	森 本 真 治
常任幹事会議長	渡 辺 　 周
参議院議員会長	水 岡 俊 一
両院議員総会長	川 田 龍 平
役 員 室 長	奥 野 総一郎
選挙対策委員長	大 串 博 志
政務調査会長	長 妻 　 昭
政務調査会長代理	大西健介 (筆頭
代理)、城井崇、徳永エリ	
政務調査会副会長	稲富修二、篠原
豪、山崎誠、早稲田ゆき、岡本	
あき子、神谷裕、櫻井周、中谷	
一馬、小沼巧、岸真紀子、小沢	
雅仁	
国会対策委員長	安 住 　 淳
国会対策委員長代理	笠 　 浩 史
同	斎 藤 嘉 隆
国会対策副委員長	山井和則(筆頭)、
後藤祐一、吉川 元、青柳陽一	
郎、道下大樹、湯原俊二	
代 議 士 会 長	伴 野 　 豊
組 織 委 員 長	森 本 真 治

企業・団体交流委員長	大 島 　 敦
参議院議員会長代行	牧 山 ひろえ
参議院幹事長	田名部 匡 代
参議院政策委員長	斎 藤 嘉 隆
参議院政策審議会長	徳 永 エ リ
総合選挙対策本部長	泉 　 健 太
つながる本部本部長	泉 　 健 太
ジェンダー平等推進本部本部長	西 村 智奈美
政治改革推進本部長	渡 辺 　 周
政治改革実行本部長	岡 田 克 也
広報本部長	逢 坂 誠 二
拉致問題対策本部長	渡 辺 　 周
東日本大震災復興対策本部本部長	玄 葉 光一郎
令和6年能登半島地震対策本部本部長	泉 　 健 太
子ども・若者応援本部長	泉 　 健 太
農林漁業再生本部長	田名部 匡 代
倫理委員長	菊 田 真紀子
代表選挙管理委員長	吉 川 沙 織
ハラスメント対策委員長	金 子 恵 美
旧統一教会被害対策本部長	西 村 智奈美
沖縄協議会座長	福 山 哲 郎
女性議員ネットワーク代表	伊 藤 めぐみ
北海道ブロック常任幹事	岸 　 真紀子
東北ブロック常任幹事	横 沢 高 徳
北関東ブロック常任幹事	坂 本 祐之輔
南関東ブロック常任幹事	小 沢 雅 仁
東京ブロック常任幹事	手 塚 仁 雄
北陸信越ブロック常任幹事	杉 尾 秀 哉
東海ブロック常任幹事	吉 田 統 彦
近畿ブロック常任幹事	櫻 井 　 周
中国ブロック常任幹事	柚 木 道 義
四国ブロック常任幹事	白 石 洋 一
九州ブロック常任幹事	野 間 　 健
自治体議員ネットワーク代表	遊 佐 美由紀

立憲民主党「次の内閣」

ネクスト総理大臣	泉 　 健 太
ネクスト内閣官房長官	長 妻 　 昭
ネクスト内閣府総括大臣	杉 尾 秀 哉
ネクスト総務大臣	野 田 国 義
ネクスト法務大臣	牧 山 ひろえ
ネクスト外務大臣	玄 葉 光一郎
ネクスト安全保障大臣	渡 辺 　 周
ネクスト財務金融大臣	階 　 猛

ネクスト文部科学大臣・ネクスト子ども政策担当大臣	菊田真紀子
ネクスト厚生労働大臣	高木真理
ネクスト農林水産大臣	金子恵美
ネクスト経済産業大臣	田嶋要
ネクスト国土交通・復興大臣	小宮山泰子
ネクスト環境大臣	近藤昭一
ネクスト内閣官房副長官	大西健介、城井崇、徳永エリ
憲法調査会長	逢坂誠二
税制調査会長	小川淳也
SOGIに関するPT座長	大河原まさこ
障がい・難病PT座長	横沢高徳
外国人受け入れ制度のあり方と共生社会のあり方に関する検討PT座長	石橋通宏
デジタル政策PT座長	中谷一馬
生殖補助医療PT座長	西村智奈美
島政策PT座長	野間健
物流対策PT座長	大島敦
外交・安全保障戦略PT座長	玄葉光一郎
公務員制度改革PT座長	大島敦
公文書管理PT座長	逢坂誠二
雇用問題対策PT座長	西村智奈美
マイナンバー在り方検討PT座長	逢坂誠二
環境エネルギーPT座長	田嶋要
ビジネスと人権PT座長	西村智奈美
機能性表示食品の見直しに関するPT座長	大西健介

日本維新の会

（※1、P287参照）
〒542-0082 大阪市中央区島之内1-17-16
三栄長堀ビル ☎06-4963-8800

代表	馬場伸幸
共同代表	吉村洋文
副代表	辻淳子
幹事長・選挙対策本部長	藤田文武
選挙対策本部長代行	井上英孝
選挙対策本部長代理	浦野靖人
幹事長代行	河崎大樹
政務調査会長	音喜多駿
政務調査会長代行	藤田暁
総務会長	柳ヶ瀬裕文
総務会長代行	岡崎太
改革実行本部長	東徹
常任役員	森和臣、山下昌彦、横山英幸、黒田征樹、宮本一孝
非常任役員	松尾勇臣
同	三木圭恵
学生局長	松本常広
ダイバーシティ推進局長	高木かおり
国際局長	青柳仁士
広報局長	伊良原勉
財務局長	高見りょう
党紀委員長	横倉廉幸
維新政治塾名誉塾長	馬場伸幸
維新政治塾塾長	音喜多駿
会計監査人代表	井上英孝

〔国会議員団〕

代表	馬場伸幸
代表補佐	中司宏、高木かおり
代表付	阿部司、守島正、漆間譲司、赤木正幸、金子道仁、青島健太、松野明美、中条きよし
幹事長	藤田文武
幹事長代理	三木圭恵
広報局長	柳ヶ瀬裕文
学生局長	沢田良
ダイバーシティ推進局長	高木かおり
政務調査会長	音喜多駿
政務調査会長代行	青柳仁士
政務調査会長代理	片山大介
政務調査会副会長	高木かおり、池下卓、岩谷良平、伊東信久、金子道仁、梅村聡、松野明美、守島正、漆間譲司、串田誠一
国会対策委員長	遠藤敬
国会対策委員長代行	柴田巧
国会対策委員長代理	中司宏
国会対策副委員長	金村龍那、奥下剛光、池畑浩太朗、一谷勇一郎、浅川義治、堀場幸子、青島健太
両院議員総会長	石井章
代議士会長	市村浩一郎
参議院会長	浅田均
参議院幹事長	猪瀬直樹

参議院国会対策委員長	柴　田　　　巧
参議院国会対策委員長代理	青　島　健　太
参議院政策審議会長	片　山　大　介
党紀委員長	中　司　　　宏
党 紀 委 員	浦野靖人、三木

圭恵、柴田 巧、小野泰輔

公　明　党

（※2、P287参照）

〒160-0012 新宿区南元町17
☎03-3353-0111

| 代　　　表 | 山　口　那津男 |
| 副　代　表 | 北側一雄、古屋 |

範子、斉藤鉄夫

幹　事　長	石　井　啓　一
中央幹事会会長	北　側　一　雄
政務調査会長	髙　木　陽　介
中　央　幹　事	竹　内　譲（会長

代理）、大口善徳、稲津 久、
庄子賢一、塩田博昭、中川宏昌、
中川康洋、山本香苗、山本博司、
河野義博、中島義雄、松葉多美
子、山口広治、若松謙維、伊藤
渉、石川博崇、岡本三成、國重
徹、秋野公造、土岐恭生、千葉
宣男

中央規律委員長	浮　島　智　子
中央会計監査委員	佐々木　さやか
同	杉　　　久　武
幹事長代行	赤　羽　一　嘉
幹事長代理	稲　津　　　久
同	谷　合　正　明
政務調査会長代理	上田 勇、大口

善徳、伊藤渉、山本香苗、稲津久

国会対策委員長	佐　藤　茂　樹
国会対策委員長代理	輿　水　恵　一
国対筆頭副委員長	中　川　康　洋
選挙対策委員長	西　田　実　仁
組織委員長	大　口　善　徳
組　織　局　長	稲　津　　　久
地方議会局長	輿　水　恵　一
遊説局長	竹　内　真　二
広報委員長	谷　合　正　明
広　報　局　長	國　重　　　徹

宣伝局長	佐々木　さやか
総務委員長	高　鍋　博　之
財務委員長	石　井　啓　一
機関紙委員長	吉　本　正　史
機関紙推進委員長	若　松　謙　維
国際委員長	岡　本　三　成
国際局長	新　妻　秀　規
団体渉外委員長	伊　藤　　　渉
団体局長	中　野　洋　昌
労働局長	佐　藤　英　道
市民活動委員長	石　川　博　崇
市民活動局長	石　川　博　崇
文化芸術局長	浮　島　智　子
ＮＰＯ局長	鰐　淵　洋　子
女性委員長	竹　谷　とし子
女性局長	佐々木　さやか
青年委員長	國　重　　　徹
青年局長	三　浦　信　祐
学生局長	河　西　宏　一
常任顧問	太田昭宏、井上

義久

| アドバイザー | 石田祝稔、桝屋 |

敬悟、髙木美智代、浜田昌良

参議院会長	西　田　実　仁
参議院副会長	山　本　香　苗
参議院幹事長	谷　合　正　明
参院国会対策委員長	竹　谷　とし子
参院国対筆頭副委員長	三　浦　信　祐
参院政策審議会長	石　川　博　崇
全国議員団会議議長	北　側　一　雄
全国地方議員団会議議長	中　島　義　雄

日本共産党

（大正11年7月15日結成）

〒151-8586 渋谷区千駄ヶ谷4-26-7
☎03-3403-6111

中央委員会議長	志　位　和　夫
幹部会委員長	田　村　智　子
書記局長	小　池　　　晃
幹部会副委員長	山下芳生（筆頭）、

田中 悠、市田忠義、緒方靖夫、
倉林明子、浜野忠夫

| 政策委員長 | 山　添　　　拓 |

各党役員

常任幹部会委員　市田忠義、岩井鐵也、大幡基夫、岡嵜郁子、緒方靖夫、紙智子、吉良よし子、倉林明子、小池晃、小木曽陽司、穀田恵二、坂井希、志位和夫、田中悠、田村智子、堤文俊、寺沢亜志也、中井作太郎、浜野忠夫、土方明果、広井暢子、藤田文、山下芳生、山添拓、若林義春

書記局長代行　田中悠

書記局次長　中井作太郎、堤文俊、土方明果、土井洋彦

政策委員会委員長　山添拓

経済・社会保障政策委員会責任者　垣内亮

政治・外交委員会責任者　小松公生

理論委員会責任者　田中悠

人権委員会責任者　倉林明子

ジェンダー平等委員会責任者　倉林明子

子どもの権利委員会責任者　吉良よし子

障害者の権利委員会責任者　高橋千鶴子

先住民（アイヌ）の権利委員会責任者　紙智子

在外外国人の権利委員会責任者　田川実

宣伝局長　田村一志

広報部長　植木俊雄

国民の声室責任者　藤原忠俊

国民運動委員会責任者　堤文俊

労働局長　堤文俊

農林・漁民局長　紙智子

市民・住民運動・中小企業局長　松原昭夫

平和運動局長　川田忠明

基地対策委員会責任者　小泉親司

災害問題対策委員会責任者　太田善作

学術・文化委員会責任者　土井洋彦

文教委員会責任者　藤森毅

宗教委員会責任者　土井洋彦

スポーツ委員会責任者　畑野君枝

選挙・自治体委員会責任者　中井作太郎

選挙対策局長　中井作太郎

自治体局長　岡嵜郁子

選挙対策委員会責任者　穀田恵二

国際委員会責任者　緒方靖夫

党建設委員会責任者　山下芳生

組織局長　土方明果

機関紙活動局長　大幡基夫

学習・教育局長　広井暢子

青年・学生委員会責任者　坂井希

中央党学校運営委員会責任者　田中悠

法規対策部長　柳沢明夫

人事局長　浜野忠夫

財務・業務委員会責任者　岩井鐵也

財政部長　藤本伸也

機関紙誌業務部長　大井伸行

管理部長　大久保健三

厚生部長　大久保健三

システム開発管理部長　葛西邦陽

赤旗まつり実行委員会責任者　小木曽陽司

社会科学研究所長　山口富男

出版企画委員会責任者　岩田忠也

出版局長　田代忠利

雑誌刊行委員会責任者　田代忠利

資料室責任者　鈴木裕子

党史資料（研究）室責任者　岡宏輔

中央委員会事務室責任者　工藤充

第二事務室責任者　高宮正芳

赤旗編集局長　小木曽陽司

原発・気候変動・エネルギー問題対策委員会責任者　笠井亮

国会対策委員長　穀田恵二

国会議員団総会長　紙智子

衆議院議員団長　高橋千鶴子

参議院議員団長　紙智子

参議院幹事長　井上哲士

衆議院国会対策委員長　穀田恵二

参議院国会対策委員長　井上哲士

国会議員団事務局長　藤井正人

国民民主党
（令和2年9月15日結成）

〒100-0014　千代田区永田町2-17-17
JBS永田町　☎03-3593-6229

代表　玉木雄一郎

幹事長　榛葉賀津也

幹事長代行　川合孝典

政務調査会長兼役員室長　浜口誠

選挙対策委員長　浜野喜史

国会対策委員長兼企業団体委員長　古川元久

参議院議員会長
兼両院議員総会長　舟山康江

副代表兼広報局長　礒崎哲史

幹事長代理　鈴木義弘

副幹事長　西岡秀子

同　竹詰仁哲

国会対策委員長代理　浅野哲

組織委員長　伊藤孝恵

財務局長　浜口誠

人事・総務局長　竹詰仁

倫理委員長　竹詰仁

国民運動局長　田村まみ

青年局長　浅野哲

国際局長　古川元久

参議院議員会長　舟山康江

参議院幹事長　川合孝典

参議院国会対策委員長　礒崎哲史

政治改革・行政改革
推進本部長　古川元久

男女共同参画推進本部長　玉木雄一郎

男女共同参画推進本
部長代理兼LGBT担当　西岡秀子

拉致問題対策本部長　川合孝典

災害対策本部長　榛葉賀津也

政務調査会長代理　西岡秀子

れいわ新選組
（平成31年4月1日結成）

〒102-0083 千代田区麹町2-5-20
押田ビル4F ☎03-6384-1974

代表　山本太郎

共同代表　櫛渕万里

同　大石あきこ

副代表兼参議院会長　舩後靖彦

副代表兼参議院
国会対策副委員長　木村英子

国会対策委員長　たがや亮

政策審議会長　大石あきこ

政策審議会長代理
兼衆議院議員　櫛渕万里

参議院国会対策委員長　大島九州男

幹事長　高井たかし

幹事　天畠大輔

両院議員総会長　舩後靖彦

選挙対策委員長　山本太郎

教育無償化を実現する会
（令和5年12月13日結成）

〒100-0014 千代田区永田町2-17-17-272
☎03-6811-2100

代表　前原誠司

副代表　嘉田由紀子

幹事長　徳永久志

政務調査会長　斎藤アレックス

国会対策委員長　鈴木敦

社会民主党
（※3、P287参照）

〒104-0043 中央区湊3-18-17
マルキ榎本ビル5F ☎03-3553-3731

党首　福島みずほ

副党首兼国会対策委員
長兼政策審議会長　新垣邦男

副党首　大椿裕子

幹事長兼選挙対策委員長　服部良一

総務企画局長兼
機関紙宣伝局長　中島修

組織団体局長　渡辺英明

常任幹事　山城博治、伊地
智恭子、伊是名夏子

参政党
（令和2年4月11日結成）

〒107-0052 港区赤坂3-4-3
赤坂マカベビル5F ☎03-6807-4228

代表　神谷宗幣

副代表　川裕一郎

※1 平成27年10月31日、おおさか維新の会結党。平成28年8月23日、日本維新の会へ党名変更
※2 昭和39年11月17日公明党結党。平成10年11月7日、「公明」と「新党平和」が合流して、新しい現在の「公明党」結成
※3 昭和20年11月2日、日本社会党結成。昭和30年10月13日、左右再統一。平成8年1月19日、社会民主党へ党名変更

衆議院議員勤続年数・当選回数表

（令和6年8月末現在）

氏名の前の（　）内の数字は参議院の通算在職年数、端数は切り上げてあります。
○内の数字は衆議院議員としての当選回数。

勤続年数

55年 （1人）
小沢一郎 ⑱

47年 （1人）
(7)衛藤征士郎 ⑬

46年 （1人）
中村喜四郎 ⑮

45年 （1人）
菅　直人 ⑭

43年 （1人）
麻生太郎 ⑭

41年 （3人）
甘利　明 ⑬
二階俊博 ⑬
額賀福志郎 ⑬

39年 （4人）
逢沢一郎 ⑫
石破　茂 ⑫
船田　元 ⑬
村上誠一郎 ⑫

35年 （6人）
岡田克也 ⑪
中谷　元 ⑪
古屋圭司 ⑪
森　英介 ⑪
山口俊一 ⑪
山本有二 ⑪

32年 （15人）
石井啓一 ⑩
枝野幸男 ⑩
岸田文雄 ⑩
北側一雄 ⑩
玄葉光一郎 ⑩
穀田恵二 ⑩
斉藤鉄夫 ⑩
志位和夫 ⑩
鈴木俊一 ⑩
渡海紀三朗 ⑩
野田聖子 ⑩
浜田靖一 ⑩
林　幹雄 ⑩
前原誠司 ⑩
茂木敏充 ⑩

30年 （2人）
高市早苗 ⑨
(27)林　芳正 ①

29年 （17人）
安住　淳 ⑨
今村雅弘 ⑨
河野太郎 ⑨
近藤昭一 ⑨
佐藤茂樹 ⑩
佐藤　勉 ⑩
塩谷　立 ⑩
下村博文 ⑨
菅　義偉 ⑨
田中和徳 ⑨
棚橋泰文 ⑨
中川正春 ⑨
原口一博 ⑨
平沢勝栄 ⑨
古川元久 ⑨
渡辺　周 ⑨

28年 （9人）
赤羽一嘉 ⑨
伊藤達也 ⑨
岩屋　毅 ⑨
遠藤利明 ⑨
大口善徳 ⑨
(13)金田勝年 ⑤
高木陽介 ⑨
根本　匠 ⑨
野田佳彦 ⑨

27年 （2人）
新藤義孝 ⑦
(6)森山　裕 ⑦

26年 （1人）
(7)笠井　亮 ⑥

25年 （21人）
阿部知子 ⑧
赤嶺政賢 ⑧
江崎鐵磨 ⑧
江渡聡徳 ⑧
小渕優子 ⑧
大島　敦 ⑧
梶山弘志 ⑧

金子恭之 ⑧
櫻田義孝 ⑧
塩川鉄也 ⑧
髙木　毅 ⑧
土屋品子 ⑧
長妻　昭 ⑧
平井卓也 ⑧
細野豪志 ⑧
松野博一 ⑧
松原　仁 ⑧
松本剛明 ⑧
山井和則 ⑧
吉野正芳 ⑧
渡辺博道 ⑧

24年 （1人）
末松義規 ⑦

23年 （5人）
石田真敏 ⑧
小野寺五典 ⑧
海江田万里 ⑧
牧　義夫 ⑦
山口　壯 ⑦

21年 （23人）
井上信治 ⑦
泉　健太 ⑧
江田憲司 ⑦
江藤　拓 ⑦
加藤勝信 ⑦
上川陽子 ⑦
川内博史 ⑦
菊田真紀子 ⑦
小泉　　 ⑦
小宮山泰子 ⑦
後藤茂之 ⑦
篠原　孝 ⑦
柴山昌彦 ⑦
田嶋　要 ⑦
高橋千鶴子 ⑦
武田良太 ⑦
谷　公一 ⑦
長島昭久 ⑦
西村康稔 ⑦
古川禎久 ⑦
古屋範子 ⑦

松島　みどり　⑦
笠　浩史　⑦

20年（15人）

あべ　俊子　⑥
赤澤　亮正　⑥
秋葉　賢也　⑥
伊藤　信太郎　⑥
稲田　朋美　⑥
小川　淳也　⑥
小里　泰弘　⑥
大串　博志　⑥
坂本　哲志　⑥
平　将明　⑥
永岡　桂子　⑥
福田　昭夫　⑥
馬淵　澄夫　⑥
柚木　道義　⑥
鷲尾　英一郎　⑥

19年（7人）

吉良　州司　⑥
(7)佐藤　公治　⑥
竹内　譲　⑥
寺田　学　⑥
西村　智奈美　⑥
伴野　豊　⑥
(7)宮本　岳志　⑤

18年（15人）

(7)浮島　智子　④
逢坂　誠二　⑥
奥野　信亮　⑥
階　猛　⑥
鈴木　淳司　⑥
寺田　稔　⑥
丹羽　秀樹　⑥
西村　明宏　⑥
西銘　恒三郎　⑥
葉梨　康弘　⑥
萩生田　光一　⑥
御法川　信英　⑥
宮下　一郎　⑥
山際　大志郎　⑥
(6)義家　弘介　④

17年（2人）

城内　実　⑥
下条　みつ　⑤

16年（38人）

あかま　二郎　⑤
伊東　良孝　⑤
伊藤　忠彦　⑤
伊藤　渉　⑤
石原　宏高　⑤
稲津　久　⑤
上野　賢一郎　⑤
越智　隆雄　⑤
大塚　拓　⑤
大西　健介　⑤
奥野　総一郎　⑤
(7)金子　恵美　③
亀岡　偉民　⑤
木原　誠二　⑤
木原　稔　⑤
小泉　進次郎　⑤
後藤　祐一　⑤
齋藤　健　⑤
坂井　学　⑤
鈴木　馨祐　⑤
関　芳弘　⑤
田中　良生　⑤
髙鳥　修一　⑤
橘　慶一郎　⑤
玉木　雄一郎　⑤
(13)塚田　一郎　①
手塚　仁雄　⑤
土井　亨　⑤
中根　一幸　⑤
橋本　岳　⑤
平口　洋　⑤
牧原　秀樹　⑤
松木　けんこう　⑤
松本　洋平　⑤
武藤　容治　⑤
盛山　正仁　⑤
山本　ともひろ　⑤
若宮　健嗣　⑤

15年（3人）

(7)小熊　慎司　④
(12)髙階　恵美子　①
(12)中西　健治　①

14年（2人）

(7)大河原　まさこ　②
(7)鰐淵　洋子　②

13年（3人）

城井　崇　④
(10)島尻　安伊子　①
杉本　和巳　④

12年（86人）

足立　康史　④
青柳　陽一郎　④
秋本　真利　④
井出　庸生　④
井野　俊郎　④
井上　貴博　④
井上　英孝　④
井林　辰憲　④
伊佐　進一　④
池田　佳隆　④
石川　昭政　④
市村　浩一郎　④
今枝　宗一郎　④
岩田　和親　④
浦野　靖人　④
遠藤　敬　④
小倉　將信　④
小田原　潔　④
大岡　敏孝　④
大串　正樹　④
大西　英男　④
大野　敬太郎　④
岡本　三成　③
鬼木　誠　④
勝俣　孝明　④
門山　宏哲　④
神谷　昇　④
菅家　一郎　④
黄川田　仁志　④
北神　圭朗　④
工藤　彰三　④
國重　徹　④
熊田　裕通　④
小島　敏文　④
小林　鷹之　④
小林　史明　④
古賀　篤　④
國場　幸之助　④
佐々木　紀　④
佐藤　英道　④
斎藤　洋明　④
笹川　博義　④
重徳　和彦　④
新谷　正義　④
鈴木　貴子　④
鈴木　憲和　④
田所　嘉德　④
田中　英之　④
田野瀬　太道　④
田畑　裕明　④
武井　俊輔　④

㊙勤続年数

武部 新 ④
武村 展英 ④
津島 淳 ④
辻 清人 ④
冨樫 博之 ④
中谷 一馬 ④
中野 洋昌 ④
中村 裕之 ④
中山 展宏 ④
長坂 康正 ④
根本 幸典 ④
野中 厚 ④
馬場 伸幸 ④
濱地 雅一 ④
福田 達夫 ④
藤井 比早之 ④
藤丸 敏 ④
藤原 崇 ④
星野 剛士 ④
細田 健一 ④
堀 学 ④
堀内 詔子 ④
牧島 かれん ④
三ッ林 裕巳 ④
宮内 秀樹 ④
務台 俊介 ④
村井 英樹 ④
八木 哲也 ④
簗 和生 ④
山下 貴司 ④
山田 賢司 ④
山田 美樹 ④
吉川 元 ④
渡辺 孝一 ④

勤続年数

11年 （10人）
青山 周平 ②
稲富 修二 ②
(7)亀井 亜紀子 ②
近藤 和也 ③
白石 洋一 ③
宮﨑 政久 ③
森山 浩行 ③
山岡 達丸 ③
山崎 誠 ③
吉田 統彦 ③

10年 （15人）
尾身 朝子 ③
緒方 林太郎 ③
落合 貴之 ③
加藤 鮎子 ③
小山 展弘 ③
篠原 豪 ③
鈴木 隼人 ③
谷川 とむ ③
福島 伸享 ③
古川 康 ③
宮路 拓馬 ③
宮本 徹 ③
宗清 皇一 ③
本村 伸子 ③

9年 （8人）
(7)井原 巧 ①
小林 茂樹 ③
杉田 水脈 ③
(7)徳永 久志 ①
三谷 英弘 ③
谷田川 元 ③
和田 義明 ③
(7)若林 健太 ①

8年 （11人）
井坂 信彦 ③
伊東 信久 ③
鎌田 さゆり ③
輿水 恵一 ③
坂本 祐之輔 ③
鈴木 義弘 ③
高木 宏壽 ③
中川 郁子 ③
野間 健 ③
鳩山 二郎 ③
吉川 赳 ③

7年 （32人）
青山 大人 ②
浅野 哲 ②
伊藤 俊輔 ②
石川 香織 ②
泉田 裕彦 ②
上杉 謙太郎 ②
岡本 あき子 ②
金子 俊平 ②
神谷 裕 ②
木村 次郎 ②
国光 あやの ②
源馬 謙太郎 ②
小寺 裕雄 ②
高村 正大 ②
櫻井 周 ②
瀬戸 隆一 ③
空本 誠喜 ②
高木 啓寿 ③
中曽根 康隆 ②
仁木 博文 ②
西岡 秀子 ②
西田 昭二 ②
穂坂 泰 ②
本田 太郎 ②
道下 大樹 ②
緑川 貴士 ②
森田 俊和 ②
山本 剛正 ②
湯原 俊二 ②
吉田 宣弘 ③
早稲田 ゆき ②

6年 （6人）
畦元 将吾 ②
櫛渕 万里 ②
角田 秀穂 ②
中川 康洋 ②
藤田 文武 ②
吉田 豊史 ②

5年 （3人）
深澤 陽一 ②
三木 圭恵 ②
美延 映夫 ②

4年 （1人）
屋良 朝博 ②

3年 （86人）
阿部 司 ①
阿部 弘樹 ①
青柳 仁士 ①
赤木 正幸 ①
浅川 義治 ①
東 国幹 ①
荒井 優 ①
新垣 邦男 ①
五十嵐 清 ①
池下 卓 ①
池畑 浩太朗 ①
石井 拓 ①
石橋 林太郎 ①
石原 正敬 ①
一谷 勇一郎 ①
岩谷 良平 ①
上田 英俊 ①

梅谷　守 ①
漆間　譲司 ①
遠藤　良太 ①
おおつき　紅葉 ①
小野　泰輔 ①
尾﨑　正直 ①
大石　あきこ ①
奥下　剛光 ①
加藤　竜祥 ①
河西　宏一 ①
勝目　康 ①
金村　龍那 ①
川崎　ひでと ①
神崎　潤一 ①
金城　泰邦 ①
日下　正喜 ①
国定　勇人 ①
小森　卓郎 ①
神津　たけし ①
斎藤　アレックス ①
沢田　良 ①
塩崎　彰久 ①
庄子　賢一 ①
鈴木　敦 ①
鈴木　英敬 ①
鈴木　庸介 ①
住吉　寛紀 ①
たがや　亮 ①
田中　健 ①
高橋　英明 ①
高見　康裕 ①
土田　慎 ①
堤　かなめ ①
中川　貴元 ①
中川　宏昌 ①
中司　宏 ①
中野　英幸 ①
長友　慎治 ①
西野　太亮 ①
長谷川　淳二 ①
馬場　雄基 ①
早坂　敦 ①
平沼　正二郎 ①
平林　晃 ①
福重　隆浩 ①
藤岡　隆雄 ①
藤巻　健太 ①
太　栄志 ①
古川　直季 ①

堀場　幸子 ①
掘井　健智 ①
本庄　知史 ①
松本　尚 ①
三反園　訓 ①
岬　麻紀 ①
守島　正 ①
保岡　宏武 ①
柳本　顕 ①
山岸　一生 ①
山口　晋 ①
山崎　正恭 ①
山田　勝彦 ②
山本　左近 ①
吉田　久美子 ①
吉田　とも代 ①
吉田　はるみ ①
米山　隆一 ①
和田　有一朗 ①
渡辺　創 ①

2年 (4人)

英利　アルフィヤ ①
岸　信千世 ①
林　佑美 ①
吉田　真次 ①

1年 (4人)

金子　容三 ①
酒井　なつみ ①
中嶋　秀樹 ①
森　由起子 ①

勤続年数

参議院議員勤続年数・当選回数表

氏名の前の（）内の数字は衆議院の通算在職年数、端数は切り上げてあります。
○内の数字は参議院議員としての当選回数。

参 勤続年数

43年 （1人）
　山東昭子 ⑧

39年 （1人）
　中曽根弘文 ⑦

36年 （1人）
　尾辻秀久 ⑥

33年 （1人）
　山崎正昭 ⑥

31年 （2人）
㉕鈴木宗男 ①
⑺山口那津男 ④

30年 （2人）
⒀衛藤晟一 ③
　橋本聖子 ⑤

28年 （1人）
⑾長浜博行 ③

27年 （5人）
　櫻井充 ⑤
　世耕弘成 ⑤
　鶴保庸介 ⑤
　福島みずほ ⑤
　福山哲郎 ⑤

25年 （1人）
　武見敬三 ⑤

24年 （13人）
　有村治子 ④
　井上哲士 ④
㉑上田勇 ①
　大塚耕平 ④
　紙智子 ④
　小池晃 ④
　榛葉賀津也 ④
㉒辻元清美 ①
　松山政司 ④
⑽宮沢洋一 ③
　山下芳生 ④
⑷山谷えり子 ③
　山本香苗 ④

22年 （3人）
⑼浅尾慶一郎 ①
　関口昌一 ②
⑾若松謙維 ②

20年 （10人）
　岡田直樹 ④
　末松信介 ④
　谷合正明 ④
　西田実仁 ④
　野上浩太郎 ④
　野村哲郎 ④
⑽松沢成文 ③
　松下新平 ④
　松村祥史 ④
　山本順三 ④

19年 （3人）
⑷猪口邦子 ②
⑷片山さつき ②
⑷福岡資麿 ③

18年 （16人）
⑻青木愛 ②
　石井準一 ③
　川田龍平 ③
　佐藤信秋 ③
　佐藤正久 ③
　西田昌司 ③
⑸広田一 ③
　古川俊治 ③
　牧野たかお ③
　牧山ひろえ ③
　丸川珠代 ③
　水岡俊一 ③
　森まさこ ③
　山田俊男 ③
　山本博司 ③
　吉川沙織 ③

16年 （3人）
⑷赤池誠章 ②
⑾上田清司 ①
⑻田名部匡代 ②

15年 （23人）
　青木一彦 ②
　秋野公造 ③
　石井浩郎 ③
　石川博崇 ③
　石橋通宏 ③
　磯崎仁彦 ③
　上野通子 ③
　大家敏志 ③
　川合孝典 ③
　小西洋之 ③
　斎藤嘉隆 ③
　田村智子 ③
　竹谷とし子 ③
　徳永エリ ③
　中西祐介 ③
　仁比聡平 ③
⑷野田国義 ②
　長谷川岳 ③
　藤川政人 ③
　舟山康江 ③
　三原じゅん子 ③
　横山信一 ③
　渡辺猛之 ③

14年 （3人）
　大島九州男 ③
⑾中田宏 ①
⑹山田宏 ②

12年 （42人）
　東徹 ②
⑷石井章 ②
　石井正弘 ②
　石田昌宏 ②
　磯崎哲史 ②
　梅村聡 ②
　江島潔 ③
　大野泰正 ②
　太田房江 ②
　河野義博 ②
　吉良よし子 ②
　北村経夫 ③
　倉林明子 ②
　古賀友一郎 ②
　上月良祐 ②
　佐々木さやか ②
　酒井庸行 ②
　清水貴之 ②
　柴田巧 ②
　杉久武 ②
　高橋克法 ②
　滝沢求 ②
　滝波宏文 ②

参　勤続年数

党派別国会議員一覧

（令和6年7月1日現在）

※衆参の正副議長は無所属に含む。〇内は当選回数・無所属には諸派を含む。
衆議院議員の（ ）内は参議院の当選回数。参議院議員の（ ）内は衆議院の当選回数。

党派別一覧

自民党　372人

（衆議院257人）

麻生太郎⑭
甘利明⑬
衛藤征士郎⑬(1)
二階俊博⑫
船田元⑫
逢沢一郎⑫
石破茂⑫
村上誠一郎⑫
中谷元⑪
古屋圭司⑪
森英介⑪
山口俊一⑪
山本有二⑪
岸田文雄⑩
鈴木俊一⑩
渡海紀三朗⑩
野田聖子⑩
浜田靖一⑩
林幹雄⑩
茂木敏充⑩
伊藤達也⑨
今村雅弘⑨
岩屋毅⑨
遠藤利明⑨
河野太郎⑨
佐藤勉⑨
下村博文⑨
菅義偉⑨
田中和徳⑨
田村憲久⑨
高市早苗⑨
棚橋泰文⑨
根本匠⑨
平沢勝栄⑨
石田真敏⑧
江崎鐵磨⑧
江渡聡徳⑧
小野寺五典⑧
小渕優子⑧
梶山弘志⑧

金子恭之⑧
櫻田義孝⑧
新藤義孝⑧
髙木毅⑧
土屋品子⑧
細野豪志⑧
松野博一⑧
松本剛明⑧
吉野正芳⑧
渡辺博道⑧
秋葉賢也⑦
井上信治⑦
伊藤信太郎⑦
江藤拓⑦
加藤勝信⑦
上川陽子⑦
小泉龍司⑦
後藤茂之⑦
坂本哲志⑦
柴山昌彦⑦
武田良太⑦
谷公一⑦
長島昭久⑦
西村康稔⑦
古川禎久⑦
松島みどり⑦
森山裕⑦(1)
山口壯⑦
あべ俊子⑥
赤澤亮正⑥
稲田朋美⑥
小里泰弘⑥
奥野信亮⑥
鈴木淳司⑥
平将明⑥
寺田稔⑥
永岡桂子⑥
丹羽秀樹⑥
西銘恒三郎⑥

萩生田光一⑥
御法川信英⑥
宮下一郎⑥
山際大志郎⑥
鷲尾英一郎⑤
あかま二郎⑤
伊東良孝⑤
伊藤忠彦⑤
石原宏高⑤
上野賢一郎⑤
越智隆雄⑤
大塚拓⑤
金田勝年⑤(2)
亀岡偉民⑤
木原誠二⑤
木原稔⑤
小泉進次郎⑤
齋藤健⑤
鈴木馨祐⑤
関芳弘⑤
田中良生⑤
髙鳥修一⑤
土井亨⑤
中根一幸⑤
橋本岳⑤
平口洋⑤
牧原秀樹⑤
松本洋平⑤
武藤容治⑤
盛山正仁⑤
山本ともひろ⑤
若宮健嗣⑤
青山周平④
井出庸生④
井野俊郎④
石川昭政④
今枝宗一郎④
岩田和親④
小倉將信④

小田原 潔 ④
大岡 敏孝 ④
大串 正樹 ④
大西 英男 ④
大野 敬太郎 ④
鬼木 誠 ④
勝俣 孝明 ④
門山 宏哲 ④
神田 憲次 ④
菅家 一郎 ④
黄川田 仁志 ④
工藤 彰三 ④
熊田 裕通 ④
小島 敏文 ④
小林 鷹之 ④
小林 史明 ④
古賀 篤 ④
國場 幸之助 ④
佐々木 紀 ④
斎藤 洋明 ④
笹川 博義 ④
新谷 正義 ④
鈴木 貴子 ④
鈴木 憲和 ④
田所 嘉徳 ④
田畑 裕明 ④
田野瀬 太道 ④
武井 俊輔 ④
武部 新 ④
武村 展英 ④
津島 淳 ④
辻 清人 ④
冨樫 博之 ④
中村 裕之 ④
中山 展宏 ④
長坂 康正 ④
根本 幸典 ④
野中 厚 ④
福田 達夫 ④
藤井 比早之 ④
藤丸 敏 ④
星野 剛士 ④
細田 健一 ④
堀井 学 ④
堀内 詔子 ④

牧島 かれん ④
三ッ林 裕巳 ④
宮内 秀樹 ④
宮崎 政久 ④
務台 俊介 ④
村井 英樹 ④
八木 哲也 ④
簗 和生 ④
山田 賢司 ④
山下 貴司 ④
義家 弘介 ④(1)
渡辺 孝一 ③
加藤 鮎子 ③
小林 茂樹 ③
鈴木 隼人 ③
高木 宏壽 ③
中川 郁子 ③
鳩山 二郎 ③
三谷 英弘 ③
宗清 皇一 ③
畦元 将吾 ②
杉田 水脈 ②
金子 俊平 ②
国光 あやの ②
小寺 裕雄 ②
高木 啓 ②
中曽根 康隆 ②
仁木 博文 ②
西田 昭二 ②
深澤 陽一 ②
本田 太郎 ②
五十嵐 清 ①(1)
石井 拓 ①
石橋 林太郎 ①

石原 正敬 ①
上田 英俊 ①
英利アルフィヤ ①
尾崎 正直 ①
加藤 竜祥 ①
勝目 康 ①
金子 容三 ①
川崎 ひでと ①
神田 潤一 ①
岸 信千世 ①
国定 勇人 ①
小森 卓郎 ①
塩崎 彰久 ①
鈴木 英敬 ①
高階 恵美子 ①(2)
高見 康裕 ①
土田 慎 ①
中西 健治 ①(2)
中野 英幸 ①
西野 太亮 ①
長谷川 淳二 ①
林 芳正 ①(5)
平沼 正二郎 ①
古川 直季 ①
松本 尚 ①
森 由起子 ①
保岡 宏武 ①
柳本 顕 ①
山口 晋 ①
山本 左近 ①
吉田 真次 ①
若林 健太 ①(1)

（参議院115人）
（任期R7.7.28 52人）
山東 昭子 ⑧
武見 敬三 ⑤
橋本 聖子 ⑤
有村 治子 ④
松山 政司 ④
石井 準一 ③(4)
衛藤 晟一 ③(4)
北村 経夫 ③
佐藤 信秋 ③
佐藤 正久 ③

永井 学 ①
長谷川 英晴 ①
広瀬 めぐみ ①
藤井 一博 ①
船橋 利実 ①(2)
星 北斗 ①
山本 啓介 ①
山本 佐知子 ①
吉井 章 ①
若林 洋平 ①

立憲民主党 134人
（衆議院97人）

小沢 一郎 ⑱
中村 喜四郎 ⑮
菅 直人 ⑭
岡田 克也 ⑪
枝野 幸男 ⑪
玄葉 光一郎 ⑩
安住 淳 ⑨
近藤 昭一 ⑨
中川 正春 ⑨
野田 佳彦 ⑨
原口 一博 ⑨
渡辺 周 ⑨
阿部 知子 ⑧
泉 健太 ⑧
大島 敦 ⑧
長妻 昭 ⑧
山井 和則 ⑧
江田 憲司 ⑦
川内 博史 ⑦
菊田 真紀子 ⑦
小宮山 泰子 ⑦
篠原 孝 ⑦
末松 義規 ⑦
田嶋 要 ⑦
馬淵 澄夫 ⑦
牧 義夫 ⑦
笠 浩史 ⑦
小川 淳也 ⑥
大串 博志 ⑥
階 猛 ⑥
寺田 学 ⑥
西村 智奈美 ⑥
伴野 豊 ⑥
福田 昭夫 ⑥
松木 けんこう ⑥

岡田 直樹 ④
末松 信介 ④
野上 浩太郎 ④
松下 新平 ④
松村 祥史 ④
山谷 えり子 ④(1)
山本 順三 ④
阿達 雅志 ④
青木 一彦 ③
浅尾 慶一郎 ③(3)
石井 浩郎 ③
磯崎 仁彦 ③
猪口 邦子 ③(1)
上野 通子 ③
江島 潔 ③
大家 敏志 ③
片山 さつき ③(1)
中西 祐介 ③
長谷川 岳 ③
福岡 資麿 ③(1)
藤川 政人 ③
三原 じゅん子 ③
宮沢 洋一 ③(3)
渡辺 猛之 ③
足立 敏之 ②
青山 繁晴 ②
朝日 健太郎 ②
井上 義行 ②
今井 絵理子 ②
小野田 紀美 ②
こやり 隆史 ②
佐藤 啓 ②
自見 はなこ ②
進藤 金日子 ②
藤木 眞也 ②
松川 るい ②
山田 宏 ②(2)
赤松 健 ①
生稲 晃子 ①
臼井 正一 ①
越智 俊之 ①
加藤 明良 ①
梶原 大介 ①
神谷 政幸 ①
小林 一大 ①
古庄 玄知 ①
友納 理緒 ①

西田 昌司 ③
古川 俊治 ③
牧野 たかお ③
丸川 珠代 ③
森 まさこ ③
山田 俊男 ③
赤池 誠章 ③(1)
石井 正弘 ③
石田 昌宏 ②
太田 房江 ②
古賀 友一郎 ②
上月 良祐 ②
酒井 庸行 ②
高橋 克法 ②
滝沢 求 ②
滝波 宏文 ②
柘植 芳文 ②
堂故 茂 ②
豊田 俊郎 ②
長峯 誠 ②
羽生田 俊 ②
馬場 成志 ②
堀井 巌 ②
舞立 昇治 ②
三宅 伸吾 ②
宮本 周司 ②
森屋 宏 ②
山下 雄平 ②
山田 太郎 ②
吉川 ゆうみ ②
和田 政宗 ②
岩本 剛人 ②
加田 裕之 ②
清水 真人 ②
白坂 亜紀 ①
田中 昌史 ①
高橋 はるみ ①
中田 宏 ①(4)
比嘉 奈津美 ①(2)
本田 顕子 ①
三浦 靖 ①(1)
宮崎 雅夫 ①
（任期R10.7.25 63人）
中曽根 弘文 ⑥
山崎 正昭 ⑥
櫻井 充 ⑤
関口 昌一 ⑤
鶴保 庸介 ⑤

柚木道義 ⑥
大西健介 ⑤
逢坂誠二 ⑤
奥野総一郎 ⑤
後藤祐一 ⑤
下条みつ ⑤
手塚仁雄 ⑤
青柳陽一郎 ④
小熊慎司 ④(1)
城井崇 ④
佐藤公治 ④(1)
重徳和彦 ④
中島克仁 ④
稲富修二 ③
落合貴之 ③
金子恵美 ③(1)
鎌田さゆり ③
小山展弘 ③
近藤和也 ③
坂本祐之輔 ③
篠原豪 ③
白石洋一 ③
野間健 ③
谷田川元 ③
山岡達丸 ③
山崎誠 ③
青山大人 ②
伊藤俊輔 ②
石川香織 ②
大河原まさこ ②(1)
岡本あき子 ②
亀井亜紀子 ②(1)
源馬謙太郎 ②
櫻井周 ②
中谷一馬 ②
道下大樹 ②
緑川貴士 ②
森田俊和 ②
山田勝彦 ②
湯原俊二 ②
早稲田ゆき ②
荒井優 ①

梅谷守 ①
おおつき紅葉 ①
神津たけし ①
酒井なつみ ①
鈴木庸介 ①
堤かなめ ①
馬場雄基 ①
藤岡隆雄 ①
太栄志 ①
本庄知史 ①
山岸一生 ①
吉田はるみ ①
米山隆一 ①
渡辺創 ①

（参議院37人）
（任期R7.7.28　22人）
川田龍平 ③
牧山ひろえ ③
水岡俊一 ③
吉川沙織 ②(1)
野田国義 ②
森本真治 ②
石垣のりこ ①
石川大我 ①
打越さく良 ①
小沢雅仁 ①
小沼巧 ①
奥村政佳 ①
勝部賢志 ①
岸真紀子 ①
熊谷裕人 ①
塩村あやか ①
田島麻衣子 ①
羽田次郎 ①
水野素子 ①
宮口治子 ①
森屋隆 ①
横沢高徳 ①
（任期R10.7.25　15人）
福山哲郎 ⑤
青木愛 ③(3)
石橋通宏 ③
小西洋之 ③
斎藤嘉隆 ③
徳永エリ ③
古賀之士 ②
杉尾秀哉 ②
田名部匡代 ②(3)
鬼木誠 ①
古賀千景 ①
柴慎一 ①
高木真理 ①
辻元清美 ①(7)
村田享子 ①

日本維新の会　61人
（衆議院41人）
足立康史 ④
井上英孝 ④
市村浩一郎 ④
浦野靖人 ④
遠藤敬 ④
杉本和巳 ④
馬場伸幸 ④
伊東信久 ③
空本誠喜 ③
山本剛正 ③
阿部弘樹 ①
阿部司 ①
青柳仁士 ①
赤木正幸 ①
浅川義治 ①
池下卓 ①
池畑浩太朗 ①
一谷勇一郎 ①
岩谷良平 ①
漆間譲司 ①
遠藤良太 ①
小野泰輔 ①
奥下剛光 ①
金村龍那 ①
沢田良 ①
住吉寛紀 ①
高橋英明 ①
中嶋秀樹 ①
中司宏 ①
早坂敦 ①
林佑美 ①
藤巻健太 ①
堀場幸子 ①
掘井健智 ①
岬麻紀 ①

党派別一覧

| 浜口 | 誠 | ② |
| 竹詰 | 仁 | ① |

れいわ新選組　8人
（衆議院3人）

櫛渕	万里	②
大石	あきこ	①
たがや	亮	①

（参議院5人）
（任期R7.7.28　2人）

| 木村 | 英子 | ① |
| 舩後 | 靖彦 | ① |

（任期R10.7.25　3人）

大島	九州男	③
山本	太郎	②(1)
天畠	大輔	①

教育無償化を実現する会　5人
（衆議院4人）

前原	誠司	⑩
斎藤	アレックス	①
鈴木	敦	①
徳永	久志	①(1)

（参議院1人）

| 嘉田 | 由紀子 | ① |

社民党　3人
（衆議院1人）

| 新垣 | 邦男 | ①※2 |

（参議院2人）
（任期R7.7.28　1人）

| 大椿 | ゆうこ | ①※4 |

（任期R10.7.28　1人）

| 福島 | みずほ | ④※4 |

参政党　1人
（参議院1人）
（任期R10.7.25　1人）

| 神谷 | 宗幣 | ① |

（会派は無所属）

無所属　31人
（衆議院13人）

額賀	福志郎	⑬
塩谷	立	⑩
海江田	万里	⑧
松原	仁	⑧※2
吉良	州司	⑥※3
秋本	真利	④
池田	佳隆	④
北神	圭朗	④※3
緒方	林太郎	③※3
福島	伸享	③※3
吉川	赳	③
吉田	豊史	②
三反園	訓	①※1

（参議院18人）
（任期R7.7.28　12人）

尾辻	秀久	⑥
世耕	弘成	⑤
大塚	耕平	④※5
長浜	博行	③(4)
広田	一	③(1)
大野	泰正	②
鈴木	宗男	①(8)
高良	鉄美	①※6
寺田	静	①
ながえ	孝子	①
芳賀	道也	①※5
浜田	聡	①※7

（任期R10.7.25　6人）

伊波	洋一	②※6
上田	清司	②(3)
平山	佐知子	②
齊藤	健一郎	①※7
堂込	麻紀子	①
三上	えり	①※4

※の議員の所属会派は
以下の通り。

衆議院
※1 自由民主党・
　　無所属の会
※2 立憲民主党・
　　無所属
※3 有志の会
参議院
※4 立憲民主・社民
※5 国民民主党・新緑
　　風会
※6 沖縄の風
※7 NHKから国民
　　を守る党

自由民主党内派閥一覧

（令和6年7月1日現在）

〇内は当選回数・他派との重複及び自民党系議員を含む。衆議院議員の（ ）内は参議院の当選回数。参議院議員の（ ）内は衆議院の当選回数。

麻生派　55人

（衆議院40人）

- 麻生太郎 ⑭
- 甘利明 ⑬
- 森英介 ⑪
- 山口俊一 ⑪
- 鈴木俊一 ⑩
- 河野太郎 ⑩
- 田中和徳 ⑨
- 棚橋泰文 ⑨
- 江渡聡徳 ⑧
- 松本剛明 ⑧
- 井上信治 ⑦
- 伊藤信太郎 ⑦
- 永岡桂子 ⑥
- 山際大志郎 ⑥
- あかま二郎 ⑤
- 鈴木馨祐 ⑤
- 武藤容治 ⑤
- 塚田一郎 ①(2)
- 中西健治 ①(2)
- 井上貴博 ④
- 井林辰憲 ④
- 今枝宗一郎 ④
- 工藤彰三 ④
- 斎藤洋明 ④
- 中村裕之 ④
- 中山展宏 ④
- 長坂康正 ④
- 牧島かれん ④
- 務台俊介 ④
- 山田賢司 ③
- 瀬戸隆一 ③
- 中川郁子 ③
- 高木宏壽 ③
- 仁木博文 ②
- 英利アルフィヤ ①
- 土田慎 ①
- 川貴元 ①
- 柳本顕 ①
- 山本左近 ①

（参議院15人）

（任期R7.7.28 6人）

- 山東昭子 ⑤
- 武見敬三 ⑤
- 有村治子 ④
- 高橋克法 ②
- 滝沢求 ①
- 豊田俊郎 ②

（任期R10.7.25 9人）

- 浅尾慶一郎 ③(3)
- 猪口邦子 ③(1)
- 大家敏志 ③
- 中西祐介 ③
- 藤川政人 ②
- 今井絵理子 ②
- 船橋利実 ①(2)
- 神谷政幸 ①
- 広瀬めぐみ ①

無派閥　317人

（衆議院217人）

- 衛藤征士郎 ⑬(1)
- 二階俊博 ⑬
- 船田元 ⑬
- 逢沢一郎 ⑫
- 石破茂 ⑫
- 村上誠一郎 ⑫
- 中谷元 ⑪
- 古屋圭司 ⑪
- 山本有二 ⑪
- 岸田文雄 ⑩
- 渡海紀三朗 ⑩
- 浜田靖一 ⑩
- 林幹雄 ⑩
- 伊藤達也 ⑨
- 今村雅弘 ⑨
- 岩屋毅 ⑨
- 遠藤利明 ⑨
- 佐藤勉 ⑨
- 下村博文 ⑨
- 菅義偉 ⑨
- 田村憲久 ⑨
- 高市早苗 ⑨
- 根本匠 ⑨
- 平沢勝栄 ⑨
- 石田真敏 ⑧
- 小野寺五典 ⑧
- 梶山弘志 ⑧
- 金子恭之 ⑧
- 櫻田義孝 ⑧
- 新藤義孝 ⑧
- 高木毅 ⑧
- 土屋品子 ⑧
- 平井卓也 ⑧
- 細野豪志 ⑧
- 松野博一 ⑧
- 吉野正芳 ⑧
- 渡辺博道 ⑧
- 秋葉賢也 ⑦
- 江藤拓 ⑦
- 加藤勝信 ⑦
- 上川陽子 ⑦
- 小泉龍司 ⑦
- 後藤茂之 ⑦
- 坂本哲志 ⑦
- 柴山昌彦 ⑦
- 武田良太 ⑦
- 谷公一 ⑦
- 長島昭久 ⑦(1)
- 西村明宏 ⑦
- 古川禎久 ⑦
- 松島みどり ⑦
- 森山裕 ⑦(1)
- 山口壮 ⑥
- あべ俊子 ⑥
- 赤澤亮正 ⑥
- 稲田朋美 ⑥
- 小里泰弘 ⑥
- 奥野信亮 ⑥
- 城内実 ⑥
- 鈴木淳司 ⑥
- 平将明 ⑥
- 寺田稔 ⑥
- 丹羽秀樹 ⑥
- 西銘恒三郎 ⑥
- 葉梨康弘 ⑥
- 萩生田光一 ⑥
- 御法川信英 ⑥
- 宮下一郎 ⑥
- 鷲尾英一郎 ⑥
- 伊東良孝 ⑤
- 伊藤忠彦 ⑤
- 石原宏高 ⑤
- 上野賢一郎 ⑤
- 越智隆雄 ⑤

清　①
巧拓　①(1)
林太郎　①
石　①
石原田　①
石上尾　①
加　①
勝　①
金川　①
神　①
岸　①(2)
国　①
小塩　①
島　①(2)
鈴　①
髙　①

敬俊直祥康三　①
英竜　①
藤目子　①
勝　①
潤信　①
一世人　①
勇卓　①
定森崎尻　①
彰安伊子　①(2)
恵美子　①
階見康　①(2)
高中西　①
野川淳　①
長谷林　①(5)
沼川本　①
森岡　①
口田　①
林　①
田　①(1)

新英淳人之一典厚夫　④
清博真幸　④
樫谷本中田井福藤藤星細堀堀三ッ　④
中根野丸原野田井内崎井木　④
詔秀政英哲と貴美弘孝朝鮎脈人壽む郎　④
樹久也生司樹介一子樹　④(1)

展　④

部村島　④
武津辻富　④

武田島　⑤
村岡原稔　⑤
津辻健　⑤
富中学弘　⑤
中根福生一　⑤
野藤藤一　⑤
丸藤星岳　⑤
原田井洋樹平仁　⑤
野内樹平　⑤(2)

拓年民二稔郎　⑤(2)
勝偉誠　⑤
芳良修慶一　⑤
井中鳥　⑤
根本口原本山本宮野川田倉原岡串西野　⑤

大金亀木小齋坂関髙土中橋牧松盛山若青石小小大大大鬼勝門菅黄熊小小古佐笹新鈴田田田　⑤
岡木泉井田橋本橋平山本山井岩岡岡岡西野山俣山田田林林賀場木木所野畑　⑤
木原藤坂田中橋土橋平山本宮青石小小大大大鬼勝門菅黄熊小小古佐笹新鈴田田田　⑤

下田家辺藤林田木川山川谷清田元田杉村寺木根田澤瀬深本　③
田義渡尾加小杉高鳩三宗和畔上金国小曽西深　③
加茂水隼谷鳩　③
脈人壽む郎康弘馬　③
英拓皇義将裕謙俊の雄隆二泰郎　②
太郎平郎次あや裕康昭陽太国　②

橋松石北佐古宮田赤　参議院100人
本井藤佐西牧森池石　（任期R7.7.28 46人）
山村田川野丸山井田　
衛信昌俊たか俊正宏　
村藤田野川本山田石　

聖政準一晟信昌俊たか珠周まさ俊弘宏子　
司一　④
秋久代お珠周まさ誠正宏江　④
夫司治司男章弘房太　
③(4)
②(1)

301

（任期R10.7.25　54人）

古賀 友一郎 ②
上月 良祐 ②
酒井 庸行 ②
滝波 宏文 ②
柘植 芳文 ②
堂故 茂 ②
長峯 誠 ②
羽生田 俊 ②
馬場 成志 ②
堀井 巌 ②
舞立 昇治 ②
三宅 伸吾 ②
森屋 宏 ②
山下 雄平 ②
山田 太郎 ②
吉川 ゆうみ ②
和田 政宗 ②
岩本 剛人 ②
加田 裕之 ②
清水 真人 ②
白坂 亜紀 ①
田中 昌史 ①
高橋 はるみ ①
中田 宏 ①(4)
比嘉 奈津美 ①(2)
本田 顕子 ①
三浦 靖 ①(1)
宮崎 雅夫

中曽根 弘文 ⑦
山崎 正昭 ⑥
櫻井 充 ⑤
関口 昌一 ⑤
鶴保 庸介 ⑤
岡田 直樹 ⑤
末松 信介 ④
野上 浩太郎 ④
野村 哲郎 ④
松下 新平 ④
松山 政司 ④
山谷 えり子 ④(1)
山本 順三 ④
阿達 雅志 ③
青木 一彦 ③
石井 浩一 ③
磯崎 仁彦 ③
江島 潔 ③
片山 さつき ③(1)
長谷川 岳 ③
福岡 資麿 ③
三原 じゅん子 ③
宮沢 洋一 ③(3)
渡辺 猛之 ③
足立 敏之 ②
青山 繁晴 ②

朝日 健太郎 ②
井上 義行 ②
小野田 紀美 ②
こやり 隆史 ②
佐藤 啓 ②
自見 はなこ ②
進藤 金日子 ②
藤木 眞也 ②
松川 るい ②
山田 宏 ②(2)
赤松 健 ①
稲田 朋美 ①
臼井 正一 ①
越智 俊之 ①
加藤 明良 ①
梶原 大介 ①
小林 一大 ①
古庄 玄知 ①
友納 理緒 ①
永井 学 ①
長谷川 英晴 ①
藤井 一博 ①
星 北斗 ①
山本 佐知子 ①
山本 啓介 ①
若林 洋平 ①

自由民主党各派閥役員一覧 （令和6年6月24日現在）

志　公　会 （麻生派）

〒102-0093 千代田区平河町2-5-5
全国旅館会館3F ☎03-3237-1121

特別顧問 高村正彦
顧　　問 山東昭子
**　同　　** 甘利明
会　長 麻生太郎
会長代理 森英介、田中和徳、江渡聡徳
副会長 山口俊一、鈴木俊一、武見敬三
事務総長(兼) 森英介
事務局長 井上信治
事務局次長 山際大志郎、鈴木馨祐、藤川政人

議員プロフィール
議員親族一覧

●凡例　記載内容は原則として令和6年7月1日現在。

議　員　名	所属政党の変遷
ふりがな 党派 (会派)	選挙区・年

血液型、略（略歴）、政（政策重点分野）、趣（趣味）、
尊（尊敬する人物）、銘（座右の銘）

議員名　続柄親族の氏名：親族の主な経歴
●編集要領
- ●記載内容は議員への直接取材による。

＝議員プロフィール＝

- ●党派については略称を用いた（下記参照）。
- ●略（略歴）は議員に当選する前の主な経歴を記載した。
- ●「所属政党の変遷」欄には議員初当選以降の所属政党の変遷を掲載した（令和6年7月1日現在）。
- ○矢印（→）は所属政党の変遷を表している。政党名の右のカッコ内は移動の年・月である。
- ○自民党議員の派閥名（〔　〕で表示）を略称で表記した。ただし、他党から自民党に移籍・復党した議員の移籍の年・月は自民党に移籍した年・月であって、派閥に入会した年・月とは必ずしも一致しない。
- ○旧所属政党の次に無所属になっている政党については、旧所属政党を離党した場合と、旧所属政党の解党によって無所属になった場合、議長・副議長就任に伴う党籍離脱がある。
- ○略称で表記した政党は下記のとおりである。

自民……自由民主党	公明……公明党(注1)	社民連…社会民主連合	教育……教育無償化を
新自ク…新自由クラブ	民社……民社党	社民……社会民主党	実現する会
新生……新生党	新進……新進党	さきがけ…さきがけ	未来……日本未来の党
自由……自由党	平和……新党平和	民主……民主党	共産……日本共産党
保守……保守党	改ク……改革クラブ(注2)	民進……民進党	（　）内は会派名
保新……保守新党	黎ク……黎明クラブ	立憲……立憲民主党	［麻］……麻生派
次世代…次世代の党	友愛……新党友愛	希望……希望の党	［無］……無派閥
こころ…日本のこころ	民政……民政党	国民……国民民主党	
みんな…みんなの党	社会……日本社会党		

(注1)　「公明党」は平成6年12月、新進党結党に伴って解党し、地方議員と一部参院議員による「公明」が結成。10年11月に新党平和と公明が合流して新「公明党」が結成。この一覧では旧「公明党」、「公明」、新「公明党」いずれも公明と表記。

(注2)　平成10年1月に結成された改革クラブ（代表・小沢辰男）と平成20年8月に結成された改革クラブ（代表・渡辺秀央）は政党名は同じであるが別の政党である。

- -

＝議員親族一覧＝

- ●両親と配偶者を原則として記載しているが、議員の親族（配偶者の親族も含む）で政治歴や特筆すべき経歴（企業・団体役員、公職員等）のある方については優先的に掲載した。

衆議院議員プロフィール

あかま二郎（じろう）
自[麻]　神奈川14
自民[麻]

O型、[略]県議会議員・総務副大臣、[政]地方自治

あべ俊子（とし こ）
自[無]　[比]中国
自民[無]

A型、[略]東京医科歯科大学助教授、[政]社会保障制度（医療・年金・福祉）、農林関係、[趣]読書・水泳・ハイキング、[尊]キュルケゴール・ガウディ

安住淳（あ ずみ じゅん）
立　宮城5
民主→民進(16.3)→無所属(18.5)→立憲(19.9)→立憲(20.9)

A型、[略]日本放送協会、[政]外交・地方自治・情報通信・財政・金融、[趣]絵画・ゴルフ・読書

足立康史（あ だち やす し）
維　大阪9
日本維新の会→維新の党(14.9)→おおさか維新の会(15.11)→日本維新の会(16.8)

B型、[略]経済産業省、[政]憲法・教育・社会保障・原子力・地方分権、[趣]水泳（水球）・作詩、[尊]高碕達之助

阿部司（あ べ つかさ）
維　[比]東京
日本維新の会(20)

AB型、[略]シンクタンク職員、[政]コロナ経済対策・憲法改正・外交安保、[趣]剣道・サウナ、[尊]山岡鉄舟、[銘]人間万事塞翁が馬

阿部知子（あ べ とも こ）
立　神奈川12
社民→未来(12.11)→みどりの風(13.5)→無所属(13.7)→民主(14.11)→民進(16.3)→立憲(17.10)→立憲(20.9)

O型、[略]小児科医、[政]エネルギー・医療、[趣]料理・読書

阿部弘樹（あ べ ひろ き）
維　[比]九州
日本維新の会

O型、[略]県議・町長、厚生省、[政]公衆衛生・地方自治、[趣]読書、[尊]渋沢栄一、[銘]至誠天に通ず

逢沢一郎（あい さわ いち ろう）
自[無]　岡山1
自民[無]

O型、[略]松下政経塾、[政]通産・外交、[趣]サッカー

青柳 仁士 (あお やぎ ひと し)	日本維新の会→維新の党→おおさか維新の会→日本維新の会
維　　大阪14	

A型、㋕国連職員、㋙経済成長、外交・安全保障、㊞格闘技観戦、ハンドボール、㋙緒方貞子、㋙人事を尽くして天命を待つ

青柳 陽一郎 (あお やぎ よう いち ろう)	みんな→結いの党(13.12)→維新の党(14.9)→民進(16.3)→立憲(17.10)→立憲(20.9)
立　㋩南関東	

A型、㋕国務大臣政策秘書、㋙新しい公共・規制改革・イノベーション・アジア外交、㊞ランニング・サーフィン・音楽鑑賞、㋙高碕達之助、㋙我以外皆我師

青山 周平 (あお やま しゅう へい)	自民[無]
自[無]　㋩東海	

A型、㋕幼稚園園長、㋙教育、㊞登山・スキー・読書、㋙徳川家康、㋙至誠にして動かざる者は未だこれ有らざるなり

青山 大人 (あお やま やまと)	希望→国民(18.5)→立憲(20.9)
立　㋩北関東	

O型、㋕県議、㋙外交・子育て教育、㊞読書・ジョギング、㋙徳川家康・田中角栄、㋙人事を尽くして天命を待つ

赤木 正幸 (あか ぎ まさ ゆき)	日本維新の会(20.10)
維　㋩近畿	

A型、㋕不動産会社代表、㋙経済政策・地方創生・社会保障、㊞猫・温泉、㋙大学と大学院の恩師、㋙和をもって尊しとなす。

赤澤 亮正 (あか ざわ りょう せい)	自民[無]
自[無]　鳥取2	

A型、㋕国土交通省秘書課企画官、㋙国土強靭化・防災・農林水産行政、㊞読書・スキー・ゴルフ

赤羽 一嘉 (あか ば かず よし)	公明→新進(94.12)→平和(98.1)→公明(98.11)
公　兵庫2	

B型、㋕三井物産社員、㋙一人立てるときに強き者は真正の勇者なり

赤嶺 政賢 (あか みね せい けん)	共産
共　沖縄1	

㋕那覇市議、㋙平和基地問題、㊞スポーツ観戦、㋙瀬長亀次郎・古堅実吉・翁長雄志、㋙命どぅ宝

秋葉賢也（あきば けんや）
自[無]　[比]東北

自民[無]

A型、[略]松下政経塾・宮城県議会議員・東北福祉大講師、[政]社会保障・外交・教育・環境、[趣]スポーツ・音楽・映画・読書、[尊]松下幸之助、マザー・テレサ

秋本真利（あきもと まさとし）
無　[比]南関東

自民→無所属(23.8)

A型、[略]市議会議員、[政]エネルギー・国土交通・環境、[趣]映画鑑賞・旅行・モータースポーツ、[銘]先憂後楽

浅川義治（あさかわ よしはる）
維　[比]南関東

さきがけ→旧民主→民主→無所属→旧日本維新の会→維新の党→日本維新の会

O型、[略]銀行員・市会議員、[政]減税・規制改革・安全な国と地域・UFO問題、[趣]小田和正・音楽・写真、[尊]小田和正・沼野輝彦・カールセーガン、[銘]good times & bad times

浅野哲（あさの さとし）
国　茨城5

民進→希望(17.10)→国民(18.5)→国民(20.9)

O型、[略]衆議院議員秘書、[政]経済産業分野、[趣]珈琲・文房具、[尊]稲盛和夫、[銘]基本と正道

東国幹（あずま くによし）
自[無]　北海道6

自民[無]

O型、[略]道議・旭川市議、[政]過疎対策・一次産業・交通体系、[趣]読書、[尊]児島惟謙、[銘]知覚動考

畦元将吾（あぜもと しょうご）
自[無]　[比]中国

自民[無]

O型、[略]会社役員、[政]医療・環境、[趣]旅行・映画鑑賞、[尊]松下幸之助、[銘]七転八起

麻生太郎（あそう たろう）
自[麻]　福岡8

自民[麻]

A型、[略]麻生セメント社長、[政]文教・商工・外交、[趣]射撃・ゴルフ・読書

甘利明（あまり あきら）
自[麻]　[比]南関東

新自ク→自民[麻](86.8)

A型、[略]ソニー・甘利正衆院議員秘書、[政]経済産業政策、通商政策、エネルギー政策、科学技術・イノベーション政策、[趣]美術鑑賞・映画、[尊]甘利正（父、元衆院議員）

あらい ゆたか **荒井　優** 立　[比]北海道	立憲

A型、[略]学校法人理事長・高校校長、[政]教育・経済、[趣]テニス、読書、サウナ、[尊]父（荒井聰）、[銘]龍になれ、雲自ずから集まる

あらかき くにお **新垣邦男** 社　沖縄2	社民

A型、[略]北中城村長、[政]米軍基地問題・沖縄振興・地方自治、[趣]空手（上地流七段）、[尊]石橋湛山

いがらし きよし **五十嵐　清** 自[無]　[比]北関東	自民[無]

B型、[略]県議・衆院議員秘書、[趣]サッカー・愛犬と散歩、[尊]徳川家康、[銘]意志のあるところに道は開ける

いさか のぶひこ **井坂信彦** 立　兵庫1	みんな→結いの党→維新の党→民進→希望→国民→立憲

O型、[略]行政書士・神戸市議、[政]厚生労働、行政改革、[趣]テニス、キーボード、空手、[尊]スティーブ・ジョブズ、[銘]信・行・学

いで ようせい **井出庸生** 自[麻]　長野3	みんな→結いの党(13.12)→維新の党(14.9)→民進(16.3)→希望(17.9)→無所属(18.5)→自民[麻](19.12)

[略]NHK記者

いの としろう **井野俊郎** 自[無]　群馬2	自民[無]

A型、[略]市議・弁護士、[銘]経世済民

いのうえ しんじ **井上信治** 自[麻]　東京25	自民[麻]

A型、[略]国土交通省・外務省、[政]国土交通・厚生労働・環境、[趣]お祭り・マラソン・温泉、[尊]石川要三・麻生太郎

いのうえ たかひろ **井上貴博** 自[麻]　福岡1	自民[麻]

A型、[略]会社役員・福岡県議（3期）、[政]経済再生・防災、[趣]囲碁・将棋

井上 英孝 いのうえ ひでたか 維　　大阪1	自民→日本維新の会→維新の党 (14.9)→おおさか維新の会(15.11)→ 日本維新の会(16.8)

B型、㊦大阪市議、㊐港湾・国土政策・消費者・地方自治、㊙ゴルフ

井林 辰憲 いばやし たつのり 自[麻]　静岡2	自民[麻]

O型、㊦国土交通省、㊐農林水産業・社会資本整備、㊙野球・水泳

井原 巧 いはら たくみ 自[無]　愛媛3	自民[無]

B型、㊦参議院議員、四国中央市長、㊙読書、スポーツ、㊗井原岸高、㊏信は力なり

伊佐 進一 いさ しんいち 公　　大阪6	公明

B型、㊦文科省職員、㊐経済・外交・イノベーション、㊙将棋・ピアノ・料理・マラソン、㊏一剣倚天寒

伊東 信久 いとう のぶひさ 維　　大阪19	日本維新の会

B型、㊦医療法人理事長、㊐医療政策・社会保障・教育、㊙ラグビー、㊗橋下徹、㊏禍福は糾える縄の如し

伊東 良孝 いとう よしたか 自[無]　北海道7	自民[無]

A型、㊦釧路市長、㊐農林水産の経営基盤整備・医療福祉の充実、㊙読書・旅行・音楽・スポーツ、㊏至誠天に通ず

伊藤 俊輔 いとう しゅんすけ 立　　㊐東京	日本維新の会→希望→国民(18.5)→ 無所属(19.1)→立憲(20.9)

A型、㊦会社役員、㊐地方分権・原発ゼロ・社会保障、㊙スポーツ全般、㊏逆境は人を創る

伊藤 信太郎 いとう しんたろう 自[麻]　宮城4	自民[麻]

AB型、㊦大学教授・ニュースキャスター、㊐震災復興・農水・外交、㊙料理・映画

いとう ただひこ **伊藤 忠彦** 自[無]　愛知8	自民[無]

AB型、[略]愛知県議会議員・衆議院議員秘書

いとう たつや **伊藤 達也** 自[無]　東京22	日本新党→新進(94.12)→無所属(97.7)→民政(98.1)→無所属(98.4)→自民[無](98.7)

O型、[略]大学院教授・松下政経塾、[政]経済・財政・社会保障・IT、[趣]野球・映画鑑賞

いとう わたる **伊藤 渉** 公　[比]東海	公明

AB型、[略]JR東海、[政]厚労・国交、[趣]音楽鑑賞・読書・スポーツ全般、[銘]我以外皆我師

いけした たく **池下 卓** 維　大阪10	日本維新の会

A型、[略]大阪府議、[趣]書道、茶道、自転車

いけだ よしたか **池田 佳隆** 無　[比]東海	自民→無所属(24.1)

O型、[略]日本青年会議所会頭、[政]経済・教育・安全保障、[趣]読書・ジョギング

いけはた こうたろう **池畑 浩太朗** 維　[比]近畿	日本維新の会

A型、[略]兵庫県議会議員2期、[政]農林水産、[趣]農作業・自転車、[尊]両親、[銘]不動心

いしい けいいち **石井 啓一** 公　[比]北関東	公明→新進(94.12)→平和(98.1)→公明(98.11)

B型、[略]建設省課長補佐、[政]財政・税制・金融、[趣]読書・テニス、[尊]上杉鷹山、[銘]人に温かく、己に厳しく

いしい たく **石井 拓** 自[無]　[比]東海	自民[無]

B型、[略]愛知県議・碧南市議、[政]産業振興、[趣]柔道・郷土史研究、[尊]聖徳太子、[銘]Think Globally, Act Locally

いしかわ あきまさ **石川昭政** 自[無]　[比]北関東	自民[無]

A型、[略]自民党本部職員、[政]経済産業・文部科学・原子力、[趣]サッカー・読書、[銘]艱難汝を玉にす

いしかわ かおり **石川香織** 立　北海道11	立憲→立憲(20.9)

A型、[略]民放アナウンサー、[政]農林水産業振興・子育て支援、[趣]料理、[尊]渡辺カネ（北海道十勝･帯広の開拓者･教育者)、[銘]つもり違い十ヶ条

いしだ まさとし **石田真敏** 自[無]　和歌山2	自民[無]

B型、[略]海南市長、[政]自治行政、[趣]ゴルフ・読書・書道

いしば しげる **石破茂** 自[無]　鳥取1	自民→無所属(93.12)→新生(94.4)→新進(94.12)→無所属(96.9)→自民[無](97.4)

B型、[略]三井銀行・木曜クラブ事務局、[政]安全保障・農林水産・地方創生、[趣]読書・音楽鑑賞・料理

いしばし りんたろう **石橋林太郎** 自[無]　[比]中国	自民[無]

O型、[略]広島県議会議員、[政]教育、憲法、安保、家族政策、[趣]サッカー、ゴルフ、読書、詩吟、[銘]春風接人、積小為大

いしはら ひろたか **石原宏高** 自[無]　[比]東京	自民[無]

AB型、[略]銀行員、[政]外交・経済・中小企業、[趣]読書・散歩

いしはら まさたか **石原正敬** 自[無]　[比]東海	自民[無]

B型、[略]三重県議、菰野町長、[政]地方創生、[趣]俳句、ジョギング、[尊]木村東介、[銘]挑戦なくば、前進なし！

いずみ けんた **泉健太** 立　京都3	民主→民進(16.3)→希望(17.9)→国民(18.5)→立憲(20.9)

O型、[略]介護職員・参院議員秘書、[政]少子化対策・エネルギー政策・政治改革、[趣]日曜大工・サイクリング、[尊]浅沼稲次郎、[銘]答えは民の中にある

泉田裕彦 いずみだ ひろひこ
自[無] Ⓗ北陸信越

自民[無]

B型、Ⓚ新潟県知事、Ⓣジョギング・水泳・スキー、Ⓨ上杉鷹山、Ⓜ風林火山

一谷勇一郎 いちたに ゆういちろう
維 Ⓗ近畿

日本維新の会

O型、Ⓚ会社役員、Ⓢ医療介護、Ⓣドライブ・料理・読書・ゴルフ、Ⓨ坂本龍馬、Ⓜ大器晩成・精力善用・自他共栄

市村浩一郎 いちむら こういちろう
維 兵庫6

民主→日本維新の会

B型、Ⓚ松下政経塾・NPOプログラムオフィサー、Ⓢ民間主導型社会システム、Ⓣ旅・食・日本酒、Ⓨ松下幸之助翁、Ⓜ「日本の洗濯」ジャブジャブ！

稲田朋美 いなだ ともみ
自[無] 福井1

自民[無]

AB型、Ⓚ弁護士、Ⓣランニング・サウナ、Ⓨ西郷隆盛、Ⓜ高邁な精神で決断し断固として行動する

稲津久 いなつ ひさし
公 北海道10

公明

AB型、Ⓚ北海道議、Ⓢ農林水産業・地方活性化・少子高齢化対策、Ⓣ読書・ウォーキング、Ⓨ吉田松陰、Ⓜ誠実

稲富修二 いな とみ しゅうじ
立 Ⓗ九州

民主→希望(17.9)→国民(18.5)→立憲(20.9)

A型、Ⓚ松下政経塾・丸紅、Ⓢ税制・子育て支援、Ⓣランニング・囲碁、Ⓨ松下幸之助・広田弘毅、Ⓜ人生二度なし

今枝宗一郎 いまえだ そういちろう
自[麻] 愛知14

自民[麻]

O型、Ⓚ医師(在宅救急・難病)・新城市夜間救急、Ⓢ医療・社会保障・中小企業施策、Ⓣ旅行・カラオケ・スイーツは正義、ⓎJ.F.ケネディ、Ⓜ至誠天に通ず

今村雅弘 いま むら まさ ひろ
自[無] Ⓗ九州

自民→無所属(05.8)→自民[無](06.12)

A型、ⓀJR九州、Ⓣマリンスポーツ・山登り

岩田 和親 （いわ た かず ちか） 自［無］　㊉九州	自民［無］

B型、㊟佐賀県議・㈱メモリード顧問、㊵経済産業分野・国土交通分野・農業分野・国防分野、㊤ジョギング、㊛是の処は即ち是れ道場なり

岩谷 良平 （いわ たに りょう へい） 維　　　大阪13	日本維新の会

AB型、㊟大阪府議、企業経営者、㊵地方分権、政治改革、行財政改革、㊤仕事、坂本龍馬、㊛世に生を得るは事を為すにあり

岩屋 毅 （いわ や　たけし） 自［無］　大分3	自民→さきがけ（93.6）→新進（94.12） →無所属→自民［無］（98.6）

A型、㊟鳩山邦夫衆院議員秘書、㊵国防政策の充実・教育改革・行政改革・政治改革、㊤映画鑑賞・読書、㊛至誠通天

上杉 謙太郎 （うえ すぎ けん た ろう） 自［無］　㊉東北	自民［無］

AB型、㊟議員秘書、㊵復興・農業・地方創生、㊤子育て・剣道三段、㊙上杉謙信、㊛清明正直

上田 英俊 （うえ だ えい しゅん） 自［無］　富山2	自民［無］（03）

A型、㊟衆議院議員秘書・県議、㊤ラグビー観戦・読書、㊙中野正剛・松村謙三・大平正芳、㊛天下一人を以て興る

上野 賢一郎 （うえ の けん いち ろう） 自［無］　滋賀2	自民［無］

A型、㊟総務省課長補佐、㊵経済政策・地方分権・農業、㊤ミュージカル鑑賞・祭り

浮島 智子 （うき しま とも こ） 公　　　㊉近畿	公明

B型、㊟参院議員・プリンシパルダンサー（クラシックバレエ）、㊵教育・文化芸術・スポーツ振興、㊤舞台・音楽鑑賞、散歩、㊙チャップリン、㊛誠実

梅谷 守 （うめ たに まもる） 立　　　新潟6	無所属→国民→立憲

A型、㊟新潟県議会議員・国会議員担当政策秘書、㊵農業・経済・地方分権・社会保障・環境、㊤読書・映画鑑賞・バスケットボール・サッカー、㊙父、㊛至誠にして動かざる者は未だ之れ有らざるなり

浦野 靖人（うら の やす と） 維　　大阪15	自民→日本維新の会→維新の党(14.9)→おおさか維新の会(15.11)→日本維新の会(16.8)

A型、㊂大阪府議会議員、㊎福祉・教育・子育て、㊙スキー

漆間 譲司（うる ま じょう じ） 維　　大阪8	日本維新の会

ＡＢ型、㊂府議、㊎身を切る改革・地方分権、㊙アイスホッケー

江﨑 鐵磨（え さき てつ ま） 自［無］　愛知10	新生→新進(94.12)→自由(98.1)→保守(00.4)→保新(02.12)→自民［無］(03.11)

AB型、㊂衆議院議員秘書、㊎日米地位協定の即時見直し、㊙絵画鑑賞、㊋江﨑真澄、㊐自琢

江田 憲司（え だ けん じ） 立　　神奈川8	無所属→みんな(09.8)→結いの党(13.12)→維新の党(14.9)→民進(16.3)→無所属(18.5)→立憲(20.9)

AB型、㊂通産省・首相秘書官、㊎行政改革・財政改革・外交・少子高齢化問題、㊙食べ歩き・旅行（温泉）・カラオケ・スポーツ観戦

江渡 聡徳（え と あき のり） 自［麻］　青森1	自民［麻］

O型、㊂短大講師・障害者施設園長、㊎福祉・エネルギー・防衛・農水・国交・教育、㊙読書・映画鑑賞、㊋父・江渡誠一、徳川家康、㊐随処に主となれば、立処皆真なり

江藤 拓（え とう たく） 自［無］　宮崎2	無所属→自民(03.11)→無所属(05.8)→自民［無］(06.12)

㊂衆院議員秘書・大臣秘書官、㊎釣り、㊐高杉晋作、㊙愛郷無限

英利アルフィヤ（え り） 自［麻］　千葉5補	自民［麻］

Ｂ型、㊂国連本部、日本銀行、㊎防災減災、金融経済、外交、安全保障、㊙ひとり旅、読書、散歩、㊋安倍晋三、㊐雨降って地固まる

衛藤 征士郎（え とう せい し ろう） 自［無］　大分2	自民→無所属(09.9)→自民［無］(12.11)

A型、㊂玖珠町長・（公財）日本青少年文化センター理事長・（一財）全日本大学サッカー連盟会長（現職）、㊎外交・安全保障、㊙ゴルフ・山歩き

えだ の ゆき お **枝野 幸男** 立 埼玉5	日本新党→無所属(94.5)→さきがけ (94.7)→民主(96.9)→民進(16.3)→ 立憲(17.10)→立憲(20.9)

B型、㋹弁護士、㋡行政改革、㋤カラオケ

えん どう たかし **遠藤 敬** 維 大阪18	日本維新の会→維新の党(14.9)→お おさか維新の会(15.12)→日本維新 の会(16.8)

O型、㋹財団法人役員、㋡教育・地方分権、㋤だんじり祭、㋲敬天愛人

えん どう とし あき **遠藤 利明** 自[無] 山形1	無所属→日本新党(93.11)→無所属 (94.12)→自民[無](95.12)

B型、㋹近藤鉄雄衆院議員秘書・山形県議、㋡教育・スポーツ・農業、㋤読書・ラグビー・ゴルフ、㋘母、㋲有志有途

えん どう りょう た **遠藤 良太** 維 ㋪近畿	日本維新の会

O型、㋹会社役員、㋡外交、子育て支援、医療・介護、㋤キャンプ・アウトドア、㋘長谷川保、㋲夢をみるから人生は輝く

おおつき紅葉 立 ㋪北海道	立憲

O型、㋹フジテレビ政治部記者、㋡地方活性化、少子高齢化対策、農林水産業、㋤山登り、盆踊り、スキー、㋘母、榎本武揚、㋲猪突猛進、無償の愛

㋥プロフィール え・お

お がわ じゅん や **小川 淳也** 立 香川1	民主→民進(16.3)→希望(17.9)→無 所属(18.5)→立憲(20.9)

O型、㋹総務省、㋤野球・旅行、㋘両親

お ぐま しん じ **小熊 慎司** 立 福島4	自民→みんな→日本維新の会(12.9)→維新の 党(14.9)→改革結集の会(15.12)→民進(16.3) →希望(17.9)→国民(18.5)→立憲(20.9)

A型、㋹福島県議・参議院議員

お ぐら まさ のぶ **小倉 將信** 自[無] 東京23	自民[無]

A型、㋹日本銀行、㋡金融・経済、㋤ダイビング・温泉めぐり・ジョギング、㋲先憂後楽

小里泰弘（おざと やすひろ） 自[無]　[比]九州	自民[無]

A型、[略]野村証券・秘書、[政]農林水産・国土交通・災害対策、[趣]読書・釣り・剣道、[尊]西郷隆盛、[銘]花に水、人に心

小沢一郎（おざわ いちろう） 立　[比]東北	自民→新生(93.6)→新進(94.12)→自由(98.1)→民主(03.9)→国民の生活が第一(12.7)→未来(12.11)→生活の党(12.12)→自由(16.10)→国民(19.4)→立憲(20.9)

B型、[政]憲法・外交、[趣]囲碁・読書・釣り、[銘]百術は一誠に如かず

小田原潔（おだわら きよし） 自[無]　東京21	自民[無]

O型、[略]外資系証券会社、[政]安全保障・外交・財政・金融政策、[趣]トライアスロン・執筆、[銘]我未だ木鶏たりえず

小野泰輔（おの たいすけ） 維　[比]東京	日本維新の会

O型、[略]熊本県副知事、[政]成長戦略・公教育改革・行政改革、[趣]三線・テニス・ゴルフ・ドライブ・お酒、[尊]アウグストゥス・徳川家康、[銘]しあわせはいつも自分のこころがきめる

小野寺五典（おのでら いつのり） 自[無]　宮城6	自民[無]

O型、[略]松下政経塾・宮城県職員・東北福祉大特任教授、[政]外交・安全保障・農林水産・震災復興、[趣]テニス・スキー、[銘]一隅を照らす

小渕優子（おぶち ゆうこ） 自[無]　群馬5	自民[無]

A型、[略]TBS、[趣]料理・読書

尾﨑正直（おざき まさなお） 自[無]　高知2	自民[無]

B型、[略]高知県知事（3期）、[政]地方創生・国土強靭化・外交、[趣]読書・テニス、[尊]坂本龍馬、[銘]至誠通天

尾身朝子（おみ あさこ） 自[無]　[比]北関東	自民[無]

[略]NPO事務局長

おち たかお **越智隆雄** 自[無]　[比]東京	自民[無]

AB型、[略]住友銀行、[政]財務・金融・経済産業・外交・安保、[趣]アイロンがけ・絵画・読書

おがた りんたろう **緒方林太郎** 無(有志)　福岡9	民主→民進→希望→無所属

O型、[略]外務省職員、[政]国政全般幅広く、[趣]柔道（三段）、フランス語・英語、[銘]朝の来ない夜はない

おおいし **大石あきこ** れ　[比]近畿	無所属→れいわ新選組(20.2)

[略]大阪府職員、[政]社会保障・福祉・雇用

おおおか としたか **大岡敏孝** 自[無]　滋賀1	自民[無]

B型、[略]市議・県議、スズキ㈱、[政]経済・財政・社会保障・インフラ整備・安全保障、[趣]自動車・ツーリング・ラグビー

おおかわら **大河原まさこ** 立　[比]東京	民主→民進→立憲(17.10)→立憲(20.9)

A型、[略]NPO法人代表、[政]食の安全・人権と平和・原発ゼロ、[趣]ベランダ園芸、[尊]レーチェル・カーソン（沈黙の春著者）、[銘]世代を超えて、地球規模で考え地域から活動する

おおぐし ひろし **大串博志** 立　佐賀2	民主→民進(16.3)→希望(17.9)→無所属(18.5)→立憲(19.9)→立憲(20.9)

AB型、[略]財務省、[政]財政・金融・外交、[趣]テニス・読書

おおぐし まさき **大串正樹** 自[無]　[比]近畿	自民[無]

O型、[略]会社員・大学教員、[政]社会保障・教育・資源エネルギー、[尊]松下幸之助・プラトン、[銘]威ありて猛からず

おおぐち よしのり **大口善徳** 公　[比]東海	公明→新進(94.12)→平和(98.1)→公明(98.11)

O型、[略]弁護士、[政]景気雇用対策、[趣]読書

大島　敦 おお　しま　あつし 立　　埼玉6	民主→民進(16.3)→希望(17.9)→国民(18.5)→立憲(20.9)

AB型、㋫会社員（民主党候補公募）、㋱読書、㋬ニクソン・周恩来、㋕動

大塚　拓 おお　つか　たく 自［無］　埼玉9	自民［無］

A型、㋫銀行員、㋩防衛・法務・外交・経済・金融・科学技術、㋱音楽鑑賞・読書、㋬祖父・父

大西健介 おお　にし　けん　すけ 立　　愛知13	民主→民進(16.3)→希望(17.9)→国民(18.5)→立憲(20.9)

㋫参議院職員・外交官・衆院議員政策秘書、㋩消費者・自動車政策・厚生労働

大西英男 おお　にし　ひで　お 自［無］　東京16	自民［無］

B型、㋫地方議員、㋩経済活性化、安心・安全街づくり、㋱読書（歴史小説等）・ゴルフ・愛犬の散歩

大野敬太郎 おお　の　けい　た　ろう 自［無］　香川3	自民［無］

O型、㋫富士通・議員秘書、㋩外交・安保・経済・農林水産・金融、㋱楽器演奏

逢坂誠二 おお　さか　せい　じ 立　　北海道8	民主→民進(16.3)→立憲(17.10)→立憲(20.9)

A型、㋫ニセコ町職員・ニセコ町長、㋩自治・民主主義・原子力・公文書管理、㋱読書・音楽鑑賞、㋬大平正芳・石橋湛山、㋕虚心坦懐

岡田克也 おか　だ　かつ　や 立　　三重3	自民→新生(93.6)→新進(94.12)→国民の声(98.1)→民政(98.1)→民主(98.4)→民進(16.3)→無所属(18.5)→立憲(20.9)

O型、㋫通産省官房企画調査官、㋩政権交代可能な政治の実現、㋱読書・ジムでのトレーニング・ウォーキング、㋬織田信長、㋕大器晩成

岡本あき子 おか　もと　あき　こ 立　　㋰東北	民主→民進→立憲(17.10)→立憲(20.9)

A型、㋫NTT・仙台市議、㋩地方分権・社会保障・ICT・教育、㋱テニス・空手（月心会）、㋬緒方貞子、㋕その時の出逢いが人生を根底から変えることがある。よき出逢いを

おか もと みつ なり 岡本三成 公　東京12	公明

O型、㊮ゴールドマン・サックス証券、㊯経済再建・外交

おく した たけ みつ 奥下剛光 維　大阪7	日本維新の会

A型、㊮大阪市長特別秘書・衆議員秘書、㊯環境、地方分権、憲法改正、㊖フットサル、サウナ、㊗宮澤喜一、橋下徹

おく の しん すけ 奥野信亮 自[無]　㊔近畿	自民[無]

AB型、㊮会社役員、㊖ゴルフ・読書・旅行

おく の そう いち ろう 奥野総一郎 立　千葉9	民主→民進(16.3)→希望(17.9)→国民(18.5)→立憲(20.9)

AB型、㊮総務省、㊯憲法、㊖読書・ジョギング、㊗児玉源太郎、㊘鞠躬尽瘁

おち あい たか ゆき 落合貴之 立　東京6	みんな→結いの党→維新の党(14.9)→民進(16.3)→立憲(17.10)→立憲(20.9)

㊮銀行員・衆院議員秘書、㊯経済政策・政治改革、㊖読書・旅・映画鑑賞、㊗田中秀征・ガンジー、㊘一期一会

おに き まこと 鬼木誠 自[無]　福岡2	自民[無]

A型、㊮県議・地方銀行員、㊯財政・金融、社会保障・安全保障、㊖書道・ラグビー、㊗マハトマ・ガンジー、㊘熱意こそ人を動かす

か とう あゆ こ 加藤鮎子 自[無]　山形3	自民[無]

AB型、㊮衆議院議員秘書、㊖バスケットボール・ダンス、㊘至誠天に通ず

か とう かつ のぶ 加藤勝信 自[無]　岡山5	自民[無]

B型、㊮大蔵省大臣官房企画官、㊯社会保障・財政・教育、㊖読書・映画鑑賞、㊗勝海舟、西郷隆盛ら幕末の志士たち、㊘一点素心

加藤竜祥（かとう りゅうしょう）
自[無]　長崎2
自民[無]

O型、[略]衆議院議員秘書、[政]農林水産・地方創生・社会保障、[趣]バスケットボール・読書、[尊]安岡正篤、[銘]千里同風

河西宏一（かさい こういち）
公　[比]東京
公明

O型、[略]電機メーカー社員・政党職員、[政]社会保障・経済振興・科学技術、[趣]自動車全般・建築物見学、[尊]高杉晋作、[銘]真剣勝負

海江田万里（かいえだ ばんり）
無　[比]東京
日本新党→無所属(94.12)→市民リーグ(95.12)→民主(96.9)→民進→立憲(17.10)→立憲(20.9)→無所属(21.11)

AB型、[略]参院議員秘書・経済評論家、[趣]書道・絵画鑑賞・剣道・詩作、[尊]西郷隆盛、[銘]人生意気に感ず

笠井亮（かさい あきら）
共　[比]東京
共産

[略]日本共産党職員、[趣]料理・ウォーキング

梶山弘志（かじやま ひろし）
自[無]　茨城4
自民[無]

A型、[略]日本原子力研究開発機構・梶山静六衆院議員秘書、[政]中小企業対策・少子高齢化対策、[趣]野球・サッカー・スポーツ観戦・読書

勝俣孝明（かつまた たかあき）
自[無]　静岡6
自民[無]

B型、[略]銀行員、[政]経済産業・金融政策、[趣]ゴルフ・読書

勝目康（かつめ やすし）
自[無]　京都1
自民[無]

AB型、[略]総務省室長、[政]コロナ禍からの社会経済の再生、東京一極集中の是正、少子高齢化対策、[趣]音楽・美術鑑賞、[銘]温かな心と冷静な頭脳

門山宏哲（かどやま ひろあき）
自[無]　[比]南関東
自民[無]

B型、[略]弁護士、[政]経済の再生と社会正義の実現、[趣]囲碁

かね こ え み **金子恵美** 立　福島1	民主→民進(16.3)→無所属(18.5)→立憲(20.9)

A型、[略]町議・市議・参議院議員、[政]復興・農業・福祉、[趣]映画鑑賞・読書

かね こ しゅん ぺい **金子俊平** 自[無]　岐阜4	自民[無]

A型、[略]衆議院議員秘書、[趣]ドライブ・バレーボール、[尊]父、[銘]風林火山 人は石垣人は城

かね こ やす し **金子恭之** 自[無]　熊本4	無所属→無所属の会(00.12)→自民[無](01.11)

O型、[略]田代由紀男参院議員秘書・園田博之衆院議員秘書、[趣]ゴルフ・野球

かね こ よう ぞう **金子容三** 自[無]　長崎4補	自民[無]

O型、[略]会社員、[政]農林水産、金融・経済、教育、[趣]空手（二段）、[尊]渋沢栄一、[銘]志在千里

かね だ かつ とし **金田勝年** 自[無]　[比]東北	自民[無]

A型、[略]大蔵省課長・主計官、[政]財政・厚生労働・農林水産・全般、[趣]カラオケ・スポーツ観戦

かね むら りゅう な **金村龍那** 維　[比]南関東	日本維新の会

A型、[略]療育施設代表・衆院議員秘書、[政]子育て支援、[趣]飲みニケーション、[尊]王陽明・頭山満、[銘]向き不向きより前向き

かま た **鎌田さゆり** 立　宮城2	自民→民主→民進→立憲

O型、[略]仙台市議・宮城県議、[政]司法制度、[趣]お菓子作り・農作業・お料理、[尊]マザーテレサ、[銘]学びて思はざれば則ち罔し。思ひて学ばざれば則ち殆ふし。

かみ かわ よう こ **上川陽子** 自[無]　静岡1	無所属→自民[無](00.12)

AB型、[略]三菱総合研究所研究員、[政]厚生労働・農林水産・海洋・公文書、[趣]合気道・日本舞踊・手芸

神谷　　裕 （かみ や ひろし） 立　㉛北海道	民主→民進→立憲(17.10)→立憲 (20.9)

A型、㋺参議院議員秘書、㋫農林水産、㊨野球、㋘父・高校時代の野球部の監督、㊔向き不向きよりも前向き

亀井亜紀子 （かめ い あ き こ） 立　島根1補	国民新党→みどりの風→民進→立憲 (17.10)

O型、㋺衆議院議員秘書・英語通訳、㋫農林水産・教育・国際関係、㊨ピアノ・スキー、㋘ネルソン・マンデラ、㊔人間万事塞翁が馬

亀岡偉民 （かめ おか よし たみ） 自[無]　㉛東北	自民[無]

A型、㋺会社員・議員秘書、㋫震災復興、㊨音楽鑑賞

川内博史 （かわ うち ひろ し） 立　㉛九州繰	民主→民進→立憲(17.10)

O型、㋺銀行・会社役員、㋫教育・社会保障・財政、㊨ダンス、㋘西郷隆盛、㊔正々堂々

川崎ひでと （かわ さき） 自[無]　三重2	自民[無]

A型、㋺衆議院議員秘書、㋫IT促進・インフラ整備、㊨アウトドア・ゴルフ、㋘川崎二郎・武井壮・坂本竜馬、㊔型をしっかり覚えた後に、型破りになれる

神田憲次 （かん だ けん じ） 自[無]　愛知5	自民[無]

㋺税理士、㋫税制、㊨旅行

神田潤一 （かん だ じゅん いち） 自[無]　青森2	自民[無]

A型、㋺日本銀行・金融庁・マネーフォワード、㋫金融・経済、ＩＴ・デジタル、㊨ジョギング、オペラ、㊔一期一会

菅　　直人 （かん なお と） 立　東京18	社民連→さきがけ(94.1)→民主 (96.9)→民進(16.3)→立憲(17.10)→ 立憲(20.9)

O型、㋺弁理士、㊨囲碁・将棋・スキューバダイビング

菅家　一郎
かん　け　いち　ろう
自［無］　　㉜東北　　自民［無］

B型、㊂会津若松市長3期、㊻農林水産・経済産業・震災復興・地方分権、㊞ウォーキング

木原　誠二
き　はら　せい　じ
自［無］　　東京20　　自民［無］

O型、㊂財務省、㊞織田信長

木原　稔
き　はら　みのる
自［無］　　熊本1　　自民［無］

B型、㊂日本航空社員、㊞ラーメン食べ歩き・スポーツ観戦、㊥常在戦場・みのるほど頭を垂れる稲穂かな

木村　次郎
き　むら　じ　ろう
自［無］　　青森3　　自民［無］

B型、㊂青森県職員、㊼農林水産・地方創生、㊞ジョギング・映画鑑賞、㊥白洲次郎、㊥風雪人を磨く

吉良　州司
き　ら　しゅう　じ
無［有志］　　大分1　　無所属→民主(04.11)→民進(16.3)→希望(17.9)→国民(18.5)→無所属(20.9)

B型、㊂日商岩井本社・ニューヨーク、㊼教育・外交・安全保障・エネルギー・地方創生、㊞スポーツ全般・歴史小説・自然堪能

城井　崇
き　い　たかし
立　　福岡10　　民主→民進→希望(17.9)→国民(18.5)→立憲(20.9)

㊂衆議院議員秘書

城内　実
き　うち　みのる
自［無］　　静岡7　　無所属→自民(03.11)→無所属(05.8)→自民［無］(12.5)

B型、㊂外務省、㊼外交安保・経済財政・農水・法務・経産・環境、㊞SPレコード蒐集・サッカー

黄川田仁志
き　かわ　だ　ひと　し
自［無］　　埼玉3　　自民［無］

O型、㊂国連環境計画主任研究員・松下政経塾、㊼海洋資源開発、外交・安全保障、経済財政、㊞空手・剣道・スキューバダイビング・野球・落語、㊥母・松下幸之助・李登輝、㊥平常心是道・感謝協力

きくた まきこ **菊田真紀子** 立　新潟4	民主→民進(16.3)→無所属(17.11)→立憲(20.9)

A型、[略]加茂市議・衆院議員秘書、[政]外交・社会保障・中小企業対策、[趣]料理・中国語・映画鑑賞、[尊]マザー・テレサ

きし のぶちよ **岸　信千世** 自[無]　山口2補	自民[無]

[略]防衛大臣秘書官、[趣]読書、山登り、[尊]吉田松陰、岸信介、[銘]至誠にして動かざる者未だこれあらざるなり

きしだ ふみお **岸田文雄** 自[無]　広島1	自民[無]

AB型、[略]長銀・岸田文武衆院議員秘書、[政]外交・経済、[趣]広島東洋カープ

きたがみ けいろう **北神圭朗** 無(有志)　京都4	民主→民進→希望→無所属

B型、[略]大蔵省職員、[趣]音楽鑑賞、[尊]大久保利通、[銘]正心誠意

きたがわ かずお **北側一雄** 公　大阪16	公明→新進(94.12)→平和(98.1)→公明(98.11)

B型、[略]弁護士、[政]税財政・経済対策など、[趣]囲碁・観劇・ジャズ鑑賞、[尊]周恩来、[銘]学ばずは卑し

きんじょう やすくに **金城泰邦** 公　[比]九州	公明

O型、[略]沖縄県議、[政]国土交通観光並びに農林水産関係分野、[趣]釣り・読書、[尊]白保台一元衆議員、[銘]不撓不屈

くどう しょうぞう **工藤彰三** 自[麻]　愛知4	自民[麻]

O型、[略]名古屋市議、[政]防災・中小企業対策・教育、[趣]野球・料理・園芸

くさか まさき **日下正喜** 公　[比]中国	公明

O型、[略]政党職員、[政]子育て・教育、科学技術、防災・減災、[趣]長唄三味線（師範）、[尊]西郷隆盛、[銘]国とは人の集まりなり、人とは心の器なり

くしぶち　まり **櫛渕 万里** れ　[比]東京繰	民主→民進→希望→れいわ新選組

ＡＢ型、[略]国際交流NGO、[政]気候変動、[趣]スキー·水泳·和歌、[尊]石橋湛山、[銘]初志貫徹

くにさだ　いさと **国定 勇人** 自[無]　[比]北陸信越	自民[無]

Ｂ型、[略]三条市長、[趣]読書、ラーメン紀行、[尊]坂本龍馬、[銘]愚直に、ただ愚直に

くにしげ　とおる **國重 徹** 公　大阪5	公明

Ｂ型、[略]弁護士、[政]景気・経済対策・少子化対策・防災減災、[趣]剣道二段・ボクシング観戦、[銘]我以外皆我師

くにみつ **国光あやの** 自[無]　茨城6	自民[無]

Ａ型、[略]医師・厚労省課長補佐、[政]医療介護・子育て・働き方改革、[趣]柔道・剣道・読書、[銘]至誠

くまだ　ひろみち **熊田 裕通** 自[無]　愛知1	新進→自民[無]

[略]秘書、[政]教育・安保、[趣]クラシックギター

げんば　こういちろう **玄葉光一郎** 立　福島3	無所属→さきがけ(93.12)→民主(96.9)→民進(16.3)→無所属(18.5)→立憲(20.9)

О型、[略]松下政経塾・福島県議、[政]外交問題・地方分権、[趣]映画観賞・スポーツ（野球・サッカー・水泳etc.）・読書、[尊]石橋湛山・チャーチル、[銘]不失恒心・人間万事塞翁が馬・知足

げんま　けんたろう **源馬謙太郎** 立　静岡8	民主→日本維新の会(12.11)→維新の党(16.3)→希望(17.10)→国民(18.5)→立憲(20.9)

Ｂ型、[略]静岡県議会議員、[政]道州制・少子化対策・外交・安全保障、[趣]バスケ・海に行くこと（ダイビング・サーフィン）・茶道、[尊]吉田松陰・西郷隆盛・安岡正篤・松下幸之助、[銘]一燈照隅万燈照国

こいずみしんじろう **小泉進次郎** 自[無]　神奈川11	自民[無]

ＡＢ型、[略]衆議院議員秘書、[政]環境・気候変動・厚労・農業・安全保障、[趣]サーフィン・落語・文楽、[尊]JFケネディ・小林一三・二宮金次郎・中村仲蔵、[銘]有志有道

小泉 龍司 自[無]　埼玉11	無所属→自民(00.11)→無所属(05.8) →自民[無](17.10)

O型、㊗大蔵省、㉔財政・金融・社会保障、㉘ウォーキング・読書

小島 敏文 自[無]　㊥中国	自民[無]

O型、㊗広島県議会議員、㉔農林水産・防衛・国土交通、㉘読書・スポーツ観戦、㉟気概と公正

小寺 裕雄 自[無]　滋賀4	自民[無]

A型、㊗滋賀県議、㉔農林業・地方創生・中小企業対策・社会保障、㉘スポーツ全般・柔道4段・レーシングカヌー全日本5位、㉟本田宗一郎、㉟一隅を照らす

小林 茂樹 自[無]　㊥近畿	自民[無]

O型、㊗奈良県議会議員、㉔教育・住宅政策・地方創生、㉘詩吟・読書、㉟王貞治、㉟世に生を得るは事を成すにあり

小林 鷹之 自[無]　千葉2	自民[無]

O型、㊗財務省課長補佐・外交官、㉔経済安全保障・科学技術・宇宙、㉘マラソン・御輿渡御、㉟有志有途

小林 史明 自[無]　広島7	自民[無]

A型、㊗NTTドコモ、㉔デジタル政策、規制改革、情報通信、水産、㉘野球・スノーボード（C級インストラクター）、㉟知行合一

小宮山泰子 立　㊥北関東	民主→国民の生活が第一(12.7)→未来(12.11) →生活の党(12.12)→民進(14.11)→民進 (16.3)→希望(17.9)→国民(18.5)→立憲(20.9)

㊗NTT社員・衆院議員秘書・埼玉県議、㉔老朽インフラ対策・障がい者・観光・都市農業、㉘茶道・映画鑑賞

小森 卓郎 自[無]　石川1	自民[無]

B型、㊗国家公務員、㉔経済財政、地域活性化、安全保障、㉘映画鑑賞、㉟一期一会

こやまのぶひろ
小山展弘
立　静岡3

民主→立憲

AB型、[略]農林中央金庫職員、[政]農林水産・経済産業、[趣]弓道・水泳、[尊]石橋湛山、[銘]衆人愛敬

こがあつし
古賀篤
自[無]　福岡3

自民[無]

A型、[略]財務省職員、[趣]料理・カラオケ、[銘]一意専心、天下一人を以て興る

ごとうしげゆき
後藤茂之
自[無]　長野4

新進→民主→自民[無](03.8)

A型、[略]大蔵省企画調整室長、[政]税・財政・社会保障、[趣]お茶・書・クラッシック音楽

ごとうゆういち
後藤祐一
立　神奈川16

民主→民進(16.3)→希望(17.9)→国民(18.5)→立憲(20.9)

A型、[略]経産省課長補佐、[政]安全保障・行政改革・農政改革、[趣]トライアスロン、[尊]大久保利通、[銘]従流志不変

こうのたろう
河野太郎
自[麻]　神奈川15

自民[麻]

O型、[略]富士ゼロックス、[趣]読書・映画鑑賞

こうづ
神津たけし
立　[比]北陸信越

立憲

B型、[略]JICA企画調査員、[政]地方分権、国土交通、農林水産、[趣]マレットゴルフ、スキー、料理

こうむらまさひろ
高村正大
自[麻]　山口1

自民[麻]

B型、[略]衆院議員秘書、[政]外交・文教・社会保障、[趣]スキー・マラソン・ゴルフ・格闘技・少林寺拳法、[尊]福沢諭吉、[銘]政治家は一本のローソクたれ

こくばこうのすけ
國場幸之助
自[無]　[比]九州

自民→無所属→自民[無]

O型、[略]県議会議員、[政]国土交通・厚生労働・安全保障、[趣]映画・読書・空手、[尊]松下幸之助、[銘]誠心誠意

| 穀 田 恵 二
共　　　㊗近畿 | 共産 |

㊟立命館大職員・京都市議、㊔雇用・年金・介護・外交・安保、㊙サッカー・ラグビー・スポーツ観戦・映画鑑賞

| 輿 水 恵 一
公　　　㊗北関東 | 公明 |

㊟さいたま市議、㊔環境、情報通信、福祉・教育、㊙芸術鑑賞、㊦田中正造、㊚賢而能下　剛而能忍

| 近 藤 和 也
立　　　㊗北陸信越 | 民主→民進→希望(17.9)→国民(18.5)→立憲(20.9) |

O型、㊟野村證券㈱社員、㊔金融・農水・災害対策、㊙ごいた・マラソン・釣り、㊦カエサル・伊藤博文、㊚一所懸命

| 近 藤 昭 一
立　　　愛知3 | 民主→民進(16.3)→立憲(17.10)→立憲(20.9) |

A型、㊟中日新聞、㊔環境・アジア外交、㊙スキー・水泳・ヨット・読書・カラオケ、㊦石橋湛山、㊚愚公移山

| 佐 々 木 紀
自[無]　石川2 | 自民[無] |

AB型、㊟会社役員、㊔中小企業振興・教育・福祉、㊙旅行、㊚正直は一生の宝

| 佐 藤 公 治
立　　　広島6 | 新進→自由→民主→生活の党→自由→希望(17.9)→無所属(18.5)→立憲(20.9) |

O型、㊟㈱電通社員・議員秘書、㊚一以貫之

| 佐 藤 茂 樹
公　　　大阪3 | 公明→新進(94.12)→自由(98.1)→無所属(98.10)→公明(98.11) |

AB型、㊟日本IBM・団体職員、㊙スポーツ観戦、映画鑑賞、㊚自分自身に勝て！

| 佐 藤 勉
自[無]　栃木4 | 自民[無] |

B型、㊟栃木県議、㊔中小企業・農業・教育・情報通信・地方分権、㊙ゴルフ・ドライブ

佐藤英道（さとう ひでみち） 公　[比]北海道	公明

[略]北海道議・公明新聞記者、[政]厚生労働・農林水産・国土交通・障がい者・文化芸術

斉藤鉄夫（さいとう てつお） 公　広島3	公明→新進(94.12)→平和(98.1)→公明(98.11)

A型、[略]清水建設技術研究所、[政]科学技術、[趣]鉄道・水泳

斎藤アレックス（さいとう） 教　[比]近畿	国民→教育(23.11)

[略]会社員、松下政経塾、[政]経済、防衛、[趣]筋トレ、旅行、映画・ドラマ鑑賞、[尊]松下幸之助、斎藤隆夫、[銘]疑うなかれ

齋藤健（さいとう けん） 自[無]　千葉7	自民[無]

A型、[略]経済産業省、[趣]読書・ハンドボール・カラオケ、[尊]ユリウス・カエサル、高杉晋作、原敬、鈴木貫太郎

斎藤洋明（さいとう ひろあき） 自[麻]　新潟3	自民[麻]

A型、[略]内閣府職員、[趣]ジョギング・読書

坂井学（さかい まなぶ） 自[無]　神奈川5	自民[無]

B型、[略]衆議院議員秘書・配管工、[政]環境・国交・財務

坂本哲志（さかもと てつし） 自[無]　熊本3	無所属→自民[無](07.12)

O型、[略]新聞記者・熊本県議、[政]地方自治・農業・教育・安全保障、[趣]ジョギング・剣道・テニス・読書

坂本祐之輔（さかもと ゆうのすけ） 立　[比]北関東	日本維新の会→維新の党→民進→希望→立憲

O型、[略]市長、市議、会社役員、[政]教育、地方自治、福祉、[趣]スポーツ全般、将棋、音楽演奏、海釣り、[尊]父、[銘]修身・斉家・治国・平天下

| 酒井 なつみ
立 　　東京15補 | 立憲(19.4) |

O型、略看護師・助産師・江東区議

| 櫻井 　周
立 　㊤近畿 | 民主→民進→立憲(17.10)→立憲
(20.9) |

O型、略伊丹市議会議員、政教育・財政・金融、趣マラソン、銘義を見てせざるは勇なきなり

| 櫻田 義孝
自[無] 　㊤南関東 | 自民[無] |

O型、略市議・県議・建設会社社長、政道州制・教育再建・経済成長、趣オペラ鑑賞・山登り・空手三段・将棋四段、尊徳川家康、J・F・ケネディ

| 笹川 博義
自[無] 　群馬3 | 自民[無] |

B型、略県会議員、政経済の再建、趣ガーディニング

| 沢田 　良
維 　㊤北関東 | 日本維新の会 |

AB型、略参議院議員秘書、政教育・減税・社会保障、趣ラーメン巡り、ポケモンカード、尊松井一郎、銘初志貫徹

| 志位 和夫
共 　㊤南関東 | 共産 |

O型、略日本共産党本部、趣ピアノ・クラシック音楽鑑賞

| 塩川 鉄也
共 　㊤北関東 | 共産 |

AB型、略日高市職員、趣読書・郷土史研究

| 塩崎 彰久
自[無] 　愛媛1 | 自民[無] |

略弁護士事務所、趣テニス、茶道、インスタ俳句、銘疾風に勁草を知る

| 塩谷 立
 無　　㊐東海 | 自民→無所属(24.4) |

A型、㊙財団役員

| 重徳 和彦
 立　　愛知12 | 日本維新の会→維新の党(14.9)→改革結集の会(15.12)→民進(16.3)→無所属(17.10)→立憲(20.9) |

O型、㊤総務省職員、㊕子どもを増やす「増子化」・地方分権・道州制・鉄壁防災対策、㊙まちおこし・ラグビー観戦、㊧上杉鷹山

| 階 猛
 立　　岩手1 | 民主→民進(16.3)→希望(17.9)→国民(18.5)→無所属(19.5)→立憲(20.9) |

O型、㊤新生銀行・みずほ証券、㊕法務・金融、㊙野球・ボクシング

| 篠原 豪
 立　　神奈川1 | みんな→結いの党→維新の党→民進(16.3)→立憲(17.10)→立憲(20.9) |

B型、㊤横浜市会議員、㊕外交・安全保障、行財政制度、地方自治、㊙マリンスポーツ、㊧粗にして野なれど卑にあらず

| 篠原 孝
 立　　㊐北陸信越 | 民主→民進(16.3)→国民(18.5)→立憲(20.9) |

B型、㊤農水省農林水産政策研究所長、㊕農林水産・環境・安全保障・外交、㊙テニス・野球・山歩き・読書

| 柴山 昌彦
 自[無]　　埼玉8 | 自民[無] |

A型、㊤弁護士（東京弁護士会）、㊕文部科学・経済・総務・外交・法務、㊙空手（和道流五段）・カラオケ、㊧野口英世、アブラハム・リンカーン

| 島尻 安伊子
 自[無]　　沖縄3 | 自民[無] |

O型、㊤市議、㊕経済政策、沖縄振興、㊙釣り、㊧緒方貞子、㊧いつも喜んでいなさい。

| 下条 みつ
 立　　長野2 | 民主→民進→希望(17.9)→国民(18.5)→立憲(20.9) |

AB型、㊤銀行員、㊕年金・福祉の充実、中小・自営の景気対策、㊙バンド演奏・テニス・スキー、㊧ロバート・ケネディ、㊧努力は力なり

下 村 博 文 しも むら はく ぶん 自［無］　　東京11	自民［無］

A型、㋯博文進学ゼミ社長・都議、㋛文教・憲法、㋱ウォーキング・読書

庄 子 賢 一 しょう じ　けん いち 公　　　㋓東北	公明

O型、㋯県議会議員、㋛国土交通観光、地方創生、㋱読書、㋕上杉鷹山、㋚信なくば立たず

白 石 洋 一 しら いし　よう いち 立　　　㋓四国	民主→民進→希望(17.9)→国民 (18.5)→立憲(20.9)

B型、㋯監査法人・銀行員、㋛社会保障、㋕稲盛和夫、㋚誠実

新 谷 正 義 しん たに　まさ よし 自［無］　　広島4	自民［無］

O型、㋯医師・病院長、㋛医療再建・経済再生・情報通信、㋱読書・音楽鑑賞、㋚一期一会

新 藤 義 孝 しん どう　よし たか 自［無］　　埼玉2	自民［無］

B型、㋯川口市議・学校法人理事、㋛地方創生・地方自治・ICT・経済産業・領土・外交・安全保障・資源、㋱音楽・スキー

末 松 義 規 すえ まつ　よし のり 立　　　東京19	さきがけ→民主→民進→立憲(17.10) →立憲(20.9)

㋯外務省（通産省出向）、㋛外交・財政・社会保障、㋱旅行・神社巡り・少林寺拳法・アニメ鑑賞、㋕聖徳太子・斎藤一人、㋚政治は人助け・愛と感謝

菅 　　義 偉 すが　　よし ひで 自［無］　　神奈川2	自民［無］

O型、㋯通産相秘書官・横浜市議、㋱ジョギング・釣り、㋚意志あれば道あり

杉 田 水 脈 すぎ た　み お 自［無］　　㋓中国	日本維新の会→次世代→自民［無］

B型、㋯西宮市役所職員、㋛外交・児童福祉、㋱読書・旅行・カラオケ、㋕マーガレット・サッチャー、㋚置かれたところで咲く

杉本和巳（すぎもと かずみ） 維　[比]東海	民主→みんな→日本維新の会

B型、[略]銀行員、[政]しがらみのない庶民の政治、[趣]テニス・登山・カラオケ、[尊]ガンジー・チャーチル、[銘]為せば成る

鈴木敦（すずき あつし） 教　[比]南関東	国民→教育(23.11)

A型、[略]政党職員、[政]防災・労働・外交、[趣]温泉、[尊]乃木希典

鈴木英敬（すずき えいけい） 自[無]　三重4	自民[無]

A型、[略]三重県知事、[政]地方創生、エネルギー、防災、少子化、[趣]子育て、読書、[尊]坂本龍馬、[銘]夢なき者に成功なし（吉田松陰）

鈴木馨祐（すずき けいすけ） 自[麻]　神奈川7	自民[麻]

A型、[略]大蔵省、[政]外交・財政・金融・環境、[趣]スポーツ

鈴木俊一（すずき しゅんいち） 自[麻]　岩手2	自民[麻]

B型、[略]全漁連、[政]社会保障・農林水産、[趣]ゴルフ

鈴木淳司（すずき じゅんじ） 自[無]　愛知7	自民[無]

[略]松下政経塾・瀬戸市議

鈴木貴子（すずき たかこ） 自[無]　[比]北海道	新党大地→民主(14.11)→無所属(16.3)→自民[無](17.9)

[略]NHK長野放送局ディレクター

鈴木憲和（すずき のりかず） 自[無]　山形2	自民[無]

[略]農水省、[尊]上杉鷹山公、[銘]現場が第一

| 鈴木 隼人
すず き はや と
自[無]　東京10 | 自民[無] |

㋯経済産業省課長補佐、㋫経済政策・社会保障、㋰スキー・テニス・読書・写真

| 鈴木 庸介
すず き よう すけ
立　㋭東京 | 立憲 |

O型、㋯会社経営、㋫格差是正、㋰熱帯魚飼育、㋕両親、㋑人間万事塞翁が馬

| 鈴木 義弘
すず き よし ひろ
国　㋭北関東 | 日本維新の会→維新の党→改革結集の会→民進→希望→国民 |

O型、㋯県議、参議院議員秘書、㋫経済産業振興と教育改革、㋰読書、音楽鑑賞、ゴルフ、㋕土屋義彦、㋑熱慮断行

| 住吉 寛紀
すみ よし ひろ き
維　㋭近畿 | 日本維新の会 |

㋯兵庫県議

| 瀬戸 隆一
せ と たか かず
自[麻]　㋭四国縛 | 自民[麻] |

O型、㋯総務省、㋫少林寺拳法、㋕大平正芳、㋑信なくば立たず

| 関 芳弘
せき よし ひろ
自[無]　兵庫3 | 自民[無] |

B型、㋯三井住友銀行上席推進役、㋫経済、㋰囲碁・将棋・卓球、㋕坂本龍馬、㋑愛と緑と商売繁盛

| 空本 誠喜
そら もと せい き
維　㋭中国 | 民主→無所属→日本維新の会 |

A型、㋯（株）東芝の技術者、㋫エネルギー、㋰スキー指導員、㋑安心立命

| たがや 亮
りょう
れ　㋭南関東 | 生活の党→民進→れいわ新選組 |

B型、㋯会社経営、㋫経済、農政、国土交通、㋰DJ、スポーツ、㋕両親、田中角栄、小沢一郎、㋑人間万事塞翁が馬

| 田　嶋　　要
た　じま　　かなめ
立　　　　千葉1 | 民主→民進(16.3)→希望(17.10)→無所属(18.5)→立憲(20.9) |

O型、略NTT社員、政経済産業・エネルギー・情報通信、趣畑・自転車・旅行・声楽と指揮・ダイビング・読書

| 田　所　嘉　徳
た　どころ　よし　のり
自[無]　　比北関東 | 自民[無] |

A型、略茨城県議・法務博士・特定行政書士・一級建築士、趣サイクリング、銘百術は一誠に如かず

| 田　中　和　徳
た　なか　かず　のり
自[麻]　　神奈川10 | 自民[麻] |

B型、略川崎市議・神奈川県議、政再犯防止の推進・環境教育の推進、趣切手収集・読書・旅行・スポーツ

| 田　中　　健
た　なか　　けん
国　　　　比東海 | 民主→民進→希望→国民 |

O型、略銀行員、区議、都議、政中小企業、地域振興、教育、趣映画鑑賞、尊後藤新平、銘人事を尽くして天命を待つ

| 田　中　英　之
た　なか　ひで　ゆき
自[無]　　比近畿 | 自民[無] |

AB型、略京都外大職員・京都市議、政文部科学・国土交通・厚労

| 田　中　良　生
た　なか　りょう　せい
自[無]　　埼玉15 | 自民[無] |

AB型、略蕨ケーブルビジョン会長、政成長戦略・憲法改正・教育改革・中小企業対策、趣浦和レッズ・水泳・スキー、尊上杉鷹山、銘義を見てせざるは勇なきなり

| 田野瀬太道
た　の　せ　たい　どう
自[無]　　奈良3 | 自民→無所属(21.2)→自民[無](21.10) |

略社会福祉法人理事長・社橿原青年会議所理事長・衆議院議員秘書、政文教、林野関係、科学技術、首都機能移転、趣登山・読書・音楽鑑賞・柔道3段

| 田　畑　裕　明
た　ばた　ひろ　あき
自[無]　　富山1 | 自民[無] |

A型、略会社員・市議・県議、政社会保障制度改革、趣ウォーキング、銘雲外蒼天

たむら たかあき **田村 貴昭** 共　[比]九州	共産

A型、[略]北九州市議会議員、[政]農林水産・財金・災害対策、[趣]おつまみ作り

たむら のりひさ **田村 憲久** 自[無]　三重1	自民[無]

B型、[略]田村元衆院議員秘書、[政]社会保障・教育・福祉・環境、[趣]柔道初段・読書

たいら まさあき **平 将明** 自[無]　東京4	自民[無]

A型、[略]東京JC理事長・会社社長

たかいち さなえ **高市 早苗** 自[無]　奈良2	無所属→自由(94.4)→新進(94.12)→無所属(96.11)→自民[無](96.12)

A型、[略]松下政経塾・大学教授、[政]憲法・産業政策、[趣]スキューバダイビング、[尊]松下幸之助・両親、[銘]高い志・広い眼・深い心

たかがい えみこ **髙階 恵美子** 自[無]　[比]中国	自民[無]

O型、[略]日本看護協会常任理事

たかぎ けい **髙木 啓** 自[無]　[比]東京	自民[無]

B型、[略]区議・都議、[政]地方自治・中小企業等産業振興・社会保障、[趣]映画鑑賞・街歩き、[尊]東郷平八郎、[銘]百折不撓

たかぎ つよし **髙木 毅** 自[無]　福井2	自民[無]

A型、[略]高木商事社長・JC北信越会長、[政]国土交通・エネルギー・安全保障、[趣]スポーツ観戦・歌舞伎鑑賞・ゴルフ、[銘]意志あれば道あり

たかぎ ひろひさ **高木 宏壽** 自[無]　北海道3	自民[無]

A型、[略]コンサルタント、北海道議、[政]社会保障、安全保障、財務金融、[趣]ジャズピアノ、サーキット走行、読書、[尊]石橋湛山、白洲次郎、[銘]原則と良識、継続は力なり

たか ぎ よう すけ **高木陽介** 公 [比]東京	公明→新進(94.12)→平和(98.1)→公明(98.11)

A型、[略]毎日新聞記者、[政]国土交通、[趣]写真

たか とり しゅう いち **髙鳥修一** 自[無] [比]北陸信越	自民[無]

B型、[略]衆院議員秘書、[政]福祉・医療の充実、[趣]スキー・テニス・ギター・空手錬士五段

たか はし ち づ こ **高橋千鶴子** 共 [比]東北	共産

[略]高校教諭・青森県議、[政]厚生労働・震災復興・災害対策・教育・農林水産業問題、[趣]イラスト

たか はし ひで あき **高橋英明** 維 [比]北関東	自民→日本維新の会

AB型、[略]会社役員、[政]行政改革、[趣]ボクシング、サッカー、読書etc、[尊]吉田松陰、[銘]知行合一

たか み やす ひろ **高見康裕** 自[無] 島根2	自民[無]

A型、[略]島根県議会議員、[政]地方創生、[趣]家族と散歩すること、[尊]坂本龍馬、[銘]人事を尽くして天命を待つ

たけ うち ゆずる **竹内譲** 公 [比]近畿	公明→新進→公明

A型、[略]銀行員、[政]経済・金融、[趣]読書・ボーカル・囲碁

たけ い しゅん すけ **武井俊輔** 自[無] [比]九州	自民[無]

O型、[略]楽天社員・宮崎交通社員、[政]公共交通政策、[趣]鉄道旅行・古城巡り

たけ だ りょう た **武田良太** 自[無] 福岡11	無所属→自民(04.6)→無所属(05.10)→自民[無](06.12)

B型、[略]衆院議員秘書、[政]外交安全保障・エネルギー問題、[趣]ゴルフ、[銘]正気堂々

武部 新 <small>たけ べ あらた</small>	自民[無]
自[無] 北海道12	

B型、⑱衆公設秘書・銀行員、⑱剣道・スポーツ全般・犬の散歩

武村 展英 <small>たけ むら のぶ ひで</small>	自民[無]
自[無] 滋賀3	

A型、⑱公認会計士、⑲農林水産・環境・消費者問題、⑱テニス

橘 慶一郎 <small>たちばな けい いち ろう</small>	自民[無]
自[無] 富山3	

A型、⑱高岡市長、⑲地方自治、⑱家族とのだんらん

棚橋 泰文 <small>たな はし やす ふみ</small>	自民[麻]
自[麻] 岐阜2	

O型、⑱通産省課長補佐・弁護士、⑱サッカー・読書・ジョギング

谷 公一 <small>たに こう いち</small>	自民[無]
自[無] 兵庫5	

A型、⑱衆院議員秘書・兵庫県政策室長、⑲復興・防災・自治、⑱歌舞伎鑑賞・山歩き、⑱齊藤隆夫

谷川 とむ <small>たに がわ</small>	自民[無]
自[無] ㉕近畿	

B型、⑱参院議員秘書、⑲地方創生・教育・社会保障、⑱テニス

玉木雄一郎 <small>たま き ゆう いち ろう</small>	民主→民進(16.3)→希望(17.9)→国民(18.5)→国民(20.9)
国 香川2	

O型、⑱財務省、⑲行政改革・農林水産、⑱カラオケ

津島 淳 <small>つ しま じゅん</small>	自民[無]
自[無] ㉕東北	

A型、⑱議員秘書・会社員、⑲国交全般・農水・エネルギー政策・社会保障、⑱乗り鉄・撮り鉄・読書、⑱坂本龍馬・大平正芳

塚田 一郎 _{つか だ いち ろう} 自［麻］　㊗北陸信越	自民［麻］

ＡＢ型、㊚議員秘書、㉑地方分権、インフラ整備、拉致問題、趣掃除・洗濯、㊙塚田十一郎、㊛一志一道

辻　清人 _{つじ　きよ と} 自［無］　　　東京2	自民［無］

Ｏ型、㊚民間会社社員・研究所職員、㉑経済・外交、趣落語鑑賞・野球観戦・銭湯巡り、㊙新渡戸稲造・深谷隆司、㊛至誠天に通ず

土田　慎 _{つち だ　しん} 自［麻］　　　東京13	自民［麻］

㊚参議院議員秘書、趣剣道、㊙上杉鷹山、㊛為せば成る為さねば成らぬ何事も　成らぬは人の為さぬなりけり

土屋 品子 _{つち や　しな こ} 自［無］　　　埼玉13	無所属→無所属の会(99.12)→自民 ［無］(01.9)

Ｏ型、㊚料理研究家・フラワーアーティスト

堤　かなめ _{つつみ} 立　　　　　福岡5	民主→民進→立憲

Ａ型、㊚大学教員、㉑少子化対策（子育て支援）、ジェンダー平等、趣山歩き、ヨガ、㊙緒方貞子、㊛至誠通天

角田 秀穂 _{つの だ ひで お} 公　　㊗南関東	公明

Ａ型、㊚水道産業新聞記者、㉑防災・減災・働き方改革、趣登山・読書、㊙上杉鷹山、㊛我以外皆我師

手塚 仁雄 _{て づか よし お} 立　　　　　東京5	日本新党→無所属→民主→民進→立 憲(17.10)→立憲(20.9)

Ｏ型、趣高校野球観戦、㊙野田佳彦、㊛屈伸

寺田　学 _{てら た　まなぶ} 立　　㊗東北	民主→民進(16.3)→希望(17.9)→無 所属(18.5)→立憲(20.9)

Ａ型、㊚内閣総理大臣補佐官、㉑地域活性化、趣登山・自転車、㊙後藤田正晴

338

てら だ みのる **寺 田 　 稔** 自[無]　　広島5	自民[無]

AB型、㊎財務省、㉟財政・防衛、㊙テニス・ウォーキング・読書・カラオケ

ど い とおる **土 井 　 亨** 自[無]　　宮城1	自民[無]

㊎宮城県議

と がし ひろ ゆき **冨 樫 博 之** 自[無]　　秋田1	自民[無]

㊎秋田県議会議長、㊙ゴルフ・釣り

と かい き さぶ ろう **渡 海 紀 三 朗** 自[無]　　兵庫10	自民→さきがけ(93.7)→自民[無] (00.6)

AB型、㊎一級建築士・外相秘書、㉟科学技術・文教・建設、㊙読書、音楽・映画鑑賞、カラオケ

とく なが ひさ し **徳 永 久 志** 教　　　㊱近畿	民主→民進→希望→国民→立憲→無 所属(23.7)→教育(23.11)

O型、㊎参議院議員、滋賀県議、㉟外交・安全保障、㊙スポーツ観戦、㊞狭き門より入れ

なか がわ たか もと **中 川 貴 元** 自[麻]　　㊱東海	自民[麻]

A型、㊎名古屋市議、㉟財政、金融、経済産業、社会保障、子育て支援、地方自治、㊙ウォーキング、㊞初心生涯

なか がわ ひろ まさ **中 川 宏 昌** 公　　　㊱北陸信越	公明

O型、㊎県議、長野銀行、㉟地方創生、観光対策、㊙詩吟、剣舞、㊞上杉鷹山、㊞まさに苦労は買ってせよ

なか がわ まさ はる **中 川 正 春** 立　　　㊱東海	新進→国民の声(98.1)→民政(98.1) →民主(98.4)→民進(16.3)→無所属 (18.5)→立憲(19.9)→立憲(20.9)

AB型、㊎国際交流基金・三重県議（3期）、㉟経済・外交、㊙読書・ガーデニング・釣り・山歩き・オカリナ、㊞和して同ぜず

中川 康洋
なか　がわ　やす　ひろ

公　㊞東海　　　公明

㋿県議・市議、㋛子育て・教育・環境・地方自治、㋵読書、山登り、㋱周恩来夫妻、㋕人間主義の政治

中川 郁子
なか　がわ　ゆう　こ

自[麻]　㊞北海道　　　自民[麻]

O型、㋿北海道第11選挙区支部長、㋛農林水産業、商工業、建設業、㋵スポーツ、㋱中川昭一、㋕真実一路

中島 克仁
なか　じま　かつ　ひと

立　㊞南関東　　　みんな→民主(14.11)→民進(16.3)→無所属(17.10)→立憲(20.9)

O型、㋿医師、㋛医療・福祉、㋵ラグビー・サッカー・野球・時計、㋱父

中嶋 秀樹
なか　じま　ひで　き

維　㊞近畿繰　　　日本維新の会

O型、㋿会社経営、㋛地方分権・経済、㋵雅楽・映画鑑賞、㋱西郷隆盛・秋山真之、㋕一意専心

中曽根 康隆
なか　そ　ね　やす　たか

自[無]　群馬1　　　自民[無]

O型、㋿会社員・参議院議員秘書、㋛外交・安保・少子化対策、㋵読書・ゴルフ、㋕自我作古

中谷 一馬
なか　たに　かず　ま

立　㊞南関東　　　立憲→立憲(20.9)

B型、㋿神奈川県議・IT企業執行役員・首相秘書、㋛経済・デジタル・子育て教育・社会保障、㋵旅行・料理、㋱オードリー・タン、㋕一隅を照らす

中谷 元
なか　たに　げん

自[無]　高知1　　　自民[無]

A型、㋿陸上自衛官、加藤紘一・今井勇・宮沢喜一各衆院議員秘書、厚相秘書、㋛安全保障・農林水産・情報通信、㋵ラグビー・読書・囲碁、㋕信念・凛

中谷 真一
なか　たに　しん　いち

自[無]　山梨1　　　自民[無]

AB型、㋿元自衛官、㋛安全保障・農林水産、㋵ラグビー・読書、㋱ネルソン・マンデラ、リンカーン

中司　宏（なかつか ひろし） 維　大阪11	自民→無所属→日本維新の会

A型、[略]新聞記者、市長、府議、[政]地方分権改革、[尊]聖徳太子、[銘]人間万事塞翁が馬

中西健治（なかにし けんじ） 自[麻]　神奈川3	みんな→無所属(14.11)→自民[麻](16.7)

B型、[略]JPモルガン証券副社長、[趣]ランニング・水泳・トライアスロン・書道、[銘]いつだって挑戦者

中根一幸（なかね かずゆき） 自[無]　[比]北関東	自民[無]

A型、[略]大学講師・衆議院議員秘書、[政]外交・国交・経済・文教、[趣]テニス・野球・ジョギング・読書

中野英幸（なかの ひでゆき） 自[無]　埼玉7	自民[無](10.11)

B型、[略]会社役員、県議、[政]産業経済、教育・子育て、[趣]音楽鑑賞・スポーツ観戦、[尊]坂本龍馬、[銘]行くに径に由らず

中野洋昌（なかの ひろまさ） 公　兵庫8	公明

[略]国土交通省課長補佐、[銘]基本は力、継続は力なり

中村喜四郎（なかむら きしろう） 立　[比]北関東	自民→無所属(94.3)→改ク(09.10)→無所属(10.4)→立憲(20.9)

B型、[略]田中角栄衆院議員秘書、[趣]読書・スポーツ、[尊]織田信長・勝海舟、[銘]疾風に勁草を知る

中村裕之（なかむら ひろゆき） 自[麻]　北海道4	自民[麻]

O型、[略]北海道議会議員、[政]財政政策・文部科学・国土交通、[趣]ゴルフ・読書、[尊]高橋是清、[銘]知行合一

中山展宏（なかやま のりひろ） 自[麻]　[比]南関東	自民[麻]

A型、[略]債券ディーラー・国会議員秘書、[政]財政・金融、[趣]ジョギング・料理

ながおか けいこ **永岡桂子** 自[麻]　茨城7	自民[麻]

A型、[略]主婦、[政]信頼できる政治の確立、[趣]水泳・テニス・音楽鑑賞

ながさか やすまさ **長坂康正** 自[麻]　愛知9	自民[麻]

A型、[略]総理大臣秘書、[政]事前防災・福祉・中小企業振興、[趣]歴史探訪・観劇・美術鑑賞・ご当地グルメ・スポーツ観戦、[尊]伊能忠敬・海部俊樹、[銘]理想は高く姿勢は低くいつも心に太陽を持って

ながしま あきひさ **長島昭久** 自[無]　[比]東京	民主→民進(16.3)→無所属(17.4)→希望(17.9)→無所属(18.5)→自民[無](19.6)

A型、[略]米外交問題評議会上席研究員、[政]外交・安全保障、[趣]水泳・スケート観戦、[尊]西郷隆盛、[銘]命もいらず、名もいらず、官位も金も望まぬ者ほど御し難きものはなし。しかれども、この御し難き者にあらざれば、国家の大業を計るべからず

ながつま あきら **長妻昭** 立　東京7	民主→民進(16.3)→立憲(17.10)→立憲(20.9)

AB型、[略]日経ビジネス誌記者・NEC、[政]すべての人に「居場所」と「出番」のある社会の実現、[趣]読書・カラオケ・散歩、[尊]徳川家康、[銘]而今・至誠通天

ながとも しんじ **長友慎治** 国　[比]九州	国民

AB型、[略]NPO法人理事長、[政]中小企業支援、農林水産業、地方創生、[趣]登山、アウトドア、[尊]安井息軒、[銘]縁尋機妙　多逢聖因

にかい としひろ **二階俊博** 自[無]　和歌山3	自民→新生(93.6)→新進(94.12)→自由(98.1)→保守(00.4)→保新(02.12)→自民[無](03.11)

B型、[略]和歌山県議、[政]国土交通・観光・農業等、[趣]読書・サイクリング

にき ひろぶみ **仁木博文** 自[麻]　徳島1	民主→無所属→自民[麻]

O型、[略]産婦人科医・医学博士、[政]厚生労働分野全般、[趣]映画鑑賞、[尊]ジョン・F・ケネディ、[銘]一期一会

にわ ひでき **丹羽秀樹** 自[無]　愛知6	自民[無]

O型、[略]証券会社社員、[政]経済対策・教育・福祉・農業・環境、[趣]読書・茶道・アーチェリー・登山・スポーツ観戦、[銘]無信不立

にしおかひでこ **西岡秀子** 国　長崎1	民主→民進→希望(17.9)→国民(18.5)→国民(20.9)

(略)国会議員秘書・会社役員、(尊)父 西岡武夫、(銘)一日一生

にしだしょうじ **西田昭二** 自[無]　石川3	自民[無]

O型、(略)県議会議員、(政)地方の活性化、(趣)ウォーキング、(尊)瓦力 元代議士、(銘)滅私奉公

にしのだいすけ **西野太亮** 自[無]　熊本2	無所属→自民[無](21.12)

B型、(略)財務省、(銘)一生燃焼、一生感動、一生不悟

にしむらあきひろ **西村明宏** 自[無]　宮城3	自民[無]

(略)大臣秘書官・大学教授、(銘)至誠・和敬

にしむらちなみ **西村智奈美** 立　新潟1	民主→民進(16.3)→立憲(17.10)→立憲(20.9)

(略)大学非常勤講師・新潟県議、(政)社会保障・地方分権、(趣)料理、山歩き、(尊)両親、(銘)歩く人が多くあればそこが道になる

にしむらやすとし **西村康稔** 自[無]　兵庫9	無所属→自民[無](04.1)

B型、(略)通産省調査官、(政)経済外交政策・行政改革・憲法改正、(趣)秘境巡り・マラソン・写真・映画鑑賞、(銘)断旧立新

にしめこうさぶろう **西銘恒三郎** 自[無]　沖縄4	自民[無]

AB型、(略)知事秘書・県議4期、(政)安全保障・社会保障・中小企業振興・農林水産業、(趣)ウォーキング・史跡巡り

ぬかがふくしろう **額賀福志郎** 無　茨城2	自民→無所属(23.10)

O型、(略)産経新聞記者・茨城県議、(政)安全保障・経済財政・社会保障・教育、(趣)ゴルフ・読書、(銘)福志大道

ね もと たくみ **根本　匠** 自[無]　福島2	自民[無]

A型、[略]建設省、[政]復興・社会保障・金融・財政・農政、[趣]水泳・読書、[尊]後藤新平、[銘]自ら計らわず・疾風に勁草を知る

ね もと ゆき のり **根本幸典** 自[無]　愛知15	自民[無]

AB型、[略]豊橋市議会議員2期、[政]農業政策、[趣]読書・音楽観賞、[銘]義を見てせざるは勇なき也

の だ せい こ **野田聖子** 自[無]　岐阜1	自民→無所属(05.8)→自民[無](06.12)

A型、[略]岐阜県議、[政]少子化対策・情報通信、[趣]読書・映画鑑賞

の だ よし ひこ **野田佳彦** 立　千葉4	日本新党→新進(94.12)→無所属→民主(98.12)→民進(16.3)→無所属(18.5)→立憲(20.9)

B型、[略]松下政経塾・千葉県議、[趣]読書・格闘技観戦

の なか あつし **野中　厚** 自[無]　[比]北関東	自民[無]

B型、[略]埼玉県議会議員、[政]教育・福祉・農業・安全保障、[趣]野球・旅行

の ま たけし **野間　健** 立　鹿児島3	国民新党→希望→国民→立憲

O型、[略]商社員、大臣秘書官、[政]農林水産、地方分権、[趣]ジャズ鑑賞、[尊]西郷隆盛、[銘]敬天愛人

は せ がわ じゅん じ **長谷川淳二** 自[無]　愛媛4	自民[無]

O型、[略]総務省課長・愛媛県副知事、[政]地方創生・農林水産、[趣]マラソン（サブ3ランナー）、[尊]中曽根康弘、[銘]念ずれば花開く

は なし やす ひろ **葉梨康弘** 自[無]　茨城3	自民[無]

[略]警察庁理事官

馬場 伸幸 （ば ば のぶ ゆき） 維　　大阪17	自民→日本維新の会→維新の党 (14.9)→おおさか維新の会(15.12)→ 日本維新の会(16.8)

O型、略堺市議会議長・秘書、政憲法改正・統治機構改革、趣仕事・美味しいものをたべる事

馬場 雄基 （ば ば ゆう き） 立　　比東北	立憲

B型、略三井住友信託銀行、政復興・経済・環境・自治、趣温泉めぐり、尊松下幸之助・徳川家康、銘為すべきことを為す

萩生田光一 （はぎ う だ こう いち） 自[無]　東京24	自民[無]

AB型、略市議・都議、政教育・科学技術、趣映画・読書・スポーツ（観戦も）、銘ONE FOR ALL, ALL FOR ONE

橋本　岳 （はし もと がく） 自[無]　岡山4	自民[無]

A型、略三菱総研研究員、政情報通信・社会保障・経済活性化、趣釣り・読書・山歩き、尊橋本龍太郎

鳩山二郎 （はと やま じ ろう） 自[無]　福岡6	自民[無]

O型、略大川市長、趣音楽鑑賞・映画鑑賞

浜田靖一 （はま だ やす かず） 自[無]　千葉12	自民[無]

B型、略渡辺美智雄蔵相秘書官・浜田幸一衆院議員秘書、趣ゴルフ

濱地雅一 （はま ち まさ かず） 公　　比九州	公明

略弁護士

早坂　敦 （はや さか あつし） 維　　比東北	みんな→維新の党→日本維新の会

AB型、略児童指導員、政子育て支援、若者文化推進、趣映画鑑賞、トレーニング、尊坂本龍馬、銘念ずれば花開く

はやし もとお **林 幹雄** 自[無] 千葉10	自民[無]

A型、[略]林大幹衆院議員秘書・千葉県議、[趣]映画鑑賞

はやし ゆみ **林 佑美** 維 和歌山1補	日本維新の会

[略]和歌山市議、[政]教育、[趣]散歩

はやし よしまさ **林 芳正** 自[無] 山口3	自民[無]

B型、[略]三井物産・林義郎衆院議員秘書、[趣]テニス・音楽・ゴルフ

はらぐち かずひろ **原口 一博** 立 佐賀1	新進→国民の声(98.1)→民政(98.1)→民主(98.4)→民進(16.3)→国民(18.5)→立憲(20.9)

A型、[略]松下政経塾・佐賀県議、[政]財政・金融・外交・安保・教育、[趣]読書・絵画・詩・スポーツ全般、[尊]マザー・テレサ、ガンジー、松下幸之助

ばんの ゆたか **伴野 豊** 立 [比]東海	国民→立憲(20.9)

A型、[略]JR東海、[政]コロナ時代の生活を立て直す、[趣]映画鑑賞、[尊]坂本龍馬、[銘]人間万事塞翁が馬

ひらい たくや **平井 卓也** 自[無] [比]四国	無所属→自民[無](00.12)

O型、[略]電通・高松中央高校理事長、[政]情報通信・エネルギー、[趣]読書・ギター

ひらぐち ひろし **平口 洋** 自[無] 広島2	自民[無]

A型、[略]国土交通省河川局次長、[政]行財政改革、[趣]水泳・尺八・音楽、[尊]灘尾弘吉

ひらさわ かつえい **平沢 勝栄** 自[無] 東京17	自民[無]

A型、[略]警視庁防犯部長・警察庁官房審議官・防衛庁官房審議官

| 平沼正二郎 (ひらぬましょうじろう)
自[無]　岡山3 | 無所属→自民[無](21.11) |

A型、㊟IT会社役員、㊆憲法改正・安全保障・選挙制度改革・国土強靭化・地方創生、㊙読書・弓道（参段）、㊨盛田昭夫、㊙義を見てせざるは勇なきなり

| 平林　晃 (ひらばやし あきら)
公　㊗中国 | 公明 |

A型、㊟大学教授、㊆デジタル・地方創成、㊙ギター・読書、㊨坂本龍馬、㊙初心不可忘

| 深澤陽一 (ふかざわ よういち)
自[無]　静岡4 | 自民[無] |

B型、㊟静岡県議会議員、㊆国交・経産・農水・地方創生、㊙スポーツ・映画鑑賞、㊨前野良沢、㊙狂愚誠に愛すべし

| 福重隆浩 (ふく しげ たか ひろ)
公　㊗北関東 | 公明 |

A型、㊟県議、㊆福祉教育・地方創生、㊙読書（歴史小説）、㊨坂本龍馬、㊙努力は人を裏切らない

| 福島伸享 (ふく しま のぶ ゆき)
無(有志)　茨城1 | 民主→民進→希望→無所属 |

A型、㊟経済産業省、㊆農業政策・エネルギー・行政改革、㊙家庭菜園・料理・釣り、㊙知行合一

| 福田昭夫 (ふく だ あき お)
立　栃木2 | 民主→民進(16.3)→立憲(18.5)→立憲(20.9) |

A型、㊟今市市長・栃木県知事、㊆経済・財政・雇用の健全化と地方の活性化、㊙野球・ソフトボール・囲碁・読書、㊨二宮尊徳・上杉鷹山、㊙至誠勤労・分度推譲・積小為大

| 福田達夫 (ふく だ たつ お)
自[無]　群馬4 | 自民[無] |

A型、㊟商社員、㊆中小企業政策・労働政策・農政、㊙人の話を聞く・読書、㊨保科正之、㊙成徳達材

| 藤井比早之 (ふじ い ひ さ ゆき)
自[無]　兵庫4 | 自民[無] |

㊟彦根市副市長、㊆景気回復・地方創生、㊙水泳・テニス・B級グルメ

ふじ おか たか お **藤岡隆雄** 立　[比]北関東	立憲

B型、[略]金融庁課長補佐、[政]人口減少対策・消費税減税、[趣]読書（歴史小説を読む）、スウィーツ探索、[尊]吉田松陰・二宮尊徳、[銘]志に生きる

ふじ た ふみ たけ **藤田文武** 維　大阪12	日本維新の会

A型、[略]会社役員、[政]社会保障、[趣]ラグビー、[尊]父、[銘]着眼大局着手小局

ふじ まき けん た **藤巻健太** 維　[比]南関東	日本維新の会

B型、[略]みずほ銀行員、[政]金融・経済・文化・スポーツ、[趣]サッカー観戦・映画鑑賞・旅、[尊]橋下徹、[銘]七転び八起き

ふじ まる さとし **藤丸敏** 自[無]　福岡7	自民[無]

A型、[略]衆議院議員秘書、[趣]柔道、剣道

ふじ わら たかし **藤原崇** 自[無]　岩手3	自民[無]

[略]弁護士・参議院議員秘書

ふとり ひで し **太栄志** 立　神奈川13	民主→民進→希望→国民→立憲

B型、[略]衆議院議員秘書・米研究所員、[政]外交安全保障・社会保障・教育、[趣]神輿担ぎ・ラグビー・ランニング、[尊]西郷隆盛、[銘]命もいらず、名もいらず、官位も金もいらぬ者でなければ国家の大業は成し得ない

ふな だ はじめ **船田元** 自[無]　栃木1	自民→新生(93.6)→新進(94.12)→無所属(96.9)→自民[無](97.1)

O型、[略]学校法人理事長、[政]憲法・科学技術・文教、[趣]天文

ふる かわ なお き **古川直季** 自[無]　神奈川6	自民[無]

A型、[略]横浜市会議員、[政]地方分権・地方自治、[趣]サッカー・ゴルフ・合氣道、[尊]伊能忠敬、[銘]人間万事塞翁が馬

ふる かわ もと ひさ **古川元久** 国　愛知2	民主→民進(16.3)→希望(17.9)→国民(18.5)→国民(20.9)

A型、[略]大蔵省、[政]年金・税制・医療・エネルギー・IT

ふる かわ やすし **古川康** 自[無]　[比]九州	自民[無]

A型、[略]佐賀県知事、[政]地方創生・交通・障碍福祉、[趣]読書・旅行・映画鑑賞

ふる かわ よし ひさ **古川禎久** 自[無]　宮崎3	無所属→自民(03.11)→無所属(05.8)→自民[無](06.12)

O型、[略]建設省・衆院議員秘書、[趣]旅・海とヨット・樹木

ふる や けい じ **古屋圭司** 自[無]　岐阜5	自民→無所属(05.8)→自民[無](06.12)

B型、[略]大正海上（現三井住友海上）火災・古屋亨自治相秘書官、[政]国土強靱化・IT・エネルギー・外交、[趣]クラリネット演奏・音楽鑑賞・モータースポーツ、[銘]人事を尽くして天命を待つ

ふる や のり こ **古屋範子** 公　[比]南関東	公明

A型、[略]会社員、[趣]ガーデニング・スポーツ観戦・音楽鑑賞

ほ さか やすし **穂坂泰** 自[無]　埼玉4	自民[無]

A型、[略]法人役員、[政]環境・介護・福祉、[趣]カラオケ・ボーリング、[尊]父、[銘]まずやってみる

ほし の つよ し **星野剛士** 自[無]　[比]南関東	自民[無]

B型、[略]神奈川県議会議員、[政]経済・外交・社会保障、[趣]読書・ゴルフ

ほそ だ けん いち **細田健一** 自[無]　新潟2	自民[無]

O型、[略]経産省職員、[政]経済産業・エネルギー、[趣]読書・カラオケ、[銘]過去は及ばず、未来は知れず、今この時に全力を尽くせ

ほそのごうし **細野豪志** 自[無] 静岡5	民主→民進(16.3)→無所属(17.8)→希望(17.9)→無所属(18.5)→自民[無](21.11)

AB型、[略]三和総合研究所研究員、[政]外交・安全保障・エネルギー、[趣]囲碁

ほりいまなぶ **堀井学** 自[無] [比]北海道	自民[無]

O型、[略]元道議会議員（2期）、[政]国交・農水・安全保障・外交・地方行政、[趣]冷水で体を清める、[尊]安倍晋三、[銘]下座に生きる

ほりうちのりこ **堀内詔子** 自[無] 山梨2	自民[無]

A型、[政]熱中症対策・食ロス削減による地球温暖化対策・医療介護福祉子育て政策・食料産業政策・女性活躍政策、[趣]テニス・読書・書道、[銘]一言芳恩

ほりばさちこ **堀場幸子** 維 [比]近畿	日本維新の会

O型、[略]アンガーマネジメント講師、[政]子育て・働き方・教育、[趣]ジオパーク巡り、[尊]空海、[銘]日々是精進也

ほりいけんじ **掘井健智** 維 [比]近畿	日本維新の会

AB型、[略]市議・県議、[政]教育・財政・農政、[趣]似顔絵・カラオケ、[尊]橋本左内・田中角栄、[銘]知行合一

ほんじょうさとし **本庄知史** 立 千葉8	立憲

A型、[略]衆議院議員秘書、[政]経済・雇用、環境・エネルギー、少子高齢化問題、税財政、外交、[趣]テニス、[尊]オットー・フォン・ビスマルク、[銘]意志あるところに道は開ける

ほんだたろう **本田太郎** 自[無] 京都5	自民[無]

A型、[略]京都府議、[政]地方創生、[趣]水泳、[尊]谷垣禎一、[銘]実るほど頭を垂れる稲穂かな

まぶちすみお **馬淵澄夫** 立 奈良1	民主→民進(16.3)→希望→無所属→国民(20.6)→立憲(20.9)

B型、[略]会社役員、[政]国土交通・税制改革・社会保障・エネルギー政策、[趣]料理・サーフィン、[銘]不易流行

前原誠司（まえはら せいじ） 教　京都2	日本新党→無所属(94.5)→さきがけ(94.7)→民主(96.9)→民進(16.3)→希望(17.11)→国民(18.5)→国民(20.9)→教育(23.11)

A型、[略]松下政経塾・京都府議、[政]外交・安保、[趣]野球・ドライブ・旅行、[銘]至誠、天命に生きる

牧義夫（まき よしお） 立　[比]東海	民主→国民の生活が第一(12.7)→未来(12.11)→生活の党→無所属(13.4)→結いの党→維新の党→民進(16.3)→希望(17.9)→国民(18.5)→立憲(20.9)

O型、[略]衆議院議員秘書、[政]社会保障・教育、[趣]ピアノ演奏

牧島かれん（まきしま かれん） 自[麻]　神奈川17	自民[麻]

B型、[略]大学客員教授、[政]外交・教育・デジタル化推進・観光行政、[趣]映画鑑賞・SUDOKU

牧原秀樹（まきはら ひでき） 自[無]　[比]北関東	自民[無]

B型、[略]弁護士、[政]経済・国際経済、[趣]旅行・読書、[銘]たゆまぬ努力、意志あるところに道がある

松木けんこう（まつき けんこう） 立　北海道2	民主→新党大地→維新の党→民進(16.3)→希望→立憲

B型、[略]会社役員・大学理事長、[政]SDGs全般、[趣]切手収集（子供の頃から）・読書・釣り、[尊]藤波孝生、[銘]至誠一貫

松島みどり（まつしま みどり） 自[無]　東京14	自民[無]

A型、[略]朝日新聞記者、[政]中小企業対策・性犯罪の撲滅と被害者の救済･再犯防止、[趣]盆踊り、ラジオ体操、近現代史、バレエ･オペラ･演劇・美術鑑賞、[尊]勝海舟・北里柴三郎、[銘]継続は力なり

松野博一（まつの ひろかず） 自[無]　千葉3	自民[無]

A型、[略]松下政経塾、[政]環境・科学・教育、[趣]読書

松原仁（まつばら じん） 無(立憲)　東京3	民主→民進(16.3)→希望(17.9)→無所属(18.5)→立憲(20.9)→無所属(23.6)

O型、[略]都議（二期）・松下政経塾、[政]拉致問題・人権問題・離島振興対策、[趣]読書・音楽鑑賞・水泳、[尊]松下幸之助、[銘]一処懸命

松本剛明（まつもと たけあき）
自[麻]　兵庫11
民主→無所属(15.11)→自民[麻](17.9)

AB型、[略]日本興業銀行・松本十郎防衛庁長官秘書官、[政]経済・財政・社会保障・外交・教育、[趣]水泳・読書・茶道

松本尚（まつもと ひさし）
自[無]　千葉13
自民[無]

O型、[略]医師、[政]危機時における医療体制構築、[趣]読書・ランニング、[銘]学不可以已

松本洋平（まつもと ようへい）
自[無]　[比]東京
自民[無]

O型、[略]UFJ銀行員、[政]財務金融・外交・安全保障、[趣]読書、[銘]今やらねばいつできる、わしがやらねばたれがやる

三木圭恵（みき けえ）
維　[比]近畿
たち日→日本維新の会

A型、[略]市議、[政]教育・安全保障、[趣]ピアノ・書道・料理・スポーツ、[尊]父と母、[銘]無私の奉仕

三反園訓（みたぞの さとし）
無(自民)　鹿児島2
無所属

A型、[略]鹿児島県知事、[政]農業・観光・高齢者・子育て支援、[趣]読書、[尊]西郷隆盛、[銘]世の為人の為

三谷英弘（みたに ひでひろ）
自[無]　[比]南関東
みんな→無所属→自民[無]

A型、[略]弁護士、[政]規制改革、[趣]釣り・マラソン、[尊]大谷刑部吉継・陸奥宗光

三ッ林裕巳（みつばやし ひろみ）
自[無]　埼玉14
自民[無]

A型、[略]医師、[趣]柔道（初段）・剣道（三段）・詩吟（七段）、[尊]後藤新平、[銘]質実剛健

美延映夫（みのべ てるお）
維　大阪4
自民→大阪維新の会→日本維新の会

A型、[略]会社役員、[政]安全保障、[趣]スポーツ観戦、[尊]上杉鷹山、[銘]為せば成る為さねば成らぬ何事も

御法川信英（みのりかわ のぶひで） 自[無]　秋田3	無所属→自民[無](04.9)

A型、[略]銀行員・議員秘書、[政]外交・安全保障・農水、[趣]読書、[尊]毛沢東、マーチン・ルーサー・キング、[銘]至誠通天

岬　麻紀（みさき まき） 維　[比]東海	日本維新の会

B型、[略]フリーアナウンサー、[政]教育無償化、[趣]城・神社仏閣・温泉・吊橋巡り、落語、[尊]豊臣秀吉、[銘]微差は大差なり

道下大樹（みちした だいき） 立　北海道1	民主→民進→立憲(17.10)→立憲(20.9)

A型、[略]北海道議・衆院議員秘書、[政]社会保障・教育・憲法、[趣]ミニトマト栽培、[尊]マハトマ・ガンジー、[銘]念ずれば花開く

緑川貴士（みどりかわ たかし） 立　秋田2	民主→民進→希望(17.9)→国民(18.5)→立憲(20.9)

O型、[略]民放アナウンサー、[政]地域の活性化、[趣]津軽三味線・マラソン、[銘]継続は力なり

宮内秀樹（みやうち ひでき） 自[無]　福岡4	自民[無]

A型、[略]衆議院議員秘書、[政]経済産業・国土交通・農林水産・文部科学、[趣]ジョギング・スポーツ観戦

宮﨑政久（みやざき まさひさ） 自[無]　[比]九州	自民[無]

O型、[略]弁護士、[政]日米地位協定改定・司法改革、[趣]絵本の読み聞かせ・草野球、[尊]両親、[銘]常笑

宮路拓馬（みやじ たくま） 自[無]　鹿児島1	自民[無]

B型、[略]総務省課長補佐、[政]女性活躍・こども政策・障害福祉・地方創生・農政・エネルギー、[趣]サッカー・手話・消防団

宮下一郎（みやした いちろう） 自[無]　長野5	自民[無]

[略]住友銀行員、[政]財務金融・農林・経産、[趣]手品・写真撮影、[銘]誠実・着眼大局着手小局

宮本岳志（みやもと たけし） 共　[比]近畿	共産

A型、[略]参院議員、[趣]ラグビー・ギター

宮本徹（みやもと とおる） 共　[比]東京	共産

[略]党東京都副委員長

武藤容治（むとう ようじ） 自[麻]　岐阜3	自民[麻]

A型、[略]会社役員

務台俊介（むたい しゅんすけ） 自[麻]　[比]北陸信越	自民[麻]

B型、[略]神奈川大学法学部教授・消防庁防災課長・地方創生・防災担当政務官、[政]防災危機管理・地方税財政・地方創生・脱炭素政策、[趣]まち歩き・ハイキング、[尊]山岡鉄舟、[銘]一期一会・疾風勁草

宗清皇一（むねきよ こういち） 自[無]　[比]近畿	自民[無]

B型、[略]衆議院議員秘書・大阪府議、[政]教育・財政問題・地方分権、[趣]ギター・スキー

村井英樹（むらい ひでき） 自[無]　埼玉1	自民[無]

A型、[略]財務省主税局参事官補佐、[政]景気対策・経済成長・子育て教育、[趣]野球・サッカー・将棋、[尊]吉田茂・大久保利通、[銘]和して同ぜず

村上誠一郎（むらかみ せいいちろう） 自[無]　愛媛2	自民[無]

A型、[略]河本敏夫衆院議員秘書、[政]財政、[趣]ゴルフ・将棋・音楽鑑賞

茂木敏充（もてぎ としみつ） 自[無]　栃木5	日本新党→無所属(94.12)→自民[無](95.3)

O型、[略]政治部記者・経営コンサルタント、[政]経済・外交・教育、[趣]スポーツ・読書

本村 伸子（もと むら のぶ こ）共 ㊞東海	共産

B型、㊚参議院議員秘書、㊎憲法・平和、人権、地方行政、国土交通、㊛森林保全・音楽鑑賞

守島 正（もり しま ただし）維 大阪2	日本維新の会

O型、㊚大阪市議、㊎都市政策・地方分権、㊛ランニング、㊥島津義弘、㊗知行合一

盛山 正仁（もり やま まさ ひと）自［無］ ㊞近畿	自民［無］

A型、㊚国土交通省部長、㊎法務・国土交通・厚生労働・環境、㊛スキー・水泳・テニス・料理・写真・ラジオ体操、㊥西郷隆盛、㊗一期一会

森 英介（もり えい すけ）自［麻］ 千葉11	自民［麻］

B型、㊚川崎重工、㊛音楽・料理・犬、㊗人生の最も苦しい、いやな、辛い損な場面を真っ先に微笑をもって担当せよ

森 由起子（もり ゆ き こ）自［無］ ㊞東海繰	自民［無］

O型、㊎中小企業対策、㊛マリンスポーツ

森田 俊和（もり た とし かず）立 埼玉12	希望→国民(18.5)→立憲(20.9)

B型、㊚県議、㊎教育・介護・保育・地方分権、㊛鉄道・カラオケ・ものまね・茶道、㊥勝海舟、㊗一期一会

森山 浩行（もり やま ひろ ゆき）立 ㊞近畿	民主→立憲(17.10)→立憲(20.9)

㊚関西TV記者、㊎教育・水政策、㊛読書・映画鑑賞・人と会うこと、㊥尾﨑行雄・三木武夫・野口英世、㊗有言実行・和而不同

森山 裕（もり やま ひろし）自［無］ 鹿児島4	自民→無所属(05.8)→自民［無］(06.12)

O型、㊚鹿児島市議、㊎地方自治、㊛読書

八木哲也
やぎ てつや
自[無]　愛知11

AB型、⑯会社員・豊田市議・議長、⑱読書・陶芸

谷田川　元
やたがわ はじめ
立　㉒南関東

民主→民進→希望→国民→立憲
(20.9)

O型、⑯千葉県議会議員、㉔地方創生・教育、⑱将棋・スポーツ観戦・読書、㊙石橋湛山、㊙運・縁・念

屋良朝博
や ら とも ひろ
立　㉒九州繰

自由→国民(19.4)→立憲(20.9)

ＡＢ型、⑯沖縄タイムス記者、㉔安全保障、⑱旅行・キャンプ・マリンスポーツ、㊙瀬長亀次郎、㊙海納百川

保岡宏武
やす おか ひろ たけ
自[無]　㉒九州

ＡＢ型、⑯衆院議員秘書、㉔地方創生、⑱フラダンス・SUP・トランペット、㊙島津斉彬公、マイルス・ディヴィス、㊙貞観政要

簗　和生
やな　かず お
自[無]　栃木3

O型、⑯シンクタンク研究員・衆議院議員秘書、㊙徳川家康、㊙初心忘るべからず

柳本　顕
やなぎ もと　あきら
自[麻]　㉒近畿

⑯関西電力(株)・大阪市会議員、㉔産業振興・地方自治・労働問題、⑱舞台鑑賞・作曲・テニス、㊙柳本豊（父）、㊙而今

山岡達丸
やま おか たつ まる
立　北海道9

民主→民進(16.3)→希望(17.10)→国民(18.5)→立憲(20.9)

A型、⑯NHK記者、㉔地方経済・医療・農業等、⑱読書・スキー、㊙徳川家康、㊙誠心誠意

山岸一生
やま ぎし いっ せい
立　東京9

立憲

O型、⑯新聞記者、㉔子育て・教育、⑱料理・家庭菜園・サイクリング、㊙翁長雄志

やまぎわだいしろう **山際大志郎** 自[麻]　神奈川18	自民[麻]

O型、[略]動物病院経営、[政]経済・教育・外交等、[趣]アウトドア・キャンプ

やまぐちしゅんいち **山口俊一** 自[麻]　徳島2	自民→無所属(05.8)→自民[麻](06.12)

A型、[略]徳島県会議員・内閣府特命担当大臣、[政]郵政・情報通信・科学技術・地方自治、[趣]読書

やまぐちすすむ **山口晋** 自[無]　埼玉10	自民[無]

A型、[略]衆議院議員秘書、[政]国土強靭化・エネルギー政策・子育て、[趣]スポーツ（スキー・野球・ゴルフ）、[尊]祖父（川島町長）・菅義偉前総理、[銘]Never Give Up

やまぐちつよし **山口壮** 自[無]　兵庫12	無所属→無所属の会(00.11)→民主(05.8)→無所属(14.1)→自民[無](15.1)

A型、[略]外務省、[趣]テニス・スキー、[尊]吉田茂、[銘]心に喜神を含む

やまざきまこと **山崎誠** 立　[比]南関東	民主→みどりの風→未来→立憲(17.10)→立憲(20.9)

A型、[略]横浜市議・日揮㈱・㈱熊谷組、[政]環境・エネルギー・地域活性化、[趣]自転車・トロンボーン演奏・音楽・絵画鑑賞・アウトドア、[尊]緒方貞子、[銘]誠心誠意

やまさきまさやす **山崎正恭** 公　[比]四国	公明

[略]高知県議

やましたたかし **山下貴司** 自[無]　岡山2	自民[無]

A型、[略]弁護士・検事・外交官・慶應大講師、[政]規制改革・地方創生・外交、[趣]ライブ鑑賞・ジョギング・カラオケ、[銘]人生意気に感ず

やまだかつひこ **山田勝彦** 立　長崎3補	立憲

O型、[略]衆議院議員秘書・障がい福祉施設代表、[政]農林水産・福祉政策・離島振興、[趣]野球、[尊]西郷隆盛、[銘]義を見てせざるは勇無きなり

山田 賢司
やま だ けん じ
自[麻]　　兵庫7

| | 自民[麻] |

A型、㋕銀行員、㋛経済、外交・安全保障、教育、㊙グラウンドゴルフ、㊟日々感謝

山田 美樹
やま だ み き
自[無]　　東京1

| | 自民[無] |

AB型、㋕通産省・内閣官房・ボストンコンサルティング・エルメスジャパン、㋛経済・成長戦略、税・社会保障、健康医療、外交、㊙旅行・お祭り

山井 和則
やま の い かず のり
立　　京都6

| | 民主→民進(16.3)→希望(17.9)→国民(18.5)→無所属(19.6)→立憲(20.9) |

A型、㋕松下政経塾・大学講師、㋛社会保障（高齢者・障害者・児童）、㊙卓球、ネコの世話、おいしいお茶を飲むこと・いれること、㊙キング牧師、マザー・テレサ

山本 剛正
やま もと ごう せい
維　　㊗九州

| | 日本新党→民主→民進→立憲→日本維新の会 |

㋕衆議院議員秘書、㋛地方分権、㊙ラグビー、㊗祖父、㊟柳緑花紅

山本 左近
やま もと さ こん
自[麻]　　㊗東海

| | 自民[麻] |

A型、㋕F1ドライバー、医療法人・社会福祉法人理事、㋛医療福祉介護・自動車・クリーンエネルギー、㊙音楽・読書・スポーツ全般・茶道、㊗父親、スティーブ・ジョブズ、㊟人間は自己実現不可能な夢は思い描かない

山本ともひろ
やまもと
自[無]　　㊗南関東

| | 自民[無] |

㋕会社員・松下政経塾

山本 有二
やま もと ゆう じ
自[無]　　㊗四国

| | 自民[無] |

A型、㋕弁護士、㋛社会資本整備・環境・金融経済、㊙ジョギング・テニス・ゴルフ・読書・音楽

湯原 俊二
ゆ はら しゅん じ
立　　㊗中国

| | 立憲 |

A型、㋕県議・農業

ゆのき みちよし **柚木道義** 立　[比]中国	民主→民進(16.3)→希望(17.9)→国民(18.5)→無所属(18.8)→立憲(20.9)

B型、[略]会社員、[趣]イクメン

よしかわ たける **吉川赳** 無　[比]東海	自民→無所属(22.6)

[略]国会議員秘書、[政]中小企業振興・少子高齢化対策・農業振興、[趣]自転車・家庭菜園、[尊]宮沢喜一・勝海舟・広田弘毅、[銘]廓然大公

よしかわ はじめ **吉川元** 立　[比]九州	社民→立憲(20.12)

A型、[略]政策秘書、[政]教育・地方財政、[趣]水泳・読書

よしだ くみこ **吉田久美子** 公　[比]九州	公明

[政]子育て支援・女性政策、[趣]読書・映画鑑賞、[尊]ベートーヴェン、[銘]縁ある人全てに感謝

よしだ しんじ **吉田真次** 自[無]　山口4補	自民[無]

[略]下関市議会議員、[趣]読書、[尊]安倍晋三、[銘]信念

よしだ つねひこ **吉田統彦** 立　[比]東海	民主→民進→立憲(17.10)→立憲(20.9)

AB型、[略]医師、[政]社会保障、子育て・少子化対策、消費者問題、教育、科学技術、[趣]能（観世流）・合気道・野球・テニス、[尊]カエサル・岳飛・袁崇煥・帝堯・帝舜・帝禹、[銘]抜山蓋世・尽忠報国・永清四海時哉弗可失

よしだ よ **吉田とも代** 維　[比]四国	日本維新の会

O型、[略]丹波篠山市議会議員、[政]子育て・ジェンダー多様性・地方活性化、[趣]温泉巡り・ヨガ、[尊]マザー・テレサ、[銘]初志貫徹

よしだ とよふみ **吉田豊史** 無　[比]北陸信越	自民→無所属(12.11)→維新の党(14.12)→無所属(15.10)→おおさか維新の会(16.7)→日本維新の会→無所属(22.11)

A型、[略]会社役員、[政]国民の所得向上、今活躍できていない人（例:女性・若い人）が活躍・チャレンジできる環境づくり、危機管理全般（含む安全保障）、[趣]家庭菜園・アウトドア全般、[尊]孔子、[銘]感謝、そして挑戦

吉田宣弘（よしだのぶひろ） 公　㊗九州	公明
A型、㊂福岡県議・参院議員秘書、㊉地方創生・社会保障・教育・安全保障・経済産業、㊨読書・音楽鑑賞、㊙王貞治、㊘七転び八起き	

吉田はるみ（よしだ） 立　　　　東京8	立憲
A型、㊂証券会社・大学特任教授、㊉教育・経済、㊨料理・歌舞伎・文楽、㊙父、㊘感謝の気もち	

吉野正芳（よしのまさよし） 自[無]　　福島5	自民[無]
B型、㊂福島県議、㊉大震災からの復興、㊨読書	

義家弘介（よしいえひろゆき） 自[無]　㊗南関東	自民[無]
O型、㊂東北福祉大学特任准教授、㊉教育、㊨読書	

米山隆一（よねやまりゅういち） 立　　　　新潟5	自民→日本維新の会→民進→無所属 →立憲(22.9)
A型、㊂医師、弁護士、新潟県知事、㊉社会保障政策（医療・介護・年金等）・地方政策・原発政策、㊨テニス・バク宙・筋トレ・科学、㊘意志あるところに道あり（Where there is a will, there is a way.）	

笠浩史（りゅうひろふみ） 立　　　神奈川9	民主→民進(16.3)→希望(17.9)→無所属(18.5)→立憲(21.9)
A型、㊂テレビ朝日政治部記者、㊉地方分権・教育改革、㊨ゴルフ・読書、㊘天命を信じて人事を尽くす	

早稲田ゆき（わせだ） 立　　　神奈川4	立憲→立憲(20.9)
㊂鎌倉市議・神奈川県議、㊨旅行・読書、㊙吉田松陰、㊘至誠通天	

和田有一朗（わだゆういちろう） 維　㊗近畿	自民→日本維新の会
B型、㊂国会議員秘書、㊉外交・防衛、㊨読書、㊙勝海舟、㊘人生開拓	

わだ よしあき **和田義明** 自[無]　北海道5	自民[無]

O型、[略]商社員、[政]経済・外交安保・教育・子育て・農業、[趣]テニス・ボクシング・ラグビー・旅行・料理、[尊]町村信孝、ウィンストン・チャーチル、[銘]至誠天に通ず

わかばやし けんた **若林健太** 自[無]　長野1	自民[無]

B型、[略]税理士・公認会計士、[政]農林・財金・経産、[趣]マラソン、[尊]吉田茂、[銘]温故創新

わかみや けんじ **若宮健嗣** 自[無]　[比]東京	自民[無]

O型、[略]セゾングループ代表秘書・会社代表

わしお えいいちろう **鷲尾英一郎** 自[無]　[比]北陸信越	民主→民進(16.3)→無所属(17.11)→自民[無](19.3)

B型、[略]公認会計士・税理士・行政書士、[政]財政・金融・外交・防衛・農林水産・医療・介護・教育、[趣]読書・散歩、[尊]聖徳太子・原敬・濱口雄幸、[銘]一燈照隅

わたなべ こういち **渡辺孝一** 自[無]　[比]北海道	自民[無]

B型、[略]歯科医師・岩見沢市長、[政]地方分権・一次産業振興、[趣]野球・映画鑑賞

わたなべ しゅう **渡辺周** 立　[比]東海	民主→民進(16.3)→希望(17.9)→国民(18.5)→立憲(20.9)

B型、[略]読売新聞記者・静岡県議、[政]北朝鮮問題・中小企業問題・議員特権見直し、[趣]草野球・カラオケ・小旅行、[尊]杉原千畝、[銘]我以外みな師なり

わたなべ そう **渡辺創** 立　宮崎1	民主→民進→立憲(18.2)

AB型、[略]毎日新聞記者・宮崎県議、[政]教育・社会保障・農林水産業振興、[趣]読書・旅、[尊]石橋湛山、[銘]一隅を照らす

わたなべ ひろみち **渡辺博道** 自[無]　千葉6	自民[無]

O型、[略]松戸市職員・会社役員、[政]経済再生・教育、[趣]謡・カラオケ

鰐 淵 洋 子 （わに ぶち よう こ）	公明
公　　　　㊉近畿	

O型、㊚参議院議員・党本部職員、㊙教育・子育て支援、女性活躍の推進、㊙写真撮影・カメラ、㊙鄧穎超・ヘレンケラー、㊙心こそ大切なれ

参議院議員プロフィール

あだち としゆき **足立敏之** 自[無]　比例④	自民[無]

B型、[略]国土交通省技監、[政]社会資本整備、建設産業再生、[趣]テニス・カメラ・山歩き、[尊]齋藤隆夫、[銘]謙虚

あだち まさし **阿達雅志** 自[無]　比例④	自民[無]

O型、[略]住友商事、衆議院議員秘書、ニューヨーク州弁護士、[政]エネルギー・運輸・交通・通信・金融等社会インフラ・社会福祉、[趣]剣道五段、自転車、山歩き

あおき あい **青木愛** 立　比例④	民主→国民の生活が第一(12.7)→未来(12.11)→生活の党(12.12)→自由(16.10)→国民(19.4)→立憲(20.9)

AB型、[略]保育士、[政]子育て・教育、[尊]両親、[銘]未来はいつも子供たちの中にある

あおき かずひこ **青木一彦** 自[無]　鳥取·島根④	自民[無]

A型、[略]参院議員秘書・山陰中央テレビ社員、[趣]読書・テニス

あおしま けんた **青島健太** 維　比例④	日本維新の会

O型、[略]スポーツライター、[政]教育・福祉・環境、[趣]スポーツ観戦・犬と遊ぶこと、[尊]ネルソン・マンデラ、[銘]大河滔々

あおやま しげはる **青山繁晴** 自[無]　比例④	自民[無]

A型、[略]独立総合研究所社長、[政]安全保障・外交・危機管理·エネルギー、[趣]モータースポーツ·アルペンスキー·映画、[尊]坂本龍馬・高杉晋作、[銘]脱私即的

あかいけ まさあき **赤池誠章** 自[無]　比例[元]	自民[無]

B型、[略]明治大学客員教授・衆議院議員、[政]教育・国土交通行政・経済・外交防衛、[趣]旧道古道めぐり

あかまつ けん **赤松健** 自[無]　比例④	自民[無]

B型、[略]漫画家、[政]表現の自由・外交・デジタル、[趣]レトロPC·中古レコード·古本収集、プログラミング、[尊]ビル・ゲイツ、[銘]悲観的に準備して、楽観的に対処せよ

あきの こうぞう **秋野公造** 公　福岡④	公明

O型、[略]医師、厚労省職員、[政]医療・福祉、[趣]剣道五段・自転車

あさお けいいちろう **浅尾慶一郎** 自[麻]　神奈川④	民主→みんな→無所属→自民[麻]

A型、[略]銀行員・証券アナリスト、[政]経済・外交・安全保障、[趣]ＳＵＰ（スタンドアップパドルボード）

あさだ ひとし **浅田均** 維　大阪④	日本維新の会→維新の党→おおさか維新の会→日本維新の会(16.8)

B型、[略]大阪府議、[政]地方分権・大都市制度・教育、[趣]読書、[尊]空海、[銘]一隅を照らすこれ則ち国宝なり

あさひ けんたろう **朝日健太郎** 自[無]　東京④	自民[無]

A型、[略]NPO法人理事長、[政]国土強靭化・港湾・環境・スポーツ・子育て、[趣]ランニング・スキー、[尊]渋沢栄一・両親、[銘]初心生涯・チャレンジ

あずま とおる **東徹** 維　大阪[元]	自民→大阪維新の会設立(10.4)→日本維新の会設立(12.9)→維新の党(14.9)→おおさか維新の会(16.1)→日本維新の会(16.8)

A型、[略]社会福祉士・府議会議員、[政]副首都大阪の実現、規制緩和や既得権打破による経済成長、徹底した行政改革、[趣]アウトドア、[尊]上杉鷹山

ありむら はるこ **有村治子** 自[麻]　比例[元]	自民[麻]

A型、[略]日本マクドナルド㈱社員　[政]女性活躍・少子化対策・教育、[趣]ウォーキング・ヨガ

いのうえ さとし **井上哲士** 共　比例[元]	共産

A型、[略]梅田勝衆院議員秘書、[政]外交防衛・憲法問題、[趣]水泳・読書

いのうえ よしゆき **井上義行** 自[無]　比例④	みんな→日本を元気にする会→自民[無](19.6)

O型、[略]第一次安倍内閣総理大臣秘書官、[政]全国の家庭に笑顔を必ず取り戻す、[趣]スキー、[尊]母、[銘]一期一会

伊藤　岳	共産
共　　埼玉[元]	

A型、㉗政党職員、㉘スポーツ観戦、㊙現場主義

伊藤　孝江	公明
公　　兵庫④	

A型、㉗弁護士・税理士、㉘山歩き、㊚ローザ・パークス、㊙誠心誠意

伊藤　孝恵	民進→国民(18.5)→国民(20.9)
国　　愛知④	

O型、㉗報道記者・会社員、㉕経済政策・人づくり投資・育児・介護・教育・知る権利、㉘子ども達と絵本を読む・お見合いおばさん、㊚母、㊙頑張ると心に虹がでる

伊波　洋一	無所属
無(沖縄)　沖縄④	

AB型、㉗宜野湾市長・沖縄県議、㉘読書、映画・琉球芸能鑑賞、㊙基地のない平和な沖縄

生稲　晃子	自民[無]
自[無]　東京④	

B型、㉗俳優、㉘映画鑑賞、㊙一期一会

石井　章	民主→国民の生活が第一→未来→おおさか維新の会→日本維新の会(16.8)
維　　比例④	

A型、㉗取手市議・衆議院議員、㉕社会保障・経済雇用・医療介護、㉘野球・スキー、㊚田中角栄、㊙一期一会

石井　準一	自民[無]
自[無]　千葉[元]	

A型、㉗代議士秘書・千葉県議、㉕社会保障・災害復興・減災対策・景気経済政策、㉘散歩・庭の水撒き、㊚山岡鉄舟、㊙知行合一

石井　浩郎	自民[無]
自[無]　秋田④	

O型、㉗プロ野球選手、㉕農業振興・地方創生・教育・文化・スポーツ、㉘将棋・音楽鑑賞、㊙勇往邁進

石井 正弘（いし い まさ ひろ） 自[無]　岡山㋲	自民[無]

AB型、㋯岡山県知事・建設省大臣官房審議官、㋐復旧・復興、地方創生、㋙至誠無息、初心忘るべからず

石井 苗子（いし い みつ こ） 維　比例④	おおさか維新の会→日本維新の会（16.8）

O型、㋯東大医学部客員研究員・女優・キャスター、㋐厚労・災害対策・福祉・外交、㋛剣道・和太鼓、㋕エイブラハム・リンカーン、㋙万機公論に決す

石垣 のりこ（いし がき のりこ） 立　宮城	立憲→立憲（20.9）

O型、㋯ラジオ局アナウンサー、㋐消費税廃止・日本の人権環境を世界基準にする、㋛温泉めぐり、㋕小学3、4年生時の担任、㋙万物流転す

石川 大我（いし かわ たい が） 立　比例㋲	立憲→立憲（20.9）

AB型、㋯豊島区議・参院議員秘書、㋐LGBT人権施策・児童教育、㋛水泳・陶器収集・てんこく

石川 博崇（いし かわ ひろ たか） 公　大阪④	公明

O型、㋯外務省、㋛映画鑑賞・剣道

石田 昌宏（いし だ まさ ひろ） 自[無]　比例㋲	自民[無]

A型、㋯看護師・団体幹事長、㋐厚生労働、㋛観賞魚飼育・神社巡り・読書

石橋 通宏（いし ばし みち ひろ） 立　比例④	民主→民進（16.3）→立憲（18.5）→立憲（20.9）

O型、㋯情報労連特別中央執行委員、ILO上級専門官、㋐雇用・労働・情報通信、㋛読書・スキー

磯﨑 仁彦（いそ ざき よし ひこ） 自[無]　香川④	自民[無]

B型、㋯全日空、㋐経済産業・教育、㋛世界遺産、㋕命もいらず、名もいらず、官位も金もいらぬ人は仕抹に困るもの也。此の仕抹に困る人ならでは、艱難を共にして国家の大業は成し得られぬなり

礒﨑 哲史 (いそざき てつじ) 国 比例元	民主→民進(16.3)→国民(18.5)→無所属(20.9)→国民(21.3)

AB型、⑱日産自動車㈱、⑳坂本龍馬

猪口 邦子 (いのぐち くにこ) 自[麻] 千葉④	自民[麻]

A型、⑱上智大学教授、軍縮大使、少子化・男女共同参画担当大臣、㉑少子化対策・外交安全保障・教育・財政金融・環境、㉜着物・料理・読書、㉝赤星秀子（桜蔭の担任・校長）、㉝至誠純真

猪瀬 直樹 (いの せ なおき) 維 比例④	日本維新の会

ＡＢ型、⑱作家・元東京都知事、㉑構造改革、㉜ランニング・テニス、㉝二宮金次郎（拙著『人口減少社会の成長戦略』参照）

今井 絵理子 (いまい えりこ) 自[麻] 比例④	自民[麻]

O型、⑱1996ダンス＆ボーカルグループSPEED（スピード）メンバー・歌手、㉑障がい者・沖縄施策、㉜読書・音楽鑑賞、㉝両親、㉝動かなきゃ始まらない

岩渕 友 (いわ ぶち とも) 共 比例④	共産

⑱日本民主青年同盟福島県委員長、㉑原発ゼロ・震災復興・憲法・平和・中小企業、㉜登山・食べ歩き

岩本 剛人 (いわ もと つよ ひと) 自[無] 北海道元	自民[無]

B型、⑱北海道議会議員、㉜野球・空手・スポーツ観戦、㉝努力は人を裏切らない

上田 勇 (うえ だ いさむ) 公 比例④	公明党

B型、⑱農水省職員、㉑経済・財政、㉜読書、㉝坂本龍馬、㉝力なき正義は無能、正義なき力は圧制

上田 清司 (うえ だ きよ し) 無 埼玉④	新生→新進(94.12)→民主(98.4)→無所属

AB型、⑱衆議院議員・埼玉県知事、㉜読書・登山、㉝西郷隆盛、㉝疾風に勁草を知る

上野 通子 うえ の みち こ 自[無] 栃木④	自民[無]

ＡＢ型、略栃木県議

臼井 正一 うす い しょう いち 自[無] 千葉④	自民[無]

Ａ型、略株式会社オリエンタルランド、政安全保障、趣手洗い・風呂掃除、尊臼井日出男、銘継続は力なり

打越 さく良 うち こし ら 立 新潟㊦	無所属→立憲(19.9)→立憲(20.9)

Ｂ型、略弁護士、政福祉・教育・農業、趣読書、尊父母、銘未来は待つべきものではない、作り出さなければならないものだ

梅村 聡 うめ むら さとし 維 比例㊦	民主→日本維新の会

Ｂ型、略医師、政医療・介護分野、趣水泳・登山・マラソン

梅村 みずほ うめ むら 維 大阪㊦	日本維新の会

Ａ型、略フリーアナウンサー、政こども政策・教育・女性活躍推進、趣キャンプ・読書、尊小堀月浦、銘知之者不如好之者、好之者不如楽之者

江島 潔 え じま きよし 自[無] 山口④	自民[無]

Ａ型、略下関市長、政科学技術・経済産業・国土交通・農林水産、趣銭湯巡り・自転車・ランニング、銘一所懸命

衛藤 晟一 え とう せい いち 自[無] 比例㊦	自民→無所属(05.8)→自民[無](07.3)

Ａ型、略大分市議・県議、政社会保障・教育、趣サッカー観戦・読書

小沢 雅仁 お ざわ まさ ひと 立 比例㊦	立憲→立憲(20.9)

Ｏ型、略JP労組、政社会保障・労働環境、趣ランニング・温泉巡り、銘失意泰然得意淡然

おぬま たくみ
小沼 巧
立　茨城[元]

立憲→立憲(20.9)

O型、[略]ボストンコンサルティング・経産省、[政]地域経済・農林水産、経済政策、[趣]ラグビー観戦・読書、[尊]中野正剛・斎藤隆夫、[銘]不撓不屈

おのだ きみ
小野田紀美
自[無]　岡山④

自民[無]

A型、[略]東京都北区議会議員、[政]教育・法務・農林水産・地方創生、[趣]作詞作曲・歌・ゲーム・読書、[銘]命を惜しむな名を惜しめ

お つじ ひで ひさ
尾辻秀久
無　鹿児島[元]

自民→無所属(10.7)→自民(12.12)→無所属(22.8)

O型、[略]日本遺族会会長・鹿児島県議、[政]社会保障・税制改革・財政構造改革、[趣]読書・旅行

お ち とし ゆき
越智俊之
自[無]　比例④

自民[無]

A型、[略]会社役員、[政]中小企業支援策・地域活性化、[趣]旅・ロードバイク・釣り

おお いえ さと し
大家敏志
自[麻]　福岡④

自民[麻]

O型、[略]福岡県議会議員、[政]経済・財政・社会保障、[趣]ゴルフ・読書、[銘]和而不同・現状維持は退歩なり

おお しま く す お
大島九州男
れ　比例④繰

民主→民進(16.3)→国民(18.5)→れいわ新選組

O型、[略]直方市議会議員、[政]教育・中小企業・動物愛護、[趣]旅行・テニス・温泉、[銘]天道を生きる

おお つか こう へい
大塚耕平
無(国民)　愛知[元]

民主→民進(16.3)→国民(18.5)→国民(20.9)→無所属(24.4)

O型、[略]日本銀行、[政]財政金融・行財政改革、[趣]スキューバダイビング・スキー・キャンプ

おおつばき
大椿ゆうこ
社　比例[元]繰

社民

A型、[略]非正規労働者・労組専従役員、[政]労働・格差・性別・人権問題、[趣]ひとり旅・裁縫、[銘]Els carrers seran sempre nostres

| 大野　泰正
無　　　　岐阜⑩ | 自民→無所属(24.1) |

A型、㉪岐阜県議会議員、㉰旅行

| 太田　房江
自[無]　　大阪⑩ | 自民[無] |

AB型、㉪元大阪府知事、㉰ピアノ演奏・カラオケ

| 岡田　直樹
自[無]　　石川④ | 自民[無] |

A型、㉪北國新聞社論説委員・石川県議、㉑外交安保・国土交通、㉰読書

| 奥村　政佳
立　　　比例⑩繰 | 立憲 |

AB型、㉪保育士・台風科学技術研究センター・歌手、㉑保育・気象・防災・文化芸術、㉰カメラ・アカペラ、㉮森田正光、㉯一念天に通ず

| 音喜多　駿
維　　　　東京⑩ | みんな→元気→都民ファーストの会→あたらしい党・日本維新の会 |

O型、㉪東京都議・化粧品会社社員、㉑経済政策・子育て教育・地方分権、㉰ダンス・マラソン、㉮ジャッキー・チェン、㉯幸せとは、他人になりたいと思わないこと

| 鬼木　誠
立　　　比例④ | 立憲 |

㉪福岡県職員・自治労本部書記長、㉑地方分権・労働問題(特に非正規)、㉰観劇・落語・スポーツ観戦、㉮アインシュタイン、㉯一人はみんなのために、みんなは一人のために

| 加田　裕之
自[無]　　兵庫⑩ | 自民[無] |

㉪兵庫県議・衆院議員秘書、㉑防災・地方分権・社会基盤整備、㉰ご当地グルメ巡り、㉮賀川豊彦、㉯可能性を信じる

| 加藤　明良
自[無]　　茨城④ | 自民[無] |

O型、㉪県議・参議院議員秘書、㉰ランニング・サイクリング

嘉田由紀子
かだ ゆきこ
教　　　滋賀㊦

無所属→国民(23.6)→教育(23.12)

AB型、㊕滋賀県知事、㊔子ども政策・流域治水政策、㊟街あるき・山あるき、㊞伝教大師最澄、㊙忘己利他

梶原大介
かじ はら だい すけ
自[無]　　比例④

自民[無]

B型、㊕県議・参議院議員秘書、㊔地方創生・国土強靭化、㊟ゴルフ・旅行・キャンプ、㊞大久保利通、㊙堅忍不抜

片山さつき
かた やま
自[無]　　比例④

自民[無]

O型、㊕財務省主計官、㊔経済政策・エネルギー・社会保障、㊟テニス・ゴルフ、㊞マーガレット・サッチャー、徳川家康、㊙日新日々新

片山大介
かた やま だい すけ
維　　　兵庫④

おおさか維新の会→日本維新の会(16.8)

A型、㊕NHK記者、㊔皇室・労働・雇用・保育・環境、㊟野球・ビートルズ楽曲鑑賞・街歩き、㊞坂本龍馬、㊙積小為大

勝部賢志
かつ べ けん じ
立　　　北海道㊦

立憲→立憲(20.9)

O型、㊕北海道議会副議長

金子道仁
かね こ みち ひと
維　　　比例④

日本維新の会

B型、㊕キリスト教会牧師・社会福祉法人理事長・外務省、㊔教育・福祉・地方創生・外交防衛、㊟バスケ・散歩、㊞イエス・キリスト、㊙あなたの隣人をあなた自身のように愛せよ

神谷宗幣
かみ や そう へい
参　　　比例④

自民→参政党(20.4)

O型、㊕会社代表、㊔教育、㊟映画鑑賞、㊞吉田松陰、㊙知行合一

神谷政幸
かみ や まさ ゆき
自[麻]　　比例④

自民[麻]

AB型、㊕日本薬剤師連盟副会長、㊔厚生労働、㊟読書・音楽鑑賞（ポップス）、㊞イチロー・五木寛之・大江千里、㊙道に志し、徳に拠り、仁に依り、芸に遊ぶ

紙　智子 共　　　比例元	共産

Ａ型、㊕民青副委員長、㊉福祉・くらし・環境・農林漁業、㊙絵画・山歩き

川　合　孝　典 国　　　比例④	民主→民進→国民(18.5)→無所属 (20.9)→国民(20.10)

Ｂ型、㊕UAゼンセン役員、㊉雇用、労働、社会保障、医薬・医療、㊙城跡巡り・読書、㊚両親、㊛一隅を照らす

川　田　龍　平 立　　　比例元	無所属→みんな(09.12)→結いの党 (13.12)→維新の党(14.9)→無所属 (16.3)→立憲(17.12)→立憲(20.9)

㊟薬害エイズ訴訟原告・松本大学非常勤講師、㊉厚生労働・環境・農業、㊙ピアノ・トランペット・YouTube・動画編集

河　野　義　博 公　　　比例元	公明

Ａ型、㊕丸紅㈱、㊙読書・スポーツ観戦

木　村　英　子 れ　　　比例元	れいわ新選組

Ａ型、㊕自立ステーションつばさ事務局長、㊉障害福祉政策・教育（フルインクルーシブ教育政策)、㊙映画鑑賞、㊚三井絹子

吉　良　よし子 共　　　東京元	共産

㊕会社員・党職員、㊉雇用問題、憲法・平和、原発ゼロ、㊙合唱・ピアノ・映画鑑賞

岸　真紀子 立　　　比例元	立憲→立憲(20.9)

㊕自治労特別中央執行委員

北　村　経　夫 自[無]　山口元補	自民[無]

Ｂ型、㊕元産経新聞政治部長、㊉外交防衛、エネルギー、農林水産、運輸、㊙読書・ゴルフ・カラオケ・ウォーキング、㊛至誠にして動かざる者は未だ之有らざるなり

| 串田 誠一 くし だ せい いち
維 比例④ | 日本維新の会 |

㊟大学院特任教授・作家・漫画原作者・弁護士

| 窪田 哲也 くぼ た てつ や
公 比例④ | 公明 |

O型、㊟公明新聞九州支局長、㊣散歩・読書・映画鑑賞、㊙秋山好古・秋山真之兄弟、㊣質実剛健

| 熊谷 裕人 くま がい ひろ と
立 埼玉㊤ | 立憲→立憲(20.9) |

B型、㊟さいたま市議・議員秘書、㊣子ども子育て、㊙ジョギング・ロードバイク、㊣初心生涯

| 倉林 明子 くら ばやし あき こ
共 京都㊤ | 共産 |

O型、㊟看護師・京都市議、㊣社会保障・経済・雇用・労働・ジェンダー、㊙掃除

| こやり 隆史 たか し
自[無] 滋賀④ | 自民[無] |

A型、㊟経産省職員、㊣経済、㊙読書・ランニング、㊙秋山真之、㊣運

| 小池 晃 こ いけ あきら
共 比例㊤ | 共産 |

O型、㊟医師・国会議員、㊙演劇鑑賞・釣り、㊣命どう宝（命こそ宝）

| 小西 洋之 こ にし ひろ ゆき
立 千葉④ | 民主→民進(16.3)→無所属(18.5)→立憲(20.9) |

㊟総務省、経済産業省課長補佐、㊙父・母

| 小林 一大 こ ばやし かず ひろ
自[無] 新潟④ | 自民[無] |

㊟県議・普談寺副住職、㊣経済・教育・農林水産業、㊙読書・映画鑑賞・旅行・キャンプ・ランニング、㊙空海、㊣不動心

古賀　千景
立　　　　比例④　　　立憲

A型、㊟労組役員、㊟教育・平和・子ども・男女共同参画、㊟ピアノ演奏、㊟平塚らいてう、㊞一期一会

古賀　友一郎
自[無]　　長崎㊟　　自民[無]

O型、㊟総務省（旧自治省）職員、㊟経済財政・社会保障・地域振興、㊟野球・将棋

古賀　之士
立　　　　福岡④　　　民進→国民(18.5)→立憲(20.9)

A型、㊟民放アナウンサー、㊟財政金融・経済産業、㊟天体観測・モノポリー・スポーツ全般、㊟王貞治、㊞縁

古庄　玄知
自[無]　　大分④　　　自民[無]

A型、㊟弁護士、㊟憲法改正・法整備・地方活性化、㊟登山・短歌・ウォーキング・剣道、㊟三浦梅園、㊞為せば成る

上月　良祐
自[無]　　茨城㊟　　自民[無]

B型、㊟茨城県副知事、㊟成長戦略・農林水産業振興・地方分権、㊟加圧トレーニング、㊞全てのことを全力で

佐々木さやか
公　　　　神奈川㊟　　公明

㊟弁護士、㊟女性・若者政策、㊟音楽鑑賞・スキー、㊟両親、上杉鷹山、ローザ・パークス

佐藤　啓
自[無]　　奈良④　　　自民[無]

O型、㊟総務省職員、㊟テニス・ゴルフ

佐藤　信秋
自[無]　　比例㊟　　自民[無]

㊟国土交通事務次官、㊞敬天愛人

氏名	所属政党の変遷
佐藤正久（さとう まさひさ） 自[無]　比例[元]	自民[無]
O型、[略]自衛官、[政]外交・防衛・防災、[趣]散歩、[銘]無意不立（意なくば立たず）	
齊藤健一郎（さいとう けんいちろう） 無(N党)比例④繰	政治家女子48党→無所属→NHKから国民を守る党
B型、[略]堀江貴文秘書、[政]スポーツ振興・地方創生・宇宙、[趣]アウトドアアクティビティ全般、[尊]立花孝志・堀江貴文、[銘]Simple is best.	
斎藤嘉隆（さいとう よしたか） 立　愛知④	民主→民進(16.3)→無所属(18.5)→立憲(18.11)→立憲(20.9)
A型、[略]連合愛知副会長、県教組委員長、[政]教育科学、[趣]スポーツ・読書	
酒井庸行（さかい やすゆき） 自[無]　愛知[元]	自民[無]
O型、[略]県議・市議、[政]社会資本整備・社会保障・子育て支援、[趣]芸術鑑賞・ゴルフ	
櫻井充（さくらい みつる） 自[無]　宮城④	民主→民進(16.3)→国民(18.5)→無所属(19.11)→自民[無](22.4)
A型、[略]一市民・医師、[政]経済政策・社会保障政策（医療・子育て・その他）、[趣]城をめぐって温泉に入る・卓球・将棋	
里見隆治（さとみ りゅうじ） 公　愛知④	公明
O型、[略]厚生労働省・トヨタ自動車出向、[政]労働・社会保障・地方創生、[趣]旅行・山登り、[尊]上杉鷹山、[銘]足下を掘れ、そこに泉あり	
山東昭子（さんとう あきこ） 自[麻]　比例[元]	自民→無所属(07.8)→自民(10.7)→無所属(19.8)→自民[麻](22.8)
O型、[略]女優、[政]文教科学・環境・福祉・食育、[趣]音楽鑑賞・ゴルフ・インテリアデザイン	
清水貴之（しみず たかゆき） 維　兵庫[元]	日本維新の会→維新の党(14.9)→おおさか維新の会(15.12)→日本維新の会(16.8)
O型、[略]朝日放送アナウンサー、[政]地方分権・震災復興、[趣]旅行	

清水 真人 （しみずまさと）
自[無]　群馬元

O型、略群馬県議・高崎市議、政教育・農林水産・国土交通、趣スキー・水泳・野球などのスポーツ、将棋、読書、尊両親、銘摩頂放踵

自民[無]

自見 はなこ （じみはなこ）
自[無]　比例④

AB型、略虎の門病院小児科医、政社会保障・こども政策、趣マラソン・読書・旅行、銘一生懸命

自民[無]

塩田 博昭 （しおたひろあき）
公　比例元

O型、略公明党政務調査会事務局長、政社会保障・救急医療・地方創生・ガン対策、趣読書・映画鑑賞、尊諸葛孔明、銘誠心誠意

公明

塩村 あやか （しおむらあやか）
立　東京元

みんな→民進→国民→立憲→立憲（20.9）

AB型、略都議、政脱原発・社会保障・女性施策、尊キャロライン・ケネディ、銘日日是好日

柴 愼一 （しばしんいち）
立　比例④

立憲

B型、略労組役員、政社会保障・雇用労働・郵政政策、趣ウォーキング・カラオケ・ゴルフ、尊白洲次郎、銘一燈を提げて暗夜を行く。暗夜を憂うることなかれ、ただ一燈を頼め。

柴田 巧 （しばたたくみ）
維　比例元

自民→無所属→みんな→結いの党→維新の党→無所属→日本維新の会

A型、略県議・衆議員秘書、政映画・音楽鑑賞、銘不撓不屈

下野 六太 （しものろくた）
公　福岡元

公明

略中学校保健体育教諭、政教育政策

白坂 亜紀 （しらさかあき）
自[無]　大分元補

自民[無]

A型、略会社役員、政女性活躍・少子化対策、趣囲碁・テニス、尊瀧廉太郎、銘人生は挑戦の連続

しんどうかねひこ **進藤金日子** 自[無]　比例④	自民[無]

AB型、[略]農林水産省中山間地域振興課長、[政]農林水産・地域振興・土地改良、[趣]読書・旅行・野球観戦、[尊]石川理紀之助、[銘]真実一路、我以外皆我師

しんばかづや **榛葉賀津也** 国　静岡[元]	民主→民進(16.3)→国民(18.5)→国民(20.9)

O型、[略]静岡県菊川町議会議員、[政]外交防衛・中東問題・エネルギー問題、[趣]野球・大相撲・落語・講談・浪曲・常磐津・プロレス

すえまつしんすけ **末松信介** 自[無]　兵庫④	自民[無]

[略]兵庫県議会副議長、[趣]読書・空手道・野球・絵画鑑賞・映画鑑賞、[銘]至道無為、誠、あるがまま

すぎひさたけ **杉久武** 公　大阪[元]	公明

A型、[略]公認会計士、[政]経済・財政、[趣]旅行

すぎおひでや **杉尾秀哉** 立　長野④	民進→立憲(18.4)→立憲(20.9)

O型、[略]TBSテレビニュースキャスター、[政]総務・社会保障・外交、[趣]料理・旅行・鉄道、[尊]筑紫哲也、[銘]意志ある所に道あり

すずきむねお **鈴木宗男** 無　比例[元]	自民→無所属(02.3)→新党大地(05.8)→日本維新の会→無所属(23.10)

B型、[略]衆議院議員8期、[政]外交・防衛・農水、[趣]ジョギング、[尊]父、[銘]人生出会い

せこうひろしげ **世耕弘成** 無　和歌山[元]	自民→無所属(24.4)

B型、[略]NTT、[政]情報通信・中小企業対策、[趣]読書

せきぐちまさかず **関口昌一** 自[無]　埼玉④	自民[無]

B型、[略]県議・歯科医師、[趣]野球・ウォーキング・カラオケ

田島麻衣子 立　　　愛知元	立憲→立憲(20.9)

A型、略国連職員（WFP世界食糧計画）、政外交・少子化対策・女性の働き方改革、趣ヨガ・料理・フェンシング、尊緒方貞子（国連難民高等弁務官）、ヘレン・クラーク（元ニュージーランド首相）、銘万象皆師

田中昌史 自[無]　比例元繰	自民[無]

略理学療法士

田名部匡代 立　　　青森④	民主→民進(16.3)→国民(18.5)→立憲(20.9)

A型、略衆議院議員秘書、政農水・厚生労働、趣映画鑑賞・スポーツ観戦、尊両親、アン・サリバン、銘一所懸命

田村智子 共　　　比例④	共産

A型、略国会議員秘書、政社会保障、非正規雇用問題、ジェンダー平等など人権問題、趣歌・映画鑑賞・読書

田村まみ 国　　　比例元	国民→無所属(20.9)→国民(21.3)

O型、略UAゼンセン政治局、政労働・社会保障、趣野球観戦・アロマテラピー、銘自らが選択し挑戦を続ける

高木かおり 維　　　大阪④	自民→おおさか維新の会(16.6)→日本維新の会(16.8)

O型、略堺市議会議員（2期）、政教育・子ども子育て・ダイバーシティ推進、趣茶道・神社仏閣巡り・アロマ、尊マザー・テレサ、銘一期一会

高木真理 立　　　埼玉④	立憲

ＡＢ型、略市議・県議、政社会保障・教育・地方分権、趣マンションミニ庭でのガーデニング・裁縫、尊両親、銘動けば変わる

高橋克法 自[麻]　栃木元	自民[麻]

A型、略参議院政策秘書・県議・町長、政国交・環境・農林水産、趣炭焼き、銘天に貯金する

たかはし **高橋はるみ** 自[無]　北海道[元]	自民[無]

O型、[略]北海道知事、[趣]美術鑑賞・温泉めぐり、[銘]何事も一生懸命にやる

たかはしみつお **高橋光男** 公　兵庫[元]	公明

A型、[略]在ブラジル日本大使館一等書記官、[政]地域経済活性化・社会保障・平和外交、[趣]ジョギング・SNS投稿、[尊]父、[銘]建設は死闘、破壊は一瞬

たからてつみ **高良鉄美** 無(沖縄)　沖縄[元]	無所属

[略]大学教授、[政]憲法・沖縄基地問題、[趣]ボウリング・ギター・ナンプレ（数独)、[銘]困難は乗り越えられる者の前にやってくる

たきさわもとめ **滝沢求** 自[麻]　青森[元]	自民[麻]

B型、[略]県議・衆議院議員秘書、[政]震災復興・社会保障、[趣]映画鑑賞

たきなみひろふみ **滝波宏文** 自[無]　福井[元]	自民[無]

[略]財務省広報室長・主計局主査・スタンフォード大研究員・米国公認会計士、[政]エネルギー・成長戦略・ファイナンス・農林水産、[趣]スキー、[銘]勤勉・正直・感謝

たけうちしんじ **竹内真二** 公　比例④	公明

O型、[略]公明新聞編集局次長、[政]文教科学・国土交通・拉致問題、[趣]読書・料理、[尊]坂本竜馬、[銘]一期一会

たけづめひとし **竹詰仁** 国　比例④	国民

[略]東京電力労働組合中央執行委員長

たけやとしこ **竹谷とし子** 公　東京④	公明

[略]公認会計士、[銘]ベストをつくせ、たとえ失敗しても、もう一度トライせよ。そして再びベストをつくせ

たけみ けいぞう
武見敬三
自[麻]　東京[元]

自民[麻]

B型、[略]東海大教授、[政]保健医療・外交、[趣]スポーツ観戦・家族とドライブ

たにあい まさあき
谷合正明
公　比例④

公明

B型、[略]国際医療NGO「AMDA」、[政]農林水産業・経済産業・環境・外交・共生社会、[趣]写真・フルマラソン、[銘]疾風勁草

つげ よしふみ
柘植芳文
自[無]　比例[元]

自民[無]

A型、[略]全国郵便局長会会長、[趣]ゴルフ

つじもと きよみ
辻元清美
立　比例④

社民→民主→民進→立憲(17.10)

B型、[略]国際交流ＮＧＯスタッフ、[政]憲法・安保・公共交通・ＮＰＯ・環境・ジェンダー、[趣]掃除・断捨離・食べ歩き、[尊]土井たか子、[銘]一人の力は微力でも無力ではない

つるほ ようすけ
鶴保庸介
自[無]　和歌山④

自由→保守(00.4)→保新(02.12)→自民[無](03.11)

A型、[略]衆院議員秘書、[政]財政・農水・外交問題、[趣]スポーツ

てらた しずか
寺田静
無　秋田[元]

無所属

O型、[略]議員秘書、[政]福祉・教育・子ども子育て、[趣]庭いじり、[尊]田中正造、[銘]一粒の麦もし地に落ちて死なずば、ただ一つにてあらん、死なば多くの実を結ぶべし

てんばた だいすけ
天畠大輔
れ　比例④

れいわ新選組

O型、[略]研究者・重度障がい者支援団体代表理事、[政]障がい福祉・選挙制度、[尊]恩師である養護学校時代の担任の先生、[銘]悲喜交交

どうこ しげる
堂故茂
自[無]　富山[元]

自民[無]

O型、[略]衆議員秘書・県議・市長、[趣]読書・ゴルフ

どうごみまきこ **堂込麻紀子** 無　茨城④	無所属

[略]労組役員

とくなが **徳永エリ** 立　北海道④	民主→民進(16.3)→国民(18.5)→立憲(20.9)

A型、[略]TVリポーター、[趣]山登りなどのアウトドア、[尊]ガンジー、[銘]座して進まず、歩けば道

とものうりお **友納理緒** 自[無]　比例④	自民[無]

O型、[略]看護師・弁護士・元日本看護協会参与、[政]医療・看護・社会保障、[趣]手芸・ランニング・バイオリン、[尊]母、[銘]義務においては堅実に

とよだとしろう **豊田俊郎** 自[麻]　千葉[元]	自民[麻]

A型、[略]千葉県議1期・八千代市長3期、[政]国土強靭化・地方分権・所有者不明土地問題、[趣]ジョギング・家庭菜園、[尊]後藤新平、[銘]我事において後悔せず

たかこ **ながえ孝子** 無　愛媛[元]	民主→無所属

A型、[略]民放アナウンサー、[政]経済・教育、[趣]映画鑑賞、[尊]ローザ・ルクセンブルク、[銘]なぜベストをつくさない？

なかじょう **中条きよし** 維　比例④	日本維新の会

B型、[略]歌手・俳優、[政]高齢者福祉政策、[趣]ゴルフ・サウナ、[尊]石原慎太郎、[銘]一笑一若、一怒一老

なかそねひろふみ **中曽根弘文** 自[無]　群馬④	自民[無]

O型、[略]旭化成工業・中曽根康弘首相秘書、[政]外交・教育、[趣]スポーツ・読書、[尊]福澤諭吉、[銘]不易流行

なかだひろし **中田宏** 自[無]　比例[元]繰	日本新党→新進→日本維新の会→自民[無]

A型、[略]横浜市長、[政]経済・安全保障・地方自治・教育、[趣]読書・フィットネスジムトレーニング、[尊]松下幸之助、[銘]先憂後楽

中西祐介 なかにしゆうすけ
自[麻] 徳島・高知④ 自民[麻]

㊞銀行員

永井学 ながいまなぶ
自[無] 山梨④ 自民[無]

O型、㊞県議・衆院議員秘書、㊙子育て支援策、㊙弓道、㊙横内正明、㊙一を以て之を貫く

長浜博行 ながはまひろゆき
無 千葉㊀ 日本新党→新進(94.12)→無所属→民主(98.12)→民進(16.3)→国民(18.5)→無所属(18.10)→立憲(18.12)→立憲(20.9)→無所属(22.8)

O型、㊞国会議員秘書、㊙地方分権、㊙水族館めぐり、㊙両親、㊙愛と感謝

長峯誠 ながみねまこと
自[無] 宮崎㊀ 自民[無]

B型、㊞都城市長、㊙読書・音楽鑑賞、㊙修己治人

仁比聡平 にひそうへい
共 比例④ 共産

㊞弁護士、㊙憲法・地域経済・災害対策、㊙キャンプ、㊙瀬長亀次郎、㊙被害ある限り絶対に諦めない

新妻秀規 にいづまひでき
公 比例㊀ 公明

A型、㊞川崎重工業、㊙中小企業支援・被災地復興支援・科学技術、㊙英語・体力づくり・乗り鉄、㊙細井平洲、㊙先ず隗より始めよ

西田昌司 にしだしょうじ
自[無] 京都㊀ 自民[無]

A型、㊞税理士・京都府議会議員、㊙読書・街頭遊説

西田実仁 にしだまこと
公 埼玉④ 公明

A型、㊞「週刊東洋経済」副編集長、㊙コロナ禍克服、日本再生、特に中小企業の再生、防災・減災、㊙剣道・バドミントン、㊙成せばなる

野上浩太郎 自［無］　　富山④	自民［無］

O型、㊚三井不動産・県議、㊙バスケットボール・読書

野　田　国　義 立　　　　福岡㊀	民主→民進(16.3)→無所属(18.5)→ 立憲(18.12)→立憲(20.9)

㊚福岡県八女市長・衆議院議員

野　村　哲　郎 自［無］　　鹿児島㊀	自民［無］

A型、㊚鹿児島県農協中央会常務理事、㊔食料・農業問題、地域経済活性化、社会福祉、㊙読書・家庭菜園、㊞一期一会

羽　田　次　郎 立　　　　長野㊀補	立憲

O型、㊚会社社長、㊔スモールボイス・ファースト、チルドレン・ファースト、㊙読書、㊛尾崎行雄、㊞頭は低く目は高く口謹んで心広く孝を原点として他を益する

羽生田　　俊 自［無］　　比例㊀	自民［無］

㊚日本医師会副会長、㊔厚生労働

芳　賀　道　也 無(国民)　　山形㊀	無所属

O型、㊚キャスター・フリーアナウンサー、㊔農業、㊙落語、㊛父、㊞楽観もせず悲観もせず

長谷川　　岳 自［無］　　北海道④	自民［無］

㊚YOSAKOIソーラン祭り組織委員会専務理事

長谷川英晴 自［無］　　比例④	自民［無］

O型、㊚郵便局長、㊔地方創生、㊙音楽鑑賞、㊛長嶋茂雄、㊞一意専心

馬場 成志 ばば せいし 自[無] 熊本元	自民[無]

Ａ型、⑱熊本県議会議長、㉘農林水産関連・地方行政、㉟読書

橋本 聖子 はし もと せい こ 自[無] 比例元	自民→無所属(21.2)→自民[無] (22.7)

Ｂ型、⑱スピードスケート選手、㉘文教科学、㉟陶芸・乗馬、㊟細心大胆

浜口 誠 はま ぐち まこと 国 比例④	民進→国民(18.5)→無所属(20.9)→ 国民(21.3)

Ｂ型、⑱トヨタ自動車社員、㊟ネバーギブアップ

浜田 聡 はま だ さとし 無(N党)比例元繰	ＮＨＫ党→政治家女子48党(党名変更)→無所属→ＮＨＫから国民を守る党

Ｏ型、⑱放射線科専門医、㉘自治労による組合費の給与天引き廃止、㉟YouTube動画・ブログの更新、㊅高杉晋作、㊟面白き事もなき世を面白くすみなすものは心なりけり

浜野 喜史 はま の よし ふみ 国 比例元	民主→民進(16.3)→国民(18.5)→国民(20.9)

Ｏ型、⑱労働組合役員、㉘エネルギー政策、㉟読書・スポーツ観戦

比嘉奈津美 ひ が な つ み 自[無] 比例元繰	自民[無]

Ａ型、⑱歯科医師

平木 大作 ひら き だい さく 公 比例元	公明

Ａ型、⑱シティバンク・経営コンサルタント、㉘経済・金融、㉟読書・音楽鑑賞、㊟百折不撓

平山佐知子 ひら やま さ ち こ 無 静岡④	民進→無所属(17.10)

Ｂ型、⑱フリーアナウンサー、㉘社会保障・環境・エネルギー政策、㉟旅行・水泳、㊅徳川家康、㊟初心忘るべからず

広瀬めぐみ
自[麻] 岩手④

自民[麻]

㊧弁護士、㊤身体を動かすこと、音楽・映画鑑賞、㊨「何とかなる」「人生は誰にとっても一度きり」

広田 一
無 徳島・高知元補

無所属→民主→民進→無所属→立憲→無所属

㊧衆院1期・参院2期・高知県議2期、㊥社会保障・教育・子育て・真の地方分権、㊤読書、㊨心はいつも太平洋・我以外皆師

福岡資麿
自[無] 佐賀④

自民[無]

B型、㊧三菱地所、㊥社会保障・地方創生、㊤剣道・料理・街並散策、㊨愚公移山

福島みずほ
社 比例④

社民

A型、㊧弁護士、㊥人権・女性・環境・平和問題、㊤映画鑑賞

福山哲郎
立 京都④

無所属→民主(99.9)→民進(16.3)→立憲(17.10)→立憲(20.9)

O型、㊧大和証券・松下政経塾、㊥エネルギー・環境・外交・財政、㊤茶道・書道・野球、㊨一日を生涯として生きる

藤井一博
自[無] 比例④

自民[無]

O型、㊧県議・医師、㊥地方創生の実現・危機管理立国・社会保障、㊤登山・料理、㊨上杉鷹山、㊨公直無私

藤川政人
自[麻] 愛知④

自民[麻]

O型、㊧扶桑町職員・愛知県議

藤木眞也
自[無] 比例④

自民[無]

O型、㊧JA組合長、㊥農業・災害対策、㊤ドライブ・農機具の修理、㊨（何事にも）一生懸命

ふじまき たけし
藤巻 健史
維　比例[元]繰

旧日本維新の会→維新の党→おおさか維新の会→日本維新の会

AB型、[略]三井信託銀行、モルガン銀行（現JPモルガン・チェース銀行）、[政]財政金融、[趣]テニス・読書・音楽鑑賞、[尊]マーカス・マイヤー（JPモルガン時代の上司）、[銘]熟慮断行

ふなやま やすえ
舟山 康江
国　山形④

民主→みどりの風(12.7)→無所属→国民(20.9)

AB型、[略]農林水産省、[政]農林水産政策全般、[趣]音楽鑑賞、[尊]石橋湛山・西郷隆盛、[銘]足るを知る

ふなご やすひこ
舩後 靖彦
れ　比例[元]

れいわ新選組

AB型、[略]介護事業会社顧問、[政]日本の全患者・障害者が幸せになるための教育改革！、[趣]読書・ギター演奏、[尊]ミシェル・エケム・ド・モンテーニュ、[銘]苦難は幸福の門

ふなはし としみつ
船橋 利実
自[麻]　北海道④

自民[麻]

A型、[政]一次産業・経済対策・医療介護福祉、[趣]ウォーキング・トイレ掃除・筋トレ、[尊]父、[銘]世のため人のため

ふるかわ としはる
古川 俊治
自[無]　埼玉[元]

自民[無]

A型、[略]慶応義塾大学教授・医師・弁護士、[政]医療・科学技術・金融政策、[趣]ジョギング・映画・音楽鑑賞（ジャズ・クラシック）・トレッキング

ほし ほくと
星 北斗
自[無]　福島④

自民[無]

[略]福島県医師会副会長、[政]厚生労働・医療、[趣]ウクレレ

ほりい いわお
堀井 巌
自[無]　奈良[元]

自民[無]

A型、[略]総務省、[趣]旅行・ご当地グルメ食べ歩き、[銘]一燈照隅、万燈照国

ほんだ あきこ
本田 顕子
自[無]　比例[元]

自民[無]

A型、[略]日本薬剤師連盟副会長、[政]厚生労働、[趣]街の散策・美術鑑賞、[尊]北里柴三郎、[銘]履道応乾

| 舞 立 昇 治
自[無] 鳥取・島根⑪ | 自民[無] |

㊙総務省課長補佐

| 牧 野 たかお
自[無] 静岡⑪ | 自民[無] |

A型、㊙静岡県議会議員、㊙農林水産・国土交通

| 牧山 ひろえ
立 神奈川⑪ | 民主→民進(16.3)→立憲(18.5)→立憲(20.9) |

O型、㊙米国弁護士・TVディレクター、㊙厚生労働・外交・法務など、㊙スポーツ・カラオケ、㊙緒方貞子

| 松 川 るい
自[無] 大阪④ | 自民[無] |

㊙外務省室長、㊙外交・安保、㊙お茶・陶芸・ダンス、㊙聖徳太子

| 松 沢 成 文
維 神奈川④ | 民主→みんな→次世代→希望→日本維新の会(19.06) |

A型、㊙神奈川県議・衆議院議員・神奈川県知事、㊙憲法・教育・行財政改革・地方分権、㊙歴史研究・映画鑑賞・スポーツ観戦・ジョギング、㊙二宮尊徳・福沢諭吉・松下幸之助、㊙運と愛嬌、破天荒力

| 松 下 新 平
自[無] 宮崎④ | 無所属 → 改ク(08.8) → 自民[無](10.01) |

AB型、㊙宮崎県庁・参議院議員秘書・宮崎県議2期、㊙防災、地方行財政、農政、外交防衛、教育、㊙囲碁・読書

| 松 野 明 美
維 比例④ | 日本維新の会 |

A型、㊙熊本県議会議員、㊙障がい者雇用・生活保障、㊙マラソン・そうじ、㊙ナイチンゲール、㊙継続は力なり

| 松 村 祥 史
自[無] 熊本④ | 自民[無] |

AB型、㊙全国商工会連合会、㊙地域活性化、中小企業・小規模事業者の育成、㊙釣り・スポーツ・音楽鑑賞

松山　政司 まつ　やま　まさ　じ 自[無]　　福岡㊚	自民[無]

A型、㈴日本青年会議所会頭、㊙農業・教育問題、㊙音楽活動、㊙高杉晋作、㊚誠心誠意

丸 川 珠 代 まる　かわ　たま　よ 自[無]　　東京㊚	自民[無]

B型、㈴テレビ朝日アナウンサー、㊙社会保障、㊙ダイビング、㊚母・祖母

三 浦 信 祐 み　うら　のぶ　ひろ 公　　　神奈川④	公明

A型、㈴防衛大准教授、㊙エネルギー・医療・社会保障、㊙旅行・ドライブ、㊚野口英世、㊚一期一会、われ以外みなわが師

三 浦 　 靖 み　うら　　やすし 自[無]　　比例㊚	自民[無]

B型、㈴衆議院議員、㊙地方創生・教育、㊙読書・ゴルフ、㊚鈴木恒夫（元文科大臣）、㊚和を以て貴しとなす

三 上 え り み　かみ 無（立憲）　広島④	無所属

㈴テレビ新広島アナウンサー、㊙子育て支援・社会保障、㊙ジョギング・温泉めぐり、㊚言葉には魂が宿る

三原じゅん子 み　はら 自[無]　　神奈川④	自民[無]

B型、㈴女優、㊙医療・介護、㊙ゴルフ

三 宅 伸 吾 み　やけ　しん　ご 自[無]　　香川㊚	自民[無]

㈴日本経済新聞社、㊙経済成長・外交防衛・教育改革、㊙読書、㊚両親、㊚あなたが変われば世界が変わる

水 岡 俊 一 みず　おか　しゅん　いち 立　　　比例㊚	民主→民進→立憲→立憲(20.9)

A型、㈴中学校教員・教職員組合役員、㊙教育・雇用・社会保障・人権・平和、㊙テニス・写真、㊚人間万事塞翁が馬

388

水野 素子 みず の もと こ 立　　神奈川④	立憲

ＡＢ型、㊥JAXA、㊎科学技術・教育・産業・外交・安全保障、㊨旅行・温泉、㊙赤松良子・川口淳一郎、㊚ローマは一日にして成らず

宮口 治子 みや ぐち はる こ 立　　広島元再	無所属→立憲(21.12)

㊥TV局キャスター・フリーアナウンサー、㊎福祉政策、㊨神社仏閣巡り・温泉・ドライブ・料理、㊙マザー・テレサ、㊚人間万事塞翁が馬

宮崎 雅夫 みや ざき まさ お 自[無]　　比例元	自民[無]

㊥農水省課長、㊎農業振興・地方活性化、㊨歴史小説、㊙島田叡、㊚一所懸命

宮崎 勝 みや ざき まさる 公　　比例④繰	公明

Ａ型、㊥公明新聞、㊎教育、㊨登山、㊙父母、㊚不撓不屈

宮沢 洋一 みや ざわ よう いち 自[無]　　広島④	自民[無]

AB型、㊥官僚（大蔵省）、㊎社会保障・財政再建、㊨料理・カメラ

宮本 周司 みや もと しゅう じ 自[無]　　石川元補	自民[無]

Ａ型、㊥酒造会社社長、㊎小規模企業政策・中小企業政策、㊨音楽

村田 享子 むら た きょう こ 立　　比例④	立憲

Ａ型、㊥基幹労連職員・参議院議員秘書、㊎経済産業政策・社会保障、㊨読書・銭湯・野球観戦・顔出しパネルで写真撮影、㊚笑う門には福来る

森 まさこ もり　　まさ こ 自[無]　　福島元	自民[無]

Ｏ型、㊥弁護士・金融庁、㊎女性活躍・消費者問題・金融・少子化対策、㊨洋裁・料理・登山・旅行

森本真治（もりもと しんじ） 立　広島[元]	民主→民進(16.3)→国民(18.5)→立憲(20.9)

[略]広島市議

森屋隆（もりや たかし） 立　比例[元]	立憲→立憲(20.9)

[略]西東京バス㈱・団体職員

森屋宏（もりや ひろし） 自[無]　山梨[元]	自民[無]

A型、[略]県議、[政]観光・少子化対策・地方分権、[趣]旅行、[銘]われ以外皆我が師

矢倉克夫（やくら かつお） 公　埼玉[元]	公明

A型、[略]弁護士・経産省職員、[政]通商・外交・社会保障・教育、[趣]自転車・カラオケ・映画、[銘]たくましき楽観主義

安江伸夫（やすえ のぶお） 公　愛知[元]	公明

A型、[略]弁護士、[政]中小企業支援、[趣]カラオケ、[尊]自分以外のすべての人、[銘]不可能とは、臆病者の言いわけである

柳ヶ瀬裕文（やながせ ひろふみ） 維　比例[元]	日本維新の会

A型、[略]東京都議会議員、[趣]登山

山口那津男（やまぐち なつお） 公　東京[元]	公明→新進(94.12)→平和(98.1)→公明(98.11)

A型、[略]弁護士、[政]安保・防衛、[趣]音楽・美術鑑賞

山崎正昭（やまざき まさあき） 自[無]　福井④	自民→無所属(12.12)→自民[無](16.7)

A型、[略]大野市議・福井県議、[政]建設・農林水産・地方自治、[趣]野球・スキー

山下 雄平
やました ゆうへい
自[無]　　佐賀㊴

自民[無]

㊙日本経済新聞社記者、㊊農政・国土交通・総務（地方分権）、㊙読書・マラソン

山下 芳生
やました よしき
共　　　比例㊴

共産

AB型、㊙生協職員、㊊雇用・福祉・安全保障・地方自治、㊙山歩き・落語・料理

山添 拓
やまぞえ たく
共　　　東京④

共産

AB型、㊙弁護士、㊊労働・原発・憲法、㊙鉄道写真・登山、㊙宮沢賢治、㊙自分らしく

山田 太郎
やまだ たろう
自[無]　　比例㊴

みんな→元気(15.1)→自民[無]

B型、㊙経営コンサルティング会社社長、㊊日本産業再生政策・花粉症対策等、㊙執筆活動・旅行、㊙今日の日をありがとう

山田 俊男
やまだ としお
自[無]　　比例㊴

自民[無]

A型、㊙全国農協中央会専務理事、㊊農業・農村問題、㊙水泳・里山歩き・読書

山田 宏
やまだ ひろし
自[無]　　比例④

日本新党→新進→日本創新党→日本維新の会→次世代→自民[無](15.9)

B型、㊙杉並区長・衆議院議員、㊊外交防衛・安全保障・厚生労働、㊙ダイビング、㊙松下幸之助

山谷 えり子
やまたに えりこ
自[無]　　比例④

民主→保新(02.12)→自民[無](03.11)

A型、㊙サンケイリビング新聞編集長・エッセイスト、㊊教育・外交防衛・少子高齢、㊙水泳・合気道

山本 香苗
やまもと かなえ
公　　　比例㊴

公明

O型、㊙在カザフスタン共和国大使館勤務、㊙水泳・映画鑑賞・旅行

やま もと けい すけ **山本 啓介** 自[無]　　長崎④	自民[無]

A型、㊂長崎県議会議員・衆議院議員秘書、㊉農林水産業・人口減少対策・防衛・離島振興、㊗読書、㊙松永安左エ門、㊛不惜身命

やま もと さ ち こ **山本佐知子** 自[無]　　三重④	自民[無]

A型、㊂三重県議会議員、㊉地方創生・観光・農林水産・産業振興、㊗登山・絵画鑑賞、㊛初心忘るるべからず

やま もと じゅん ぞう **山本 順三** 自[無]　　愛媛④	自民[無]

A型、㊂川崎製鉄・愛媛県議、㊉農林水産業再生・地場産業再生、㊗スポーツ・読書

やま もと た ろう **山本 太郎** れ　　東京④	無所属→自由→れいわ新選組

A型、㊂俳優、㊉積極財政、㊗サーフィン、㊙木村英子・舩後靖彦、㊛金を刷れ、皆に配れ

やま もと ひろ し **山本 博司** 公　　比例㊤	公明

A型、㊂日本IBM、㊉福祉・情報通信、㊗スポーツ観戦・映画鑑賞

よこ さわ たか のり **横沢 高徳** 立　　岩手㊤	国民→立憲(20.9)

O型、㊂バンクーバー・パラリンピック日本代表、㊗カーリング・パワースポット巡り・体を動かすこと、㊙原敬、㊛雨垂れ石を穿つ

よこ やま しん いち **横山 信一** 公　　比例④	公明

A型、㊂北海道議2期

よし い あきら **吉井 章** 自[無]　　京都④	自民[無]

B型、㊂京都市議、㊉経済対策・外交安全保障・教育政策・地方創生、㊗サッカー観戦・ゴルフ、㊛一念不動

よし かわ さ おり **吉 川 沙 織** 立　　　　比例㋝	民主→民進(16.3)→立憲(18.5)→立 憲(20.9)

AB型、㊂NTT社員、㊏情報通信、㊣人と会うこと・散歩・吹奏楽

よし かわ **吉 川 ゆ う み** 自[無]　三重㋝	自民[無]

㊂三井住友銀行、㊏環境・経済、㊣スポーツ・読書

わ だ まさ むね **和 田 政 宗** 自[無]　比例㋝	みんな→次世代(14.11)→こころ (15.12)→無所属(16.11)→自民[無] (17.9)

A型、㊂NHKアナウンサー、㊏震災復興、㊣マラソン

わか ばやし よう へい **若 林 洋 平** 自[無]　静岡④	自民[無]

㊂御殿場市長

わか まつ かね しげ **若 松 謙 維** 公　　　　比例㋝	公明

O型、㊂衆議員・公認会計士・税理士・行政書士、㊏行財政改革・東日本大震災復興・エネルギー、㊣マラソン、㊚上杉鷹山

わた なべ たけ ゆき **渡 辺 猛 之** 自[無]　岐阜④	自民[無]

O型、㊂県議、㊏地方創生、森林・林業、国土交通、㊣釣り、㊚松下幸之助

㊦プロフィール

よ・わ

393

衆議院議員親族一覧

あ	あかま二郎	⊗⊛あかま一之：県議
	安 住　　淳	⊗⊛安住重彦：元宮城県牡鹿町長
	阿 部　　司	⊗阿部吉夫：ハイヤー運転手　母阿部信子：化粧品店経営　妻阿部香織：不動産会社勤務
	逢 沢 一 郎	⊗逢沢英雄：衆院議員
	青 柳 仁 士	⊗青柳景一：元警察官
	青 柳 陽 一 郎	曾祖父⊛高碕達之助：元通産大臣、元衆議院議員、東洋製罐㈱創設者　祖父⊛池田正之輔：元科技庁長官、元衆議院議員
	青 山 周 平	⊗青山秋男：愛知県議会議員
	赤 澤 亮 正	祖父⊛赤澤正道：自治大臣、国家公安委員長
	東　　国 幹	妻東　みつよ：会社役員
	麻 生 太 郎	⊗⊛麻生太賀吉：衆院議員、実業家　母⊛麻生和子：故吉田茂元首相三女　妻麻生千賀子：⊛鈴木善幸元首相三女
	甘 利　　明	⊗⊛甘利　正：衆院議員
	荒 井　　優	⊗荒井　聰：前衆議院議員
い	井 出 庸 生	伯父⊛井出正一：元衆議院議員　祖父⊛井出一太郎：元衆院議員
	井 上 信 治	兄井上賢治：井上眼科病院理事長
	井 上 貴 博	祖父⊛井上吉左衛門：福岡県議会議員　⊗⊛井上雅實：福岡県議会議員
	井 上 英 孝	祖父⊛：大阪市会議員　⊗：大阪市会議員　母：大阪市会議員　妻井上智子　長男井上英将　次男井上真孝　三男井上義英
	井 原　　巧	祖父⊛井原岸高：衆議院議員
	伊 藤 俊 輔	⊗伊藤公介：元衆議院議員
	伊 藤 信 太 郎	⊗⊛伊藤宗一郎：衆議院議長

池畑浩太朗	[祖父][故]大上　司：衆議院議員（自由民主党5期）
石井　拓	[父]石井和男　[母]石井妙子　[妻]石井香代
石川香織	[夫]石川知裕：元衆議院議員
石破　茂	[父][故]石破二朗：鳥取県知事、自治大臣　[母][故]石破和子：元宮城県知事金森太郎長女　[妻]石破佳子：元昭和電工取締役中村明次女
石橋林太郎	[父][故]石橋良三：広島県議会議員
石原宏高	[父][故]石原慎太郎：元衆議院議員、元東京都知事　[兄]石原伸晃：前衆議院議員
泉　健太	[父][故]泉　訓雄：石狩市議
稲田朋美	[夫]稲田龍示：弁護士
岩谷良平	[弟]岩谷栄成：神戸市議会議員
岩屋　毅	[父]岩屋　啓：大分県議
[う] 上田英俊	[父]上田辰三：理容業　[母]上田千恵：理容業　[妻]上田チヨミ：主婦
梅谷　守	[義父]筒井信隆：農林水産副大臣
浦野靖人	[妻]浦野雅代　[長男]浦野靖士朗　[次男]浦野慶夏
[え] 江﨑鐵磨	[父][故]江﨑真澄：副総理、自治・通産大臣、総務庁・防衛庁長官　[甥]細貝正統：第一屋製パン株式会社代表取締役社長
江渡聡徳	[父][故]江渡誠一：青森県議会議員　[叔父][故]江渡龍博：十和田市議会議員　[従弟]江渡信貴：十和田市議会議員
江藤　拓	[父][故]江藤隆美：元建設大臣、運輸大臣、総務庁長官
衛藤征士郎	[妻]衛藤まり子
遠藤利明	[伯父][故]鈴木行男：上山市長、山形県議　[長男]遠藤寛明：山形県議
[お] 小里泰弘	[父][故]小里貞利：総務庁長官、震災対策大臣、北・沖開発庁長官、労働大臣、自民党総務会長
小沢一郎	[父][故]小沢佐重喜：運輸大臣、衆院議員

[衆]親族一覧

※親族について回答のあった議員のみ掲載

小野寺五典　㊙父小野寺信雄：宮城県議会議員、気仙沼市長

小渕優子　㊗父㊙小渕光平：衆院議員　父㊙小渕恵三：内閣総理大臣

尾身朝子　父㊙尾身幸次：元財務大臣、元衆議院議員

越智隆雄　㊗父㊙福田赳夫：内閣総理大臣　叔父福田康夫：内閣総理大臣　父㊙越智通雄：国務大臣　従弟福田達夫：衆議院議員

大島　敦　父㊙大島　茂：北本市議（3期）

大塚　拓　妻大塚珠代（丸川珠代）：参議院議員

大野敬太郎　父㊙大野功統：元防衛庁長官

岡田克也　義兄村上誠一郎：衆院議員

奥下剛光　㊗父奥下幸助：元茨木市議

奥野信亮　㊗父奥野貞治：県議会議員、町長　㊗父神奈川県知事　㊙奥野誠亮：衆議院議員、文部大臣、法務大臣、国土庁長官

加藤鮎子　㊗父㊙加藤精三：元衆議院議員　父㊙加藤紘一：元衆議院議員

加藤勝信　義父㊙加藤六月：元農水大臣、元衆議院議員　妻の伯父㊙加藤武徳：元自治大臣、元参議院議員　義従兄加藤紀文：元参議院議員

加藤竜祥　父加藤寛治：前衆議院議員

河西宏一　㊗祖父㊙河西嘉一：山川製薬（株）専務　㊗父㊙河西健一：住友金属工業（株）常務・住金化工（株）会長

海江田万里　妻海江田志津子

梶山弘志　父㊙梶山静六：衆院議員　母梶山春江

金子恵美　父㊙金子徳之介：衆議院議員

金子俊平　父金子一義：衆議院議員、国土交通大臣、行革大臣　㊗父㊙金子一平：衆議院議員、大蔵大臣、経企庁長官

金子恭之　㊗父㊙金子　龍：深田村長、熊本県議（2期）　父㊙金子　徹：深田村議会議長

金子容三　　　⊗金子原二郎：元農林水産大臣、元長崎県知事　祖父❀金子岩三：元農林水産大臣、元科学技術庁長官

金田勝年　　　❀金田龍子

亀井亜紀子　　⊗亀井久興：元衆議院議員、元国土庁長官

亀岡偉民　　　⊗❀亀岡高夫：衆議院議員、建設・農林水産各大臣

川内博史　　　義祖父❀山田弥一：元衆議院議員

川崎ひでと　　⊗川崎二郎：前衆議院議員　祖父❀川崎秀二：元衆議院議員

菅　直人　　　❀菅　伸子

菅家一郎　　　従兄菅家一博：村議会議員　義兄遠藤和夫：北塩原村村長　義弟阿部光國：町議会議員

き 木村次郎　　祖父❀木村文男：衆議院議員、青森県議会議員　⊗❀木村守男：衆議院議員、青森県知事　兄木村太郎：衆議院議員、青森県議会議員

城内　実　　　⊗城内康光：警察庁長官、ギリシャ大使　義父水谷章：オーストリア大使、モザンビーク大使

菊田真紀子　　⊗菊田征治：新潟県議会議員

岸田文雄　　　祖父❀岸田正記：衆院議員　⊗❀岸田文武：衆院議員

北側一雄　　　⊗❀北側義一：元衆議院議員（昭和42～58年）

こ 小泉進次郎　⊗小泉純一郎：元衆議院議員　兄小泉孝太郎：俳優

小林茂樹　　　祖父❀小林茂市：奈良市議会議員　⊗❀小林喬：奈良県議会議員

小林史明　　　祖父❀小林政夫：元参議院議員

小宮山泰子　　祖父❀小宮山常吉：参議院議員　⊗❀小宮山重四郎：衆議院議員、郵政大臣

小森卓郎　　　義父北村茂男：元衆議院議員、環境副大臣

河野太郎　　　祖父❀河野一郎：農林大臣　⊗河野洋平：衆院議長、副総理兼外相、自民党総裁　母❀河野武子

神津たけし　　(伯父)羽田　孜：元首相　(従兄弟)(故)羽田雄一郎：
元国土交通大臣

高村正大　　(祖父)(故)高村坂彦：元衆院議員　(父)高村正彦：
前衆院議員

國場幸之助　(大叔父)(故)國場幸昌：衆院議員（自民党）　(義父)西
田健次郎：沖縄県議会議員、自民党県連会長

穀田恵二　　(父)(故)穀田良二　(叔父)戸田龍馬：伊丹市議会元議
長　(妻)穀田誠子：染色家

近藤昭一　　(父)(故)近藤昭夫：元名古屋市議　(弟)(故)近藤高昭：
名古屋市議

さ　佐藤公治　(父)(故)佐藤守良：農林水産大臣、国土庁長官、
北海道・沖縄開発庁長官

佐藤　勉　　(祖父)(故)佐藤鶴七：栃木県議会議員、壬生町長
(父)(故)佐藤昌次：栃木県議会議長、壬生町長
(従兄)佐藤三郎：栃木県議会議員　(長男)佐藤
良：栃木県議会議員

斉藤鉄夫　　(父)(故)斉藤武夫：陸軍中佐　(母)(故)斉藤静枝　(妻)
斉藤敏江

坂本哲志　　(妻)坂本晶江

坂本祐之輔　(父)(故)坂本守平：元東松山市議会議長

櫻田義孝　　(長男)櫻田慎太郎：柏市議会議員

笹川博義　　(祖父)(故)笹川良一：元衆議院議員、公益団体会
長　(義父)笹川　堯：元衆議院議員

し　志位和夫　(父)(故)志位明義：船橋市議・小学校教諭　(母)志
位茂野：小学校教諭　(妻)志位孝子：主婦

塩崎彰久　　(祖父)(故)塩崎　潤：元衆議院議員　(父)塩崎恭久：
元衆議院議員

塩谷　立　　(父)(故)塩谷一夫：衆議院議員

下条みつ　　(祖父)(故)下条康麿：元参議院議員、文部大臣
(父)(故)下条進一郎：元参議院議員、厚生大臣

下村博文　　(父)(故)下村正雄　(母)(故)下村富子：主婦　(妻)下村
今日子：主婦

新谷正義　　(祖父)(故)高橋嶺二：東広島市議会議長、東広島
市名誉市民　(祖母)(故)新谷房子：世羅町議会議
員

398

	新藤 義孝	(祖父)(故)新藤勝衛：川口市議会議員
す	鈴木 英敬	(妻)鈴木美保（旧姓：武田）：アーティスティックスイミング・五輪メダリスト
	鈴木 俊一	(父)(故)鈴木善幸：内閣総理大臣
た	田中 和德	(子)田中徳一郎：神奈川県議会議員
	田中 英之	(祖父)(故)田中三松：元京都府議会議長　(父)(故)田中のぼる：元京都市会議長　(弟)田中崇則：京都市議会議員
	田中 良生	(父)田中啓一：蕨市市長
	田野瀬太道	(実父)田野瀬良太郎：衆議院議員、自由民主党総務会長
	田村 憲久	(祖父)(故)田村 稔：衆院議員　(伯父)(故)田村 元：衆院議員
	髙木 啓	(祖父)(故)髙木惣市：東京都北区長　(父)(故)髙木信幸：東京都議
	髙木 毅	(父)(故)高木孝一：敦賀市長
	髙鳥 修一	(父)(故)髙鳥 修：元国務大臣、元衆議院議員
	竹内 譲	(従兄)三輪昭尚：元内閣情報通信政策監　(従妹)井上和香：女優
	武部 新	(実父)武部 勤：自民党幹事長、農林水産大臣、衆議運委員長
	橘 慶一郎	(父)(故)橘 康太郎：衆議院議員
	棚橋 泰文	(祖父)(故)松野幸泰：国土庁長官、衆院議員　(父)棚橋祐治：通産事務次官
	谷 公一	(父)(故)谷 洋一：衆議院議員、農水大臣
	谷川 とむ	(父)谷川秀善：元参議院議員　(兄)谷川正秀：元尼崎市議会議長
つ	津島 淳	(父)(故)津島雄二：厚生大臣、自民党税制調査会長、衆議院議員　(大伯父)(故)津島文治：知事、衆議院議員、参議院議員
	塚田 一郎	(父)(故)塚田十一郎：郵政大臣、自治大臣、新潟県知事　(妻)塚田志保：元アナウンサー
	辻 清人	(妻)辻 奈々

親族一覧

土屋 品 子 　㊗父㊤上原正吉：参議院議員　父㊤土屋義彦：
　　　　　　　参議院議長、埼玉県知事

堤　　かなめ　夫堤　明純：北里大学医学部教授

て　寺 田　　学　妻寺田静：参議院議員　父寺田典城：元知事、
　　　　　　　元参議院議員

寺 田　　稔　㊗父㊤寺田　豊：広島市議会議長、広島県議
　　　　　　　会議員　㊗父㊤池田勇人：内閣総理大臣
　　　　　　　伯父㊤池田行彦：外務大臣、防衛庁長官　妻
　　　　　　　寺田慶子　長女石山優子　次女寺田聡子

と　渡海紀三朗　父㊤渡海元三郎：衆議院議員、元建設・自治
　　　　　　　大臣　義兄石見利勝：前姫路市長

な　中 川 郁 子　夫㊤中川昭一：衆議院議員、農林水産大臣、
　　　　　　　経済産業大臣、財務大臣　義父㊤中川一郎：
　　　　　　　衆議院議員、農林水産大臣

中 島 克 仁　父㊤中嶋眞人：元内閣府副大臣　母中嶋ふじ
　　　　　　　ゑ　妻中嶋美由紀

中曽根康隆　㊗父㊤中曽根康弘：元内閣総理大臣　父中曽
　　　　　　　根弘文：参議院議員

中 谷 一 馬　義父深田慎治：元山口県防府市議会副議長
　　　　　　　義父藤居芳明：前横浜市会議員

中 谷　　元　㊗父㊤中谷貞頼：衆院議員　妻中谷美弥子

中 司　　宏　父㊤中司　実：元大阪府議会議員

中 野 英 幸　父中野　清：市議、県議、元衆院議員　
　　　　　　　従弟星野光弘：市議、県議、富士見市長

中村喜四郎　父㊤中村喜四郎（先代）：参議院議員　母㊤
　　　　　　　中村登美：参議院議員

永 岡 桂 子　夫㊤永岡洋治：衆議院議員

長 坂 康 正　父㊤長坂悦次：東浦町長

長 妻　　昭　㊗父㊤長妻孜一郎：千葉県八街町議会議長

長 友 慎 治　妻こみかど綾：延岡市議会議員

に　二 階 俊 博　父㊤二階俊太郎：和歌山県議

丹 羽 秀 樹　㊗父㊤丹羽兵助：衆議院議員、労働大臣
　　　　　　　㊗父㊤安藤孝三：衆議院議員

400

西 岡 秀 子 　⊕祖父西岡竹次郎：長崎県知事、衆議院議員
　　　　　　　⊕祖母西岡ハル：参議院議員（全国区）
　　　　　　　⊕父西岡武夫：参議院議長、衆議院議員

西村智奈美 　夫本多平直：元衆議院議員　　長男本多宏旭

西 村 康 稔 　義父吹田　幌：自治大臣

西銘恒三郎 　⊕父西銘順治：元衆議院議員、元沖縄県知事
　　　　　　　兄西銘順志郎：元参議院議員、弟西銘啓史郎：
　　　　　　　沖縄県議会議員

の　野 田 聖 子 　⊕祖父野田卯一：建設大臣、衆院議員

野 田 佳 彦 　弟野田剛彦：千葉県議会議員（3期）

野 中 　 厚 　⊕祖父野中英二：衆議院議員（6期）

は　葉 梨 康 弘 　義父葉梨信行：元衆議院議員　義祖父⊕葉梨
　　　　　　　新五郎：元衆議院議員

橋 本 　 岳 　⊕祖父橋本龍伍：元文相、元厚相、元衆議院
　　　　　　　議員　⊕父橋本龍太郎：元首相、元通産相、
　　　　　　　元蔵相、元運輸相、元厚相、元衆議院議員
　　　　　　　叔父橋本大二郎：元高知県知事　妻自見英子：
　　　　　　　内閣府特命担当大臣、国際博覧会担当大臣

鳩山二郎 　⊕父鳩山邦夫：衆議院議員

早 坂 　 敦 　妻早坂千亜紀：仙台市議会議員

林 　 幹 雄 　⊕父⊕林　大幹：環境庁長官、衆院議員　母⊕
　　　　　　　林　ちよ　妻林　博子　長男林　幹人：林幹
　　　　　　　雄秘書

林 　 佑 美 　夫林隆一：和歌山県議会議員

林 　 芳 正 　⊕祖父⊕林　佳介：元衆議院議員　⊕父⊕林　義
　　　　　　　郎：元衆議院議員、元大蔵大臣、元厚生大臣

ひ　平 井 卓 也 　⊕祖父⊕平井太郎：郵政大臣、参議院議員　⊕父⊕
　　　　　　　平井卓志：労働大臣、参議院議員

平沼正二郎 　曾祖父⊕平沼騏一郎：元内閣総理大臣　⊕父平沼
　　　　　　　赳夫：元衆議院議員、元経済産業大臣

ふ　福 島 伸 享 　大おじ⊕小平久雄：元衆議院副議長

福 田 昭 夫 　娘婿斎藤淳一郎：前栃木県矢板市長

福 田 達 夫 　⊕祖父福田赳夫：第67代内閣総理大臣　⊕父
　　　　　　　福田康夫：第91代内閣総理大臣

藤 巻 健 太　⊗藤巻健史：参議院議員　㊙㊦藤巻幸夫：元参議院議員

船 田 　 元　㊦㊦船田　中：衆議院議長　⊗㊦船田　譲：参議院議員、栃木県知事　㊣船田　恵：参議院議員

古 屋 圭 司　㊞㊦古屋善造：国会議員　㊦㊦古屋慶隆：国会議員　㊦⊗㊦古屋　亨：衆院議員、自治大臣

穂 坂 　 泰　⊗穂坂邦夫：第99代埼玉県議会議長、元志木市長

星 野 剛 士　⊗㊦星野尚昭：自由民主党本部職員（国会対策事務部長）

堀 内 詔 子　㊦㊦⊗㊦堀内良平：衆議院議員　㊦㊦㊦堀内一雄：衆議院議員　㊦㊦㊦堀内光雄：衆議院議員、元通商産業大臣

馬 淵 澄 夫　㊦㊦馬淵昌也：千葉県一宮町長

松 野 博 一　㊣松野三千代　㊞晶子

松 原 　 仁　㊣松原ひろみ

松 本 剛 明　⊗㊦松本十郎：国務大臣

松 本 洋 平　㊤松本るみ子　㊣松本幸子　㊤松本悠之介　㊞松本淑乃

三ッ林裕巳　⊗㊦三ッ林弥太郎：元国務大臣科学技術庁長官、元衆議院議員、元埼玉県議会議長　㊤㊦三ッ林隆志：元衆議院議員　㊦㊦㊦三ッ林幸三：元衆議院議員、元埼玉県議会議長、元幸手町長

美 延 映 夫　㊦⊗㊦美延重忠：大阪市議会議員　㊦㊤㊦美延よし：大阪市議会議員　㊤美延郷子：大阪市議会議員

御法川信英　⊗㊦御法川英文：衆議院議員　㊤御法川憲子

宮 下 一 郎　⊗㊦宮下創平：衆議院議員

村上誠一郎　㊞㊦㊦村上紋四郎：衆院議員　⊗㊦村上信二郎：衆院議員　㊞㊦㊦村上孝太郎：参院議員　㊦㊤岡田克也：衆院議員

茂 木 敏 充　⊗㊦茂木文男　㊤㊦茂木和子　㊣茂木栄美　㊟茂木駿介

盛山 正仁	義父殁田村　元：元衆議院議長　妻の従兄弟田村憲久：元厚生労働大臣
森　英介	祖父殁森　蘰昶：衆議院議員　父殁森　美秀：衆院議員、環境庁長官　伯父殁森　清：衆院議員、総務長官
森田俊和	祖父殁森田新五郎：元埼玉県議会議員

や

谷田川　元	舅谷田川充丈：千葉県議会議員　従兄弟殁山村新治郎：元衆議院議員
屋良朝博	妻屋良直美：小学校教諭
保岡宏武	祖父殁保岡武久：元衆議院議員　祖父殁武田恵喜光：元和泊町町長　父殁保岡興治：元衆議院議員
柳本　顕	父柳本　豊：元大阪市会議員　叔父柳本卓治：元衆議院議員、元参議院議員
山岡達丸	祖父殁山岡荘八：作家　父山岡賢次：元衆議院議員
山口俊一	父殁山口一雄：徳島県会議員
山口　晋	父山口泰明：前衆議院議員、前自民党選対委員長
山口　壯	義祖父殁中村正三郎：元衆院議員、環境庁長官、法務大臣　妻山口牧子　長女デュポン洸子　次女山口玲子
山田勝彦	父山田正彦：元衆議院議員
山井和則	妻斉藤弥生：大学教員
山本剛正	妻西村正美：元参議院議員

よ

吉川　赳	父吉川雄二：元静岡県議
吉川　元	いとこ越　直美：大津市長
吉田豊史	父吉田良三：元富山県会議員　伯父殁吉田清治：元富山県会議員
吉野正芳	妻吉野公子
米山隆一	妻室井佑月：作家

わ

| 和田義明 | 義父殁町村信孝：衆議院議長、内閣官房長官、外相、文科相　義祖父殁町村金五：北海道知事、自治相、自民党参議院議員会長 |

※親族について回答のあった議員のみ掲載
403

若 林 健 太	㊗㊙若林正俊：農林水産大臣、環境大臣
渡 辺 孝 一	㊗㊙渡辺省一：衆議院議員、国務大臣（科技庁長官）
渡 辺 　 周	㊗㊙渡辺　朗：衆院議員、沼津市長
渡 辺 　 創	㊗㊙渡辺　紀：宮崎県議会議員
渡 辺 博 道	㊗㊙渡辺福太郎：松戸市議会議長

参議院議員親族一覧

あ 阿達雅志　㊉妻の祖父㊙佐藤栄作：元内閣総理大臣　㊉妻の父㊙佐藤信二：元運輸大臣、通商産業大臣

　　青木　愛　㊂父青木岩造：千倉町議会議員　㊃母青木伊久：社会福祉法人櫻の会理事長、ゆうひが丘保育園園長

　　青木一彦　㊂父青木幹雄：内閣官房長官、参議院自民党議員会長他

　　青島健太　㊉妻青島みゆき：同志社女子大→日本航空CA　㊉長女青島杏乃：ロンドン芸術大学→スウェーデン在住　㊉長男青島健賢：デンマーク工科大学大学院→デンマーク在住

　　青山繁晴　㊉妻青山千春：東京海洋大学特任准教授

　　浅田　均　㊂父浅田貢：元大阪府議

　　東　　徹　㊉祖父㊙東二三郎：元大阪市会議員、元大阪府議会議員　㊂父㊙東武：元大阪府議会議長

　　有村治子　㊂父有村國宏：元滋賀県議会議長　㊉兄有村國俊：現滋賀県議会議員、前近江八幡市議会議員　㊉甥有村国知：現滋賀県愛荘町長

い 石井　章　㊉娘根本めぐみ（石井）：取手市議会議員

　　石井準一　㊉叔父石井常雄：前茂原市長

　　石川博崇　㊉義父風間昶：元参議院議員、元環境副大臣

　　石橋通宏　㊂父石橋大吉：元衆院議員

　　猪口邦子　㊉夫猪口孝：東京大学名誉教授、中央大学総合研究開発機構上級研究員、前新潟大学学長

　　今井絵理子　㊉長男今井礼夢：19才

う 臼井正一　㊉祖父㊙臼井荘一：元衆院議員、元参議院議員　㊂父臼井日出男：元衆院議員、元法相、元防衛庁長官　㊉妻臼井千鶴子：会社役員

　　打越さく良　㊉夫村木一郎：弁護士

え 江島　潔　㊉祖父㊙江島鐵雄：下関市議会議員　㊉大叔父㊙江藤智：参議院議員、運輸大臣　㊂父㊙江島淳：参議院議員、大蔵政務次官

　　衛藤晟一　㊉岳父㊙矢野竹雄：元大分県議会議長　㊉長男衛藤博昭：大分県議会議員

※親族について回答のあった議員のみ掲載

405

㊉親族一覧

お　**小野田紀美**　（曾祖父）（故）小野田庄市：裳掛村議会議員

尾辻秀久　（妹）尾辻 義：前鹿児島県議会議員

大椿ゆうこ　（夫）Fernando Selvaggio Lopez：画家

大野泰正　（祖父）（故）大野伴睦：衆議院議長、自由民主党副総裁　（父）（故）大野 明：衆・参議院議員、労働大臣、運輸大臣　（母）（故）大野つや子：元参議院議員、文教科学委員長

岡田直樹　（父）岡田尚壮：前北國新聞社社長　（妻の伯父）森 喜朗：元首相

音喜多 駿　（妻）三次由梨香：江東区議会議員（現職）

か　**加田裕之**　（父）（故）加田正雄　（母）（故）加田久美子　（妻）加田美奈子

加藤明良　（父）加藤浩一：水戸市議、県議、水戸市長

嘉田由紀子　（子）嘉田修平：大津市議会議員3期

片山さつき　（曾祖父）（故）銀林綱男：埼玉県知事、東京府名誉議員、東京商品取引所理事長　（祖父）（故）朝長康郎：宇都宮大学名誉教授、理学博士　（父）（故）片山龍太郎：元マルマン社長、元産業再生機構執行役員

片山大介　（父）片山虎之助：参議院議員

川田龍平　（母）川田悦子：元衆議院議員

き　**吉良よし子**　（父）吉良富彦：元高知県議　（夫）松嶋祐一郎：目黒区議

く　**倉林明子**　（父）（故）三瓶 猛：福島県西会津町議2期

こ　**こやり隆史**　（妻）主婦　（長男）大学生　（長女）会社員

上月良祐　（義父）金子 清：元新潟県知事

さ　**酒井庸行**　（父）酒井 博：元刈谷市議会議員

櫻井 充　（妻）櫻井宏子　（長女）櫻井亜美　（長男）櫻井隆正　（次男）櫻井隼人

山東昭子　（曾祖父）（故）山東直砥：神奈川県副知事　（大叔父）（故）下村宏（海南）：朝日新聞副社長、NHK会長、国務大臣　（祖父のいとこ）山東永夫：紀陽銀行頭取

し　**自見はなこ**　（父）自見庄三郎：元参議院議員

塩田博昭　（父）塩田茂：元市場町議

進藤金日子　（父）（故）進藤廣雄：秋田県協和町議会議員

	榛葉賀津也	[父][故]榛葉達男：静岡県議会議員、旧菊川町長
[す]	杉　久武	[義祖父][故]上林繁次郎：元参議院議員　[義父]上林謙二郎：元船橋市議　[義祖父][故]向後重雄：元飯岡町議（現旭市飯岡）
	杉尾秀哉	[父][故]杉尾秀一郎：元会社員　[母][故]杉尾秀子　[妻]杉尾美保
	鈴木宗男	[長女]鈴木貴子：衆議院議員
[せ]	世耕弘成	[祖父][故]世耕弘一：経企庁長官　[父][故]世耕弘昭：元近畿大学理事長　[伯父][故]世耕政隆：自治大臣、参院議員
	関口昌一	[父][故]関口恵造：参院議員　[母]関口泰子：歯科医師　[息子]関口恵太
[た]	田名部匡代	[父]田名部匡省：参議2期、衆議6期
	高木真理	[夫]高木錬太郎：前衆院議員
	高橋はるみ	[弟]新田八朗：富山県知事
	滝沢　求	[父][故]滝沢章次：県議会議員
[て]	寺田　静	[夫]寺田学：衆議院議員　[義父]寺田典城：元参議院議員、元秋田県知事　[祖父][故]佐藤佐太郎：増田町長（現、横手市）
[と]	堂故　茂	[祖父][故]堂故敏雄：氷見市長　[父][故]堂故茂一：氷見市議会議員
	友納理緒	[伯祖父][故]友納武人：千葉県知事、衆議院議員
[な]	中曽根弘文	[父][故]中曽根康弘：内閣総理大臣　[長男]中曽根康隆：衆議院議員
	長峯　誠	[父]長峯　基：参議院議員
[に]	西田昌司	[父][故]西田吉宏：参議院議員3期、議院運営委員長、参自民国対委員長
[の]	野上浩太郎	[祖父][故]野上資良：元富山県議会議長　[父]野上徹：元衆議院議員
[は]	羽田次郎	[祖父][故]羽田武嗣郎：元衆議院議員　[父][故]羽田孜：元衆議院議員、第八十代内閣総理大臣　[兄][故]羽田雄一郎：元参議院議員、元国土交通大臣
	馬場成志	[父][故]馬場三則：熊本県議会議員（6期）
	橋本聖子	[義兄][故]高橋辰夫：衆院議員
[ふ]	福岡資麿	[祖父][故]福岡日出麿：元参議院議員

※親族について回答のあった議員のみ掲載

藤井一博	[父][故]藤井省三：元鳥取県議会議員（9期）、社会医療法人仁厚会・社会福祉法人敬仁会名誉会長　[母]藤井啓子：社会医療法人仁厚会・社会福祉法人敬仁会会長
藤巻健史	[弟][故]藤巻幸夫：参議院議員　[長男]藤巻健太：衆議院議員　[叔父][故]柳川覚治：参議院議員
船後靖彦	[従伯父]船後正道：環境省（庁）事務次官（初代）
船橋利実	[弟]船橋賢二：北海道議会議員
[ほ] 星　北斗	[妻]星　享子
本田顕子	[父][故]本田良一：元参議院議員
[ま] 松下新平	[義父]野辺修光：前串間市長、元宮崎県議会議員　[父][故]松下　渉：元宮崎県議会議員
松野明美	[夫]前田真治　[長男]前田輝仁　[次男]前田健太郎
松村祥史	[父][故]松村　昭：元熊本県議会議長、元県議
松山政司	[父][故]松山　譲：元福岡県議会議員
[み] 三原じゅん子	[夫]中根雄也
宮沢洋一	[伯父][故]宮澤喜一：首相、財務、大蔵、外務、通産相、経企庁長官、官房長官　[父][故]宮澤弘：広島県知事、参議院議員、法務大臣
宮本周司	[父]宮本長興：元辰口町長　[従兄]井出敏朗：能美市長
[や] 山崎正昭	[父][故]山崎正一：福井県議会議長　[母][故]山崎ミヨ：主婦　[妻]山崎澄子：主婦
山下雄平	[曽祖父][故]清水荘次郎：元唐津市長　[祖父][故]山下善平：会社会長、元呼子町議長　[父]山下正雄：会社社長、唐津市議
山谷えり子	[父][故]山谷親平：ジャーナリスト
山本佐知子	[祖父][故]山本幸雄：自治大臣、国家公安委員長　[父]川島信也：長浜市長　[弟]川島隆二：滋賀県議会議員
山本順三	[父][故]山本博通：愛媛県議会議員

内閣（大臣・長官・副長官）副大臣・大臣政務官履歴一覧

凡　例

- 現職の内閣（大臣・官房長官・官房副長官）・副大臣・大臣政務官の出生地、学歴、職歴等主な履歴を一覧表にした（**令和6年7月1日現在**）。
- 衆議院議員の当選回数のカッコ内の数字は総選挙の回次を示す。参考のため下記に総選挙の回次と期日を記載した。
- 参議院議員の当選回数のカッコ内の数字は当選の年次を示す。

自民……自由民主党　　[麻]……麻生派
公明……公明党　　　　[無]……無派閥

衆議院総選挙

総選挙回次	総選挙期日
第35回	昭和54年10月 7 日（日）
第36回	昭和55年 6 月22日（日）
第37回	昭和58年12月18日（日）
第38回	昭和61年 7 月 6 日（日）
第39回	平成 2 年 2 月18日（日）
第40回	平成 5 年 7 月18日（日）
第41回	平成 8 年10月20日（日）
第42回	平成12年 6 月25日（日）
第43回	平成15年11月 9 日（日）
第44回	平成17年 9 月11日（日）
第45回	平成21年 8 月30日（日）
第46回	平成24年12月16日（日）
第47回	平成26年12月14日（日）
第48回	平成29年10月22日（日）
第49回	令和 3 年10月31日（日）

参議院通常選挙

選挙回次	選挙期日
第12回	昭和55年 6 月22日（日）
第13回	昭和58年 6 月26日（日）
第14回	昭和61年 7 月 6 日（日）
第15回	平成元年 7 月23日（日）
第16回	平成 4 年 7 月26日（日）
第17回	平成 7 年 7 月23日（日）
第18回	平成10年 7 月12日（日）
第19回	平成13年 7 月29日（日）
第20回	平成16年 7 月11日（日）
第21回	平成19年 7 月29日（日）
第22回	平成22年 7 月11日（日）
第23回	平成25年 7 月21日（日）
第24回	平成28年 7 月10日（日）
第25回	令和元年 7 月21日（日）
第26回	令和 4 年 7 月10日（日）

内閣総理大臣 岸^{きし}田^だ文^{ふみ}雄^お 自民[無]

〈衆議院広島1区〉S 32.7.29東京都渋谷区生、早稲田大学法学部卒○（株）日本長期信用銀行行員、衆議院議員秘書○建設政務次官、文部科学副大臣、内閣府特命担当大臣（沖縄北方対策・科学技術・国民生活・規制改革）、消費者行政推進担当大臣、宇宙開発担当大臣、外務大臣、防衛大臣○衆議院議院運営委員会理事、同消費者問題に関する特別委員会筆頭理事、同文部科学委員会筆頭理事、同国土交通委員会筆頭理事、同国家基本政策委員会筆頭理事、同厚生労働委員長○自民党青年局長、同政務調査会商工部会長、同消費者問題調査会長、同副幹事長、同経理局長、同団体総局長、同選挙対策局長代理、同広島県支部連合会会長、同国会対策委員長、同政務調査会長○宏池会会長○当選10回（40、41、42、43、44、45、46、47、48、49）

総務大臣　松本剛明 <ruby>松<rt>まつ</rt></ruby><ruby>本<rt>もと</rt></ruby><ruby>剛<rt>たけ</rt></ruby><ruby>明<rt>あき</rt></ruby> 自民［麻］

〈衆議院兵庫11区〉S34.4.25東京都目黒区生、東京大学法学部卒○株式会社日本興業銀行勤務、国務大臣防衛庁長官秘書官、松本十郎衆議院議員秘書○外務副大臣、外務大臣○旧民主党政策調査会長、党国会対策委員長代理、党幹事長代理、党税制調査会長。自由民主党政務調査会長代理、党行政改革推進本部長代行、党教育再生調査会幹事長、党税制調査会幹事、党新しい資本主義実現本部副本部長、党デジタル社会推進本部長代理、党経済成長戦略本部長代理、党国際協力調査会長、党外交調査会幹事長、党文化立国調査会長代理、党金融調査会副会長、党情報通信戦略調査会副会長○衆議院財務金融委員会筆頭理事、内閣委員会筆頭理事、議院運営委員長、外務委員長○当選8回（42、43、44、45、46、47、48、49）

総務副大臣　渡辺孝一 <ruby>渡<rt>わた</rt></ruby><ruby>辺<rt>なべ</rt></ruby><ruby>孝<rt>こう</rt></ruby><ruby>一<rt>いち</rt></ruby> 自民［無］

〈衆議院比例北海道〉S32.11.25東京都北区生、東日本学園大学歯学部卒○歯科医師、岩見沢市長○防衛大臣政務官兼内閣府大臣政務官、総務大臣政務官○自由民主党副幹事長○当選4回（46、47、48、49）

総務副大臣　馬場成志 <ruby>馬<rt>ば</rt></ruby><ruby>場<rt>ば</rt></ruby><ruby>成<rt>せい</rt></ruby><ruby>志<rt>し</rt></ruby> 自民［無］

〈参議院熊本〉S39.11.30熊本県生、県立熊本工業高校卒、熊本県産業開発青年隊訓練所修了○H3熊本市議2期、H9熊本県議5期、熊本県議会議長、全国都道府県議会議長会副会長○H25.7参議院初当選、予算委理事、平和安全法制特委理事、議院運営委員理事、（党）国会対策副委員長○第3次安倍第2次改造内閣厚生労働大臣政務官○厚生労働委員会理事、（党）副幹事長、災害対策特委理事○外交防衛委員長○当選2回（H25、R1）

総務大臣政務官　西田昭二 <ruby>西<rt>にし</rt></ruby><ruby>田<rt>だ</rt></ruby><ruby>昭<rt>しょう</rt></ruby><ruby>二<rt>じ</rt></ruby> 自民［無］

〈衆議院石川3区〉S44.5.1石川県七尾市石崎町生、愛知学院大学商学部卒○衆議院議員秘書、七尾市議会議員（3期）、石川県議会議員（3期）、石川県議会副議長○自由民主党石川県第3選挙区支部長、自由民主党総務、国土交通副部会長、国会対策委員、衆議院農林水産委員、国土交通委員、外務委員、原子力問題調査特別委員、消費者問題に関する特別委員、地方創生に関する特別委員、北朝鮮による拉致問題等に関する特別委員○当選2回（48、49）

総務大臣政務官　長谷川淳二 自民[無]

〈衆議院愛媛4区〉S 43.8.5岐阜県加茂郡七宗町生、東京大学法学部卒。著書「ようこそ地方財政」○H 3自治省（現総務省）入省、財政課財政企画官、愛媛県副知事、内閣官房内閣参事官、地方債課長、財務調査課長、地域政策課長を経て、R元年退官○衆議院農林水産委員、倫理選挙特別委員○自由民主党組織運動本部団体総局農林水産関係団体委員会副委員長○当選1回（49）

総務大臣政務官　船橋利実 自民[麻]

〈参議院北海道〉S35.11.20北海道北見市生、北海学園大学工学部土木工学科卒、北海商科大学大学院商学研究科修士課程修了○家業の建設業に8年間従事。H3北見市議会議員（1期）、北海道議会議員（5期）○H24衆議院議員総選挙にて初当選。H29衆議院議員再選。R2財務大臣政務官就任○R4.7参議院議員通常選挙にて初当選○農林水産委理事、予算委、自民党国対委副委員長、農林水産関係団体副委員長、地方組織・議員総局次長○衆議院当選2回（46、48）○当選1回（R4）

法 務 大 臣　小泉龍司 自民[無]

〈衆議院埼玉11区〉S27.9.17東京都生、東京大学法学部卒、著書「日本の進路を拓く」○大蔵省勤務、コロンビア大学大学院客員研究員○大蔵省銀行局金融市場室長、大蔵省証券局調査室長○衆議院財務金融委員○当選7回（42、43、45、46、47、48、49）

法務副大臣　門山宏哲 自民[無]

〈衆議院比例南関東〉S 39.9.3生、中央大学法学部法律学科卒○弁護士、千葉家庭裁判所家事調停委員、千葉大学大学院専門法務研究所非常勤講師、門山綜合法律事務所主宰○法務大臣政務官○自民党副幹事長○当選4回（46、47、48、49）

法務大臣政務官　中野英幸〈なかの ひでゆき〉自民［無］

〈衆議院埼玉7区〉S36.9.6埼玉県川越市生、日本大学通信教育部法学部政治経済学科中退○埼玉県議会議員（3期）○埼玉県議会企画財政委員長、産業労働企業委員長、経済・雇用対策特別委員長○自由民主党川越支部支部長○自由民主党埼玉県第7選挙区支部支部長○有限会社くらづくり本舗社長○当選1回（49）

外務大臣　上川陽子〈かみかわ ようこ〉自民［無］

〈衆議院静岡1区〉S28.3.1静岡県静岡市生、東京大学教養学部卒、米国ハーバード大学大学院政治行政学修士修了。著書「静岡発かみかわ陽子流視点を変えると見えてくる」「難問から逃げない」○（株）三菱総合研究所研究員、米国民主党ボーカス上院議員政策立案スタッフ（留学中）○法務大臣（3回）、内閣府特命担当大臣（男女共同参画・少子化対策）、公文書管理担当大臣、総務副大臣、総務大臣政務官○自由民主党幹事長代理、女性活躍推進本部長、一億総活躍推進本部長、憲法改正推進本部事務局長、司法制度調査会長○衆議院厚生労働委員長○当選7回（42、43、44、46、47、48、49）

外務副大臣　辻清人〈つじ きよと〉自民［無］

〈衆議院東京2区〉S54.9.7東京都生、4才でカナダに移住。京都大学経済学部卒、コロンビア大学国際行政大学院修了。株式会社リクルート社員、米国戦略国際問題研究所研究員を経て、自民党の公募により東京都第二選挙区支部長に就任○外務大臣政務官○当選4回（46、47、48、49）

外務副大臣　柘植芳文〈つげ よしふみ〉自民［無］

〈参議院比例〉S20.10.11岐阜県恵那市生、愛知大学卒○郵便局、郵政局に勤務し、H21全国郵便局長会会長。H24全国郵便局長会顧問。H25参議院議員に初当選し、H27自民党副幹事長、H29.9参議院環境委員長、H30.5参議院内閣委員長、R元.9自由民主党人事局長、R元.10参議院内閣委理事、参議院国際経済・外交に関する調査会理事、R2.10自由民主党総務会副会長○当選2回（H25、R1）

413

外務大臣政務官　**高村正大**
こう むら まさ ひろ　自民[麻]

〈衆議院山口1区〉S45.11.14生、慶應義塾大学商学部卒、慶應義塾大学法学部政治学科卒○国務大臣経済企画庁長官秘書官、外務大臣秘書官、株式会社電通社員○財務大臣政務官○当選2回（48、49）

外務大臣政務官　**深澤陽一**
ふか ざわ よう いち　自民[無]

〈衆議院静岡4区〉S51.6.21静岡県静岡市清水区興津生、信州大学工学部生産システム工学科卒○衆議院議員・原田昇左右代議士、原田令嗣代議士の秘書を経て、静岡市議会議員2期、静岡県議会議員3期○厚生労働大臣政務官○自由民主党青年局次長、女性局次長○決算行政監視委員、国土交通委員、災害対策特別委員、法務委員○当選2回（48補、49）

外務大臣政務官　**穂坂　泰**
ほ さか　やすし　自民[無]

〈衆議院埼玉4区〉S49.2.17埼玉県志木市生、青山学院大学理工学部経営工学科卒○志木市議会議員、学校法人医学アカデミー理事、社会福祉法人さくら瑞穂会理事○環境大臣政務官、内閣府大臣政務官○自由民主党青年局次長○当選2回（48、49）

財務大臣
内閣府特命担当大臣
（金融）
デフレ脱却担当　**鈴木俊一**
すず き しゅん いち　自民[麻]

〈衆議院岩手2区〉S 28.4.13東京都杉並区生、早稲田大学教育学部卒○全国漁業協同組合連合会会長秘書、同会調査役。衆議院議員鈴木善幸秘書○衆議院厚生労働委員長、外務委員長、東日本大震災復興特別委員長○厚生政務次官、環境大臣、外務副大臣○自由民主党水産部会長、社会部会長、社会保障制度調査会長、水産総合調査会長、東日本大震災復興加速化本部副本部長、地方創生実行統合本部筆頭副本部長、財務委員長○当選10回（39、40、41、42、43、44、46、47、48、49）

大臣政務官　**塩崎彰久**（しおざきあきひさ）自民[無]

〈衆院愛媛1区〉S51.9.9山口県下関市生、東〇大学法学部卒〇弁護士〇内閣官房長官秘書官〇当選1回（49）

大臣政務官　**三浦靖**（みうらやすし）自民

〈比例〉S48.4.9島根県大田市生、神奈〇大学部卒〇衆議院議員秘書〇大田市議〇衆議院議員〇衆議院総務委員、環境〇自民党青年局次長〇参議院総務委員、〇委員、参議院資源エネルギー調査会〇総務大臣政務官〇衆議院当選1回（48）〇当選1回

大臣政務官　**坂本哲志**（さかもとてつし）自民[無]

〈熊本3区〉S25.11.6熊本県菊池郡大津町生、〇法学部卒、著書・寄稿「九州のアジア〇政改革の未来」「九州政府出現」〇新〇本県議会議員当選4回〇総務大臣政務官〇大臣兼内閣府副大臣、内閣府特命担〇国会対策副委員長、党総務部会長代理、党野菜・果〇等小委員長、党畜産・酪農対策小委員長、党副幹事〇調査会幹事、党地方組織・議員総局長〇衆議院農林水〇総務委員会筆頭理事、予算委員会筆頭理事、農林水産〇理事〇当選7回（43、44補、45、46、47、48、49）

大臣　**鈴木憲和**（すずきのりかず）自民[無]

〈山形2区〉S57.1.30東京都中野区大和〇大学法学部卒〇農林水産省入省、農〇「美しい国づくり」推進室出向、農〇費・安全局表示・規格課法令係〇課総括係長〇外務大臣政務官〇自〇会長代理、水産部会長代理、外交部会長代理〇当〇47、48、49）

財務副大臣　**赤澤亮正**（あかざわりょうせい）自民[無]

〈衆議院鳥取2区〉S35.12.18東京都生、東京大学法学部卒、米国コーネル大学経営大学院卒業（MBA'91）、著書「テロ等準備罪」〇運輸省入省、国土交通省大臣官房秘書課企画官、日本郵政公社郵便事業総本部国際本部海外事業部長〇国土交通大臣政務官、内閣府副大臣〇自民党国土交通部会長、国会対策副委員長、総務副会長、農林部会畜産・酪農対策委員会委員長、文化立国調査会事務局長、整備新幹線等鉄道調査会副会長、ITS推進・道路調査会副会長〇衆議院環境委員会委員長、北朝鮮による拉致問題等に関する特別委員会筆頭理事、議院運営委員会理事〇当選6回（44、45、46、47、48、49）

財務副大臣　**矢倉克夫**（やくらかつお）公明

〈参議院埼玉〉S50.1.11神奈川県横浜市生、東京大学法学部卒。著書「世界で勝てる日本をつくる」「現場を走り、世界に挑む。」〇H12アンダーソン・毛利法律事務所（現アンダーソン・毛利・友常法律事務所）に弁護士として入所〇カリフォルニア大学ロサンゼルス校法学修士課程修了後、米国ホランド・アンド・ナイト法律事務所、中国キングアンドウッド法律事務所での出向勤務を経てアンダーソン・毛利・友常法律事務所に再び勤務〇H21より経済産業省参事官補佐として中国レアアース輸出規制などWTO紛争処理に関与〇予算委理事、ODA及び沖縄・北方特別委理事、公明党青年委員会顧問〇当選2回（H25、R1）

財務大臣政務官　**瀬戸隆一**（せとたかかず）自民[麻]

〈衆議院比例四国〉S40.8.2香川県坂出市生、大阪府立大学工学部卒、東京工業大学院修了〇郵政省入省、熊本県山鹿郵便局長、岩手県警察本部警務部長、総務省大臣官房秘書課調査官、内閣府被災者生活支援チーム企画官、インテル株式会社出向、H24退官〇衆議院厚生労働委員〇当選3回（46、47、49繰）

財務大臣政務官　**進藤金日子**（しんどうかねひこ）自民[無]

〈参議院比例〉S38.7.7秋田県協和町（現大仙市）生、岩手大学農学部卒〇S61農林水産省入省、在チリ日本国大使館一等書記官、農村振興局整備部水利整備課長補佐、設計課長補佐、熊本県農林水産部農村計画・技術管理課長、関東農政局整備部設計課長、農村振興局整備部設計課海外土地改良技術室長、首都農業土木専門官、農村政策部中山間地域振興課長、H27農林水産省辞職〇H28.7参議院全国比例区より初当選〇R元.9総務大臣政務官兼内閣府大臣政務官〇環境委員会筆頭理事、決算委員、東日本大震災復興特別委員〇全国土地改良政治連盟顧問、全国水土里ネット会長会議顧問〇当選2回（H28、R4）

文部科学大臣　盛山正仁（もりやま まさひと）[自民][無]

〈衆議院比例近畿〉S28.12.14大阪市生、東京大学法学部卒、神戸大学大学院法学研究科修了（博士（法学））、神戸大学博士（商学）○S52運輸省入省、H17.8国土交通省総合政策局情報管理部長を最後に退職○H17.9衆議院選挙初当選○法務大臣政務官、法務兼内閣府副大臣○自民党兵庫県第一支部長、自民党法務部会長、国土交通部会長○衆議院厚生労働委員長、衆議院議院運営委員会理事、自民党国会対策副委員長○当選5回（44、46、47、48、49）

文部科学副大臣　あべ俊子（としこ）[自民][無]

〈衆議院比例中国〉S34.5.19宮城県石巻市生、イリノイ州立大学大学院博士課程卒○日本看護協会副会長、東京医科歯科大学大学院助教授○外務大臣政務官、農林水産副大臣、外務副大臣○衆議院外務委員長○当選6回（44、45、46、47、48、49）

文部科学副大臣　今枝宗一郎（いまえだそういちろう）[自民][麻]

〈衆議院愛知14区〉S59.2.18愛知県生、名古屋大学医学部卒○医師○JR東京総合病院研修医、新宿ヒロクリニック、大野泌尿器科、新城市夜間診療所○財務大臣政務官○自由民主党内閣第二部会・経済産業部会長代理、国土交通部会・水産部会副部会長、新型コロナ対策医療系議員団本部幹事長、商工中小企業関団委員長、社会保障制度調査会医療委員会事務局長、雇用問題調査会事務局長○衆議院予算委員会理事、厚生労働委員会理事、地方創生特別委員会○当選4回（46、47、48、49）

文部科学大臣政務官　安江伸夫（やすえ のぶお）[公明]

〈参議院愛知〉S62.6.26愛知県名古屋市生、創価大学卒、同法科大学院了。同年司法試験に合格。著書「空き地・空き家をめぐる法律実務」「31歳。明日への挑戦。」○H26愛知県弁護士会に登録。愛知県弁護士会高齢者・障害者総合支援センター委員、愛知中小企業家同友会会員、日本交通法学会会員○公明党学生局長、青年委員会副委員長、愛知県本部代表、国会対策副委員長、内閣部会副部会長、農林水産部会副部会長。裁判官弾劾裁判所裁判員、消費者特委理事○法務博士、防災士○当選1回（R1）

文部科学大臣政務官 兼復興大臣政務官　本田顕子（ほんだ あきこ）

〈参議院比例〉S46.9.29熊本生、星薬科大学衛生学科卒○薬剤師○医薬品卸や薬剤師会の実務。元参議院議員本田良一公設秘書を経て、熊本地震を経験。熊本県薬剤師会災害対策本部の中で医薬品供給の責務を担当。日本薬剤師連盟副会長。H30日本薬剤師会から R1初当選。自民党副幹事長、参議院厚生労働委員会理事、環境委員会委員長代理等を歴任し、R4.8より厚生労働大臣政務官○当選1回（R1）

厚生労働大臣　武見敬三（たけみ けいぞう）

〈参議院東京〉S26.11.5東京都港区生、慶應義塾大学法学部政治学科卒、同大学法学研究科修士課程修了○政治経済学部政治学科助手、S62助教授、H7東海大学教授。テレビ朝日CNNデイウォッチ、モーニングショーキャスター○H7参議院議員初当選。外務政務次官、厚生労働委員長、環境委員長、厚生労働副大臣○自民党コロナ対策本部座長、長崎大学、身延山大学客員教授。国際保健に関するハイレベルパネル委員、国連制度改革に関する委員会委員、WHO研究開発資金専門家委員会委員、ハーバード大学公衆衛生大学院研究員○当選…

厚生労働副大臣　濵地雅一（はまち まさかず）

〈衆議院比例九州〉S45.5.8福岡生、早稲田大学法学部卒○弁護士○公明党福岡県本部代表○当選…（47、48、49）

厚生労働副大臣　宮﨑（みやざき）

〈衆議院比例九州〉S40.8.8長野県生、…法学部卒○弁護士○那覇青年会議所沖縄地区協議会会長、沖縄県生命保険協会理事、沖縄振興審議会専門委員、沖縄経済同友会障委員会委員）。弁護士法人那覇…株式会社社外取締役○法務大臣政務官…制度調査会事務局長、法務部会長…部会長代理、憲法改正推進本部…局次長○衆議院法務委員会理事…

厚生労働…
〈参議院…〉…川大学…会議員…委員、…議院運営…理事、…（R1）

農林水…
〈衆議院熊…中央大学…戦略」「郵…聞記者、熊…官、総務省…当大臣○…樹・畑作物…長、党税制…産委員長、…委員会筆頭…

農林水産副大臣
〈衆議院山…町生、東京…内閣官房…林水産省…長、同総務…民党農林部…選4回（46、…

農林水産副大臣　武村展英（たけむら のぶひで）自民[無]

〈衆議院滋賀3区〉S47.1.21滋賀県生、慶應義塾大学商学部卒○在学中より衆院議員政策担当秘書○H15公認会計士第二次試験に合格、新日本監査法人東京事務所入所。H18日本公認会計士協会東京実務補習所修了、公認会計士○H24衆議院議員に初当選、自由民主党副幹事長、内閣府大臣政務官○当選4回（46、47、48、49）

農林水産大臣政務官　高橋光男（たかはし みつお）公明

〈参議院兵庫〉S52.2.15兵庫県宝塚市生、大阪外国語大学（現大阪大学）在学中に外務省専門職試験に合格し中退、中央大学法学部卒。著書『世界を駆けた、確かなチカラ』○H13外務省入省○在アンゴラ日本大使館三等書記官、在リオデジャネイロ日本総領事館副領事、語学指導官補佐（ポルトガル語）、在ブラジル日本大使館一等書記官、ポルトガル語通訳担当官として総理通訳など○R1参議院議員選挙（兵庫選挙区）に初当選○公明党青年委員会副委員長、学生局長代理、国際局次長、労働局次長○国土交通委員会理事○当選1回（R1）

農林水産大臣政務官　舞立昇治（まいたち しょうじ）自民[無]

〈参議院鳥取・島根〉S50.8.13鳥取県日吉津村生、東京大学経済学部卒○H11自治省入省。以後、福岡県庁、厚生労働省介護保険課、下関市財政部長、新潟県地域政策課長、財政課長、消防庁消防・救急課、総務省市町村税課、企画課、準公営企業室などを歴任○院運営委員会理事、農林水産委員会筆頭理事、内閣府大臣政務官、党副幹事長、党水産部会長○行政監視委員会筆頭理事、参議院自由民主党国会対策副委員長○当選2回（H25、R1）

経済産業大臣
原子力経済被害担当
GX実行推進担当
産業競争力担当
ロシア経済分野協力担当
内閣府特命担当大臣
（原子力損害賠償・廃炉等支援機構）
齋藤健（さいとう けん）自民[無]

〈衆議院千葉7区〉S34.6.14東京都新宿区生、東京大学経済学部卒、ハーバード大学修士、著書「転落の歴史に何を見るか」○経済産業省電力基盤整備課長、埼玉県副知事○環境大臣政務官、党副幹事長、農林部会長、農林水産副大臣、農林水産大臣○衆議院予算委員会理事○衆議院厚生労働委員会筆頭理事○当選5回（45、46、47、48、49）

経済産業副大臣
兼内閣府副大臣　**岩田和親**（いわた かずちか）　自民［無］

〈衆議院比例九州〉S48.9.20佐賀県佐賀市出身、九州大学法学部卒○（株）九州恵商会代表取締役、大前研一事務所勤務、（株）セレモニージャパン副社長、佐賀県議3期○経済産業大臣政務官兼内閣府大臣政務官兼復興大臣政務官。元防衛大臣政務官○自由民主党国防部会長代理、国交部会長代理、建設関係団体副委員長○衆院環境国土交通委員会理事、原子力問題調査特別委員会理事○当選4回（46、47、48、49）

経済産業副大臣
兼内閣府副大臣　**上月良祐**（こうづき りょうすけ）　自民［無］

〈参議院茨城〉S37.12.26兵庫県神戸市生、東京大学法学部卒○S62自治省入省。青森県庁、鹿児島県庁学事文書課長・高齢者対策課長・財政課長、内閣官房中央省庁等改革推進本部事務局、総務省自治政策課長補佐・地方債課長補佐、総理官邸内閣官房副長官秘書官などを経て、H17茨城県庁へ赴任、総務部長、副知事歴任。第23回参議院議員通常選挙にて初当選。参議院内閣委筆頭理事、農水大臣政務官、参議院農水委員長、参議院自民党国会対策副委員長などを歴任○参議院内閣委理事、自民党副幹事長、自民党農産物輸出促進対策委員長、自民党孤独・孤立対策特命委事務局長○当選2回（H25、R1）

経済産業大臣政務官
兼内閣府大臣政務官　**石井拓**（いしい たく）　自民［無］

〈衆議院比例東海〉S40.4.11愛知県碧南市生、立命館大学法学部卒○碧南市議会議員、愛知県議会議員○当選1回（49）

経済産業大臣政務官
兼内閣府大臣政務官
兼復興大臣政務官　**吉田宣弘**（よしだ のぶひろ）　公明

〈衆議院比例九州〉S42.12.8熊本県荒尾市生、九州大学法学部卒○福岡県議会議員○公明党国会対策副委員長、九州方面本部青年局次長○当選3回（47、48繰、49）

国土交通大臣
水循環政策担当
国際園芸博覧会担当 **斉藤鉄夫**（さいとうてつお）公明

〈衆議院広島3区〉S 27.2.5島根県邑智郡邑南町（旧羽須美村）生、東京工業大学大学院修士課程修了、工学博士、技術士○清水建設（株）技術研究所主任研究員、同宇宙開発室課長、日本原子力研究所外来研究員、米プリンストン大学プラズマ物理研究所客員研究員○科学技術総括政務次官、環境大臣○公明党幹事長、税制調査会長、広島県本部代表○衆議院文部科学委員長○当選10回（40、41、42、43、44、45、46、47、48、49）

国土交通副大臣
國場幸之助（こくばこうのすけ）自民［無］

〈衆議院比例九州〉S48.1.10沖縄県那覇市生、日本大学文理学部哲学科中退後、早稲田大学社会科学部（比較政治学専攻）卒、雄弁会幹事長。著書「われ、沖縄の架け橋たらん」「『沖縄保守』宣言」○会社員の後、沖縄県議会議員（2期）○外務大臣政務官、自由民主党青年局次長、同国会対策委員会副委員長、同副幹事長、同沖縄県支部連合会会長○当選4回（46、47、48、49）

国土交通副大臣
兼内閣府副大臣
兼復興副大臣 **堂故茂**（どうこしげる）自民［無］

〈参議院富山〉S27.8.7富山県氷見市生、慶應義塾大学経済学部卒○S54トナミ運輸株式会社入社、衆議院議員綿貫民輔秘書、H3富山県議会議員（2期）、H10氷見市長（4期）、観光カリスマ○H25.7参議院議員に初当選、総務・文教科学・農林水産各委員会理事、文部科学大臣政務官、自由民主党副幹事長、農林水産委員長○農林水産委筆頭理事、参議院自由民主党政策審議会副会長○当選2回（H25、R1）

国土交通
大臣政務官 **石橋林太郎**（いしばしりんたろう）自民［無］

〈衆議院比例中国〉S53.5.2広島市安佐南区出身、大阪外国語大学（現大阪大学外国語学部）中退○広島県議会議員（2期）○自由民主党広島県衆議院比例区第2支部長、自由民主党広島県第3選挙区支部長内定者○当選1回（49）

国土交通大臣政務官　こやり隆史 _{たかし}　自民［無］

〈参議院滋賀〉S41.9.9滋賀県大津市生、京都大学大学院物理工学専攻修了、インペリアル・カレッジ・大学院修了○H4.4通商産業省入省。H21.6ジェトロ・ヒューストンセンター次長。H26.2内閣参事官（日本経済再生本部事務局）退職○H26滋賀県知事選挙に立候補。同11月東京工業大学特任教授○H27.9第24回参議院選挙初当選○厚労委理事、消費者特委筆頭理事、外交・安保調査会理事、情報監視審査会委員、党副幹事長、内閣第二部会長代理、総合エネルギー戦略調査会事務局次長、中小企業・小規模事業者政策調査会副幹事長、知的財産戦略調査会事務局次長、党改革実行本部幹事、観光立国調査会幹事○当選2回（H28、R4）

国土交通大臣政務官 兼内閣府大臣政務官 兼復興大臣政務官　尾﨑正直 _{おざきまさなお}　自民［無］

〈衆議院高知2区〉S42.9.14高知市生、東京大学経済学部卒、著書「至誠通天の記」○大蔵省入省、外務省在インドネシア大使館一等書記官、主計局主査、理財局計画官補佐、内閣官房副長官秘書官、高知県知事（3期）○組織運動本部地方組織議員総局長、地方創生実行統合本部本部長補佐、デジタル社会推進本部事務局次長○当選1回（49）

環境大臣 内閣府特命担当大臣（原子力防災）　伊藤信太郎 _{いとうしんたろう}　自民［麻］

〈衆議院宮城4区〉S28.5.6東京都生、慶應義塾大学経済学部卒、慶應義塾大学大学院法学研究科修士課程修了、ハーバード大学大学院修士課程修了。著書「福祉と文化」（共著）「文化芸術基本法の成立と文化政策」（編著）○国務大臣防衛庁長官付秘書官（政務）、衆議院議員秘書、ニュースキャスター、玉川大学大学院講師、東北福祉大学教授、大阪大学大学院客員教授、東北福祉大学客員教授、外務大臣政務官、外務副大臣○衆議院環境委員長、東日本大震災復興特別委員長○自由民主党政務調査会長代理、農林食料戦略調査会副会長、中山間地農業を元気にする委員長○当選7回（42補、43、44、46、47、48、49）

環境副大臣　八木哲也 _{やぎてつや}　自民［無］

〈衆議院愛知11区〉S22.8.10愛知県豊田市髙橋町生、中央大学理工学部卒○小島プレス工業株式会社勤務、豊田市議会議員（4期）、豊田市議会議長○自民党副幹事長、環境大臣政務官○当選4回（46、47、48、49）

環境副大臣兼内閣府副大臣　滝沢　求（たきさわ　もとめ）自民[麻]

〈参議院青森〉S33.10.11青森県八戸市生、中央大学法学部卒○衆議院議員中曽根康弘秘書を経て、H10青森県議会議員に初当選（5期）、県議会副議長○H25.7青森県選挙区より参議院議員に初当選、参議院環境委員会筆頭理事、自民党組織本部団体総局環境関係団体委員長○外務大臣政務官、自民党環境・国土交通部会長代理、副幹事長、広報副本部長、環境部会長、環境温暖化対策調査会副会長○参議院環境委員長○当選2回（H25、R1）

環境大臣政務官　朝日健太郎（あさひ　けんたろう）自民[無]

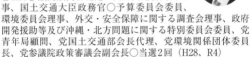

〈参議院東京〉S50.9.19熊本生、法政大卒、早稲田大学社会人修士課程修了○サントリー株式会社入社、五輪日本代表、NPO法人理事長○H28参議院議員初当選、国土交通委員会理事、国土交通大臣政務官○予算委員会委員、環境委員会理事、外交・安全保障に関する調査会理事、政府開発援助等及び沖縄・北方問題に関する特別委員会委員、党青年局顧問、党国土交通会長代理、党環境関係団体委員長、党参議院政策審議会副会長○当選2回（H28、R4）

環境大臣政務官兼内閣府大臣政務官　国定勇人（くに　さだ　いさと）自民[無]

〈衆議院比例北陸信越〉S47.8.30東京都千代田区神保町生、一橋大学商学部卒○総務省課長補佐、三条市長○当選1回（49）

防衛大臣　木原　稔（き　はら　みのる）自民[無]

〈衆議院熊本1区〉S44.8.12熊本市生、早稲田大学教育学部卒○日本航空（株）社員○内閣総理大臣補佐官、財務副大臣、防衛大臣政務官○自民党政務調査会副会長（兼）事務局長、選挙対策委員会副委員長（兼）事務局長、教育再生本部副本部長、行政改革本部長補佐、青年局長、文部科学部会長、安全保障調査会事務局長○衆議院憲法審査会幹事、文部科学委員会理事、北朝鮮による拉致問題等特別委員会理事○当選5回（44、46、47、48、49）

防衛副大臣兼内閣府副大臣 おに き まこと **鬼木 誠** 自民[無]

〈衆議院福岡2区〉S47.10.16福岡県福岡市生、九州大学法学部卒○銀行員、福岡県議会議員、福岡県議会警察常任委員会委員長○環境大臣政務官、防衛副大臣○自由民主党青年局次長兼学生部長、財務金融部会長代理、税制調査会幹事、社会保障制度調査会幹事、厚生労働部会長代理○当選4回（46、47、48、49）

防衛大臣政務官 まつ もと ひさし **松本 尚** 自民[無]

〈衆議院千葉13区〉S37.6.3石川県金沢市生、金沢大学医学部卒○救急・外傷外科医、英国アングリア・ラスキン大学経営管理学修士（MBA）取得○日本医科大学救急医学教授、同大千葉北総病院副院長・救命救急センター長、千葉県医師会理事、産経新聞「正論」執筆メンバー○当選1回（49）

防衛大臣政務官兼内閣府大臣政務官 み やけ しん ご **三宅 伸吾** 自民[無]

〈参議院香川〉S36.11.24香川県さぬき市出身、早稲田大学政治学科卒、米コロンビア大学留学、東京大学大学院法学政治学研究科修了。著書「知財戦争」、「乗っ取り屋と用心棒」、「市場と法いま何が起きているのか」、「Googleの脳みそ―変革者たちの思考回路」○日本経済新聞社入社、企業や経済産業省、法務省、金融庁など中央官庁を取材。編集委員として経済成長を促す様々な制度改革を提案。経済法制ジャーナリストという新しい地平を拓いた○H25.7参議院議員初当選○参議院外交防衛委員長、外務大臣政務官など歴任○当選2回（H25、R1）

内閣官房長官 はやし よし まさ **林 芳正** 自民[無]
沖縄基地負担軽減担当
拉致問題担当

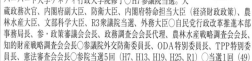

〈衆議院山口3区〉S36.1.19生、東京大学法学部卒、著書「国会議員の仕事」ほか○三井物産（株）、サンデン交通（株）、山口合同ガス（株）の勤務を経て、H3渡米。米国上院ウィリアム・ロス議員の下、マンスフィールド法案を手がける。ハーバード大学ケネディ行政大学院修了○H7参議院初当選。大蔵政務次官、内閣府副大臣、防衛大臣、内閣府特命担当大臣（経済財政政策）、農林水産大臣、文部科学大臣、R3衆議院当選、外務大臣○自民党行政改革推進本部事務局長、参・政策審議会会長、政務調査会会長代理、農林水産戦略調査会会長、知的財産戦略調査会会長○参議院外交防衛委員長、ODA特別委員長、TPP特別委員長、憲法審査会会長○参院当選5回（H7、H13、H19、H25、R1）○当選1回（49）

内閣官房副長官　**村井英樹**（むらい ひでき）　自民［無］

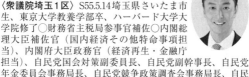

〈衆議院埼玉1区〉S55.5.14埼玉県さいたま市生、東京大学教養学部卒、ハーバード大学大学院修了○財務省主税局参事官補佐○内閣総理大臣補佐官（国内経済その他特命事項担当）、内閣府大臣政務官（経済再生・金融庁担当）、自民党国会対策副委員長、自民党副幹事長、自民党年金委員会事務局長、自民党競争政策調査会事務局長、自民党司法制度調査会事務局長○当選4回（46、47、48、49）

内閣官房副長官　**森屋　宏**（もり や ひろし）　自民［無］

〈参議院山梨〉S32.7.21山梨県都留市生、北海道教育大学教育学部卒、山梨学院大学大学院修了○都留青年会議所理事長、学校法人ひまわり幼稚園園長・理事長○H11山梨県議会議員に当選（4期）、山梨県議会議長。山梨県ドクターヘリ研究会会長として県内運航を実現○H25.7参議院議員に当選○総務大臣政務官、参議院内閣委員長、参議院総務委員会・財政金融委員会・決算委員会理事、自民党副幹事長、自民党組織運動本部副本部長、自民党選挙対策委員会副委員長、参議院自民党国会対策副委員長○参議院内閣委員会理事、自民党政務調査会内閣第1部会長、参議院自民党政策審議会副会長、自民党山梨県連会長○当選2回（H25、R1）

デジタル大臣　デジタル行財政改革担当　デジタル田園都市国家構想担当　行政改革担当　国家公務員制度担当　内閣府特命担当大臣（規制改革）　**河野太郎**（こう の た ろう）　自民［麻］

〈衆議院神奈川15区〉S 38.1.10生、神奈川県平塚市出身、米国ジョージタウン大学（比較政治学専攻）卒○会社員○外務大臣○防衛大臣○国務大臣（行政改革、国家公務員制度）○国家公安委員会委員長、内閣府特命担当大臣（消費者及び食品安全、規制改革、防災）○国務大臣（行政改革、ワクチン接種）○内閣府特命担当大臣（規制改革、沖縄及び北方対策）○衆議院外務委員長○当選9回（41、42、43、44、45、46、47、48、49）

デジタル副大臣　兼内閣府副大臣　**石川昭政**（いし かわ あき まさ）　自民［無］

〈衆議院比例北関東〉S47.9.18茨城県日立市生、國學院大学大学院修了○自由民主党本部職員となり幹事長室、選挙対策本部で勤務○自由民主党茨城県第5選挙区支部長○経済産業大臣政務官・内閣府大臣政務官・復興大臣政務官○自由民主党総務会総務、党政務調査会経済産業部会長○当選4回（46、47、48、49）

デジタル大臣政務官 兼内閣府大臣政務官　土田 慎（つち だ しん）［自民 麻］

〈衆議院東京13区〉H2.10.30神奈川県茅ケ崎市生、京都大学経済学部卒○株式会社リクルートライフスタイル、衆議院議員秘書、参議院議員秘書、参議院参事長秘書○当選1回（49）

復興大臣 福島原発事故再生総括担当　土屋 品子（つち や しな こ）［自民 無］

〈衆議院埼玉13区〉S27.2.9東京都新宿区生、聖心女子大学文学部卒。著書「ブルーミングフォーシーズン」「ブレスオブミャンマー」○料理研究家、フラワーアーティスト、短大・大学客員教授○厚生労働副大臣、環境副大臣、外務大臣政務官○自由民主党副幹事長、総務会副会長、政務調査会副会長、広報副本部長兼広報戦略局長、女性活躍推進本部長○衆議院外務委員長、消費者問題に関する特別委員長、環境委員会筆頭理事、科学技術・イノベーション推進特別委員会筆頭理事、女性政治指導者グローバル・フォーラム（WPL）サミット日本実行委員長兼国会議員団長。党食育調査会長○当選8回（41、42、43、44、46、47、48、49）

復興副大臣　高木 宏壽（たか ぎ ひろ ひさ）［自民 無］

〈衆議院北海道3区〉S35.4.9北海道札幌市生、慶應義塾大学法学部卒○北海道議会議員、北海道警察本部統括官、北海道都市計画審議会委員。北海道拓殖銀行行員、朝日監査法人社員、KPMG FASディレクターを経て、学校法人幌南学園理事長○内閣府大臣政務官・復興大臣政務官○当選3回（46、47、49）

復興副大臣　平木 大作（ひら き だい さく）公明

〈参議院比例〉S49.10.16長野県長野市生、東京大学法学部卒○シティバンクに入社し、リスク管理、デリバティブ商品の開発・販売、およびプライベートバンキング事業部の閉鎖業務などに従事○H20スペインイエセ・ビジネススクールで経営学修士号取得○戦略系コンサルティング会社ブーズ・アンド・カンパニー株式会社、および株式会社シグマクシスで経営コンサルタントとして企業の再生と新規事業の創出、海外展開などを支援○経済産業・内閣府・復興大臣政務官などを歴任○党核廃絶推進委員会事務局長、党デジタル社会推進本部事務局長○当選2回（H25、R1）

国家公安委員会委員長
国土強靱化担当
領土問題担当
内閣府特命担当大臣
（防災、海洋政策）

松村祥史　自民［無］

〈参議院熊本〉S39.4.22熊本県球磨郡上村生、専修大学経営学部卒○H11熊本県商工会青年部連合会会長、丸昭商事（株）代表取締役社長、全国商工会青年部連合会会長（2期）、全国商工会連合会顧問○経済産業委員会理事、参議院環境委員長、参議院議院運営委員長、参議院決算委員長、経済産業大臣政務官、経済産業副大臣、自民党水産部会長、自民党幹事長代理○自民党総務会長代理、自民党熊本県参議選挙区第一支部長○当選4回（H16、22、28、R4）

内閣府特命担当大臣
（こども政策、少子化対策、若者活躍、男女共同参画、孤独・孤立対策担当）
女性活躍担当
共生社会担当

加藤鮎子　自民［無］

〈衆議院山形3区〉S54.4.19山形県鶴岡市生、慶應義塾大学法学部卒、米国コロンビア大学院修了○株式会社ドリームインキュベータ（経営戦略コンサルティング）、日本国際交流センター、ピープルフォーカス・コンサルティング株式会社（組織開発支援事業）、衆議院議員秘書○環境大臣政務官、内閣府大臣政務官、自民党副幹事長、女性局次長、青年局次長、農林部会副部会長○国土交通大臣政務官○当選3回（47、48、49）

経済再生担当
新しい資本主義担当
スタートアップ担当
感染症危機管理担当
全世代型社会保障改革担当
内閣府特命担当大臣
（経済財政政策）

新藤義孝　自民［無］

〈衆議院埼玉2区〉S33.1.20埼玉県川口市生、明治大学文学部卒。著書「先送りのない日本へ～私が領土・主権問題に取り組む理由～」○総務大臣、地域活性化担当大臣、国家戦略特区担当大臣、経済産業副大臣、外務大臣政務官、総務大臣政務官○自民党政調会長代理、憲法改正実現本部事務総長、税調副会長、宇宙・海洋開発特別委員長、地方創生筆頭本部長代理、国防部会長、経済産業委員長、広報戦略局長、ネットメディア局長○裁判官訴追委員長○衆議院憲法審査会筆頭幹事、決算行政監視委員長○超党派・領土議員連盟会長、硫黄島問題懇話会・幹事長○当選8回（41、42、44、45、46、47、48、49）

経済安全保障担当
内閣府特命担当大臣
（クールジャパン戦略、知的財産戦略、科学技術政策、宇宙政策、経済安全保障）

高市早苗　自民［無］

〈衆議院奈良2区〉S 36.3.7生、神戸大学経営学部卒○（財）松下政経塾卒塾。近畿大学経済学部教授。通商産業政務次官、経済産業副大臣（三回任命）、内閣府特命担当大臣（三回任命）、総務大臣（五回任命）○衆議院文部科学委員長、衆議院憲法調査会小委員長、衆議院議院運営委員長、自由民主党広報本部長、自由民主党遊説局長、自由民主党政務調査会長（三期）等○当選9回（40、41、42、45、46、47、48、49）

内閣府特命担当大臣
（沖縄及び北方対策、消費者及び食品安全、地方創生、アイヌ施策）国際博覧会担当
自見はなこ（じみ）　自民［無］

〈参議院比例〉S51.2.15長崎県佐世保市生、筑波大学第三学群国際関係学類卒、東海大学医学部卒○東京大学医学部小児科入局、東京都青梅市立総合病院小児科、虎の門病院小児科〜現在（非常勤）、認定内科医、小児科専門医、日本医師会参与、日本医師連盟参与○厚生労働大臣政務官、参議院厚生労働委員会理事、参議院財政金融委員会委員、自由民主党女性局長○内閣府大臣政務官、参議院内閣委員会委員○当選2回（H28、R4）

内閣府副大臣　井林辰憲（いばやし たつのり）　自民［麻］

〈衆議院静岡2区〉S51.7.18静岡県榛原郡川根本町生、京都大学環境工学科卒、京都大学大学院工学研究科修了。著書「キセキ〜四百万円からの選挙戦」「外から見た静岡」○H14より国土交通省勤務、H22自由民主党静岡県第二選挙区支部長、H25より京都大学非常勤講師を務める○環境大臣政務官兼内閣府大臣政務官○自由民主党財務金融部会長○衆議院財務金融委員会理事、国土交通委員、農林水産委員、総務委員、環境委員等歴任○当選4回（46、47、48、49）

内閣府副大臣　工藤彰三（く どうしょう ぞう）　自民［麻］

〈衆議院愛知4区〉S39.12.8愛知県名古屋市熱田区生、中央大学商学部卒○名古屋市会議員○国土交通大臣政務官○自由民主党内閣第一部会長○衆議院災害対策特別委員会理事、国土交通委員、経済産業委員○当選4回（46、47、48、49）

内閣府副大臣　古賀　篤（こ が　あつし）　自民［無］

〈衆議院福岡3区〉S47.7.14福岡県福岡市生、東京大学法学部卒○H9.4大蔵省入省、H24.5財務省退職○H27.10総務大臣政務官兼内閣府大臣政務官○R元.3保育士資格取得○R3.10厚生労働副大臣○当選4回（46、47、48、49）

内閣府大臣政務官 神田潤一（かん　だ　じゅん　いち）自民[無]

〈衆議院青森2区〉S45.9.27青森県八戸市生、東京大学経済学部卒、米国イェール大学院修了（国際開発経済専攻）○日本銀行職員（金融機構局考査運営課市場・流動性リスク考査グループ長）、金融庁出向（総務企画局信用制度参事官室企画官）、日本生命出向（リスク管理統括部調査役）○マネーフォワード執行役員、フィンテック協会常務理事○当選1回（49）

内閣府大臣政務官 古賀友一郎（こ　が　ゆういちろう）自民[無]

〈参議院長崎〉S42.11.2生。本籍長崎県諫早市、東京大学法学部卒。著書「地方自治法講座財務」○H3自治省入省後、栃木県庁、環境庁、和歌山県財政課長、自治大学校教授、岡山県財政課長、北九州市財政局長、総務省公務員部高齢対策室長、長崎市副市長などを歴任○H25初当選。環境委員長、議院運営委員会理事、予算委員会理事、憲法審査会幹事、総務大臣政務官兼内閣府大臣政務官、党政務調査会副会長、党総務部会長代理、党少子化対策調査会事務局長、党税調幹事、党参議院副幹事長、党参院国対副委員長、党参院政審副会長などを歴任○内閣委員長、消費者特委員、党中央政治大学院副学院長○当選2回（H25、R1）

内閣府大臣政務官兼復興大臣政務官 平沼正二郎（ひらぬましょうじろう）自民[無]

〈衆議院岡山3区〉S54.11.11岡山県岡山市生、学習院大学経済学部卒○ソニーマーケティング株式会社退職後、IT関連会社リプート設立、代表取締役○当選1回（49）

衆議院・参議院案内図

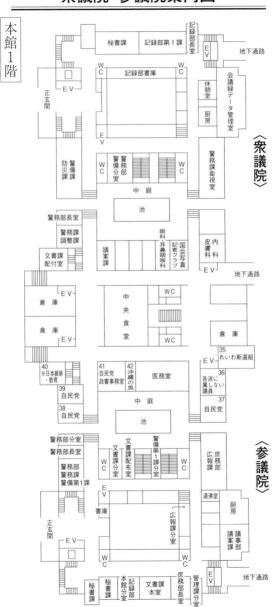

本館1階

衆議院

参議院

秘書課　記録部第1課　記録部長室　EV　地下通路

記録部書庫　WC　WC

正玄関　EV

休憩室　厨房　会議録データ管理室

EV

防災課　警備課　WC　警務部分室　WC　警務課衛視室

中庭　池

警務部長室　警務課調整室

文書課配付室

議案課　眼科・耳鼻咽喉科　国会写真記者クラブ　皮膚科　内科

EV　地下通路

倉庫　EV

中央食堂　WC　WC

倉庫　EV

倉庫

EV　35　れいわ新選組

40　※日本維新・教育

41　自民党政審事務室　42　沖縄の風　医務室　各派に属しない議員　36

39　自民党　37　自民党

38　自民党　中庭　池

警務部分室　警務部長室

警務部　警務課警備第1課

文書課分室　文書課配布室　警備第1課分室　WC　WC　庶務部広報課　庶務部

正玄関　EV　書庫　EV　広報課分室　湯沸室　厨房　議事部議案課

WC　WC　管理課分室　EV　地下通路

秘書課　秘書課　記録課本館分室　文書課本室　庶務部長室

430　※日本維新の会・教育無償化を実現する会

衆議院・参議院案内図

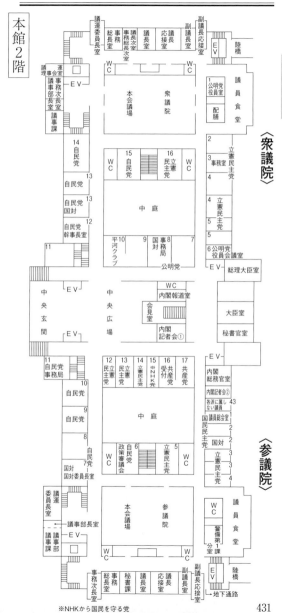

本館2階

〈衆議院〉

〈参議院〉

※NHKから国民を守る党

衆議院・参議院案内図

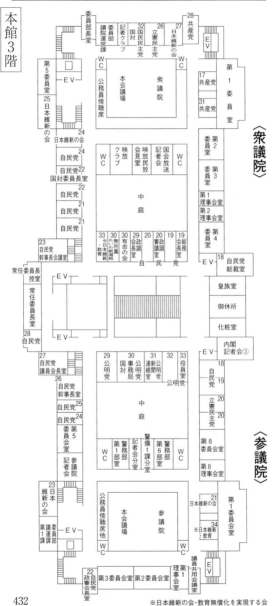

本館3階

〈衆議院〉

〈参議院〉

※日本維新の会・教育無償化を実現する会

衆議院別館・分館案内図

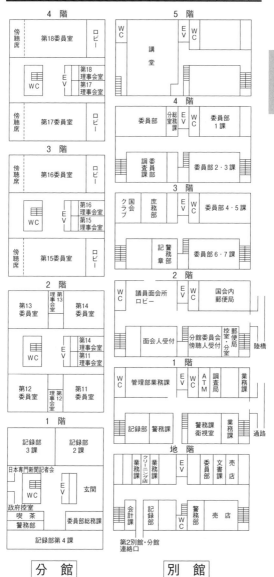

分 館

別 館

参議院別館・分館案内図

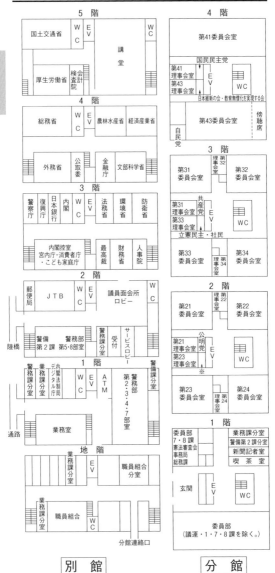

別館

5 階
国土交通省 ｜ WC ｜ EV ｜ ｜ WC
講堂
厚生労働省 ｜ 検査院
会計

4 階
総務省 ｜ WC ｜ EV ｜ 農林水産省 ｜ 経済産業省
外務省 ｜ 公取委 ｜ 金融庁 ｜ 文部科学省

3 階
警察庁 ｜ 復興庁 ｜ 日本銀行 ｜ WC ｜ EV ｜ 内閣 ｜ 法務省 ｜ 環境省 ｜ 防衛省
内閣控室 ｜ 宮内庁・消費者庁・こども家庭庁 ｜ 最高裁 ｜ 財務省 ｜ 人事院

2 階
郵便局 ｜ JTB ｜ WC ｜ EV ｜ 議員面会所ロビー ｜ WC
陸橋 ｜ 警備第2課 ｜ 警務部第5・8部室 ｜ 業務課分室 ｜ 受付 ｜ サービスロビー

1 階
業務課分室 ｜ 内閣法制局デジタル庁 ｜ WC ｜ EV ｜ ATM ｜ 警務部第2・3・4・7部室 ｜ 警備課分室
通路 ｜ 業務室

地階
業務課分室 ｜ EV ｜ 職員組合分室
業務課分室 ｜ 職員組合 ｜ WC
分館連絡口

分館

4 階
第41委員会室
国民民主党
第41理事会室 ｜ EV ｜ 第43理事会室 ｜ WC
日本維新の会・教育無償化を実現する会
自民党 ｜ 第43委員会室 ｜ 傍聴席

3 階
第31委員会室 ｜ 第32理事会室 ｜ 第32委員会室
共産党
第31理事会室 ｜ EV ｜ 第33理事会室 ｜ WC
立憲民主・社民
第33委員会室 ｜ 第34理事会室 ｜ 第34委員会室

2 階
第21委員会室 ｜ 第22理事会室 ｜ 第22委員会室
公明党
第21理事会室 ｜ EV ｜ 第23理事会室 ｜ WC
※
第23委員会室 ｜ 第24理事会室 ｜ 第24委員会室

1 階
委員部7・8課 ｜ 憲法審査会事務局 ｜ 総務課 ｜ 業務課分室 ｜ 警備第2課分室 ｜ 新聞記者室 ｜ 喫茶室
玄関 ｜ EV ｜ WC
委員部（議運・1・7・8課を除く。）

※れいわ新選組、沖縄の風、NHKから国民を守る党、各派に属しない議員

434

衆議院第1議員会館2階案内図

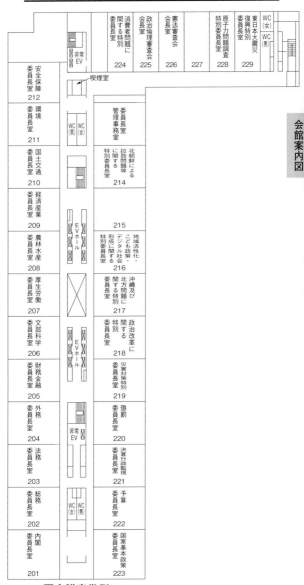

消費者問題に関する特別委員会室 224

政治倫理審査会会長室 225

憲法審査会会長室 226

227

原子力問題調査特別委員会長室 228

東日本大震災復興特別委員会長室 229

WC（女）

WC（男）

会館案内図

非常EV

喫煙室

安全保障委員長室 212

WC（男）

WC（女）

委員長室管理事務室

環境委員長室 211

国土交通委員長室 210

北朝鮮による拉致問題等に関する特別委員長室 214

経済産業委員長室 209

EVホール

215

農林水産委員長室 208

地域活性化・こども政策・デジタル社会形成に関する特別委員長室 216

厚生労働委員長室 207

沖縄及び北方問題に関する特別委員長室 217

文部科学委員長室 206

EVホール

政治改革に関する特別委員長室 218

財務金融委員長室 205

災害対策特別委員長室 219

外務委員長室 204

非常EV

懲罰委員長室 220

法務委員長室 203

決算行政監視委員長室 221

総務委員長室 202

WC（女）

WC（男）

予算委員長室 222

内閣委員長室 201

国家基本政策委員長室 223

国会議事堂側

435

衆議院第1議員会館1階案内図

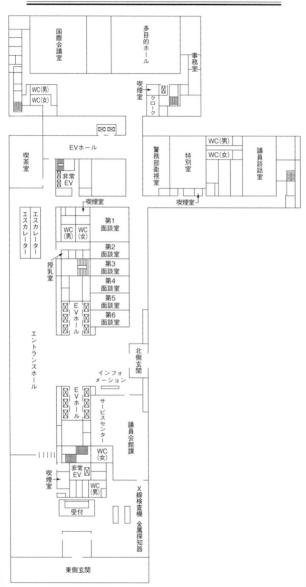

国際会議室

多目的ホール

事務室

喫煙室

クローク

WC(男)
WC(女)

EVホール

喫茶室

非常
EV

警務部衛視室

特別室

WC(男)
WC(女)

議員談話室

喫煙室

喫煙室

エスカレーター
エスカレーター

WC
(男)

WC
(女)

第1
面談室

授乳室

第2
面談室

第3
面談室

第4
面談室

EV
ホール

第5
面談室

第6
面談室

エントランスホール

北側玄関

インフォ
メーション

EV
ホール

サービスセンター

議員会館課

WC
(女)

喫煙室

非常
EV

WC
(男)

X線検査機　金属探知器

受付

東側玄関

国会議事堂側

436

衆議院第1議員会館地下1階案内図

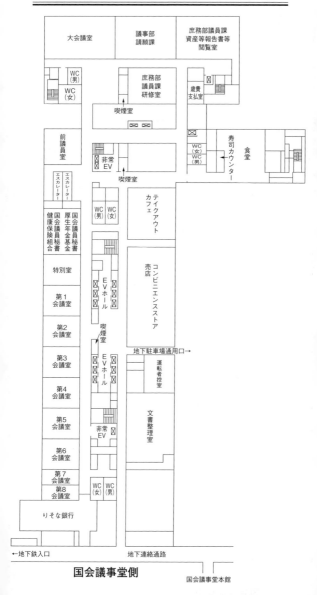

衆議院第1議員会館地下2階案内図

※2 国家基本政策調査室 ／ 内閣調査室 ／ 安全保障調査室 ／ 外務調査室 ／ ※1 第一特別調査室

調査局一号会議室

WC（男） ／ WC（女） ／ 総務調査室 ／ ※3 ／ 調査局図書室

調査局文書整理室

総括調整監

喫煙室

非常EV

法務調査室

調査局調査情報課 ／ 調査局総務課 ／ 調査局長室 ／ 局長会議室 ／ 調査局閲覧室

議員会館課分室

日本共産党事務室

日本共産党会議室

国民民主党会議室

自由民主党会議室

日本維新の会政務調査会室

WC（男） ／ WC（女）

調査局二号研修室 ／ 調査局会議室 ／ 物品管理室 ／ 客員調査員室 ／ 特別委員会PT室 ／ 予備的調査PT室 ／ 調査局閲覧室

共用資料室 ／ 調査局研修室

※1 沖縄及び北方問題に関する特別委員会
　　消費者問題に関する特別委員会
※2 北朝鮮による拉致問題等に関する
　　特別調査室
※3 地域活性化・こども政策・
　　デジタル社会形成に関する特別調査室

EVホール

立憲民主党B会議室

立憲民主党A会議室

調査局一号研修室C ／ 調査局一号研修室B ／ 調査局一号研修室A

EVホール

理髪室

美容室

非常EV

歯科診療室

WC（男） ／ WC（女）

療術治療室

国会議事堂側

438

衆議院第１議員会館地下３階案内図

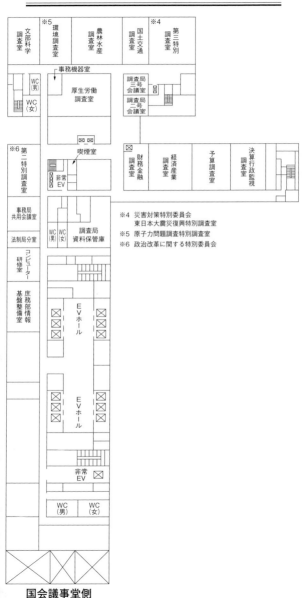

文部科学調査室

※5 環境調査室

農林水産調査室

国土交通調査室

※4 第三特別調査室

事務機器室

厚生労働調査室

WC（男）
WC（女）

調査局三号会議室

調査局二号会議室

※6 第二特別調査室

喫煙室

非常EV

財務金融調査室

経済産業調査室

予算調査室

決算行政監視調査室

事務局共用会議室

法制局分室

コンピューター研修室

基盤整備室

庶務部情報

WC（男）
WC（女）
調査局資料保管庫

EVホール

EVホール

非常EV

WC（男）
WC（女）

※4 災害対策特別委員会
　　東日本大震災復興特別調査室
※5 原子力問題調査特別調査室
※6 政治改革に関する特別委員会

国会議事堂側

衆議院第２議員会館１階案内図

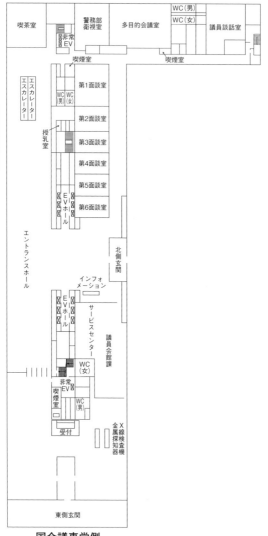

国会議事堂側

衆議院第２議員会館地下１階案内図

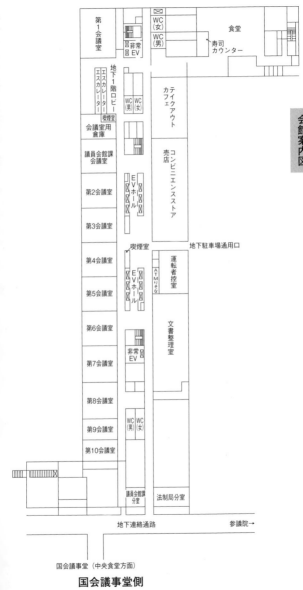

国会議事堂側

衆議院第2議員会館地下2階案内図

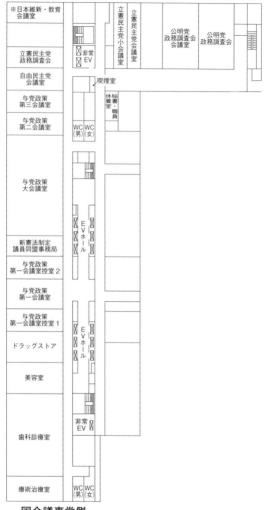

会館案内図

※日本維新・教育会議室

立憲民主党政務調査会

自由民主党会議室

与党政策第三会議室

与党政策第二会議室

与党政策大会議室

新憲法制定議員同盟事務局

与党政策第一会議室控室2

与党政策第一会議室

与党政策第一会議室控室1

ドラッグストア

美容室

歯科診療室

療術治療室

非常EV

WC(男) WC(女)

EVホール

EVホール

非常EV

WC(男) WC(女)

喫煙室

立憲民主党小会議室

立憲民主党会議室

秘書・職員休養室

公明党政務調査会会議室

公明党政務調査会

国会議事堂側

※日本維新の会・教育無償化を実現する会

442

参議院議員会館２階案内図

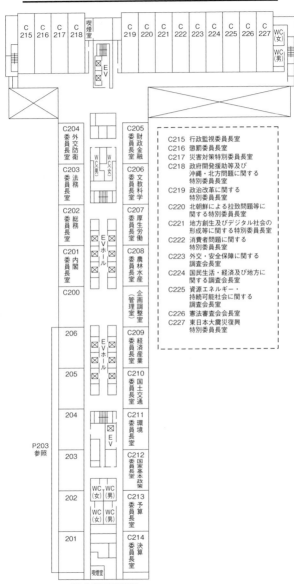

| | | | | 喫煙室 | | C 219 | C 220 | C 221 | C 222 | C 223 | C 224 | C 225 | C 226 | C 227 | WC (女) |
| C 215 | C 216 | C 217 | C 218 | | | | | | | | | | | | WC (男) |

C204 外交防衛委員長室
C203 法務委員長室
C202 総務委員長室
C201 内閣委員長室
C200

WC（男）　WC（女）

EVホール

C205 財政金融委員長室
C206 文教科学委員長室
C207 厚生労働委員長室
C208 農林水産委員長室
（管理室）企画調整室

C215　行政監視委員長室
C216　懲罰委員長室
C217　災害対策特別委員長室
C218　政府開発援助等及び
　　　沖縄・北方問題に関する
　　　特別委員長室
C219　政治改革に関する
　　　特別委員長室
C220　北朝鮮による拉致問題等に
　　　関する特別委員長室
C221　地方創生及びデジタル社会の
　　　形成等に関する特別委員長室
C222　消費者問題に関する
　　　特別委員長室
C223　外交・安全保障に関する
　　　調査会長室
C224　国民生活・経済及び地方に
　　　関する調査会長室
C225　資源エネルギー・
　　　持続可能社会に関する
　　　調査会長室
C226　憲法審査会会長室
C227　東日本大震災復興
　　　特別委員長室

206
EVホール
205
204
EV
P203 参照
203
202　WC（女）　WC（男）
WC（女）　WC（男）
201
喫煙室

C209 経済産業委員長室
C210 国土交通委員長室
C211 環境委員長室
C212 国家基本政策委員長室
C213 予算委員長室
C214 決算委員長室

国会議事堂側

参議院議員会館 1 階案内図

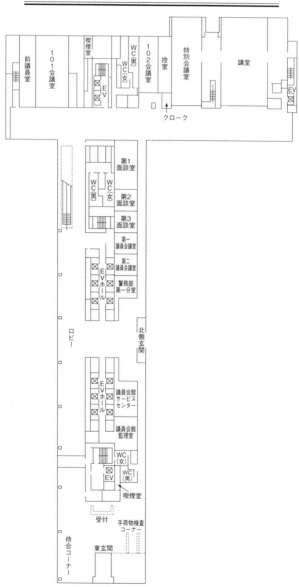

参議院議員会館地下1階案内図

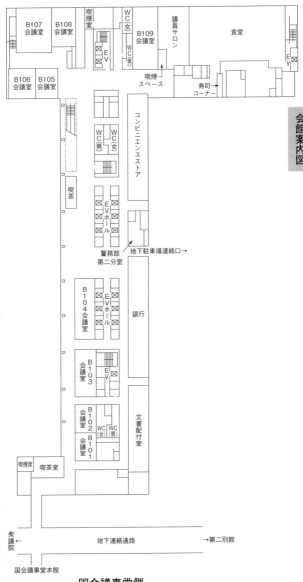

会館案内図

445

参議院議員会館地下2階案内図

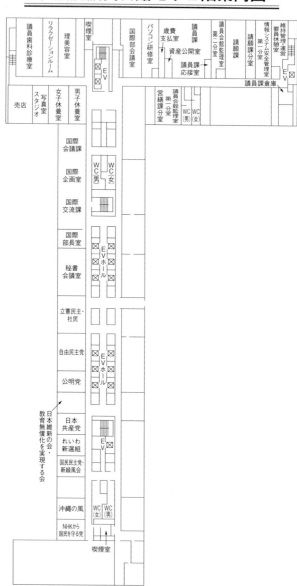

議員歯科診療室
リラクゼーションルーム
理美容室
喫煙室
国際部会議室
パソコン研修室
歳費支払室
資産公開室
議員課
議員課応接室
議員会館監理室第二分室
請願課
情報システム安全管理室
請願課分室
維持管理運営要員休憩室
第一分室

売店
写真室スタジオ
女子休養室
男子休養室
営繕課分室
議員会館監理室第一分室
WC(男)
WC(女)
議員課倉庫

国際会議課
WC男
WC女

国際企画室

国際交流課

国際部長室
EVホール

秘書会議室

立憲民主・社民

自由民主党
EVホール

公明党

日本維新の会・教育無償化を実現する会
日本共産党
れいわ新選組
EV

国民民主党・新緑風会

沖縄の風
WC(女)
WC(男)

NHKから国民を守る党
喫煙室

国会議事堂側

446

ドント方式による比例代表選挙当選順位

	A党	B党	C党
	1500票	900票	720票
1で割る	1500①	900②	720④
2で割る	750③	450⑥	360
3で割る	500⑤	300	240
4で割る	375⑦	225	180
5で割る	300	180	144

（日本経済新聞より）

各党の得票数を1、2、3……と整数（各党に割り振る議席）で割っていき、商の大きい順に議席を決めていく。左の図は7議席を配分した例。当選順位を決定していく作業はどの政党の何人目の候補に議席を与えるかが有権者の投票を最も反映するかを判断するとともに、各党の1議席当たりの得票数をなるべく公平にする意味がある。

第49回衆議院選挙(令和3年10月31日施行)

【北海道】(8人)
(P57参照)
自民党 4人
÷1 ① 863,300
÷2 ③ 431,650
÷3 ⑥ 287,766
÷4 ⑧ 215,825
立憲民主党 3人
÷1 ② 682,912
÷2 ④ 341,456
÷3 ⑦ 227,637
公明党 1人
÷1 ⑤ 294,371

【東北】(13人)
(P66参照)
自民党 6人
÷1 ① 1,628,233
÷2 ③ 814,116
÷3 ④ 542,744
÷4 ⑦ 407,058
÷5 ⑨ 325,646
÷6 ⑪ 271,372
立憲民主党 4人
÷1 ② 991,504
÷2 ⑤ 495,752
÷3 ⑧ 330,501
÷4 ⑬ 247,876
公明党 1人
÷1 ⑥ 456,287
共産党 1人
÷1 ⑩ 292,830
日本維新の会 1人
÷1 ⑫ 258,690

【北関東】(19人)
(P78参照)
自民党 7人
÷1 ① 2,172,065
÷2 ③ 1,086,032
÷3 ⑤ 724,021
÷4 ⑧ 543,016
÷5 ⑪ 434,413
÷6 ⑬ 362,010
÷7 ⑮ 310,295
立憲民主党 5人
÷1 ② 1,391,148
÷2 ⑥ 695,574
÷3 ⑨ 463,716
÷4 ⑭ 347,787
÷5 ⑱ 278,229
公明党 3人
÷1 ④ 823,930
÷2 ⑫ 411,965
÷3 ⑲ 274,643
日本維新の会 2人
÷1 ⑦ 617,531
÷2 ⑯ 308,765
共産党 1人
÷1 ⑩ 444,115
国民民主党 1人
÷1 ⑰ 298,056

【南関東】(22人)
(P92参照)
自民党 9人
÷1 ① 2,590,787
÷2 ③ 1,295,393
÷3 ⑤ 863,595
÷4 ⑧ 647,696
÷5 ⑪ 518,157
÷6 ⑬ 431,797
÷7 ⑰ 370,112
÷8 ⑲ 323,848
÷9 ㉒ 287,865
立憲民主党 5人
÷1 ② 1,651,562
÷2 ⑦ 825,781
÷3 ⑨ 550,520
÷4 ⑮ 412,890
÷5 ⑱ 330,312
日本維新の会 3人
÷1 ④ 863,897
÷2 ⑫ 431,948
÷3 ㉑ 287,965
公明党 2人
÷1 ⑥ 850,667
÷2 ⑭ 425,333
共産党 1人
÷1 ⑩ 534,493
国民民主党 1人
÷1 ⑯ 384,481
れいわ新選組 1人
÷1 ⑳ 302,675

【東京都】(17人)
(P102参照)
自民党 6人
÷1 ① 2,000,084
÷2 ③ 1,000,042
÷3 ⑦ 666,694
÷4 ⑨ 500,021
÷5 ⑫ 400,016
÷6 ⑯ 333,347
立憲民主党 4人
÷1 ② 1,293,281
÷2 ⑧ 646,640
÷3 ⑩ 431,093
÷4 ⑰ 323,320
日本維新の会 2人
÷1 ④ 858,577
÷2 ⑪ 429,288
公明党 2人
÷1 ⑤ 715,450
÷2 ⑮ 357,725
共産党 2人
÷1 ⑥ 670,340

÷2 ⑮ 335,170
れいわ新選組 1人
÷1 ⑬ 360,387

【北陸信越】(11人)
(P110参照)
自民党 6人
÷1 ① 1,468,380
÷2 ③ 734,190
÷3 ④ 489,460
÷4 ⑥ 367,095
÷5 ⑨ 293,676
÷6 ⑪ 244,730
立憲民主党 3人
÷1 ② 773,076
÷2 ⑤ 386,538
÷3 ⑩ 257,692
日本維新の会 1人
÷1 ⑦ 361,476
公明党 1人
÷1 ⑧ 322,535

【東海】(21人)
(P123参照)
自民党 9人
÷1 ① 2,515,841
÷2 ③ 1,257,920
÷3 ④ 838,613
÷4 ⑧ 628,960
÷5 ⑨ 503,168
÷6 ⑪ 419,306
÷7 ⑯ 359,405
÷8 ⑱ 314,480
÷9 ㉒ 279,537
立憲民主党 5人
÷1 ② 1,485,947
÷2 ⑥ 742,973
÷3 ⑩ 495,315
÷4 ⑮ 371,486
÷5 ⑲ 297,189
公明党 3人
÷1 ⑤ 784,976
÷2 ⑬ 392,488
÷3 ㉑ 261,658
日本維新の会 2人
÷1 ⑦ 694,630
÷2 ⑰ 347,315
共産党 1人
÷1 ⑫ 408,606
国民民主党 1人
÷1 ⑭ 382,733
れいわ新選組 1人
÷1 － 273,208
※れいわ新選組は1
議席分の票を獲得

したが、名簿登載
者2人(重複立候
補)がいずれも小選
挙区で復活当選に
必要な得票数(有効
投票総数の10%)に
満たなかった。そ
のため、次点だっ
た公明党に1議席
が割り振られた。

【近畿】(28人)
(P141参照)
日本維新の会 10人
÷1 ① 3,180,219
÷2 ③ 1,590,109
÷3 ⑦ 1,060,073
÷4 ⑨ 795,054
÷5 ⑪ 636,043
÷6 ⑮ 530,036
÷7 ⑰ 454,317
÷8 ⑲ 397,527
÷9 ㉓ 353,357
÷10 ㉕ 318,021
自民党 8人
÷1 ② 2,407,699
÷2 ④ 1,203,849
÷3 ⑧ 802,566
÷4 ⑫ 601,924
÷5 ⑯ 481,539
÷6 ⑱ 401,283
÷7 ㉔ 343,957
÷8 ㉗ 300,962
公明党 3人
÷1 ⑤ 1,155,683
÷2 ⑬ 577,841
÷3 ⑳ 385,227
立憲民主党 3人
÷1 ⑥ 1,090,665
÷2 ⑭ 545,332
÷3 ㉒ 363,555
共産党 2人
÷1 ⑩ 736,156
÷2 ㉑ 368,078
国民民主党 1人
÷1 ㉖ 303,480
れいわ新選組 1人
÷1 ㉘ 292,483

【中国】(11人)
(P149参照)
自民党 6人
÷1 ① 1,352,723
÷2 ② 676,361
÷3 ④ 450,907

÷4 ⑥ 338,180
÷5 ⑨ 270,544
÷6 ⑩ 225,453
立憲民主党 2人
÷1 ③ 573,324
÷2 ⑦ 286,662
公明党 2人
÷1 ⑤ 436,220
÷2 ⑪ 218,110
日本維新の会 1人
÷1 ⑧ 286,302

【四国】(6人)
(P154参照)
自民党 3人
÷1 ① 664,805
÷2 ② 332,402
÷3 ⑤ 221,601
立憲民主党 1人
÷1 ③ 291,870
公明党 1人
÷1 ④ 233,407
日本維新の会 1人
÷1 ⑥ 173,826

【九州】(20人)
(P167参照)
自民党 8人
÷1 ① 2,250,966
÷2 ③ 1,125,483
÷3 ⑤ 750,322
÷4 ⑦ 562,741
÷5 ⑩ 450,193
÷6 ⑫ 375,161
÷7 ⑮ 321,566
÷8 ⑰ 281,370
立憲民主党 4人
÷1 ② 1,266,801
÷2 ⑥ 633,400
÷3 ⑪ 422,267
÷4 ⑯ 316,700
公明党 4人
÷1 ④ 1,040,756
÷2 ⑨ 520,378
÷3 ⑭ 346,918
÷4 ⑱ 260,189
日本維新の会 2人
÷1 ⑧ 540,338
÷2 ⑲ 270,169
共産党 1人
÷1 ⑬ 365,658
国民民主党 1人
÷1 ⑱ 279,509

(小数点以下は切り捨て)

第25回参議院選挙（令和元年7月21日施行）

（P223参照）

自民党 19人
÷1 ① 17,712,373
÷2 ② 8,856,186
÷3 ⑤ 5,904,124
÷4 ⑧ 4,428,093
÷5 ⑩ 3,542,474
÷6 ⑬ 2,952,062
÷7 ⑮ 2,530,339
÷8 ⑲ 2,214,046
÷9 ㉒ 1,968,041
÷10 ㉓ 1,771,237
÷11 ㉗ 1,610,215
÷12 ㉚ 1,476,031
÷13 ㉛ 1,362,490
÷14 ㉞ 1,265,169
÷15 ㊱ 1,180,824
÷16 ㊶ 1,107,023
÷17 ㊹ 1,041,904
÷18 ㊼ 984,020
÷19 ㊿ 932,230

立憲民主党 8人
÷1 ③ 7,917,720
÷2 ⑨ 3,958,860
÷3 ⑭ 2,639,240
÷4 ㉑ 1,979,430
÷5 ㉘ 1,583,544
÷6 ㉜ 1,319,620
÷7 ㊴ 1,131,102
÷8 ㊺ 989,715

公明党 7人
÷1 ④ 6,536,336
÷2 ⑫ 3,268,168
÷3 ⑳ 2,178,778
÷4 ㉖ 1,634,084
÷5 ㉝ 1,307,267
÷6 ㊷ 1,089,389
÷7 ㊾ 933,762

日本維新の会 5人
÷1 ⑥ 4,907,844
÷2 ⑯ 2,453,922
÷3 ㉕ 1,635,948
÷4 ㉟ 1,226,961
÷5 ㊽ 981,568

共産党 4人
÷1 ⑦ 4,483,411
÷2 ⑱ 2,241,705
÷3 ㉙ 1,494,470
÷4 ㊵ 1,120,852

国民民主党 3人
÷1 ⑪ 3,481,078
÷2 ㉔ 1,740,539
÷3 ㊲ 1,160,359

れいわ新選組 2人
÷1 ⑰ 2,280,252
÷2 ㊳ 1,140,126

社民党 1人
÷1 ㊸ 1,046,011

NHKから国民を守る党 1人
÷1 ㊻ 987,885

（小数点以下は切り捨て）

第26回参議院選挙（令和4年7月10日施行）

（P234参照）

自民党 18人
÷1 ① 18,256,245
÷2 ② 9,128,122
÷3 ⑥ 6,085,415
÷4 ⑦ 4,564,061
÷5 ⑨ 3,651,249
÷6 ⑭ 3,042,707
÷7 ⑯ 2,608,035
÷8 ⑱ 2,282,030
÷9 ㉑ 2,028,471
÷10 ㉓ 1,825,624
÷11 ㉗ 1,659,658
÷12 ㉛ 1,521,353
÷13 ㉜ 1,404,326
÷14 ㉟ 1,304,017
÷15 ㊴ 1,217,083
÷16 ㊷ 1,141,015
÷17 ㊺ 1,073,896
÷18 ㊽ 1,014,235

日本維新の会 8人
÷1 ③ 7,845,995
÷2 ⑧ 3,922,997
÷3 ⑮ 2,615,331
÷4 ㉒ 1,961,499
÷5 ㉙ 1,569,199
÷6 ㉞ 1,307,665
÷7 ㊹ 1,120,856
÷8 ㊾ 980,749

立憲民主党 7人
÷1 ④ 6,771,945
÷2 ⑪ 3,385,972
÷3 ⑲ 2,257,315
÷4 ㉖ 1,692,986
÷5 ㉝ 1,354,389
÷6 ㊸ 1,128,657
÷7 ㊿ 967,420

公明党 6人
÷1 ⑤ 6,181,431
÷2 ⑬ 3,090,715
÷3 ⑳ 2,060,477
÷4 ㉚ 1,545,357
÷5 ㊳ 1,236,286
÷6 ㊼ 1,030,238

共産党 3人
÷1 ⑩ 3,618,342
÷2 ㉔ 1,809,171
÷3 ㊵ 1,206,114

国民民主党 3人
÷1 ⑫ 3,159,625
÷2 ㉘ 1,579,812
÷3 ㊻ 1,053,203

れいわ新選組 2人
÷1 ⑰ 2,319,156
÷2 ㊶ 1,159,578

参政党 1人
÷1 ㉕ 1,768,385

社民党 1人
÷1 ㊱ 1,258,501

NHK党 1人
÷1 ㊲ 1,253,872

（小数点以下は切り捨て）

※ 各党の得票数を1、2、3…の整数で割り、その「商」の大きい順に議席が配分されます。各党の得票数を1、2、3…の整数で割った「商」を掲載しています。丸なか数字はドント式当選順位です。

年齢早見表

（令和6年・西暦2024年・紀元2684年）

生まれ年	年齢	西暦	十干	十二支
昭和9	90	1934	甲	戌
10	89	1935	乙	亥
11	88	1936	丙	子
12	87	1937	丁	丑
13	86	1938	戊	寅
14	85	1939	己	卯
15	84	1940	庚	辰
16	83	1941	辛	巳
17	82	1942	壬	午
18	81	1943	癸	未
19	80	1944	甲	申
20	79	1945	乙	酉
21	78	1946	丙	戌
22	77	1947	丁	亥
23	76	1948	戊	子
24	75	1949	己	丑
25	74	1950	庚	寅
26	73	1951	辛	卯
27	72	1952	壬	辰
28	71	1953	癸	巳
29	70	1954	甲	午
30	69	1955	乙	未
31	68	1956	丙	申
32	67	1957	丁	酉
33	66	1958	戊	戌
34	65	1959	己	亥
35	64	1960	庚	子
36	63	1961	辛	丑
37	62	1962	壬	寅
38	61	1963	癸	卯
39	60	1964	甲	辰
40	59	1965	乙	巳
41	58	1966	丙	午
42	57	1967	丁	未
43	56	1968	戊	申
44	55	1969	己	酉
45	54	1970	庚	戌
46	53	1971	辛	亥
47	52	1972	壬	子
48	51	1973	癸	丑
49	50	1974	甲	寅
50	49	1975	乙	卯
51	48	1976	丙	辰
52	47	1977	丁	巳

生まれ年	年齢	西暦	十干	十二支
昭和53	46	1978	戊	午
54	45	1979	己	未
55	44	1980	庚	申
56	43	1981	辛	酉
57	42	1982	壬	戌
58	41	1983	癸	亥
59	40	1984	甲	子
60	39	1985	乙	丑
61	38	1986	丙	寅
62	37	1987	丁	卯
63	36	1988	戊	辰
(昭64)平成元	35	1989	己	巳
2	34	1990	庚	午
3	33	1991	辛	未
4	32	1992	壬	申
5	31	1993	癸	酉
6	30	1994	甲	戌
7	29	1995	乙	亥
8	28	1996	丙	子
9	27	1997	丁	丑
10	26	1998	戊	寅
11	25	1999	己	卯
12	24	2000	庚	辰
13	23	2001	辛	巳
14	22	2002	壬	午
15	21	2003	癸	未
16	20	2004	甲	申
17	19	2005	乙	酉
18	18	2006	丙	戌
19	17	2007	丁	亥
20	16	2008	戊	子
21	15	2009	己	丑
22	14	2010	庚	寅
23	13	2011	辛	卯
24	12	2012	壬	辰
25	11	2013	癸	巳
26	10	2014	甲	午
27	9	2015	乙	未
28	8	2016	丙	申
29	7	2017	丁	酉
30	6	2018	戊	戌
(平31)令和元	5	2019	己	亥
2	4	2020	庚	子
3	3	2021	辛	丑
4	2	2022	壬	寅
5	1	2023	癸	卯
6	0	2024	甲	辰

國會要覧® 第七十八版

令和6年8月23日発行 定価：3,465円（本体＋税10%）

編集・発行人 中島孝司 ※定期購読の場合は送料は当社負担と致します。

発行所 国政情報センター

〒150-0044 東京都渋谷区円山町5-4 道玄坂ビル

電話 03 (3476) 4111

ＦＡＸ 03 (3476) 4842

郵便振替 00150-1-24932

無断禁転

©1983 落丁、乱丁の際はお取り替えし

ISBN978-4-87760-352-6 C253

内閣副長官・副大臣

復興副大臣
高木宏壽

復興副大臣
平木大作

内閣府副大臣
井林辰憲

総務副大臣
馬場成志

法務副大臣
門山宏哲

外務副大臣
辻　清人

文部科学副大臣
あべ俊子

文部科学副大臣
今枝宗一郎

厚生労働副大臣
濵地雅一

経済産業副大臣兼内閣府副大臣
岩田和親

経済産業副大臣兼内閣府副大臣
上月良祐

国土交通副大臣
國場幸之助

防衛副大臣兼内閣府副大臣
鬼木誠

第2次岸田第2次改造

デジタル大臣政務官兼
内閣府大臣政務官
土田　　慎

内閣府大臣政務官
神田潤一

内閣府大臣政務官
古賀友一郎

総務大臣政務官
船橋利実

法務大臣政務官
中野英幸

外務大臣政務官
高村正大

財務大臣政務官
進藤金日子

文部科学大臣政務官
安江伸夫

文部科学大臣政務官兼
復興大臣政務官
本田顕子

農林水産大臣政務官
舞立昇治

経済産業大臣政務官兼
内閣府大臣政務官
石井　　拓

経済産業大臣政務官兼
内閣府大臣政務官兼復興大臣政務官
吉田宣弘

環境大臣政務官
朝日健太郎

環境大臣政務官兼
内閣府大臣政務官
国定勇人

防衛大臣政務官
松本　　尚

政党／省庁 住所・電話番号一覧

名称	〒	住所	電話番号
自由民主党	〒100-8910	千代田区永田町1-11-23	☎03(3581)6211
立憲民主党	〒100-0014	千代田区永田町1-11-1	☎03(3595)9988
日本維新の会	〒542-0082	大阪市中央区島之内1-17-16 三栄長堀ビル	☎06(4963)8800
公明党	〒160-0012	新宿区南元町17	☎03(3353)0111
日本共産党	〒151-8586	渋谷区千駄ヶ谷4-26-7	☎03(3403)6111
国民民主党	〒100-0014	千代田区永田町2-17-17 JBS永田町	☎03(3593)6229
れいわ新選組	〒102-0083	千代田区麹町2-5-20 押田ビル4F	☎03(6384)1974
教育無償化を実現する会	〒100-0014	千代田区永田町2-17-17-272	☎03(6811)2100
社会民主党	〒104-0043	中央区湊3-18-17 マルキ榎本ビル5F	☎03(3553)3731
参政党	〒107-0052	港区赤坂3-4-3 赤坂マカベビル5F	☎03(6807)4228
衆議院	〒100-8960	千代田区永田町1-7-1	☎03(3581)5111
参議院	〒100-8961	千代田区永田町1-7-1	☎03(3581)3111
国立国会図書館	〒100-8924	千代田区永田町1-10-1	☎03(3581)2331
内閣	〒100-0014	千代田区永田町2-3-1 総理官邸	☎03(3581)0101
内閣官房	〒100-8968	千代田区永田町1-6-1	☎03(5253)2111
内閣法制局	〒100-0013	千代田区霞が関3-1-1 ⑳4号館	☎03(3581)7271
人事院	〒100-8913	千代田区霞が関1-2-3 ⑳5号館別館	☎03(3581)5311
内閣府	〒100-8914	千代田区永田町1-6-1	☎03(5253)2111
宮内庁	〒100-8111	千代田区千代田1-1	☎03(3213)1111
公正取引委員会	〒100-8987	千代田区霞が関1-1-1 ⑳6号館B棟	☎03(3581)5471
警察庁	〒100-8974	千代田区霞が関2-1-2 ⑳2号館	☎03(3581)0141
個人情報保護委員会	〒100-0013	千代田区霞が関3-2-1 霞が関コモンゲート西館32F	☎03(6457)9680
カジノ管理委員会	〒105-6090	港区虎ノ門4-3-1 城山トラストタワー12F・13F	☎03(6453)0201
金融庁	〒100-8967	千代田区霞が関3-2-1 ⑳7号館	☎03(3506)6000
消費者庁	〒100-8958	千代田区霞が関3-1-1 ⑳4号館	☎03(3507)8800
こども家庭庁	〒100-6090	千代田区霞が関3-2-5 霞が関ビル	☎03(6771)8030
デジタル庁	〒102-0094	千代田区紀尾井町1-3 東京ガーデンテラス紀尾井町19F・20F	☎03(4477)6775
復興庁	〒100-0013	千代田区霞が関3-1-1 ⑳4号館	☎03(6328)1111
総務省	〒100-8926	千代田区霞が関2-1-2 ⑳2号館	☎03(5253)5111
消防庁	〒100-8927	〃	
法務省	〒100-8977	千代田区霞が関1-1-1 ⑳6号館	☎03(3580)4111
出入国在留管理庁	〃		
公安調査庁	〒100-0013	〃	☎03(3592)5711
最高検察庁	〒100-0013	〃	☎03(3592)5611
外務省	〒100-8919	千代田区霞が関2-2-1	☎03(3580)3311
財務省	〒100-8940	千代田区霞が関3-1-1	☎03(3581)4111
国税庁	〃		☎03(3581)4161
文部科学省	〒100-8959	千代田区霞が関3-2-2	☎03(5253)4111
スポーツ庁	〃		
文化庁	〃		
厚生労働省	〒100-8916	千代田区霞が関1-2-2 ⑳5号館本館	☎03(5253)1111
農林水産省	〒100-8950	千代田区霞が関1-2-1 ⑳1号館	☎03(3502)8111
林野庁	〒100-8952	〃	
水産庁	〒100-8907	〃	
経済産業省	〒100-8901	千代田区霞が関1-3-1	☎03(3501)1511
資源エネルギー庁	〒100-8901	〃	
特許庁	〒100-8915	千代田区霞が関3-4-3	☎03(3581)1101
中小企業庁	〒100-8912	千代田区霞が関1-3-1	☎03(3501)1511
国土交通省	〒100-8918	千代田区霞が関2-1-3 ⑳3号館	☎03(5253)8111
観光庁	〃		
気象庁	〒105-8431	港区虎ノ門3-6-9	☎03(6758)3900
海上保安庁		国土交通省内	☎03(3591)6361
環境省	〒100-8975	千代田区霞が関1-2-2 ⑳5号館本館	☎03(3581)3351
原子力規制庁	〒106-8450	港区六本木1-9-9	☎03(3581)3352
防衛省	〒162-8801	新宿区市谷本村町5-1	☎03(3268)3111
防衛装備庁	〃		
会計検査院	〒100-8941	千代田区霞が関3-2-2 ⑳7号館	☎03(3581)3251
最高裁判所	〒102-8651	千代田区隼町4-2	☎03(3264)8111

※⑳＝中央合同庁舎

第2次岸田第2次改造

内閣官房副長官
村井英樹

内閣官房副長官
森屋　宏

デジタル副大臣兼内閣府副大臣
石川昭政

内閣府副大臣
工藤彰三

内閣府副大臣
古賀　篤

総務副大臣
渡辺孝一

外務副大臣
柘植芳文

財務副大臣
赤澤亮正

財務副大臣
矢倉克夫

厚生労働副大臣
宮﨑政久

農林水産副大臣
鈴木憲和

農林水産副大臣
武村展英

国土交通副大臣兼
内閣府副大臣兼復興副大臣
堂故　茂

環境副大臣
八木哲也

環境副大臣兼内閣府副大臣
滝沢　求